L'immeuble
Christodora

Tim Murphy

L'immeuble Christodora

Traduit de l'anglais (États-Unis)
par Jérôme Schmidt

FEUX CROISÉS
PLON

Titre original
Christodora

Collection Feux croisés

© Tim Murphy, 2016
Tous droits réservés
Publié en 2016 par Grove Press, une filiale de Grove Atlantic, New York
ISBN édition originale : 978-0-8021-2528-6

Édition française publiée par :
© Éditions Plon, un département d'Édi8, 2017
12, avenue d'Italie
75013 Paris
Tél. : 01 44 16 09 00
Fax : 01 44 16 09 01

ISBN Plon : 978-2-259-24971-3

À Cathay, Clint, James, Maria et Mark. Et aux survivants.

Ouvre les rideaux, que je voie New York.
Je ne veux pas rentrer chez moi dans la pénombre.

O. Henry

PREMIÈRE PARTIE

Habitants des villes
1981-2010

Les voisins et leurs chiens
(2001)

Lorsque la construction de l'immeuble Christodora – une élégante tour de seize étages en brique au croisement de l'Avenue B et de la 9e Rue, nouvel édifice dominant Tompkins Square Park et un lotissement d'immeubles bien plus modestes – s'acheva en 1928, les Traum avaient quitté le Lower East Side depuis bien longtemps. Ils avaient fait partie de la première vague de Juifs allemands qui avaient débarqué à New York entre le début et la moitié du xixe siècle. Ces Juifs faisaient profil bas et n'étaient pas du genre à se faire remarquer, migrant lentement vers le nord de la ville au fur et à mesure que leur quartier d'accueil saturait de plus en plus de cousins pauvres d'Europe centrale, de Juifs qui parlaient le yiddish et s'accrochaient à de vieilles traditions embarrassantes – comme celle de séparer hommes et femmes à la synagogue. Alors que les riches protestants réunissaient l'argent nécessaire pour construire la nouvelle tour du Christodora, afin de civiliser ces enfants *shtetl* et leurs pairs catholiques qui venaient eux aussi d'immigrer, Felix Traum, un banquier d'affaires, jouait déjà un rôle important dans la construction du nouveau temple Emanu-El, à Midtown sur la 5e Avenue, une construction romane en calcaire qui allait devenir la plus prestigieuse synagogue des États-Unis. Felix avait ainsi déménagé dans l'Upper East Side avec sa famille, où ils vivaient désormais dans un grand immeuble résidentiel moyenne gamme situé non loin de la demeure des Ochs, propriétaires du *New York Times*.

Steven, le fils de Felix, n'était pas intéressé par la réussite financière à tout prix. Il était devenu architecte urbaniste et avait décidé, discrètement, d'aider à contenir les pires excès de Robert Moses, dont les projets faramineux qui ne tenaient pas compte des habitants de la ville avaient failli autoriser la construction d'une autoroute à dix voies traversant le sud de Manhattan. Steven faisait partie de ces urbanistes des années 1960 et 1970 qui se sentaient bien plus proches de Janes Jacobs et son *Death and Life of Great American Cities*, où elle militait pour des quartiers de plus petite taille, plus denses et plus intimes. Durant les week-ends, Steven quittait l'Upper East Side avec sa femme Deanna, universitaire comme lui, ainsi que leurs deux enfants en bas âge, Stephanie et Jared, pour se rendre dans l'ancien quartier familial, où ses aïeux s'étaient installés à leur arrivée en Amérique. Ils y visitaient les synagogues modestes et presque en ruine et allaient déjeuner d'un sandwich au pastrami chez Katz's.

Le quartier était devenu presque uniquement portoricain, hanté par les toxicomanes et les sans-abri. La moitié des immeubles étaient abandonnés, dont celui de Christodora, qui avait vécu des années terribles. Quelques décennies auparavant, il avait été racheté par la municipalité, qui l'avait utilisé pour diverses missions de service public, jusqu'à sa vente en 1975 pour environ 60 000 dollars. Cinquante ans plus tôt, il avait coûté près d'un million de dollars à construire. Tels étaient les abîmes dans lesquels le Christodora, dont le nom signifiait « don du Christ » en grec, était tombé. Mais, alors que le pays prenait un virage à droite toute sous l'égide de Reagan, cela n'empêchait pas Steven Traum d'aller en admirer la façade ornée d'étranges anges, démons et gargouilles néogothiques surveillant la porte. Steven tenait, de chaque côté, la main de ses enfants privilégiés, et rêvait de redonner vie à ce vieux quartier.

Durant les années 1980, le coin avait été renommé « East Village », tout du moins les rues situées au-dessus de Houston Street. Pendant cette décennie, le Christodora, toujours dans le même état de délabrement et d'abandon, avait changé plusieurs fois de propriétaire, chaque fois dans le cadre de transactions financières réelles, jusqu'à ce qu'en 1986, à cause de sa plomberie et de son électricité défaillantes, l'endroit soit entièrement rénové pour en faire un immeuble de lofts branchés – une évolution choquante que le magazine *New York*, en couverture, avait érigée en symbole de l'inévitable triomphe de la gentrification au cœur d'un quartier qui avait longtemps été considéré comme un sanctuaire de la vie de bohème. Le Christodora proposait des chambres très hautes de plafond, avec des baies vitrées dominant le désordre urbain de ce haut lieu de la drogue et donnant sur Manhattan. Steven, qui était ami avec un travailleur social et un journaliste ayant acheté immédiatement un espace dans l'immeuble, ne résista pas bien longtemps et, pour la modique somme de 90 000 dollars, acquit un deux pièces de 130 mètres carrés situé au cinquième étage, parfaitement orienté et donnant sur le parc – un endroit qui, le soir, abritait des campements de sans-abri et des héroïnomanes seringues en main, un sombre lopin de terre peuplé de tentes loqueteuses et de feux de camp.

Steven convertit l'appartement en bureau. Deanna trouvait l'idée saugrenue, mais Steven était heureux de passer ses journées dans son ancien quartier, et, à midi, on pouvait le croiser en train de déjeuner chez Katz's ou de se balader derrière le Christodora avec un bagel saumon de Russ & Daughters en main. Parfois, il tournait sur Houston vers Norfolk Street, et jetait un œil à l'intérieur de la vieille synagogue Anshe Slonim, superbement décorée et dont la magnificence des plafonds lui faisait venir les larmes aux yeux. Là-bas, il croisait l'artiste espagnol Angel Orensanz, qui avait racheté ce bâtiment abandonné pour en faire son studio. Respectueux de l'endroit et de son opulence, Orensanz avait fini par transformer le lieu de culte en un centre d'arts fort prisé, symbole du renouveau du quartier. Une telle renaissance touchait Steven au plus profond de lui-même.

La fille de Steven partit à la faculté en Californie et ne revint jamais sur la côte Est, mais Jared, un beau garçon à la peau diaphane, yeux marron et tignasse blonde bouclée, qui lui donnaient un air arrogant mais avenant, fit ses études supérieures non loin de New York. Avant de décrocher son diplôme, Jared passait son temps libre et ses étés au Christodora, cultivant son amour du quartier et renforçant ainsi son lien avec son père. Jared voulait retourner vivre à New York et continuer le genre de sculpture industrielle qu'il pratiquait à la faculté jusqu'à devenir le nouveau Richard Serra. Cela ne surprit personne qu'il soit *de facto* résident d'un appartement du Christodora, se levant certains lendemains de cuite au son des clés de son père ouvrant la porte, vers onze heures du matin. Le père débarquait avec deux grands cafés en main, s'installait de suite à son bureau, tandis que son fils se traînait jusqu'à la douche avant d'en ressortir, vaseux, et de siroter son café en réfléchissant à ce qu'il pouvait faire de sa journée pour enfin devenir un jour un grand artiste. Devait-il entrer aux Beaux-Arts ? Devenir l'assistant d'un artiste de renom ?

« Russ & Daughters ? » apostrophait-il son père depuis l'autre bout de la pièce, à la recherche du *New York Times* où, dans les pages Arts, il lisait en fronçant les sourcils l'actualité de ceux qu'il voulait supplanter dans le futur.

— Russ, répétait Steven. Vingt minutes. »

Et vingt minutes plus tard, père et fils prenaient l'ascenseur jusqu'au hall d'entrée du Christodora, un espace élégant et simple, comme tout l'immeuble en général, et traversaient ensuite Tompkins Square Park. C'était le début de l'année 1991, au beau milieu de cette fenêtre temporelle qui débuta par les émeutes estivales du parc en 1988 – durant lesquelles les sans-abri quasi sédentaires du lieu et les phalanges de la police new-yorkaise s'affrontèrent dans une atmosphère étouffante de colère contenue envers la gentrification – et qui finit au mois de mai suivant, lorsque les émeutes éclatèrent à nouveau brièvement et que la municipalité ferma le lieu pour entamer des rénovations qui durèrent jusqu'à l'année d'après.

Le jour où les émeutes se déclarèrent pour la première fois, lors d'une belle nuit d'août, Jared était au Christodora. C'était en plein été 1988, juste après sa première année de faculté. Il était en train de boire des verres et de fumer de l'herbe avec ses amis du lycée, glosant sans fin sur les qualités de « Surfer Rosa » des Pixies, un titre qu'ils étaient en train d'écouter. Tous essayaient de se rafraîchir dans la torpeur moite de l'été, accoudés à la fenêtre ouverte qui donnait sur le parc, transformé en scène apocalyptique. Les phares de la police tournoyaient dans la pénombre humide du soir, les sirènes feulaient, des hordes de zonards dépoitraillés allaient et venaient, surgissant des buissons, des voix indistinctes hurlaient dans des porte-voix et des jeunes gens chargeaient les forces de l'ordre avec des banderoles affichant des slogans antigentrification, peints sur de vieux draps de lit. Le cœur de l'action se déroulait de l'autre côté du parc, sur l'Avenue A, et Jared et ses amis considéraient que l'agitation en bas de chez eux était plus une diversion qu'autre chose, revenant à ce spectacle de temps à autre – comme on change de chaîne de télévision –, au beau milieu de leur babil enfumé et imbibé sur l'art et la politique. Au plus profond de lui-même, Jared brûlait de fierté que sa famille ait été assez branchée pour avoir acquis un appartement au cœur du brouhaha d'East Village, bien loin de l'Upper East ou de West Side, là où lui et ses amis avaient grandi. Mais, évidemment, il ne l'avouerait à personne.

« Putain, c'est tellement dingue, lâcha Asa Heath, le meilleur et le plus ancien ami de Jared, dont les cheveux étaient aussi fins et droits que ceux de Jared étaient bouclés. Qu'est-ce qu'ils veulent ? C'est un parc, pas un campement de sans-domicile. »

Les yeux défoncés de Jared s'illuminèrent d'une indignation sincère. « C'est un espace public, mec, ça appartient à tout le monde ! » cria-t-il. Il avait lu *A People's History of the United States* le printemps précédent, dans le cadre d'un cours de politique urbaine, et il était devenu familier avec la rhétorique populiste passionnée qui avait animé son père pendant tant d'années, ne rencontrant d'ailleurs bien souvent qu'ennui indulgent de la part des autres membres de son entourage. « Si les gens veulent vivre ici…

— Mec, tu penses vraiment qu'ils *veulent* vivre ici ? le coupa Charlie Leung.

— Ont besoin, je voulais dire, continua Jared. Si les gens ont besoin de vivre ici, si c'est la meilleure utilisation possible de l'espace public de ce quartier, de quel droit les flics interviennent-ils ?

— Ouais, mais c'est un *parc*, insista Asa, en élevant la voix plus haut que Jared. C'est censé être un endroit *joli*, fait pour les enfants. Tu aimerais emmener tes mômes là-bas, et les regarder courir au milieu des seringues de séropositifs ? »

Jared marqua une pause ; il aimait Asa comme le frère qu'il n'avait jamais eu, mais il l'avait toujours trouvé un peu idiot. C'était sûrement pour cela, pensait-il, qu'il avait fini dans une école dans le Vermont, un endroit où le ski était religion. « J'aime ce parc comme il est, parce que c'est son âme, répondit-il finalement. Mon père et moi allons souvent nous y balader ensemble. Ce lieu est très important ici, et lorsque mon père a acheté cet appartement, il savait à quoi s'en tenir. »

La remarque déclencha une rafale de critiques amusées de la part de ses amis. « Toi et ton père, c'est vous le *problème*, putain ! »

Asa confirma : « C'est à cause de vous deux que ces gars en bas se révoltent ! »

Pour Jared, c'était absurde. « On n'a jamais mis personne dehors en s'installant ici. L'immeuble abritait des putain de bureaux municipaux avant nous. Et maintenant, ici, il y a genre moitié d'artistes et de profs comme mon père, et l'autre moitié… » Il s'interrompit pour embrasser d'un geste de la main les rues grouillantes à ses pieds. « … d'activistes ! On est ceux qui essaient de faire vivre pour de vrai ce quartier, justement.

— Pour de vrai ! hurla Charlie. T'es *tellement dans le vrai.* »

Jared répliqua par une grimace ridicule car même lui savait pertinemment, malgré le brouillard de sa défonce hydroponique, qu'il devenait grotesque.

Aux alentours de trois heures du matin, ils s'écroulèrent tous sur les canapés, mais un rayon de lumière à travers les baies vitrées restées ouvertes les réveilla. Jared chancela jusqu'à la fenêtre, et il n'en crut pas ses yeux. Une bonne partie des manifestants avaient réussi à percer les barrières que la police avait dressées autour du parc, et étaient désormais massés au pied du Christodora. Leurs yeux fouillaient du regard la façade de l'immeuble, brillant d'animosité. Et *que* chantaient-ils ? *Mort aux nouveaux riches ! Mort aux nouveaux riches !* La moitié à peu près de cette foule était constituée de jeunes Blancs maigrelets aux cheveux en bataille, comme lui. Ils semblaient portés par une rage profonde, une folie sans limites. *Sortez, bande de merdes ! Venez ! En bas du Christodora !* Les tripes de Jared se soulevèrent. *Putain de bordel de merde*, se murmura-t-il à lui-même, les doigts serrés sur les lèvres, reculant d'un pas de la baie vitrée, tout à coup terrifié à l'idée d'être aperçu. Il observa avec une peur grandissante la dizaine de types arrachant un morceau de bois bleu de la barricade de police et chargeant, ainsi armés, en direction de la porte en verre du hall de l'immeuble. Il entendit le verre exploser en mille morceaux, au milieu d'une foule d'exclamations joyeuses.

Il sentit alors une main se poser légèrement sur son épaule. Asa l'avait rejoint devant la fenêtre. « Putain, mec, dit Jared. Ils sont en train de rentrer dans mon putain d'immeuble ! » Les deux jeunes hommes entendirent un autre grand bruit. Les manifestants lançaient briques et bouteilles contre la façade du Christodora.

« On ferait mieux de reculer », murmura Asa. Ils s'exécutèrent de suite, alors que Charlie se levait tout juste, en frottant ses yeux ensommeillés.

« Ils sont en train de rentrer dans l'immeuble, bordel, lui apprit Asa. La porte de l'appartement est bien fermée ? »

Mais Jared trouva tout à coup vil et inepte l'idée de se terrer dans son appartement tandis que la foule envahissait les couloirs de l'immeuble. « Putain, c'est ridicule, les mecs, lâcha-t-il finalement, en cherchant du regard sa paire de Nike. Je vais descendre pour parler avec eux et leur expliquer que c'est pas notre faute.

— Putain, ne fais jamais ça ! Ils vont te buter ! » s'écria Asa, terrorisé.

Mais Jared était déjà en train de nouer ses lacets à la va-vite. « Comme vous voulez, bande de fiottes. »

Asa et Charlie échangèrent des regards interrogateurs. « C'est bon, consentit Asa. On vient avec toi. »

Ils descendirent par les escaliers, donnant sur le coin arrière droit du hall d'entrée – d'où, constata Jared à son plus grand soulagement, les policiers repoussaient déjà les manifestants dehors, sur la chaussée. Quelqu'un avait arraché une des grandes plantes du hall, laissant derrière lui un fatras de branches de ficus, de terreau noir et d'éclats de terre cuite. Un plafonnier pendait également, cassé, au mur. Ardit, l'imposant portier albanais, remarqua l'arrivée des trois jeunes hommes et les pressa de remonter.

« Remontez chez vous ! ordonna-t-il. Aucun résident ne doit quitter son appartement. C'est bon, on maîtrise la situation. Les forces de l'ordre sont là.

— Mais pourquoi tout ce bordel ? » demanda Jared, qui détestait l'idée de battre ainsi en retraite. À cet instant précis, il croisa le regard d'un des jeunes Blancs chevelus qui lui ressemblaient tant – le garçon était fermement mais correctement repoussé au-dehors par un flic au physique d'armoire à glace.

« Sale bourge ! cria le jeune en direction de Jared, pointant un doigt accusateur au-dessus de l'épaule du policier. Casse-toi de notre quartier ! »

Cela ne fit que décupler la colère contenue de Jared. « Espèce de malade ! » cria-t-il pour toute réponse, avançant dans le hall. Ardit saisit immédiatement le coude de Jared, afin de le retenir. « Je suis du côté des SDF du parc, moi ! C'est pas notre faute, putain ! »

Le visage du jeune s'illumina d'un air amusé aux intentions maléfiques. «Mais si, putain, tout est ta faute! Toi! Ouais, *toi*, pauvre connard!»

Jared avait envie de foncer sur lui. Mais quelque chose le retenait paralysé sur place. Sûrement le fait que ce type se moquait si ouvertement de lui. Et aussi, il lui ressemblait beaucoup trop.

«Toi! continua à caqueter le jeune en regardant Jared droit dans les yeux, tandis que le policier les repoussait, lui et ses comparses, de plus en plus loin. Toi, toi, toi!

— Va te faire enculer!» cria Jared, cette fois sans hésiter. Mais il se sentit tout à coup un peu honteux de sa colère.

«Allez, les gars, retournez chez vous», répéta Ardit.

Tandis qu'Asa, Charlie et lui remontaient à pied les cinq étages menant à l'appartement, la tête de Jared vibrait d'un monologue lancinant: *D'accord, je vois, donc ils pensent que c'est notre faute. C'est ridicule parce que la moitié des gens de l'immeuble sont allés à leur réunion et ont voté contre le couvre-feu. Mais vu qu'on habite en haut de cette tour et qu'on y a acheté des appartements, ils nous prennent pour responsables. Qu'est-ce que tu veux y faire? C'est pas le cas. On n'est pas responsables. Ça craint vraiment qu'ils pensent le contraire. Si c'était nous le problème, bonne chance quand tu verras les vrais problèmes, mon pote!*

Tout cela s'était déroulé deux ans et demi plus tôt et c'étaient désormais les vacances d'hiver de dernière année de faculté pour Jared. Son père et lui traversaient le parc vers Russ & Daughters, situé sur Houston Street, le père pour aller y prendre son déjeuner, et le fils son petit déjeuner. Ni l'un ni l'autre n'avaient besoin d'exprimer leur joie, celle *d'être de retour là où tout avait commencé*. Et puis, dans les années qui avaient suivi les émeutes, un des grands rêves de Jared s'était réalisé. Il était amoureux depuis très longtemps de Millicent Heyman, des longs cheveux noirs de cette belle artiste-peintre, de son regard toujours inquiet, de son visage en forme de cœur, de sa voix rauque, de son corps de danseuse habillé des tee-shirts de son père constellés de taches de peinture, parfois noués à la taille, ou de ses vieux jeans taille haute également maculés de peinture, souvent déchirés et remontés juste au-dessus du genou pour en faire des shorts. Ils s'étaient toujours vaguement connus, fréquentant différentes écoles privées d'Uptown, mais lorsqu'ils étaient arrivés à la même université, suivant les mêmes cours d'art, Jared avait vite compris qu'il était amoureux d'elle. Il bouillait intérieurement devant la beauté de Milly et sa capacité à faire coexister si naturellement son cynisme sardonique et son émerveillement de petite fille. Sa queue se contorsionnait douloureusement dans son jean lorsqu'ils discutaient ensemble, et il s'échinait à rester léger et amusant en sa présence, alors qu'il aurait pu céder à tout moment à un désir animal ardent et mal contenu. Il n'avait pas l'habitude de perdre ainsi le contrôle de ses instincts et s'il n'aimait pas du tout cette sensation et s'inquiétait qu'elle puisse le desservir, d'un autre côté, il vivait dans un état d'anticipation délectable, entre chaque rencontre.

Quant à Millicent, pour répondre simplement à cette question compliquée, on pouvait dire qu'elle aimait également Jared. C'est ainsi qu'elle finit par vivre avec lui au Christodora, à la fin de leurs études supérieures, lorsque le père de Jared leur céda l'appartement, et qu'au bout d'à peu près huit ans, à la suite d'une série d'événements totalement inattendus mais tous liés entre eux, Jared et elle finirent par adopter un orphelin prénommé Mateo, qui les rejoignit au Christodora.

Quand tout le monde dormait, Milly rêvait souvent qu'elle était en train de voler. Elle sentait une vibration intense traverser son corps. C'était certainement la plus agréable des sensations, comme si elle se débarrassait de tout le poids du monde. Elle se réveillait dans le lit, s'étirait et, tout à coup, sa chambre était pareille à un réservoir d'eau dans lequel elle nageait avec de lents mouvements exquis, Jared ronflant sur le lit, à deux mètres sous elle. Elle glissait langoureusement dans les airs, puis passait par la baie vitrée grande ouverte, à cinq étages de haut, et pénétrait l'air chaud de la ville. Elle observait leur immeuble résidentiel rapetisser au loin tandis qu'elle montait de plus en plus haut, avec force contorsions fluides, jusqu'à ce que la grille urbaine de Manhattan se détache au-dessous d'elle, et qu'elle puisse manœuvrer en toute quiétude au croisement de gratte-ciel de quinze ou vingt étages. À travers les fenêtres, elle apercevait les habitants qui dormaient et tournait à chaque rue sans perdre la terre des yeux. Là-haut, au-dessus des lumières de la ville, les étoiles se détachaient dans le ciel. Elle étirait ses bras et faisait jouer ses orteils, sa chemise de nuit flottant autour de ses cuisses, ses longues boucles noires fouettant ses yeux.

La ville clignotait sous elle, les taxis de nuit traversant le maillage urbain comme des jouets lancés à toute allure, sans but. Le Chrysler Building vibrait à ses pieds, les chevrons de sa couronne brillant telles des ampoules de lumière blanche. C'était fascinant de pouvoir observer minutieusement la couronne de si près, tandis qu'elle tournait en un grand arc de cercle autour de lui, dans le ciel. Elle fendait cet air nocturne – *si chaud! presque bouillant! et légèrement opaque, comme laiteux* – d'une trajectoire décidée. Mais... *ô, grands dieux.* Elle semblait comme aspirée dans un tunnel de vent. Contre son gré, elle se rapprochait de plus en plus près de ces ampoules blanches. Et elle volait bien plus vite qu'elle ne l'aurait voulu! Oh, non, ce n'était pas bon. Elle avait perdu cette sensation de liberté qu'elle savourait l'instant d'avant, cela tournait mal. Elle n'était qu'à quelques mètres désormais des ampoules, elle luttait pour repartir dans l'autre sens et aller à contre-courant. À quel point souffrirait-elle de l'impact? La terreur lui noua la gorge.

« Mon Dieu, à l'aide ! »

Elle se releva brusquement dans le lit, le cœur battant la chamade. Oh, merci, mon Dieu, pensa-t-elle en essayant de retrouver son souffle, je suis vivante. C'était un rêve.

Jared se retourna à côté d'elle. Masse nocturne repoussante et rassurante aux effluves d'odeurs corporelles, d'haleine chargée et d'odeur aigre d'aisselles, il tendit le bras pour la serrer contre lui, le temps qu'elle se calme.

« Tu étais encore en train de voler? marmonna-t-il.

— Oui, j'étais au-dessus du Chrysler Building. »

Il éclata de rire, encore à moitié endormi. « Génial. »

Cela eut le don de la faire rire à son tour. « C'était magnifique, de près », dit-elle.

Il passa sa main dans sa longue chevelure noire bouclée. « Rendors-toi, Mille-Pattes. Ça va aller. Je t'aime.

— Moi aussi, je t'aime. »

De façon assez prévisible, Jared ronfla à nouveau quatorze secondes plus tard. Comme si le rêve ne suffisait pas à l'empêcher de se rendormir, il y avait aussi cela. Milly se cala confortablement quelques secondes sous le bras de Jared, puis changea d'avis et se retourna. Un rai de lumière provenant d'un réverbère caressa sa table de chevet, illuminant une photo d'elle, Jared et Mateo sur la plage, un cliché pris le mois précédent à Montaux et, depuis, encadré. Elle avait toujours du mal à se rendormir après de tels rêves ; elle resta éveillée, essayant de se souvenir des arabesques de son voyage flottant et en apesanteur, tout en tentant d'oublier l'angoisse de l'inévitable crash final.

Elle tendit la main vers son téléphone portable, en train de se charger sur la table de chevet. Il était 4 h 07. Elle se glissa hors du lit, se traîna pieds nus jusqu'aux toilettes, baissa sa culotte et s'assit pour uriner. Un dinosaure que Mateo avait dessiné le jeudi précédent, lors de sa première semaine de reprise des cours, était scotché à la porte des WC. Elle s'amusa de la précision et de la sophistication du trait de Mateo, surtout au niveau des articulations et des pieds. Une fois son affaire achevée, elle passa la tête dans la chambre de son fils, résistant à l'envie d'y entrer et de le regarder dormir, de peur de le réveiller. *Demain*, pensa-t-elle, *on passe la matinée ensemble !*

Elle s'assit à la table de la cuisine, absorbée par les mots croisés qui y étaient ouverts. À travers la fenêtre entrouverte, elle aperçut, sur le trottoir longeant Tompkins Square Park – qui avait été rasé puis repensé en un havre de paix aux longs feuillages verts et aux allées aérées –, quelques gamins éméchés zigzaguant bruyamment. Elle pensa à ses nuits dans l'East Village – c'était il y a bien huit ou neuf ans, avant l'arrivée inattendue de Mateo –, et au fait que ces gamins auraient pu être Jared et elle, se traînant difficilement jusque chez eux à quatre heures du matin. Comme leur vie avait changé radicalement en l'espace de seulement quatre ans ! Tous les autres amis de son âge attendaient, si ce n'était déjà fait, des enfants. Et personne n'avait décidé d'adopter.

Milly soupira, seule dans la torpeur de la cuisine. Elle se retrouvait trop souvent dans cette situation, assise à la table au beau milieu de la nuit tandis que les « hommes de sa vie », comme elle les appelait, dormaient profondément. Que lui manquait-il pour réussir à dormir, se demanda-t-elle. Quoi ? Elle devait rester forte, et ne pas ressortir pour aller acheter des cigarettes à l'épicerie encore ouverte. Cela faisait neuf jours qu'elle n'en avait pas fumé une, et il était hors de question de craquer. Mais elle pouvait tout de même sortir et acheter, disons, un jus de fruits ? Un Tropicana banane-framboise. Sans faire de bruit, elle récupéra un short et un tee-shirt dans la chambre, se fit une queue-de-cheval, prit les clés et enfila des tongs. Dans le couloir, les néons fluorescents – ces horribles éclairages que la copropriété devait remplacer, après un vote préalable – grésillaient légèrement. Milly angoissait un peu de devoir sortir seule au beau milieu de la nuit. Elle appela l'ascenseur.

Lorsqu'il arriva, à sa grande surprise, un jeune homme était à l'intérieur. Cette rencontre tardive l'effraya un peu, et l'homme semblait dans le même état d'esprit, se calant dans un coin de la cabine, les mains enfoncées dans les poches de son jean serré. Ses cheveux en brosse étaient couverts de gel, les yeux cachés derrière des Ray-Ban fumées, son corps élancé et musclé bien visible sous un débardeur, les pieds croisés, habillés de baskets montantes. Sur son biceps, il arborait un de ces tatouages en couronne d'épines que tous les gays semblaient désormais avoir depuis quelque temps. Il tenait un téléphone portable dans une main, et le caressait comme une pierre de chance.

Elle hésita à entrer dans l'ascenseur. Elle ne l'avait jamais croisé dans l'immeuble auparavant, mais il semblait s'écarter le plus possible d'elle. Sans mot dire, elle entra puis appuya sur le bouton du rez-de-chaussée. Elle se mit dans le coin opposé, notant son odeur d'eau de Cologne et de cigarette et remarquant, du coin de l'œil, qu'il tapait nerveusement du pied.

À mi-chemin, elle en conclut qu'il devait probablement être un plan d'Hector. C'était une rumeur qui enflait depuis quelque temps au Christodora, où tout le monde parlait dans le dos des autres, car depuis un an Hector accueillait une myriade de jeunes hommes dans son appartement du huitième étage, à n'importe quelle heure du jour et de la nuit. Lorsque l'ascenseur ouvrit ses portes sur le hall d'entrée, le jeune homme aux cheveux en brosse se précipita au-dehors, traversa le hall et disparut dans la nuit, les mains toujours enfoncées dans ses poches.

Bora était de garde cette nuit-là, affalé derrière le comptoir, les yeux rivés sur une petite télévision portable qui diffusait, à volume réduit, un match de football en langue étrangère. De l'albanais, imagina Milly. Bora était le fils d'Ardit, le chef de la sécurité et, comme il était à l'université, il avait également autour de lui ses livres de cours et un ordinateur portable. Milly l'observa tandis qu'il dévisageait, le regard fatigué mais suspicieux, l'homme au débardeur blanc sortir de l'immeuble.

« Je vais juste à l'épicerie m'acheter un jus de fruits », lui dit-elle. Elle se sentait obligée d'expliquer pourquoi elle ressortait si tard. « Vous voulez quelque chose ?

— Ça vous ennuierait de me ramener un café ?

— Bien sûr que non. Quel genre ?

— Avec du lait et du sucre. Et vous pourriez me prendre un petit gâteau aussi ? »

Elle grimaça légèrement. « Bien sûr. Une sucrerie pour la nuit ?

— Merci beaucoup. » Bora lui servit un sourire endormi. « Vous l'avez vu ? » Il fit un geste du menton en direction de la porte d'entrée.

« Oui, on était dans l'ascenseur ensemble. Je ne l'avais jamais croisé avant.

— Huitième étage, commenta Bora. Des types qui passent, à n'importe quelle heure. »

Milly fronça légèrement les sourcils, la mine dépitée comme pour exprimer sa circonspection. Elle ne savait plus quoi dire à propos d'Hector. Elle était surtout blessée par son attitude. Quatre années plus tôt, elle était intervenue, à la demande de sa mère, pour faire entrer Hector au Christodora. Elle s'était dit que ce serait agréable d'avoir un vieux collègue et ami de sa mère dans l'immeuble – quelqu'un qui, comme Ava, avait tant œuvré pour la lutte contre le sida à New York. Une fois Hector installé, elle l'avait invité à dîner chez eux, à plusieurs reprises. Mais il avait décliné l'offre chaque fois, lui servant de mauvaises excuses. D'ailleurs, lorsqu'ils se croisaient dans les parties communes, il n'avait pas l'air de vouloir lui parler. Il pressait le pas, marmonnait un bonjour, le regard lointain, plongé dans son téléphone. Avec le temps, Milly s'était mise à l'éviter soigneusement.

« Problèmes de drogue », dit Bora.

Milly acquiesça. « C'est ce qu'on m'a dit aussi. »

Elle sortit dans la rue. L'air était doux et chargé de cette mystérieuse humidité de la nuit avant l'aurore. Elle descendit sur quelques blocs pour atteindre l'épicerie, passant en chemin devant deux des drogués du quartier – les « rockers » comme elle les surnommait –, blottis sous un porche, comateux. Elle avait l'impression d'enfreindre la loi en étant seule à cette heure tardive de la nuit – un écho au frisson incomparable qu'elle avait ressenti dans ce rêve où elle volait. De la musique arabe, reconnaissable à ses complaintes lancinantes, l'accueillit dans l'épicerie.

Omar, tout comme Bora, était assis derrière un comptoir et y regardait un match de football sur une petite télévision portable. Il leva les yeux lorsqu'elle entra. « Bonjour, beauté », lança-t-il. Il l'appelait ainsi depuis au moins trois ans. Milly ne se souvenait pas comment cela avait commencé.

« Hello, Omar. » Elle lui commanda un café pour Bora, alla chercher son jus dans le réfrigérateur et choisit un gâteau noir et blanc pour Bora.

« Tu n'arrives pas à dormir cette nuit ? » lui demanda Omar en lui rendant la monnaie.

Elle haussa les yeux vers le ciel. « Tu me connais bien. J'ai rêvé que je volais au-dessus de la ville et que je m'écrasais sur le Chrysler Building. Après, impossible de me rendormir.

— En Égypte, on dit *allah ysallimik*. Tu sais ce que ça veut dire ? » Milly sourit. « Non.

— Que Dieu te protège. »

Milly répéta la locution. Omar la corrigea, et elle essaya à nouveau.

« C'est mieux. Voilà, maintenant tu ne t'écraseras plus en vol contre un gratte-ciel. » Il lui sourit, un sourcil relevé, l'air séducteur.

Elle éclata de rire. Elle aurait pu rester ici à discuter avec Omar, qui avait un visage affable et de beaux yeux foncés, mais elle trouvait cela incongru – non parce que c'était trop intime, mais quelle âme perdue s'épanchait avec l'épicier à quatre heures du matin sous prétexte de ne pas pouvoir dormir ?

« C'est adorable. Merci pour la bénédiction. Je te fais confiance !

— Tu verras, ça marchera. » Il agita son index en sa direction. « Fais-moi confiance. »

De retour à l'immeuble, elle refusa que Bora lui rembourse café et gâteau. « Je vais aller soigner mon insomnie sous la couette », dit-elle comme si, en le formulant, cela allait fonctionner.

Elle avala deux gorgées du jus de fruits dans l'ascenseur, et réinté-gra son appartement avec un peu d'appréhension, comme si c'était la première fois qu'elle y retournait depuis longtemps. Elle observa les monticules de chapeaux, de manteaux et de chaussures alignés dans le couloir d'entrée – les siens et ceux de Jared, mélangés aux modèles réduits portés par Mateo, son coupe-vent, ses Nike, sa casquette des Yankees. Dans le salon, elle détailla son tableau accroché au-dessus du canapé, très coloré, ainsi qu'une petite sculpture en métal de Jared, posée sur une table avoisinante. Elle avait l'impression qu'elle avait fui son foyer, cette source familière d'amour, au beau milieu de la nuit, dans une crise de panique contenue, mais qu'avant que quelque chose de grave n'arrive, elle était revenue, s'était glissée à nouveau dans sa vie, soulagée et heu-reuse de constater que rien n'avait changé, que tout était identique. Elle se débarrassa de son short et passa son bras autour du cou de Jared dans le lit. Quelle était donc cette bénédiction prononcée par Omar ? se demanda-t-elle. *Salaam alaikum* ? Non, pas vraiment. Mais avant de pouvoir y penser davantage, elle sombra dans le sommeil.

À son réveil, un peu après neuf heures du matin, le ciel était bleu et le lit vide, ce qui n'était guère inquiétant, car Jared se levait tôt le samedi, afin de traverser à pied le pont menant à Williamsburg, où il avait un grand studio situé dans un ancien entrepôt. Là-bas, il pou-vait manier de grands morceaux de métal et les sculpter. Elle s'assit dans le lit, un nuage mental l'accaparant alors qu'elle se souvenait de l'épisode de la nuit – ce rêve excitant puis terrifiant, l'étrange rencontre dans l'ascenseur, sa rapide balade nocturne, Omar, son retour dans les vapes. *Tout* semblait relever du rêve, désormais, pas seulement le rêve en soi, mais son souvenir brumeux de couloirs irréels donnant vers l'angoisse puis le réconfort.

Dans le salon, Mateo était assis par terre, calé devant l'écran de télévision, en train de regarder son nouveau dessin animé préféré, *The Fairly OddParents*, et de manger des Cheerios sans lait dans un gobelet en plastique. Il était encore dans son pyjama Bob l'Éponge, allongé sur l'estomac et frappant ses fesses de ses talons, mécani-quement, le crâne orné d'une touffe de cheveux noirs frisés soutenu par son petit poing, lui-même posé sur un oreiller. Ses dessins et ses crayons étaient étalés devant lui.

« Coucou bonhomme, lui lança Milly depuis la cuisine, se servant le café que Jared avait préparé. Tu as vu papa partir ?

— Oui, répondit-il sans se retourner. Il est allé au pont. »

Elle prit son café, ainsi que l'édition du samedi du *New York Times*, et s'installa sur le canapé devant la télévision. Elle passa sa main dans les cheveux de son fils, son activité préférée au monde, avec le mélange de tubes de peinture ou le premier plongeon de l'été dans l'eau à Montauk. « Tu me fais un bisou du matin ?

— Ouaip. » Il envoya un baiser imaginaire vers l'écran de télévision, suggérant qu'il lui était destiné.

« Non, pour de vrai. » Elle se pencha vers lui, grattouilla sa tête et planta un baiser sur sa joue rebondie, ce qui eut le don de le faire glousser, gigoter et vaguement sourire.

« Pousse-toi un peu, chéri, que j'aie la place de mettre mes pieds », demanda-t-elle. Il s'exécuta.

Elle se blottit sur le canapé, le café posé sur l'appuie-coude et le journal à côté d'elle, pour l'observer, l'air absent. Plus tard dans la journée, ils inverseraient les rôles, Jared s'occuperait de Mateo et elle se rendrait à son (bien plus petit) studio de Chinatown, afin de peindre. En fin d'après-midi, elle reviendrait à la maison avec une pizza, pour dîner en famille. Mais pour l'instant, elle était seule avec ce petit garçon qui était désormais devenu son fils, après les années d'adaptation. Elle était heureuse. Ils avaient trouvé leur rythme, tous les trois.

« Qu'est-ce que tu regardes ? lui demanda-t-il sans quitter la télévision des yeux.

— Rien. » Elle hésita. « On ne devait pas aller chez le coiffeur aujourd'hui ? »

La remarque le fit sortir de sa torpeur. « Ah non ! Je ne veux pas aller chez le coiffeur ! J'aime bien mes cheveux.

— Parce qu'ils ressemblent à ceux des skaters ? » se moqua-t-elle. Il voulait devenir skater. C'était inévitable. Il était impossible de marcher dans le quartier avec lui sans qu'il en croise. Ils avaient l'air tellement branchés, avec leurs casquettes de base-ball à grande visière, leurs baggy, leurs baskets montantes, qu'il commentait chaque fois : « Ça a l'air cool, je veux en faire.

— Tu vas te casser la figure, si tu en fais, lui répondait Milly en lui serrant la main un peu plus fort alors qu'ils traversaient le parc.

— Non, je tomberai pas, rétorquait-il, comme vexé en son for intérieur. T'es pas cool. »

Alors, c'était elle qui était blessée. « Beaucoup de gens me trouvent cool. Mes étudiants me trouvent cool. Tu n'as pas besoin de faire du skate pour être cool.

— Je ne dis pas que je *dois* aller à l'école en skate, répliquait-il en pesant chaque mot, comme s'il parlait à une attardée mentale. Je dis juste que je *veux* en faire, parce que c'est cool.

— Merci pour ces précisions, disait alors Milly. Je crois vraiment qu'on va attendre jusqu'à tes douze ans avant de mettre ça sur la table.

— Mettre quoi sur la table ?

— En discuter. En parler tous ensemble et examiner la question pour que tout le monde s'y retrouve. »

Il ne disait alors plus rien pendant plusieurs secondes, et finissait par lâcher : « C'est bizarre.

— Ce n'est pas bizarre. Huit ans, c'est trop jeune pour faire du skate tout seul dans la rue.

— Non, cette expression, "mettre sur la table". Je connais juste "mettre la table".

— Ah, oui. Il suffit parfois d'un petit mot pour changer le sens d'une phrase. »

Et ils pouvaient discuter ainsi pendant des heures. Au beau milieu de leurs échanges, Milly réalisait être bien plus heureuse qu'elle ne l'avait été auparavant dans sa vie. À ce moment précis, alors qu'ils passaient devant les vieillards jouant aux échecs sur les plateaux en pierre situés à la sortie sud-ouest du parc – les hommes levaient la tête en lançant : *Héééééé Mateo, comment ça va aujourd'hui mon pote ?* et Mateo leur répondait d'un signe de la main –, elle ne sentait plus aucune trace du doute et de l'angoisse qui l'étreignaient habituellement. Parfois, très doucement, comme pour se parler à elle-même, elle murmurait : *J'ai fait le bon choix, il y a quatre ans, j'ai eu raison, c'était la bonne chose à faire, ce gamin avait besoin de nous.*

« Ils t'adorent, les joueurs d'échecs », lui faisait-elle remarquer alors qu'ils quittaient le parc et se dirigeaient, par exemple, vers la baraque à frites – une des passions de Mateo, comme les skaters, les crayons de couleur et le papier. Après avoir dit cela, Milly regardait Mateo et son visage illuminé par la fierté d'être si populaire dans ce parc, et elle l'attirait vers elle pour l'étreindre brièvement tandis qu'ils continuaient à avancer. Et lorsqu'il s'abandonnait ne serait-ce qu'un court moment avant de se dégager comme tout garçon de huit ans le ferait avec sa mère, elle se disait à nouveau : *J'ai fait le bon choix.*

Ce matin-là, devant les dessins animés, elle abdiqua : « D'accord, alors pas de coiffeur aujourd'hui.

— Pas de coiffeur, répéta-t-il borné, les yeux toujours rivés sur l'écran.

— Et si Elysa et Kenji venaient avec nous faire un tour dehors ? Il fait si beau. On peut amener Kenji au parc à chiens ensemble.

— Ouiiiiii ! explosa-t-il, les pieds frappant plus rapidement encore son fessier. Kenji Kenji Kenji !

— Va t'habiller, alors. »

Vingt minutes plus tard, ils étaient en bas du Christodora, en tee-shirt, short et tongs. Kenji, un chiot tout fou, croisé pitbull/berger, déboula à toute allure du hall d'entrée, tirant derrière lui, au bout d'une laisse, Elysa, qui portait des chaussettes jusqu'aux genoux, des Converse basses et une minirobe en coton. Ses cheveux rouges bouclés rebondissaient dans toutes les directions. Elysa était une actrice de théâtre indépendant, âgée de trente-trois ans. Dans l'immeuble, tout le monde la connaissait pour les invitations qu'elle adressait par e-mail à chacun afin de promouvoir ses pièces.

Mateo et Kenji tombèrent dans les bras l'un de l'autre. « Kenji Kenji Kenji, mon petit Kenji Kenji Kenji Kenji ! » Mateo riait de manière hystérique tandis que le chiot lui léchait le visage abondamment.

« On dirait que ces deux-là se sont manqués, nota Elysa, qui adoptait souvent le ton entendu et indulgent des adultes plus âgés.

— Ça a l'air, oui, répondit Milly en faisant la bise à Elysa, sa meilleure amie au Christodora. Ça faisait longtemps qu'ils attendaient ça.

— Kenji, assis ! » ordonna Elysa, en essayant de rendre sa voix plus grave pour qu'elle sonne plus autoritaire. Kenji lui obéit pendant environ deux secondes, avant de renouveler ses effusions avec Mateo, qui cria à nouveau de joie.

« Kenji, tu es complètement maboul aujourd'hui ! » s'exclama le petit garçon.

Un tonnerre d'aboiements explosa dans le hall d'entrée. Un croisé pitbull/berger adulte, noir luisant, en sortit, suivi d'une épaisse laisse de cuir au bout de laquelle marchait Hector, crâne rasé, blouson en cuir près du corps révélant un poitrail imberbe, bronzé et musclé. Le blouson de cuir se confondait avec son jean noir serré et ses boots. Ses yeux étaient cachés derrière de larges lunettes noires. Une cigarette allumée pendait entre ses deux lèvres charnues.

Immédiatement, Kenji et l'autre chien se chamaillèrent férocement, leurs grognements devenant si menaçants que les enfants jouant au basket de l'autre côté de la rue, dans le parc, arrêtèrent le jeu pour les observer. Elysa et Hector séparèrent leurs chiens.

Hector retira la cigarette de sa bouche et éructa. « Sonya ! Tais-toi, bordel ! Stop, putain, stop ! »

Mateo, que Milly avait tiré vers elle pour le protéger de son bras droit, regarda la scène en silence. « Il vient de dire un gros mot, maman, lui fit remarquer Mateo.

— Je sais », marmonna-t-elle, peu amusée par la situation. Elle n'avait pas vu Hector depuis plusieurs semaines, et elle était attristée de voir son état se dégrader.

À cet instant, Elysa et Hector avaient tiré leurs chiens vers eux, et s'étaient accroupis pour les prendre dans leurs bras et les retenir. Hector laissa tomber son mégot sur le trottoir. « Il faut vraiment que tu éduques ta chienne, Hector, dit Elysa avec une pointe d'agacement. Elle est imposante, et agressive.

— C'est une folle furieuse, oui », répliqua Hector. Il passa une muselière à sa chienne à l'œil fou. « Hein, t'es une folle, espèce de salope ? Hein, *puta* ? »

Milly se raidit devant l'accumulation de grossièretés prononcées devant Mateo. Elysa exprima son sentiment : « Hector, pas devant un enfant ! »

Hector ne sembla pas entendre la remarque. « Faut que je la balade. » Il ramassa le mégot et le replaça dans sa bouche. « Elle est dingue et elle déborde d'énergie ce matin. » Il se releva et fit claquer la laisse de sa chienne. « Allez, ma belle. Regarde, tu m'as encore mis dans la merde. » Il partit d'un pas hésitant dans la rue, puis tourna au premier croisement, d'un air défiant qui rappelait à Milly le rôle de John Travolta dans la scène d'ouverture de *La Fièvre du samedi soir*. Sonya, sa chienne, le suivait à regret tout du long, le visage tourné en arrière vers le chiot, le regard haineux.

« Bon Dieu, finit par lâcher Milly.

— Pourquoi est-ce que son chien est si méchant ? demanda Mateo.

— Elle n'est juste pas bien éduquée, Mateo », lui répondit Elysa.

Tous les quatre, ils se dirigèrent vers le parc. Au niveau du parc à chiens, Elysa fit entrer son chiot, le libéra de sa laisse afin qu'il puisse courir dans l'espace clos, recouvert de crottes de chien. Elle ressortit et rejoignit Milly et Mateo qui l'attendaient dehors. Milly ne voulait pas que Mateo reste dans le parc à chiens, de peur qu'il ne se fasse mordre. C'était déjà arrivé à d'autres enfants, et parfois dans des circonstances terribles.

Mateo courut le long du grillage, afin de suivre les chiens qui s'amusaient, laissant les deux femmes seules un moment.

« Il était tellement défoncé, Milly, dit Elysa avec une pointe de déception dans la voix. Je parle d'Hector.

— C'est ce que tout le monde dit, oui », renchérit Milly. Elle n'avait eu que peu d'expérience avec la drogue, sauf pendant ses années de fac, où elle prenait un peu d'herbe et avait consommé une fois des champignons et une autre fois de l'ecstasy. Elle ne parvenait donc pas vraiment à déterminer si les gens étaient drogués ou non, et à quoi ils se défonçaient. « Sa chienne est tarée, ça c'est sûr, par contre.

— Sûrement parce qu'il est cloîtré dans son appartement depuis hier, à se droguer, et qu'il n'a pas dû la sortir. Pauvre bête. C'est de la pure cruauté. »

Milly hocha la tête. « Il a été tellement important, à une époque, dans la recherche contre le sida.

— Tu me l'as dit, oui. Il travaillait avec ta mère, c'est ça ?

— *Pour* ma mère, la corrigea Milly. Il a commencé sous sa direction il y a, en gros, vingt ans. Et puis il en a eu marre parce que personne n'agissait et il est devenu l'un des activistes les plus importants, et ensuite il s'est mis à avoir un rôle majeur et il a travaillé dans l'administration Clinton, afin de développer de nouveaux médicaments. Il était tout le temps fourré à Washington. Je crois même qu'il a dû y vivre pendant une année ou deux, avant de s'installer au Christodora. »

Elysa hocha lentement la tête. « Chaque fois que je le croise, il a l'air de plus en plus mal. » Elle marqua un temps d'hésitation. « Je pense savoir à quoi il carbure.

— De la coke, non ?

— Je ne crois pas, je dirai plutôt de la crystal meth. C'est cent fois plus fort que la coke, ça te garde éveillé et tu peux baiser pendant, je crois, des jours. »

Milly éclata de rire. « Ça n'a pas l'air si mal que ça ! » Elle jeta un regard au-dessus de l'épaule d'Elysa pour vérifier ce que faisait Mateo. Il semblait très heureux, absorbé par sa tâche. Il glissait une feuille à un petit teckel, à travers le grillage.

« Non, non, c'est vraiment terrible, insista Elysa. Tu ne manges pas, tu ne dors pas pendant des jours, tu deviens parano et tu explodes en vol, et quand tu te réveilles, genre trois jours plus tard, c'est un bordel sans nom. C'est horrible. Tous les gays que je connais, au théâtre, en parlent depuis un certain temps, et disent qu'à cause de cette drogue, les mecs baisent sans protection et chopent le sida. »

Milly réfléchit à toutes ces informations pendant un moment. « Je ne sais plus si ma mère m'a déjà dit si Hector était porteur ou non. Il avait un copain, ou un amant, qui est mort du sida. Ma mère n'a pas dû m'en dire plus.

— C'est triste, constata Elysa, un peu calmée. S'il ne l'est pas encore, il va sûrement être contaminé par les dizaines de types qui viennent chez lui tout le temps. »

Sa rencontre de la nuit lui revint à l'esprit et Milly se tut un instant. « Je crois que j'en ai croisé un, cette nuit. Dans l'ascenseur, vers quatre heures du matin.

— Qu'est-ce que tu faisais dans l'ascenseur à cette heure-là ? »

Milly rougit, gênée. Elle n'aimait pas que les gens puissent penser qu'elle était bizarre. « Je descendais à l'épicerie.

— Tu as toujours tes crises d'insomnie ? Tu aurais vraiment dû aller voir cet hypnotiseur que je t'ai conseillé.

— Je ne suis restée debout qu'une heure. Mais il y avait un type, un gay, dans l'ascenseur, qui était dedans quand je suis descendue. Il venait d'en haut et semblait vraiment défoncé.

— Comment sais-tu qu'il était gay ?

— Il avait du gel dans les cheveux, un débardeur et un de ces tatouages en couronne d'épines.

— Ah, oui, acquiesça Elysa.

— Je me demande si on peut faire quelque chose… » commença Milly. *Pour lui*, c'est-à-dire pour Hector, s'apprêtait-elle à dire. Mais une bagarre explosa avec fracas du côté du parc à chiens. Kenji avait sauté sur un autre chien croisé pitbull, ses canines sur sa gorge, tandis qu'un fox-terrier les observait, l'air ébahi. Les propriétaires hurlaient en direction de la mêlée, l'un d'eux essayant de les séparer avec un gros bâton. Elysa accourut en criant le nom de Kenji. Elle l'extirpa par le collier. Une femme plus âgée, les cheveux gris en bataille, la dévisagea d'un regard glacial, tandis qu'elle récupérait son fox-terrier.

« Je suis désolée, s'excusa Elysa. Vraiment désolée.

— Tu ne dois pas l'emmener ici, Elysa. On en a déjà parlé. Il n'est pas bien dressé, dit la vieille femme.

— Mais si, bien sûr !

— Tu appelles ça dressé, toi ? »

Milly et Mateo observaient la scène à l'abri, de l'autre côté du grillage. « Kenji n'est pas gentil aujourd'hui, commenta Mateo.

— Mmmh, murmura Milly, les mains posées sur les épaules de son fils. Il a trop d'énergie, il ne sait pas comment la dépenser. »

Honteuse, Elysa tira Kenji hors du parc à chiens et revint vers eux. Les yeux de Kenji étaient encore excités et injectés de sang, après la bagarre. Le rejet dont était victime Elysa ne semblait pas du tout le concerner.

« C'est sans fin, dit Elysa en passant la laisse du chien sur son épaule, afin de pouvoir recoiffer ses cheveux ébouriffés par l'altercation. Il n'apprendra jamais comment bien se comporter au parc à chiens si je ne l'y emmène pas régulièrement. Mais chaque fois qu'on y va, un truc du genre arrive et ils me virent de l'endroit.

— Bon, tempéra Milly, afin de détendre l'atmosphère, techniquement, toi, tu n'es pas bannie de l'endroit, c'est juste Kenji. »

Elysa accueillit la remarque avec perplexité. « Et pourquoi je viendrais au parc à chiens sans Kenji ?

— FIIIIIIITES ! cria tout à coup Mateo. On va manger des fites ?

— Des quoi ? demanda Elysa.

— Des frites, il parle de la baraque à frites, expliqua Milly. C'est sa nouvelle obsession. »

Les yeux d'Elysa étaient emplis d'étonnement. « Oh, des *frites*[1] ! Tu es un vrai petit gars du monde, toi, Mateo. »

Mateo était à nouveau accroupi, couvrant Kenji de baisers. « Ça veut dire quoi ? demanda-t-il en levant les yeux.

— Mmmh, commença Elysa tandis que le trio, accompagné du chien, se dirigeait vers la sortie du parc, cela veut dire que tu connais plein de choses de plein d'endroits différents du monde. Que tu es très cultivé.

— Les fites, c'est sur Avenue A, précisa Mateo.

— Oui, je sais, mais ça vient de Belgique. »

Milly tira Mateo de côté afin d'éviter une adolescente blanche à l'aspect négligé, portant des dreadlocks, et qui était recroquevillée par terre, à même le trottoir. « Tu sais où est la Belgique sur une carte, Mateo ? C'est en Europe. On y va l'année prochaine.

— Oh, oui, je sais ça », affirma-t-il avec assurance.

Ils achetèrent des frites et partirent avec une poignée de serviettes en papier, de doses de ketchup et de mayonnaise en direction du parc pour s'installer sur un banc. Un Noir torse nu, dans la quarantaine, passa devant eux sur un vieux vélo surmonté d'un radio-cassette crachant à haut volume « Try Again » d'Aaliyah. Il portait un haut-de-forme orné du sigle : « R.I.P. Aaliyah, 1979-2001 ».

Elysa le suivit des yeux, en hochant la tête. « La pauvre fille, c'est terrible ce qui s'est produit. On est tous un peu morts dans cet accident d'avion, la semaine dernière. »

Milly acquiesça en silence, de la même façon que le faisait sa propre mère. « C'était une si jolie fille. »

Son portable sonna. C'était Jared, qui n'était pas bien loin. Cinq minutes plus tard, il arriva, brandissant son propre cône de frites. Âgé de trente et un ans, il était trahi par ses tempes grisonnantes et un petit ventre que laissait poindre son tee-shirt Pavement graisseux. Avec fracas, il posa sous le banc la musette remplie d'outils qu'il avait ramenée de son studio, puis embrassa sa femme, son fils et salua sa voisine.

---

1. En français dans le texte. (Toutes les notes sont du traducteur.)

« On dirait un vrai ouvrier, fit remarquer Elysa.

— Je suis un artiste, oui, mais un dur, un tatoué, plaisanta-t-il sur un ton pince-sans-rire. Gros outils, gros bordel. Pas de la gouache de minette.

— Mais je n'utilise jamais de gouache ! » protesta Milly.

Jared l'arrêta aussitôt en levant la main. « Hé, ho, Nelly. Est-ce que j'ai parlé de toi ? Je caricaturais.

— Je ne suis pas certaine que l'utilisation de la gouache de Georgia O'Keeffe au début de sa carrière soit un truc de minette… dit Milly.

— Mais oui, les minettes sont venues après ! », s'exclama Elysa.

Milly ne sembla pas comprendre la blague. « Et je ne pense pas que les gouaches que j'ai faites le soient non plus, ajouta-t-elle.

— Franchement, Mille-Pattes, l'arrêta Jared, tu n'as quasiment jamais fait de gouache.

— Oui, mais tu sais que j'en ai fait quand même », répondit-elle. *Pourquoi aurait-il dit cela, autrement ?* se demandait-elle.

Jared avait l'air exaspéré. Il haussa les épaules.

Elysa en prit chacun un par le bras. « Allez, on fait la paix, chantonna-t-elle. On sait bien que vous êtes tous les deux talentueux.

— Tous les trois, corrigea Milly, en désignant Mateo. Il devient de plus en plus doué.

— Je sais bien ! s'exclama Elysa. J'ai vu ça ! Mateo, quand est-ce que tu passes à la peinture ? »

Mateo était trop absorbé par ses frites, qu'il trempait méticuleusement dans les différents condiments. « Je ne sais pas, répondit-il, l'air absent. Dans quelques mois ?

— Cet été, précisa Milly. Il va suivre des cours d'été.

— Ça, c'est cool, lança Jared en posant sa main grande ouverte sur le crâne de Mateo et en lui grattant les cheveux. Est-ce que tu vas être le premier de la famille à ramener enfin de l'argent avec son art ?

— Je ne sais pas, répéta Mateo, toujours absorbé par la dégustation de ses frites. Je veux faire des grands trucs en métal comme toi. »

À cette réflexion, Milly regarda Jared, les yeux brillants de fierté.

Jared marqua un temps d'hésitation. « Noooon, dit-il finalement, tu vas devenir peintre comme *mamita*. Tous les deux, vous avez un don pour la couleur. »

Quelques instants plus tard, Milly embrassa tout le monde et partit pour son atelier de Chinatown. Elle partageait le lieu avec Bogdan, un artiste d'origine russe, ami d'ami. Elle l'y trouva en train de lire *The Village Voice* et de fumer, le dos tourné à sa toile. Lorsqu'elle était dans son atelier – dont les fenêtres, grandes ouvertes aujourd'hui, donnaient sur le pont de Manhattan –, elle se sentait forte, punk et libre. Elle n'eut donc qu'un léger instant de culpabilité lorsqu'elle prit une cigarette du paquet de Bogdan et le rejoignit pour en griller une. Cela lui rappelait ses longues nuits dans l'atelier de la fac, avant que de longues mèches grises n'apparaissent dans sa chevelure, au moment où Jared était tombé amoureux d'elle, comme il le lui avait avoué plus tard. C'était intéressant, car Milly n'était pas tombée tout de suite amoureuse de Jared, mais bien plus tard, une fois qu'ils avaient couché ensemble.

« Ça avance bien, aujourd'hui ? » demanda-t-elle à Bogdan, dont le crâne rasé qu'elle admirait toujours était de forme quasi carrée.

Il recracha la fumée en fronçant les sourcils. « J'ai mal au bras.

— Tu as appelé le kiné que ma mère m'avait recommandé ? »

Il hocha la tête, l'air gêné.

« Ton bras, c'est ton outil de travail, insista-t-elle.

— Je n'ai pas de couverture santé ! aboya-t-il.

— Ma mère m'a dit qu'il appliquait une échelle de prix selon les patients. Tu ne peux pas prendre de risque avec ton bras.

— D'accord, je l'appellerai. » Il écrasa sa cigarette dans la vieille cannette de café Bustello qu'il avait remplie de sable pour en faire un cendrier. « Pourquoi tu arrives si tard aujourd'hui ?

— J'ai traîné au parc avec Mateo et une amie. À cette époque de l'année, la météo est tellement agréable. »

Il acquiesça. « Le 1er mai arrive toujours trop tôt. L'été dure jusqu'au mois d'octobre, maintenant. »

Elle était d'accord avec lui. Ils échangèrent quelques ragots sur des artistes et Milly finit sa cigarette. Elle poussa un long soupir, puis s'attacha les cheveux en arrière. « Bon, on y va, dit-elle.

— Vas-y ! Pas de quartier ! s'esclaffa Bogdan.

— Pas de quartier ! répéta-t-elle. Sabre au clair ! » Elle s'installa devant sa toile, posa le bout de son doigt sur ses lèvres et l'observa pendant une ou deux minutes. Elle se retourna vers Bogdan à quelques reprises, cherchant un regard d'encouragement ou de sympathie envers son départ avorté, mais il lui tournait déjà le dos et était tout à son travail. Sa toile consistait en un petit rectangle qu'elle avait recouvert d'un rose très pâle, si léger qu'on voyait très largement le grain de la toile derrière. Elle n'y avait pas retouché depuis le samedi précédent, et toute la semaine cela l'avait travaillée, songeant à ce qu'elle pourrait en faire. Finalement, elle se dirigea vers sa table et prit de la peinture blanche ainsi qu'un peu de peinture jaune dans une tasse. Elle mélangea le tout devant la fenêtre, tout en observant le pont qui semblait darder en sa direction, déchirant le ciel d'un bleu profond et azur. Une sensation fort désagréable l'envahit, un mélange de tristesse et d'angoisse, ce qui était étrange, car mélanger les couleurs lui vidait le plus souvent l'esprit.

Mais qu'est-ce qu'il se passe? se demanda-t-elle tout en se retournant, gênée, vers Bogdan, comme pour savoir s'il ressentait la même chose, mais il lui tournait toujours le dos. Elle se gratta le front. Si elle se concentrait, pensa-t-elle, elle pourrait localiser la source de cette sensation et y remédier. Elle examina les possibilités dans sa tête. Mais, à vrai dire, sa vie allait bien en ce moment. Elle avait ce genre de sensations depuis son adolescence. Après des années de thérapie, elle les considérait comme des synapses dépressives, qui agissaient sans rapport avec son existence. *Rien ne cloche*, se dit-elle. Le ciel était d'un bleu parfait, et elle avait passé une matinée magnifique. L'horizon était sans nuages.

Elle appliqua une large tache de peinture jaune-blanche sur le côté droit de la toile, et l'observa couler vers le bas pendant un instant, avant de prendre une petite truelle pour l'emmener vers la gauche. Trente secondes plus tard, elle se sentait bien mieux, et une voix intérieure l'applaudissait pour avoir réussi à peindre loin de ses démons. Une heure trente plus tard, l'idée d'une cigarette surgit dans sa tête comme une fleur sort de la terre, et elle sortit de sa rêverie au moment où Bogdan éructait une sorte de grognement cathartique. Ils se retournèrent l'un vers l'autre, et éclatèrent de rire avant de se retrouver autour de la table située au centre de la pièce, pour déguster une des cigarettes de Bogdan.

« Tu restes ici ce soir? demanda-t-elle.

— J'ai un rendez-vous », grogna-t-il.

Son visage s'illumina. « Un rendez-vous galant? C'est qui?

— Une prof. Dans le public. Comme toi.

— Oooh, commenta-t-elle. Tu aimes bien les profs. »

Il fronça les sourcils. « Pourquoi tu dis ça ?

— C'était une blague. »

Après cette cigarette, elle n'était plus très concentrée. Elle apposa de la peinture et l'étala pendant vingt minutes de plus, puis nettoya son coin d'atelier et souhaita à Bogdan une bonne soirée et un bon rendez-vous. Au-dehors, l'air nocturne était doux, le ciel était désormais bleu très foncé. Elle entra à Two Boots, sur l'Avenue A, et y commanda deux grandes pizzas, un rituel du samedi. Jouant avec son téléphone portable pendant qu'elle attendait, elle remarqua que Jared l'avait appelée, sans laisser de message. Étonnant, se dit-elle sans se poser plus de questions. Le serveur l'appela pour lui donner sa commande.

Alors qu'elle entrait au Christodora, Ardit la héla. « Il y a eu un souci », lui dit-il, ses yeux bleus emplis de panique.

Le regard d'Elysa afficha de la surprise. « Quoi ?

— Vous connaissez Hector ?

— De l'immeuble ? Oui, pourquoi ?

— Son chien a mordu Mateo.

« Quoi ? » Elle agrippa le bras d'Ardit. « Il va bien ?

— Jared l'a emmené à l'hôpital. Mais je crois que ça va. Ça ressemblait à une petite coupure.

— À quel hôpital ? À Beth Israel ? »

Ardit confirma d'un signe de tête. Milly posa les cartons de pizza dans le hall sur un beau banc en bois poli, sortit son téléphone portable et appela Jared. Son cœur battait à cent à l'heure.

« Salut, dit-elle lorsqu'il décrocha. Ardit vient de me raconter ce qui s'est passé.

— Ça va, répondit Jared. Il doit avoir, genre, deux égratignures, et il attend d'être vacciné contre la rage. On va bientôt rentrer.

— Et il va bien ? redemanda Milly. Je peux lui parler ?

— Bien sûr, il est à côté.

— Bonjour, maman, dit Mateo.

— Ça va mon chéri ?

— Oui, ça va. Je vais avoir une piqûre.

— Qu'est-ce qui s'est passé Mateo ?

— Je courais dans le couloir, et Sonya est sortie de chez elle et elle m'a coursé, et elle m'a mordu et ensuite Hector l'a attrapée et il l'a fait rentrer chez eux.

— Oh, mon pauvre chéri ! Je suis contente que tu n'aies pas eu trop mal.

— Ça va, pas de souci. » Jared avait repris le téléphone. « On rentrait du parc, et il a voulu monter par les escaliers au lieu de prendre l'ascenseur, et je l'ai laissé faire. À un moment, il a dû vouloir courir dans le couloir à l'étage d'Hector, et sa porte était ouverte, alors la chienne est sortie.

— Oh, mon Dieu. » Milly ne lâchait pas des yeux Ardit, qui secouait la tête, l'air désespéré. « Hector a dit quelque chose ?

— Je ne l'ai pas attendu. Mateo était en pleurs lorsque je suis arrivé, et je l'ai tout de suite emmené aux urgences. Mais j'ai pris des photos de la morsure et j'ai appelé un avocat. Milly, il faut vraiment qu'on fasse quelque chose pour éjecter Hector de cet immeuble. »

C'était un peu exagéré, pensa-t-elle. Le chien, peut-être. Mais Hector ? « Tu crois vraiment ? réagit-elle faiblement.

— C'est une vraie menace. La drogue, les drôles de types qui vont et viennent à n'importe quelle heure du jour et de la nuit, sa négligence envers sa chienne totalement incontrôlable. Un jour, il va foutre le feu à l'immeuble.

— Je pourrais peut-être demander à ma mère de lui parler, pro-posa-t-elle. Reprendre contact et voir comment on peut l'aider. »

Jared soupira légèrement dans le combiné du téléphone, agacé, comme s'il pensait que c'était trop tard pour ce genre de solution et qu'il n'en pouvait plus de la gentillesse de Milly. « Bref, on revient bientôt. Ne t'inquiète pas pour Mateo, il va bien.

— J'ai ramené des pizzas », pensa-t-elle à rajouter.

Après avoir raccroché et s'être relevée, encore un peu sonnée par la cascade d'événements, elle entendit Ardit lui dire : « Cet Hector, c'est un mauvais élément.

— Vous croyez qu'il vend de la drogue dans son appartement ?

— Oh, oui, c'est certain. Il y a tout le temps des types qui passent, toute la nuit.

— Il va de moins en moins bien. À une époque, c'était quel-qu'un d'important. »

Ardit haussa les épaules, peu impressionné par l'information. « Mais maintenant, il a des problèmes. »

Milly lui servit son « Mmmmh » habituel, avant de le remercier et de prendre l'ascenseur. Puis, elle fit quelque chose d'étrange. Au lieu d'appuyer sur le bouton « 5 », elle pressa « 8 », l'étage d'Hector. Sortant de l'ascenseur, elle s'engagea dans le couloir. Avant même d'atteindre sa porte, elle entendit le rythme sourd de la musique qui faisait vibrer les murs de l'appartement. Elle resta silencieuse devant la porte, et pressa son oreille dessus, mais elle n'entendit rien d'autre que la musique. Devait-elle toquer ou sonner et essayer de lui parler ? Puis elle pensa à Jared qui avait appelé un avocat, et elle se dit qu'il n'apprécierait peut-être pas. Le risque était d'interférer avec une action légale.

Tout à coup, elle entendit la chienne aboyer en détalant vers la porte, comme si elle avait senti sa présence. Paniquée, elle courut dans le couloir avec les pizzas et s'engouffra dans l'escalier, si vite qu'elle ne vit pas si Hector avait ouvert sa porte. Elle reprit son souffle et se calma avant de redescendre les trois étages menant à son appartement. Puis, elle appela sa mère, qui vivait encore à Judith House, pas très loin de là.

« Tu ne vas pas me croire, lui dit-elle. La chienne d'Hector a mordu Mateo et Jared a dû l'emmener aux urgences pour qu'il soit recousu et vacciné contre la rage. Et Jared veut poursuivre Hector en justice pour qu'il soit expulsé de l'immeuble.

— Oh, mon Dieu, répondit Ava lentement. Mateo va bien ?

— Jared me dit que oui. Mais, est-ce que tu crois que je dois aller parler à Hector ? Ou que nous devrions y aller tous les deux ? Tu ferais quoi ? Je me sens coupable. Il a l'air d'avoir de gros problèmes de drogue. Et il ne s'occupe pas de son chien. »

Ava soupira. « Tous les gens qui ont travaillé avec lui dans le passé ont essayé de l'aider. Il ne veut pas. Il a arrêté de me répondre au téléphone depuis trois ou quatre ans, maintenant.

— Vraiment ?

— Oui, je crois qu'il a été en cure de désintoxication il y a quelques années, mais cela n'a pas duré, apparemment.

— Ici, les habitants ont peur qu'il cause un incendie ou une explosion, ou un truc du genre, en pleine nuit.

— Tu ferais peut-être bien de porter plainte », conseilla Ava. Derrière elle, Milly pouvait entendre les rires et les conversations de femmes qui vivaient dans le foyer pour malades du sida que sa mère dirigeait. « C'est triste, mais c'est comme ça.

— C'est ce que Jared dit aussi.

— Tu viens toujours dîner, demain soir ?

— Bien sûr. »

Les pizzas avaient refroidi. Milly les plaça dans le four et feuilleta les différents cahiers du *Sunday Times* qui avaient été livrés en avance, avant ceux du dimanche matin. Une demi-heure plus tard, Jared et Mateo étaient de retour.

« Regarde ! » s'exclama Mateo. Il lui montra les trois points de suture sur son mollet, là où le chien avait planté ses crocs.

Milly le prit dans ses bras. « Je suis tellement contente que tout aille bien. Tu as dû avoir peur.

— Oui, j'ai eu très peur.

— On va parler à Hector de sa chienne, assura Milly. Elle ne te fera plus mal. »

Plus tard dans la soirée, après avoir fini les pizzas et que Mateo se fut plongé à nouveau dans les dessins animés et son dessin, Jared lui souffla, en baissant la voix : « Avec quelques autres habitants, on va aller voir un avocat cette semaine, pour Hector. Je veux essayer de le faire expulser. »

Milly secoua la tête. « C'est tellement triste. J'ai raconté à ma mère ce qui s'était passé. Elle m'a dit que beaucoup de gens avaient essayé de l'aider ces dernières années, en vain.

— Je me fiche pas mal de lui, répondit Jared sur un ton froid. Je m'inquiète pour notre immeuble.

— Je sais. Je disais juste qu'il n'avait pas toujours été comme ça. C'est triste de voir quelqu'un se dégrader à se point. »

Jared haussa les épaules. « Personne ne l'a forcé. C'est son choix.

— Il a quand même perdu son amant.

— C'est arrivé à plein de gens. »

Milly n'insista pas. Cela ne servait clairement à rien, comprit-elle. « C'est étrange, c'était une si chouette journée jusque-là », fit-elle remarquer.

Jared lui prit la main, au centre de la table, jouant avec ses doigts, l'un après l'autre. « Tu as réussi à avancer, toi ?

— Un peu. » Elle hésita quelques instants. « C'est étrange, j'étais dans mon atelier, à regarder par la fenêtre, et j'ai eu une drôle de sensation… comme une vague de tristesse, qui m'a envahie, comme si quelque chose n'allait pas. Cela devait être Mateo et la chienne.

— Tu as un sixième sens, énonça-t-il, l'air grave.

— Je me demande… » commença-t-elle. Puis elle remarqua l'air amusé dans son regard. « Tu te moques de moi ! »

Il éclata de rire. « Tu as toujours eu ces moments de vague à l'âme », dit-il tendrement.

Elle rougit. « Je sais. Mais celle-là était comme… vivante. Pendant que je regardais ce ciel si bleu. »

Ils se blottirent tous trois devant la télévision et regardèrent le nouveau DVD de *Dinosaure*. Mateo était comme envoûté. Les dinosaures constituaient son sujet de dessin préféré, depuis ses quatre ou cinq ans, lorsqu'ils l'avaient rencontré pour la première fois dans un foyer de Brooklyn. Le film avait à peine commencé qu'il était allé chercher son carnet et ses crayons de couleur pour essayer de redessiner le bébé dinosaure, Aladar. Milly caressait ses bouclettes, l'air absent. Leur salon était plongé dans la pénombre, si ce n'étaient les ombres bleutées projetées de temps à autre par l'écran de télévision sur le mur. À travers les baies vitrées ouvertes, les sons de l'East Village un samedi soir remontaient depuis les rues, cris, hurlements, bribes de musique émanant des bars et des taxis. Milly et Jared s'assoupirent ensuite sur les épaules l'un de l'autre, sous une couverture de laine, tandis que Mateo était toujours scotché à l'écran. Dans les moments où Milly se réveillait, à moitié vaseuse, elle avait la sensation réconfortante d'être dans les bras de son mari et de son fils, les pieds sur terre, sans avoir peur de s'envoler au loin.

Un ouf de négro
(2009)

C'est lui le plus cool ; il a beau être le plus branché, il est resté sensible et ouvert. C'est un hipster du hip-hop, un bandit du ghetto d'école d'art. Il marche dans les couloirs de son école d'Art & Design de Midtown avec Lupe Fiasco à fond dans son iPod, sa chevelure massive retenue par ces bandeaux pour mecs, un grand tee-shirt blanc recouvrant son Levi's qui lui colle à la peau et qui descend jusqu'à ses Nike Air montantes. Parfois, il remonte le tee-shirt pour dévoiler le tatouage qu'il s'est fait au niveau des reins, sa signature – un tigre grimaçant avec une casquette enfoncée sur un œil, et « M-Dreem 92 » inscrit dessus. C'est lui M-Dreem 92, la star de l'école, à trois jours seulement de la fin de l'année, avant qu'il ne parte à Pratt.

Il adore ce titre de Lupe, « Superstar », cela fait plus d'un an qu'il l'écoute en boucle et en chante les paroles. Et puis il y a Mlle Courtney, une de ses profs de design, vingt-huit ans au compteur. Elle habite à Williamsburg, et elle est tellement branchée avec sa coiffure rétro, sa mini-jupe et ses boots. Elle lui fait un signe dans le couloir, et il retire ses écouteurs. Lui et les autres élèves d'Honors Design doivent se retrouver mardi prochain, après la fin de l'année scolaire, pour le vernissage de la rétrospective Emory Douglas, au New Museum. Il y aura tous ces logos hyper cool des Black Panthers, est-ce qu'il veut venir ? Ouais, bien sûr, il répond, je serai là. Il travaille chez Utrecht, le magasin de fournitures pour art créatif, cet été, mais il est libre le mardi après-midi, donc il sera là, ouais, bien sûr.

« Génial », dit-elle avec cette pointe d'ironie qu'il aime tant chez elle, et il repart du même pas souple, à la cool, remarquant que Mlle Courtney ne lui a pas demandé de débrancher son iPod – ce qu'elle aurait dû faire, techniquement, car cela allait à l'encontre du règlement intérieur de l'école – mais bon, c'est le dernier jour de cours, l'atmosphère est détendue, il fait chaud et humide et puis il soupçonne Mlle Courtney d'être amoureuse de lui en secret. Elle a beau se la jouer détendue et distante, maintenant, il parvient à se rendre compte des sentiments des filles. Et il maîtrise très bien l'image qu'il projette, comment en jouer, tous les trucs pour incarner l'artiste, le gamin des cités, le petit prodige et tout le bordel.

Voilà, c'est son dernier jour de cours. Il est seul dans le couloir et il se sent tellement détendu. Il arrive en retard au cours d'illustration, mais il s'en fiche car la moitié des élèves ne sont pas là pour diverses raisons – il y a plein de trucs administratifs aujourd'hui, des oraux blancs, des entretiens – et toute la classe est assise en train de discuter des créations des uns et des autres sous les yeux de M. Adeyemo, un mec très cool qui se balance sur sa chaise avec ses dreadlocks dans le dos, présidant l'assemblée d'un air endormi. Le gars a même mis des Birkenstock aujourd'hui, et putain, ses pieds sont bien noirs et mériteraient un bon gommage au beurre de cacao.

Il s'assied à côté de Zoya, qui exsude une fierté indépendante, mi-égyptienne, mi-portoricaine, avec son maquillage à la Amy Winehouse. Il pose ses jambes contre les siennes. Elle lui fait de gros yeux, mais elle ne bouge pas pour autant. Il se souvient quand elle lui avait fait la gueule, au mois de mars. Cela faisait deux semaines qu'ils se voyaient, mais c'était compliqué parce qu'il y avait cette petite nana institutrice spécialisée, Vanessa, qu'il avait rencontrée à peu près à la même époque lors d'une rave à Greenpoint. En tout cas, il était avec Zoya, chez elle à East River Housing, en train d'observer l'eau et les lofts qui se construisaient à Billyburg, d'écouter Portishead et de se sentir tellement vintage. La nuit d'hiver était si froide qu'ils s'étaient emmitouflés dans la couverture Bisounours de son enfance, gigotant et rigolant sur des bêtises. Et l'herbe qu'ils fumaient les avait bien défoncés, et il y avait eu cet étrange moment où ils se s'étaient regardés fixement dans le blanc des yeux tous les deux, sans rien dire, durant

« Roads », et ce couplet l'avait scotché : *I got nobody on my side. And surely that ain't right, Surely that ain't right.*

« Ça parle de moi, avait-il dit à Zoya, et elle lui avait battu froid en faisant remarquer :

— Je sais. Ça se lit sur ton visage. »

Il avait essayé de décrypter son regard pénétrant. « Qu'est-ce tu veux dire ?

— Tu l'as dit toi-même », avait-elle répondu. Puis elle s'était frottée contre son torse, en émettant un petit miaulement à la fois mignon et agaçant, et l'avait planté sur place, muré dans le silence.

Mais ils étaient restés amis – hé, c'est la dernière année, tout le monde est pote – et leurs jambes étaient collées l'une à l'autre en ce dernier jour de cours. Et elle : « Tu vas chez Oscar, ce soir ? » Lui : « Jamais, j'y vais pas. » Et la séance critique tourne jusqu'à lui et son projet de fin d'année, « Après L. B. », une illustration en perspective forcée représentant des araignées emmêlées. Il avait appelé sa pièce ainsi car, en début d'année, il s'était passionné pour Louise Bourgeois, surtout sa grande sculpture d'araignée qu'il avait vue au Dia, à une cinquantaine de kilomètres au nord de New York. Il avait voulu rendre hommage à cette vieille dame tirée à quatre épingles et à son génie de l'art déviant et effrayant.

« Alors, que pensez-vous du travail de M. M-Dreem ? » demande M. Adeyemo avec son accent nigérien forcé que M-Dreem aime beaucoup. Il adore M. Adeyemo, et une partie de lui aimerait lui ressembler. « Qu'est-ce qui fonctionne, et qu'est-ce qu'il manque ? » C'est la phrase d'introduction favorite de M. Adeyemo.

Les élèves sont en état de léthargie aujourd'hui, ivres de rêves de vacances. « Bonne utilisation des références, dit Horatio Cordero, un gamin au visage doux et à lunettes. Beau trait. Organique.

— Le mouvement du haut, à gauche, au bas, à droite, est bien fait », commente Zoya. Elle le dit d'un ton le plus ennuyé possible, sans regarder M-Dreem, avant de finalement tourner les yeux dans sa direction. Il lui envoie une grimace. Elle hausse les sourcils et détourne son regard, mais c'est cool, pense-t-il, parce que leurs jambes restent collées, pendant tout ce temps-là.

M-Dreem prend finalement la parole. « Je voulais que les araignées fassent, genre, leur propre toile. Pas une toile d'araignée, mais une toile contenant des araignées. »

Oooh se moquent Zoya et une autre nana, Alexa. « C'est profond », commente Alexa.

Tout le monde éclate de rire, même M-Dreem. « Tu peux juste
pas comprendre toutes les nuances », rétorque-t-il.

M. Adeyemo se penche en avant, ouvre lentement la bouche en
grand, comme chaque fois qu'il veut que la classe se taise avant
qu'il ne prenne la parole. « Je vais vous dire, monsieur M-Dreem… »
Une autre bordée de *ooooh* résonne dans la salle – tout le monde
sait que, lorsque M. Adeyemo fait durer le suspense, cela annonce
la couleur. « Nous savons tous que vous êtes très doué. »

De nouveaux rires.

« Nous le savons tous depuis le premier jour où vous êtes entré à
Arts & Design, continue-t-il. Vous aviez suivi de bons cours avant
de venir ici. » Cela a le don de braquer M-Dreem et il fronce les
sourcils, blessé, en direction de M. Adeyemo. Pourquoi tout ce
cinéma ? « Mais c'est certain que vous aviez du talent. » Est-ce que
Adeyemo essaie de le caresser dans le sens du poil, maintenant ?
« Et vous allez améliorer vos talents et votre technique l'année prochaine, aux Beaux-Arts.

— À Pratt, oooh », renchérit Alexa.

M-Dreem lui lance un regard noir. « Te fous pas de moi.

— Double oooh, continue-t-elle.

— Mais voilà ma question, pour vous faire avancer, ajoute
M. Adeyemo. Avec tous ses talents et sa maîtrise de la forme,
qu'est-ce que M-Dreem essaie de nous dire ? Pourquoi ces araignées ?

— Pourquoi les araignées ? rétorque M-Dreem, sur la défensive.
Rien de spécial. Je les trouve juste cool. Comme Louise Bourgeois.
Ce travail, dit-il en pointant le dessin, est une pure expression for-
melle. » Il adore ce terme, que Mlle Courtney utilise tout le temps, et
il le répète à cette occasion, peut-être de manière un peu pédante.
Lui et M. Adeyemo se dévisagent longuement, un sourire vissé au
visage, mais il flotte une étrange sensation de duel. Une électricité
dans l'air. Zoya serre sa jambe sur la sienne.

« Deux mots pour vous faire avancer, mon cher et talentueux
M-Dreem, lâche finalement M. Adeyemo. Soyez ouvert. » Il mâche
chacun de ses mots. « Soyez ouvert à tout, à la forme *et* à la
sensation.

— Ça fait plutôt onze mots, fait remarquer Alexa.

— Vous avez raison mademoiselle Quiano, approuve Adeyemo. Venons-en à votre travail. *Filles bondissantes aux cheveux longs*. Qu'est-ce qui fonctionne, et qu'est-ce qu'il manque ? »

La classe passe à l'étude critique du travail d'Alexa, qui ressemble à son titre, des petites filles aux longues chevelures en train de faire des saltos arrière. M-Dreem trouve que c'est techniquement un peu brouillon, mais il est trop distrait par l'étrange injonction d'Adeyemo à son endroit pour vraiment s'en soucier. Il est soulagé de ne plus être le centre des attentions. *Sois ouvert. Je suis pas ouvert ducon*, pense-t-il, et il ne se rend même pas compte qu'il est affalé sur sa chaise, sa jambe désormais décollée de celle de Zoya, en train de broyer du noir, jusqu'à ce que M. Adeyemo croise son regard et, au beau milieu des babils, prononce silencieusement : *Détends-toi*.

M-Dreem roule des yeux en réponse, puis se détourne, et il n'arrive pas vraiment à se remettre dans l'ambiance de la salle de classe ensuite. Il rêve de fumer un pétard. Comme souvent lorsqu'il se sent mal à l'aise, il repense à cette photo, avec la date du jour, 14/04/1984. La jeune Dominicaine, un peu boulotte et excentrique, qui pense qu'elle est à la mode avec sa coupe asymétrique et son gros perfecto, ses bas filés sous son short en jean et ses talons hauts, ses grands yeux noirs qui regardent hors champ, vers la gauche, un bras posé sur l'épaule d'un *moreno* qui a l'air gay, avec sa *boombox* par terre, sous sa basket montante gauche. Putain. M-Dreem n'en revient toujours pas qu'à New York il y ait eu les années 1980 ; comment a-t-il bien pu louper ce truc, Basquiat et Haring et Fab 5 Freddy et tout le reste ? Ça oui, il a tout loupé. Il est né en 1992.

Au moins, sa grand-mère, sa *bubbe*, lui a raconté l'histoire de la femme sur la photo, cette femme qui lui a donné naissance, Ysabel, morte du sida avant qu'il ne soit assez grand pour se souvenir d'elle. Bubbe a œuvré pour les malades du sida aux côtés d'Ysabel, et Bubbe a pris soin d'Ysabel dans son foyer pour femmes touchées par le sida, lorsque Ysabel est tombée enceinte de lui, puis après, à sa mort.

« Issy était une gamine du Queens qui avait peur que les gens sachent qu'elle était malade du sida, lui avait raconté Bubbe un jour, puis elle est devenue une activiste et combattante incroyable.

Et elle t'a eu ! Et je lui ai promis que je ferais tout pour que tu sois élevé dans les meilleures conditions et aimé. » Bubbe avait rejeté ses cheveux en arrière. « Tu penses que j'ai fait du bon boulot ? »

Il avait souri. « Je pense que tu t'en es bien sortie », lui avait-il répondu. Il l'aimait, sa Bubbe, cette grande gueule d'Ava aux fortes convictions, qui n'y allait pas par quatre chemins. Elle n'était pas timide ou réservée comme sa fille. Enfin, sa mère à lui.

Bubbe lui avait tout raconté lorsqu'il était âgé de douze ans, « assez vieux pour comprendre ». Il s'était senti mieux d'apprendre qu'Ysabel, que tout le monde appelait Issy, avait pu accomplir certaines choses avant sa mort, et qu'elle n'avait pas vécu qu'une triste existence. Mais il pensait aussi souvent à ce radiocassette disco. Son côté Sheila E., princesse des pistes de danse. Le côté de sa mère qui devait en faire une fêtarde invétérée.

« Elle ne savait pas qui était mon vrai père ? » avait-il demandé à Bubbe.

Elle avait soupiré, triturant un peu plus ses cheveux. « Elle était vraiment seule et angoissée, alors elle allait parfois chercher l'amour là où il se présentait », avait expliqué Bubbe.

Il était assez âgé, à l'époque, pour lire entre les lignes. Personne ne connaissait l'identité de son père biologique. Cela aurait pu être n'importe qui. Il était gêné de sentir des larmes, de chaudes larmes lui monter aux yeux.

« Bon, ce n'est pas grave, hein, avait plaisanté Bubbe en le prenant par le menton. Cet homme devait être bel homme. C'est une évidence, maintenant. »

Cela lui avait redonné le sourire.

Il revient à lui au moment où Adeyemo entame la dernière critique. Après ça, l'école est finie – pour toujours ! Il redescend dans son quartier, l'East Village, au Two Boots, avec Zoya, Alexa, Horatio et Yusef et Ignacio, deux jeunes artistes en herbe qui veulent hériter de son manteau ; Ignacio, avec sa coupe mohawk et son obsession pour les masques de catcheurs mexicains. Ils disent des conneries, et passent de la musique sur leur iPod. Finalement, Oscar arrive, c'est lui qui organise la fête chez lui ce soir sur East Broadway.

Oscar, lui, a décroché son diplôme il y a trois ans, au lycée public le plus banal du quartier, à Seward Park, et personne ne sait vraiment ce qu'il fait ; un truc technique, dans un entrepôt de Red

Hook. Mais Oscar habite seul, il a toujours de la bière et de l'herbe, et c'est le plus important. Oscar, le gars avec tant de tresses dans les cheveux qu'on ne peut plus les compter, porte son tee-shirt 2 Live Crew vintage, avec sa dégaine vaguement cool, sans but précis. Ça aurait pu être le destin de M-Dreem, il le sait bien, si certaines opportunités ne s'étaient pas présentées à lui – enfin, grâce à ses parents.

« Regarde-moi ces gamins qui vont être diplômés, commente Oscar, assis au milieu du petit groupe. L'avenir de New York.

— M-Dreem, montre-lui l'avenir, dit Horatio. Montre-lui tes araignées. »

Il lui sort son dessin de grande araignée. « Ça te plaît, Oscar ? »

Les yeux d'Oscar sortent de ses orbites ; il fait un bond en arrière devant l'image. « Putain d'araignées, mec ! T'es un putain de ouf de négro, M-Dreem. Mais t'as du talent, ça c'est certain. »

M-Dreem jubile ; il ne sait pas vraiment pourquoi l'opinion d'Oscar compte tant pour lui, mais c'est ainsi. « Merci, négro », répond-il. Zoya le regarde avec un sourire moqueur, décelant sa gêne devant ce mot ; il lui renvoie le même sourire. *Quoi ?* a-t-il envie de demander à Zoya. *T'es pas ma putain de conscience, d'accord ?* Mais il sait que ses parents aussi haïssent ce mot. Peut-être parce que, lorsqu'il l'utilise, il leur rappelle, comme il n'est pas blanc, qu'il a le droit de l'utiliser, et pas eux.

« Vous venez ce soir, négros ? » questionne Oscar. Ouais, grave, putain, qu'on vient, acquiescent-ils en chœur. « Cool, mecs, cool. Faut que je m'occupe de préparer la teuf. » Et Oscar disparaît.

La fête est dans plusieurs heures, mais M-Dreem ne rentre pas à la maison. Chez lui, il ne se sent jamais vraiment à l'aise, même s'il n'arrive pas à se l'expliquer. Depuis cette dispute avec ses parents l'an dernier, lorsqu'il s'est mis à envoyer des coups de poing dans le mur et à les traiter d'enculé, ce n'est plus pareil, même si la thérapie et le temps ont adouci les choses. Aujourd'hui, Zoya et lui vont chez Alexa, à quelques rues de là, pour y fumer de l'herbe et écouter le nouveau Mos Def. Ils finissent tous les trois entremêlés, Zoya et Alexa blotties en cuiller de chaque côté de lui, et lui qui se demande si Zoya sent qu'il a la trique, puis il s'endort, atomisé par l'herbe. Ils se réveillent aux alentours de vingt-deux heures, Zoya et Alexa mettent une heure à s'habiller et se coiffer, tandis qu'il fume à nouveau un spliff et regarde des émissions de télé-réalité stupides. Puis ils vont dîner chez Boots, deux parts de pizza qu'ils se partagent à trois parce qu'ils sont ruinés de chez ruinés, et ensuite, direction chez Oscar, où sa copine Nanyelis, une bi très timide, met des disques. Ghostface Killah, *Back Like That*. Une bande de gamins de l'école est là, et aussi des amis d'Oscar, plus âgés, plus menaçants, mais-putain-qui-c'est-ces-gars. M-Dreem prend des bières Negras dans le réfrigérateur, et Oscar se pointe, il adore présenter les gens, il offre à M-Dreem et aux filles un cachet d'ecsta, et les filles passent leur tour mais M-Dreem s'en envoie un en entier, et au bout d'une heure environ, avec l'herbe qui se rajoute par-dessus, il se met à danser, il kiffe le moment. Quelqu'un a endossé une perruque arc-en-ciel de clown, les gens se déshabillent, il a son putain de diplôme, il va à Pratt, il a un talent de malade mental, la zique de *Madvillainy* déchire trooop.

À un moment, les nanas font genre : « On se casse, tu viens ou tu restes ? » et lui : « Non, je reste », et Zoya le prend longuement dans ses bras et lui dit : « Fais gaffe à toi, chouchou », et elles partent. Il y a de moins en moins de mecs de l'école ; il a l'impression de pénétrer de plus en plus profondément dans une zone de plus en plus sombre, il danse surtout avec cette nana blanche plus âgée qui a de super dents du bonheur, des cheveux blonds décolorés comme ce mannequin anglais, Agyness Mes-couilles, il se rapproche d'elle, ils se tiennent les mains, puis les siennes glissent à l'arrière de son short en jean, puis elle lui reprend la main et elle dit : « Viens, allons voir Oscar. » Et elle le guide à travers l'appartement.

Ils tombent sur Oscar dans une chambre à l'arrière de l'appartement, porte ouverte, en compagnie de ses amis. Ils ont tous l'air à moitié endormis mais heureux, faisant tourner une assiette et sniffant son contenu avec une paille. Oscar lève les yeux lorsque M-Dreem arrive et lui sourit. M-Dreem souffle au clone d'Agyness : « C'est quoi ? » et elle lui répond : « De l'héroïne.

— Ah, putain, mec. » Il n'a jamais essayé cette drogue. Il se l'est interdit.

Le clone d'Agyness fait mine de froncer les sourcils et s'accroche à son bras. « Quand tu sniffes, ce n'est pas très fort. T'as fini le lycée, non ?

— Ouais.

— Ben alors ? »

Les artistes doivent connaître de nouvelles expériences, pense M-Dreem. De ces expériences naissent des expressions formelles pures ; il a besoin de nouvelles visions, de voir de nouvelles formes. Il s'assied par terre avec Miss Agyness, main dans la main, le cœur battant, jusqu'à ce que l'assiette soit devant Agyness, qui la lui passe.

« Vas-y. Commence. N'en prends pas trop. »

Il utilise la paille pour prélever une petite quantité de poudre du monticule qui trône au milieu de l'assiette.

« Non, pas si peu que ça ! » s'esclaffe Agyness. Alors il en rajoute, jusqu'à ce qu'elle valide la quantité d'un petit signe de la tête, et il trace ensuite une ligne irrégulière.

« Sniffe tout d'un coup », lui conseille-t-elle.

Il n'y parvient pas. Il est dégoûté par le goût amer et écœurant que laisse la poudre dans sa narine, puis au fond de sa gorge. Sa vision se trouble et il pense : *J'en reviens pas, je viens de prendre de l'héroïne, je suis un ouf, ça tuerait mes parents s'ils savaient.* Puis, cinq secondes plus tard, il est dans l'état dont il avait toujours rêvé toute sa vie, sauf qu'il ne le savait pas, il est avec elle, avant même sa naissance, à l'intérieur d'elle, rien n'a encore commencé, juste douceur et protection, cette couverture aqueuse qui l'enveloppe. Il n'y a eu ni séparation, ni douleur, ni déchirement.

Il reprend une de ses lignes irrégulières, et il s'enfonce plus encore sous sa couverture aqueuse. Toutes les autres personnes de la pièce disparaissent comme une caméra faisant marche arrière sur un travelling. Il fixe son regard sur Agyness, mais ce n'est pas Agyness, c'est elle, date du jour 14/04/1984.

« J'ai tant envie de te connaître, dit-il. Je veux te poser tellement de questions.

— Et j'ai tant de choses à te dire, dit-elle. Surtout, chéri, je suis désolée. » Et elle pleure.

« Ne pleure pas. Tu ne pouvais pas savoir. »

Il se love sur ses genoux, recroquevillé avec ses Nike Air au niveau des fesses, les bras entre les jambes. Il s'entend ronronner. *Je suis un chaton*, pense-t-il, *je viens de sortir d'elle et elle me biberonne.* Il perd toute sensation du sol en dessous de lui ou des sons qui l'entourent; elle et lui sont comme un ballon qu'on lâche dans les airs. Et elle lui raconte tout ce qui s'est passé. New York City, avant 1992 et avant lui.

Quelques heures plus tard, à quatre heures trente du matin, il émerge de sa rêverie et, lorsqu'il ouvre les yeux, il aperçoit Agyness qui lui caresse les cheveux.

« Ça va ? demande-t-elle.

— Ça me gratte », répond-il.

Elle sourit. « Oui, c'est l'héro, ça, c'est normal. Ça va partir.

— J'ai froid, aussi. »

Elle prend une couverture sur le lit, où Oscar est blotti en chien de fusil avec Tamara, sa petite amie par intermittence depuis deux ans, et elle en recouvre M-Dreem avant de se glisser dessous également. Tout est sombre et silencieux dans les autres chambres; la fête est finie.

« Je ferais mieux de rentrer », murmure-t-il en essuyant de la bave sur la commissure de ses lèvres.

Elle le serre plus fort contre elle. « Ne pars pas.

— Si, il faut que j'y aille. » Il se lève et vomit un peu sur eux deux.

« Ah, bon Dieu », grogne Agyness, lentement.

Dans la salle de bains, où ils se nettoient avec des serviettes à la propreté douteuse, son corps le gratte et il a froid, même si à l'intérieur, tout est encore chaud et doux. Il a beau remonter le plus loin possible dans ses souvenirs, à ces années passées dans le foyer pour garçons de Brooklyn, il ne peut retrouver un moment – même lors de ses belles années, avec ses parents, ses amis, les rires, l'art et son succès à l'école, à la plage l'été ou lors de ces voyages en Europe – où la sensation d'être perdu et d'être dans le faux l'ait quitté : pour la première fois, il est dégagé de ce poids. *Je reviendrai ici*, se dit-il à lui-même pour parler de l'héro et du baiser d'adieu d'Agyness.

Il remonte Essex Street, en direction de chez lui, alors que le clocher de l'église annonce cinq heures du matin, chaque lampadaire empreint d'une beauté floue et dansante. Il traverse Houston Street, se rend compte qu'il a oublié sa casquette de baseball à la fête, admire avec émerveillement les néons et les grilles des magasins, glisse sur le bitume comme de l'or liquide sur l'Avenue B, ressent un nouveau spasme nauséeux et se penche juste à temps au-dessus d'une poubelle pour éviter de vomir sur son tee-shirt. Longtemps après avoir cessé de vomir, il reste ainsi penché au-dessus de la poubelle, les mains calées sur le rebord, sentant à nouveau cette vague de bonheur l'envahir, auprès de la femme coiffée comme Sheila E., et pendant dix-sept minutes il reste ainsi, avant qu'une petite voix à l'arrière de son cerveau ne lui intime de rentrer à la maison.

Au petit matin, au Christodora, Ardit, le portier albanais, fait un somme devant sa petite télévision portable installée dans sa chambre au sous-sol, et M-Dreem entre dans le hall qui baigne dans une lumière crépusculaire, pique du nez alors que sa main droite appelle l'ascenseur, prend deux bonnes minutes pour y entrer et parvient à appuyer sur le bouton du cinquième étage. Lorsque les portes s'ouvrent, il sent un grand poids qui l'écrase sur le tapis d'accueil du couloir, sombre dans une nouvelle, disons, rêverie, mais arrive à tituber jusqu'à chez lui. Fouillant dans sa poche à la recherche de ses clés, il se rappelle petit à petit qu'il les a perdues – au moment même où la porte de l'appartement s'ouvre et où apparaît, en robe de chambre, Millimaman. C'est son Parent Féminin, un drôle de surnom hybride.

Elle aura quarante ans cette année et est trahie par les premières rides de son front et les pattes d'oie sur le côté des yeux – les yeux graves, sombres, toujours anxieux de Millimaman. Et devant lui, ils brûlent d'une douleur particulière, celle de ceux qui n'ont pas dormi de la nuit, à attendre leur rejeton. Il aperçoit, posés sur la table du salon, une grande tasse de thé en porcelaine et un exemplaire du *New Yorker*.

Elle le laisse avancer devant elle, l'observant de la tête aux pieds. «Tu étais où ?» demande-t-elle dans un semi-murmure, afin de ne pas réveiller Papa-Jared dans la chambre d'à côté.

Il entre, il fait de son mieux pour garder les yeux ouverts, se redresse, sourit d'un air nonchalant, comme si ce n'était pas grave et qu'il s'excusait. « Désolé de rentrer si tard, maman. C'était la fête de fin d'année.

— Si tu fais la fête jusqu'à l'aube, tu pourrais au moins me passer un coup de fil.» Elle n'a pas l'air en colère, plutôt décontenancée et blessée.

« Je sais, je voulais, mais j'ai été pris par la fête et ensuite, j'ai oublié.

— Tu n'aurais pas pu envoyer un texto ? »

Ils se dévisagent comme seule une mère et un fils le font. Il résiste à l'envie pressante de se gratter le torse et la tête. Puis il cède et gratte légèrement sa cage thoracique, là où c'est le pire.

Milly fronce le nez. « Tu sens le vomi. Tu as bu. »

Il soupire de soulagement. « Oui, j'ai un peu bu. C'était la fête de fin d'année, tu sais. »

Elle recule, l'air réprobateur. « Tu aurais juste pu prévenir. Papa et moi t'avons appelé cet après-midi pour te féliciter.

— Je sais, je… » commence-t-il. Mais son estomac se soulève, et il se précipite aux toilettes. Il s'y enferme juste à temps pour fourrer la tête dans la cuvette et vomir à nouveau.

« Mateo, s'inquiète Millimaman de l'autre côté de la porte. Ça va ? » Mais même vomir est agréable, et maintenant que c'est fini, il se sent merveilleusement bien. Une autre vague chaude l'envahit, alors qu'il entend à nouveau son nom, Mateo, de l'autre côté de la porte, mais cette fois c'est la voix plus grave de Jared. Il arrivera à se relever dans quelques instants, se dit-il. Mais pour le moment, il cale sa tête sur la cuvette et le voilà reparti à piquer du nez, à ronronner, c'est le 14/04/1984 à nouveau.

Sous observation directe
(1981)

Et s'ils pouvaient interdire la cigarette dans tous les restaurants et bars de la ville ? Bien sûr, tout le monde te répondrait que c'est un projet dingue – New York carbure à la clope, c'est une ville de fumeurs, que ce soit dans ou devant les bars, dans les bureaux, dans les coursives, dans les rues, qu'il s'agisse de Marlboro, de Virginia Slim et de Newport pendues au bec, entre les doigts névrotiques et angoissés de type en costume Armani ou en bleu de travail – mais qui sait ?

Cette idée flottait avec délectation en marge des autres réflexions d'Ava – *prendre rendez-vous chez le dentiste, passer chez Balducci pour acheter du café et du fromage, et merde, faut aussi prendre rendez-vous chez le dentiste pour Emmy* (en abrégé, comme elle le faisait, cela devenait M.) – tandis qu'elle se préparait pour aller travailler ce matin-là. Sam était déjà parti courir autour du réservoir pour son footing, et Emmy était conduite par Francelle à l'école. Et si elle devenait la conseillère santé qui interdirait la cigarette dans les restaurants et les bars de la plus grande ville des États-Unis ? Cela arriverait peut-être un jour, en 1986 ou 1987, pensa-t-elle – bien choisir le moment, lancer une campagne d'information, puis s'attirer le soutien de Koch, elle pourrait entrer dans l'histoire à l'âge de quarante-trois, quarante-quatre ans. Les gens diraient qu'elle est folle, mais si tu n'as pas de projets assez fous, comment veux-tu faire avancer les choses ? N'est-ce pas comme cela que les choses changent vraiment, avec des idées folles, énormes ? Les femmes, en particulier, avaient besoin de telles idées, songea-t-elle en se remémorant tous les livres théoriques sur les femmes et la santé qu'elle avait lus à la fac, voulant tout à coup les relire tous, juste pour se remettre dedans, repartir sur de bonnes bases.

Elle en avait tellement, des idées ! Comment pouvait-elle même les coucher toutes sur papier, en faire des propositions concrètes, en expliquer les grandes lignes, les transformer en graphiques ? Elle devait inventer un système pour toutes les attraper, ces idées, pour détailler les programmes publics, les partenariats privé-public, les synergies, ou même pour expliquer comment Renny pourrait diriger plus efficacement le département. Elle devait faire appel à ce stagiaire en provenance de Columbia que Renny lui envoyait, celui qu'il avait dû choisir uniquement parce qu'il était portoricain, comme lui. *Renny n'était pas si terrible !* se surprit-elle à penser, même si d'habitude, elle le détestait – enfin, non, pas détester non plus, juste, elle *étouffait* sous son autorité… c'était son patron, bon Dieu ! Mais Renny pouvait être drôle ! Et chaleureux ! Ses « *ay coños !* » lorsqu'il n'en pouvait plus des interdictions et des conneries et de l'inertie du bureau de Kock. Elle devait parler à Renny aujourd'hui, lui effleurer le bras, prendre rendez-vous pour un déjeuner – mais d'abord, elle devait noter toutes ses idées !

Face au miroir, elle examina sa chevelure, ses vêtements. Elle ouvrit sa veste et le chemiser gris métal serré par un nœud papillon, et en ressortit un pendentif en coquillage orange, accroché au bout d'une chaîne en or. Pourquoi dissociait-elle toujours ses habits de bureau et ceux du soir, pourquoi n'arrivait-elle pas à insuffler un peu de folie dans cette morne administration ? Elle choisit une paire de chaussures à talons un peu plus hauts, gonfla ses cheveux avec une bombe et ses doigts, plaquant ses mèches noires de chaque côté de son visage. Un gloss plus foncé. Comme ça, la journée serait plus folle ! Objectif n° 1 pour aujourd'hui, mercredi 6 mai : s'amuser plus ! Bosser à fond, mais s'amuser !

Sam débarqua, en sueur, alors qu'elle était en bas, en train de grignoter un bout de toast – elle n'avait pas très faim, surtout avec tout le beurre de cacahuète bio qu'elle tartinait dessus habituellement – et d'avaler rapidement une tasse de café, en examinant ses notes pour les réunions de la journée – le taux record de mortalité infantile de début juillet, l'épidémie d'herpès, les soucis d'hygiène des restaurants de Chinatown. Il était son solide petit gars de

Brooklyn, son Elliott Gould à la mâchoire carrée et aux cheveux noirs bouclés, son avocat à l'âme d'artiste. Elle était étonnée, et heureuse, de le voir ainsi surgir à 8 h 14 du matin – une heure à laquelle ils étaient habituellement si occupés à se préparer à partir, eux et Emmy, qu'ils avaient à peine le temps pour un rapide baiser sur la joue.

« Viens par ici, espèce de montagne suante », lança-t-elle, repoussant ses papiers et se laissant glisser dans sa chaise en écartant les jambes. Ce qui lui amena une autre pensée : elle n'était plus une gamine du Queens, elle était une femme de l'Upper East Side désormais ! Elle avait réussi ! Elle ne se l'était encore jamais dit !

Sam la dévisagea d'un air amusé, mais intrigué. « Je croyais que tu n'aimais pas quand j'étais en nage. Surtout quand tu es tirée à quatre épingles pour aller travailler. »

Elle se leva, et fit voler ses chaussures. « Ça a changé », dit-elle en prenant un ton d'allumeuse.

Son regard se posa sur elle – perplexe ? inquiet ? Puis un sourire éclatant de gratitude. « Te fous pas de moi, d'accord, Aves ? »

Elle hocha la tête lentement, tendit la main vers lui, enleva son tee-shirt Cardozo Law détrempé. Elle ne plaisantait pas. Oh, mon Dieu, elle enlevait son tailleur ! Cela arrivait vraiment, et soudain ils étaient par terre sur le carrelage de la cuisine. « Bordel, Aves ! s'exclama Sam. Qu'est-ce qui se passe ? »

Francelle entra avec un sac de courses dans les bras. « Doux Jésus ! » s'exclama-t-elle. Elle fit tomber le sac par terre, près de la porte, avant de battre en retraite en s'écriant : « Je reviens plus tard ! »

Ava et Sam éclatèrent de rire, à la fois amusés et mortifiés – cela serait sûrement un peu bizarre avec Francelle, ensuite – et continuèrent leur affaire, jusqu'à ce qu'ils jouissent tous les deux, puis restèrent allongés à terre, les habits jetés à leurs pieds, respirant lourdement, épuisés.

« Il y avait un truc dans ton café, ou quoi ? » demanda Sam en la caressant sur le carrelage.

Elle rit. « Tu étais tellement sexy, comme ça, en sueur. Mon Elliott Gould. »

Sam se releva avec un grognement de désapprobation, lâcha son étreinte, reprit ses vêtements trempés. « Bon, Aves, fini les bêtises.

Je vais finaliser des achats pour Donald Trump et toi, tu vas sauver la santé de nos braves administrés. Et ensemble, on va conquérir New York.

— Je vais inviter Renny à déjeuner, annonça-t-elle en sortant une brosse à cheveux de son sac et en ajustant ses mèches. J'ai des dizaines d'idées pour le Département de santé, et comment faire plus de choses avec moins de moyens.

— Tu vas y arriver, chérie », dit Sam. Il se pencha vers elle et l'embrassa longuement, puis remonta à l'étage quatre à quatre. Elle se leva à son tour, se rhabilla et, alors qu'elle enfilait ses chaussures, Francelle réapparut dans la cuisine. Elle lui sourit effrontément ; elle ne pouvait y résister ; c'était amusant d'attaquer ainsi son sens du territoire. « Bonjour, Francelle », chantonna-t-elle.

Francelle lui répondit par un froncement de sourcils tandis qu'elle ramassait la vaisselle et les tasses du petit déjeuner, mais ce rictus se transforma en un sourire timide lorsqu'elle tourna les talons. « Bonjour, madame H. Vous n'allez pas être en retard au travail ? »

Elle éclata de rire. « Vous me faites la leçon, Francelle ! » Elle prit son sac à main, rempli à ras bord. « Non, ça devrait aller. Cela ne fait pas de mal de ne pas toujours être à l'heure. Vous feriez ça, vous, Francelle, aujourd'hui ? Est-ce que vous laisseriez de côté la vaisselle pour appeler votre sœur pendant une demi-heure à la place ? » C'était *étrange*, se dit-elle, car elle n'avait jamais proposé à Francelle d'appeler sa Jamaïque natale depuis la maison ! Elle aimait ce côté magnanime, généreux.

Francelle se tourna vers elle, et lui lança un regard fort perplexe. « Peut-être que j'aurai le temps, oui, lâcha-t-elle enfin, tout en remplissant le lave-vaisselle, surtout que c'est jour férié aujourd'hui. Vous n'aviez pas oublié ? »

Bien sûr que si, elle avait oublié – dans sa tête, elle avait prévu une pleine journée de travail, jusqu'à dix-huit heures –, mais elle ne voulait pas donner à Francelle cette satisfaction, pas avec toute cette tension entre elles quant à savoir qui passait le plus de temps avec Emmy et, inévitablement, à qui la petite était la plus attachée, avec qui elle se sentait le mieux. « Mais non, Francelle, je le savais. Mercredi, c'est chocolat chaud à Serendipity, le salon de thé. Je suis comme Emmy, j'attends cela avec impatience. » Est-ce qu'Emmy l'attendait vraiment avec impatience, d'ailleurs ?

« D'accord, madame H., bonne journée, alors. Je vous préparerai un repas à réchauffer pour ce soir, lorsque je partirai vers quatorze heures.

— Profitez bien de votre demi-journée, Francelle. » Elle s'approcha d'elle et lui mit le bras autour du cou. Francelle se figea sur place, surprise, peut-être même légèrement apeurée ? « Merci pour tout ce que vous faites pour nous, ma chère. Vous faites partie de cette famille. » En partant, elle remarqua que Francelle l'observait, bouche bée, complètement désorientée. Oh, elle avait réussi à déboussoler l'imperturbable Francelle, comme c'était amusant !

Un magnifique jour de printemps, les fleurs écloses dans les bacs de Park Avenue, le frisson urbain du train pour aller Downtown... l'abondance d'hommes attirants dans le métro et dans la rue, qu'elle remarquait avec un zèle rare, même si elle venait juste de s'envoyer en l'air avec Sam. *Je pourrais remettre ça* ! pensa-t-elle, amusée et étonnée, tandis qu'elle descendait Worth Street, parfaitement consciente du caractère provocant de son chemisier échancré, de ses talons plus hauts et de ses cheveux plus ébouriffés qu'à l'habitude. Elle n'avait que trente-huit ans, bordel ! La plus jeune adjointe aux affaires sociales et à la santé de la ville. *Et peut-être la plus excitante ?* gloussa-t-elle intérieurement.

Sur le chemin, elle passa devant Lauren, du Bureau Tuberculose. Elles ne s'entendaient pas très bien habituellement, mais elle se surprit à lui lancer : « Quelle journée magnifique, non ? » Lauren aussi eut l'air étonnée, et elle faillit sursauter. « Oui, c'est vrai, j'avais envie de rester dehors toute la journée.

— Pas le choix, chantonna-t-elle en retour. J'ai un programme bien chargé aujourd'hui ! » Elle s'arrêta au coin cuisine du bureau pour se servir une nouvelle tasse de café puis, avançant avec un certain panache et un pas rythmé, songea-t-elle, elle s'installa à son bureau. Un beau jeune homme hispanique, élégant avec sa chemise et sa cravate, ses lunettes en écaille, l'y attendait dans la chaise placée devant son bureau, des dossiers sur les genoux. Il avait vingt-cinq ans à tout casser !

« Oh ! s'exclama-t-elle. Bonjour. »

Il leva les yeux, intimidé. « Oh ! Bonjour, docteur. » Il se leva soudainement, laissant tomber certains de ses dossiers par terre, et ils s'accroupirent tous deux pour les ramasser. « Hector. Villanueva. De Columbia.

— Oh, bien sûr, sourit-elle. Vous êtes mon stagiaire pour l'été, c'est ça ? Le docteur Ferrer m'a parlé de vous. Eh bien, bienvenue, Hector. » Elle lui tendit la main. « Très heureuse de vous connaître. Appelez-moi Ava. »

Il la regarda, interloqué. « Vous en êtes sûre ?

— Sûre de chez sûre. » Il était vraiment bel homme, pensa-t-elle, s'installant à son bureau, mais tellement timide et mal à l'aise ! Elle l'aurait juré. Et ces lunettes ! Il avait de si beaux et grands yeux bruns derrière ces doubles foyers ! N'avait-il jamais entendu parler des lentilles de contact ?

« Désolé de m'être installé ici, dit-il, même s'il était désormais debout, nerveux, la pile de dossiers sous le bras. Mme, hum, Mme Conti m'a dit que je pouvais car elle ne savait pas où m'installer jusqu'à votre arrivée.

— Aucun problème », répondit-elle, ses pensées galopant déjà à toute allure pour déterminer tous les projets qu'elle pourrait lui confier… Et n'était-ce pas adorable, ce sentiment quasi maternel qu'elle éprouvait déjà à son égard ? « Je suis née à Bellevue, ça m'a dégourdie. Je ne suis pas une autiste cloîtrée dans mon laboratoire ! »

Il rit. Un rire un peu coincé, nota-t-elle ; oups, il devait être un de ces rats de laboratoire. « Alors, c'est comment, Columbia ? demanda-t-elle. Renny… » Elle se reprit. « Désolée, rectifia-t-elle, le *docteur Ferrer* m'a dit que vous vous intéressiez aux maladies infectieuses. »

Il acquiesça sobrement. « C'est le cas.

— Mais pourquoi ? C'est fini, les maladies infectieuses, tout a déjà été découvert et compris. Pourquoi pas plutôt le cancer ou le cœur ? Il y a d'énormes chantiers là-dessus… et donc beaucoup d'argent.

— C'est que… » bégaya-t-il. Il était si nerveux ! Parlait-elle trop vite, trop mal, pour ainsi l'effrayer ? « Eh bien, dans les pays en voie de développement, les maladies infectieuses…

— Ah, je comprends ! Vous voulez étudier les maladies infectieuses dans les pays en *développement*. C'est tout à fait différent dans ce cas. Il y a plein de boulot en effet ! Vous êtes d'où… République dominicaine ?

— République portoricaine », rectifia-t-il. Ils rigolèrent un peu de ce mauvais jeu de mots. « Nous sommes venus ici lorsque j'avais treize ans.

— Ah, *sí, muy bien*. Peut-être que tu pourras m'aider avec mon espagnol, parmi d'autres choses, parce que ce n'est pas mon fort.

— Bien sûr, avec plaisir », dit-il doucement. Elle sourit. Elle n'avait pas dit cela sur un ton sérieux, mais lui l'avait pris pour argent comptant. Il était adorable. Si seulement il pouvait perdre ces lunettes de matheux ; il ne se rendait pas compte combien il était attirant !

Elle devait absolument ne pas se disperser – la journée était chargée ! Ses réunions ! Les ordres du jour et les graphiques sur lesquels elle voulait travailler ! « Regardons ensemble le menu du jour, et nous allons voir comment tu peux m'aider », commença-t-elle. Et, en parlant de maladies infectieuses, Blum gratta à sa porte, entra et lui tendit un document, en ignorant Hector.

« Tu as vu ça ? » interrogea Blum.

Elle passa rapidement le document en revue, écarquillant les yeux. « Encore un autre sarcome de Kaposi à St Vincent ? Chez un type de trente-deux ans ? »

Blum acquiesça. « Encore un homosexuel. »

Ava tendit le rapport à Hector. « Voilà ta première mission, Hector. Va me photocopier ça. » Hector partit du bureau avec le document en main.

Elle se tourna vers Blum. « Ça fait, quoi ? Le septième cas en quelques mois, non ?

— Huit.

— Bordel, qu'est-ce que ça peut être ? Ce cancer, c'est un truc de vieux Juifs ou d'Italiens, une fois tous les trente-six du mois.

— Je me demande si c'est lié à l'hépatite B. Il y en a beaucoup dans la communauté homosexuelle.

— Un cancer viral, proposa-t-elle.

— Ça, ou trop de disco ou de nitrites ou de sexe ou je ne sais pas. »

Cela l'agaça. « Ce n'est pas drôle, Blum. Tu sais bien que mon frère est gay.

— Mais je suis sérieux pour les nitrites ! Que veux-tu que ce soit ? Et tu sais bien qu'à Los Angeles, ils ont eu plusieurs cas déclarés de pneumopathie chez les homosexuels.

— Pneumocystose, oui, corrigea-t-elle. J'ai lu ça. » Hector revint avec les copies du document. « Qu'est-ce que tu en penses, toi, Hector ? Si c'est un truc communautaire, ça me semble tout de même être un épiphénomène. »

Hector baissa les yeux. « Je n'ai pas suivi le dossier », marmonna-t-il. *Bon Dieu, que ce gars est mal dans sa peau !* pensa Ava. Puis elle se reprit : il avait vingt-cinq ans, c'était encore un gamin.

Elle dit à Blum d'organiser une réunion si un nouveau cas similaire survenait ; elle ne pouvait pas consacrer plus de temps sur ce dossier aujourd'hui, elle avait déjà de nombreux autres rendez-vous, d'autres projets à développer, d'autres rapports à préparer. Et tout ça avant trois heures de l'après-midi, puis ce serait au tour d'Emmy ! Elle installa Hector dans un bureau sans fenêtre – franchement, c'était plutôt un grand placard – à quelques portes de là. Ensuite, elle plongea dans sa journée de travail avec délectation. Elle dévora son dossier, esquissant des graphiques sur son carnet tandis qu'elle étudiait les documents du jour, appelant Rosemary à plusieurs reprises pour lui dicter des notes.

« Tu vas trop vite pour moi ! se plaignit Rosemary à un moment.

— J'ai beaucoup trop de choses à faire aujourd'hui ! » rétorqua-t-elle.

Puis, elle donna plusieurs coups de fil au sein du département et à d'autres services afin de discuter de diverses questions et idées. Où était donc passée son habituelle mollesse de fin de matinée ? Son esprit semblait avancer à toute allure, bam bam bam, alignant et effectuant les tâches les unes après les autres, établissant d'incroyables connexions comme jamais. Elle avait déjà ressenti cette efficacité mentale particulière toute la semaine, mais là, elle atteignait l'apogée. Tandis qu'elle lisait et travaillait, elle était assise dans sa chaise d'une façon telle qu'elle se sentait provocante, jambes croisées, tapant du pied, une main remettant en place une de ses mèches rebelles, imaginant à la place une barrette dorée. Elle était madame l'adjointe à la santé, la tsarine sexy, comme dans un film érotique de Times Square !

À onze heures, elle avait la traditionnelle réunion préparatoire du mercredi avec Renny et les autres adjoints. En route, elle s'arrêta pour extraire Hector de son placard. « Viens avec moi, tu pourras écouter les pontes pontifier et découvrir les arrière-cuisines du métier, Hector, lui lança-t-elle en le prenant par le bras pour l'emmener en salle de réunion. Tu es en stage, après tout.

— Je suis nerveux », souffla-t-il. Et oui, en effet, son bras maigrelet tremblait ! « Je ne suis pas à l'aise en groupe. » Elle eut à nouveau un élan maternel pour lui. Elle avait pensé que cela la fatiguerait de devoir trouver des missions pour ce stagiaire, ce petit protégé de Renny, mais, en fait, sa présence lui plaisait déjà. Il voulait étudier les maladies tropicales ! Quelle noblesse d'âme ! Elle espérait que passer son été dans son service ne détruirait pas tout son idéalisme.

« Tu n'auras probablement pas à prendre la parole, le rassura-t-elle en lui serrant le bras. Contente-toi de me regarder avec admiration pendant que je parle. »

Il la dévisagea, troublé. Elle lui envoya un clin d'œil, pour souligner qu'il s'agissait bien d'une blague.

« Oh », dit-il. Il laissa échapper un petit éclat de rire, de soulagement.

Lauren entama la réunion avec les dernières données concernant la lente progression d'une souche de tuberculose résistante aux antibiotiques et présente au sein des foyers de sans-abri. Lauren tourna autour du pot un long moment, glosant sur le fait que les patients ne prenaient pas les médicaments qui leur étaient prescrits jusqu'au bout. Ava n'avait qu'à l'interrompre, ce qu'elle fit, pour résumer une étude qui venait d'être menée à Minneapolis sur l'efficacité de la thérapie sous observation directe – lorsque le personnel soignant conserve les médicaments, et oblige le patient à venir chaque jour pour les prendre devant témoin, afin de s'assurer du bon suivi médical – pour résoudre une épidémie similaire de tuberculose résistante.

« Voilà précisément les cas où, commença Ava à toute allure (elle adoptait d'habitude un ton plus sobre et solennel lors de ces réunions, baissant la voix et réduisant son débit, mais aujourd'hui, elle n'arrivait pas à contenir l'excitation, l'urgence de sa voix), nous pourrions avancer considérablement en ayant une réunion mensuelle à New York, en invitant quelques jours les chercheurs à la tête de ces études dans de plus petites villes. Les sortir un peu, profiter des invitations de la mairie aux spectacles de Broadway, leur rappeler qu'ils sont entre de bonnes mains et qu'ils ne se feront pas poignarder dans la rue, puis les installer ici la journée – ou, disons, dans une salle de réunion du Sheraton avec des plateaux-repas – et apprendre de leur façon d'opérer dans ces programmes. Ensuite, à nous d'imaginer comment les adapter à la taille d'une ville comme New York. »

Renny était penché en avant, concentré, mais elle nota que Lauren s'était légèrement reculée de la table, et l'observait d'un air poli mais avec un regard noir derrière ses lunettes.

« Ce qui est amusant, docteur, intervint Lauren (oh, oh, elle l'appelait docteur, et pas Ava, ce qui indiquait sa froideur et peut-être même son agressivité, en tout cas l'absence de bienveillance collégiale), c'est que j'allais justement vous parler de l'expérience menée à Minneapolis, cette thérapie en observation directe, et vous proposer la même chose : inviter les chercheurs à New York. Ou même daigner aller les voir chez eux. »

Oh, oh. Elle croisa le regard terrorisé d'Hector – ou peut-être juste interrogateur, en fait. Renny se racla la gorge. Un sentiment de gêne flottait dans la pièce. « Peu importe ! trancha Ava. Je serais bien contente de découvrir le ciel de Minneapolis ! » Elle lança un sourire rassurant et innocent en direction de Lauren.

Tout le monde se détendit. « Tu vas enfin y aller, Aves », plaisanta Blum. Les garçons la préféraient à Lauren, elle le savait bien. Lauren était coincée, obligée de sourire à son tour, bonne joueuse.

« Lauren, vois avec les personnes dédiées pour faire venir l'équipe de Minneapolis ici, ordonna Renny. Et notre amie ici présente choisira la magnifique comédie musicale où on les traînera. »

Tout le monde éclata de rire. C'était le summum du comique pour ces types de la santé. Elle baissa la tête pour masquer son sourire. La blague de Renny lui rappelait qu'il l'appréciait, et qu'elle l'amusait. Elle pourrait facilement lui effleurer le bras après la réunion et organiser un déjeuner. Elle réussit à rester calme durant la fin des discussions, sauf lors de ses propres présentations, bien sûr. Son esprit avançait toujours aussi vite. Qui sait, parmi toutes les idées qui germaient, peut-être en trouverait-elle une vraiment brillante ! Et alors que d'habitude elle couchait seulement quelques mots sur son carnet de notes, aujourd'hui, elle dessinait une véritable infographie de la réunion, pour essayer de noter qui disait quoi, sur quelle discussion cela avait débouché, comment cela se connectait ensemble. Blum était assis à côté d'elle et, au bout d'un moment, elle remarqua qu'il observait son carnet d'un air étonné.

« Mais c'est quoi ce truc ? murmura-t-il.

— Je capture des idées, répondit-elle.

— Tu es sûre que ça va, Aves ? » lui demanda-t-il en se penchant plus près, pour ne pas être entendu des autres.

Oh, mais c'était vrai que Blum était au courant. Son meilleur ami du département. Il connaissait les détails de cette période, une année plus tôt, lorsqu'elle s'était confiée à lui, à propos de ses pleurs, de son angoisse, de son incapacité à se concentrer, de son insomnie, des inquiétudes de Sam à son sujet, de l'instinct d'Emmy qui sentait que cela n'allait pas, du Valium, de devoir décrocher du Valium, de prendre cette nouvelle drogue qui semblait tout arranger, au fur et à mesure. Voilà ce que c'est que de partager son intimité avec ses amis du travail – ils traquent n'importe quel signe ensuite.

« Je vais très bien », souffla-t-elle. Et c'était le cas !

Il haussa un œil comme pour dire : *Bon, d'accord, si tu le dis.* Elle surprit Hector en train de les observer. Sale fouineur, Hector ! Elle lui fit un clin d'œil. Il esquissa un sourire avant de détourner le regard, toujours aussi jeune, beau et timide. La réunion s'acheva et, comme elle devait mener une inspection dans un restaurant sur le chemin, elle l'invita à déjeuner à Chinatown. Ils firent le tour de plusieurs établissements sur Mott et Canal Street. À Wo Hop, une institution, elle nota l'absence d'affichage des règles d'hygiène. Elle se dirigea vers la femme qui roulait des raviolis dans la cuisine, l'air absent, une pile de commandes devant elle. Hector s'engagea derrière elle.

« Faye ! Où est l'affiche ? Je t'en ai amené la dernière fois. Tu es en infraction avec les règles. »

Faye leva les yeux et grimaça. « Kai… » Elle fit un geste d'apaisement, comme si elle caressait quelque chose.

« Quoi ? Faye, je ne comprends rien à ce que tu veux dire.

— Kai… » Faye répéta.

Ava se tourna vers Hector. « Kai, c'est son mari, expliqua-t-elle. Le propriétaire. Il parle anglais. » Hector hocha la tête.

« Pour nettoyer. Nettoyer ! continua Faye. Rester propre.

— Quoi ? » Aujourd'hui, elle était un peu plus impatiente et agressive envers Faye, et elle ne savait pas vraiment pourquoi, parce qu'elle considérait Faye presque comme une amie, tout comme Kai.

Faye regarda Hector et haussa les épaules, comme désespérée. « Oh ! comprit Hector. Vous voulez dire qu'il plastifie l'affiche ? Pour qu'elle reste bien propre ? »

Faye lui adressa un sourire plein de gratitude. « Oui ! Plastique ! Pour être propre. »

Hector se tourna vers Ava. « Il a enlevé les affiches pour les faire plastifier. »

Elle adressa un regard sévère à Faye : « Et vous les remettez bien, hein ?

— Oui, oui, dit Faye comme si elle était idiote. Ce soir, sur le mur. »

Étrangement, Ava était presque déçue de ne pas aller à l'affrontement. Elle était venue aujourd'hui dans le quartier en quête d'une sorte de croisade, peut-être pour qu'Hector l'admire dans le feu de l'action. « Bon, d'accord. » Ils firent un rapide tour de la cuisine. Tout semblait en ordre, sauf quelques queues de crevettes éparpillées par terre, et un distributeur de savon vide au-dessus d'un lavabo. « Ramasse-moi ça, ordonna-t-elle à Faye qui se mit à genoux pour enlever les crevettes jonchant le sol, à mains nues. Et remplis-moi ça. » Faye se retourna et aboya un ordre en cantonais à l'un des employés, qui revint du fond de la pièce avec un tube plastique contenant du savon liquide rose bonbon. « Autrement, ça a l'air bon, Faye.

— Merci, Ava », chantonna Faye. Hector rit, comme par inadvertance. Faye gloussa également. Alors c'était donc ça, les minorités se foutaient d'elle ? Une vague de colère la submergea, puis elle se moqua d'elle-même et plaisanta. « Bon, il faut nourrir le gamin maintenant, Faye ! Deux soupes aux œufs !

— La spéciale pour vous », annonça Faye en les faisant sortir de la cuisine.

Hector et elle s'assirent à l'avant du restaurant. « Tu as vu ce pauvre type, derrière ? lança-t-elle. Je me demande combien ils le payent. Est-ce que tu savais qu'ils essaient de se syndiquer au Silver Palace, le restaurant de dim sum ? C'est bien. C'est de l'esclavage là-bas.

— Ils ont peur, par contre, parce que ce sont tous des clandestins. »

Elle leva les yeux de sa soupe. « Tu veux me faire plaisir ? »

Hector eut l'air terrorisé.

« Tu pourrais enlever tes lunettes quelques instants ?

— Enlever mes lunettes ?

— Oui. Juste quelques secondes. »

Il s'exécuta, et retira ses lunettes à grosse monture plastique. Voilà, c'était mieux. « Tu n'as jamais pensé à mettre des lentilles de contact, pour ne pas cacher à quel point tu es beau ? »

Il sourit et rougit, embarrassé et flatté. « J'en ai, mais elles me font mal aux yeux.

— Quand est-ce que tu es arrivé de Porto Rico ?

— À l'âge de douze ans.

— Oh, donc tu as été au lycée aux États-Unis ?

— Oui, dans le Bronx. »

Elle s'illumina. « Mon frère aussi ! Je suis allée à Cardozo. En chimie, tu as eu M. Levy, avec la verrue en forme de chou-fleur dans le cou ?

— Mais oui ! » Il affichait un très large sourire. « J'adorais ce type. Comment vous le connaissez ?

— Par mon frère !

— Ah oui, logique. »

Ils restèrent silencieux pendant un instant. Elle s'identifiait à lui, c'était incroyable. Et de l'affection à son égard naissait en elle. « C'est... tropical, n'est-ce pas ? »

Il acquiesça sobrement. « Tropical, oui. »

Les maladies tropicales n'étaient pas vraiment son domaine. « Tu as entendu parler des épidémies de dengue à Cuba ? s'aventura-t-elle.

— Oui, et Castro essaie de mettre ça sur le dos des États-Unis »,
dit-il en riant.

Mais elle n'arrivait pas à se concentrer véritablement sur le sujet.
Elle était encore surexcitée par cette réunion du matin, et même
par sa brève passe d'armes avec Faye. « La santé, c'est un panier de
crabes », reprit-elle.

Ses yeux s'écarquillèrent : « La santé ?

— La santé. *San-té*. Le Département de la santé.

— Ah !

— Lauren St. Hilaire me déteste. Tu as vu comment elle me
dévisageait pendant la réunion ? »

Hector sourit, en coin. « Il faut dire que vous lui avez un peu
volé sa présentation. »

Choquée et un brin offensée, elle en resta bouche bée. Puis son
visage laissa place à une réaction amusée. « Tu penses vraiment ?
demanda-t-elle.

— Eh bien, c'est… que…, bégaya-t-il. Vous aviez une bonne
idée, mais elle avait la même, enfin je crois.

— Je déteste à quel point les gens sont lents à exposer leurs
idées », lui aboya-t-elle presque dessus. Il sursauta dans sa chaise.
« Crache le morceau ! Crache-le, bordel ! Gagnons du temps. Plus
on gagne de temps, plus on peut agir. »

Il laissa échapper un petit rire gêné. « Je sais, mais… »

Mais. Elle se sentit tout à coup affectueuse, joueuse. « Tu as une
copine ?

— Une quoi ?

— Une copine. Une. Petite. Amie.

— Ah. Non, pas en ce moment.

— Tu aimes les filles ? »

Il ne savait plus où se mettre, et elle adorait ça ! Jusqu'où pouvait-elle le pousser ? Elle se fichait totalement de son plat. À la
limite, elle aurait préféré un verre. Et elle devait retourner au
bureau pour essayer de tirer quelque chose des graphiques qu'elle
avait esquissés pendant la réunion, pour présenter le tout à Renny.
Devait-elle l'appeler tout de suite, depuis la cabine téléphonique
du restaurant, et lui dire de garder un peu de temps cet après-midi ?
Oh, mais non, putain, il y avait Emmy ! L'après-midi au Serendipity,

à partir de quinze heures. Quelle quantité de travail pourrait-elle abattre avant l'heure fatidique ?

« Je… » Il était encore tout tremblant. « Je n'ai pas le temps en ce moment. Je veux être publié.

— Publié ? cria-t-elle. Mais tu es trop jeune !

— Je suis ambitieux !

— Je vois ça ! Bon, d'accord, si tu veux publier, je t'aiderai à publier. Ne t'inquiète pas pour ça. Scientifique du Bronx. »

Il se mit enfin à sourire. « Merci », dit-il. Elle lâcha prise. Leurs plats arrivèrent. Il mangea avec plaisir, tandis qu'elle ne toucha quasiment pas à son plat. Elle avait l'impression de perdre le fil de ses idées ; elles avançaient plus vite qu'elle, un peu trop, et elle détestait cette impression. À plusieurs reprises, elle sentit les larmes lui monter aux yeux, mais elle réussit à se contenir.

Hector la regarda. « Vous ne mangez pas.

— Je n'ai pas faim. Je pense à ma fille. Emmy. Je ne suis pas assez présente pour elle. »

Ils quittèrent le restaurant. Sur Canal Street, ils passèrent devant un vendeur qui refourguait des poupées Hello Kitty. « Je vais en prendre une pour Emmy. » Mais elle finit par en prendre cinq, de couleurs différentes, et les emporta dans un sac-poubelle en plastique noir, le seul dont disposait le vendeur à la sauvette. Elle suspendit le sac sur son épaule, comme le Père Noël.

« Vous voulez que je les porte ? proposa Hector.

— Non, ça va », répondit-elle en se faufilant dans la foule. De retour au bureau, elle jeta le sac dans un coin, reprit ses notes graphiques, puis se glissa jusqu'au bureau de Renny. Il était occupé à relire des documents en compagnie de Lauren.

Elle tira une chaise vers elle. « Tu peux m'accorder cinq minutes ? »

Renny et Lauren la regardèrent, abasourdis. Et même un peu effrayés. « Ava, on est en pleine réunion, là, dit Renny.

— Je n'ai besoin que de cinq minutes, pas plus. » Elle manqua de transpercer son carnet avec la pointe du stylo. « Je sais comment tirer trois fois plus de matière de cette réunion, et sûrement en moitié moins de temps. C'est juste une question de processus.

— D'accord, Ava, admit Renny. (Pourquoi était-il si gentil ? C'était pourtant pénible.) Mais pas tout de suite. »

Lauren envoya un regard bref à Renny. «Ava… osa-t-elle commencer.

— Ava quoi ? Tu m'en veux parce que je t'ai volé ton moment de gloire ce matin, c'est ça ? Si c'est le cas, désolée. J'ai juste eu l'idée et je l'ai exprimée, pas de quoi en faire une montagne.

— Non, Ava, contredit Lauren d'un ton ferme et assuré. J'ai peur que tu sois en boucle, en phase maniaque. »

Bien droite dans son siège, elle émit un petit bruit aigu, très désagréable. Elle rit nerveusement. «Tu as peur que je sois en boucle ? En *phase maniaque* ? Non, Lauren, tu es juste énervée à cause de la réunion, alors tu prétends t'inquiéter pour ma santé. Alors que tu sais très bien que j'ai été diagnostiquée unipolaire, et pas du tout bipolaire.

— Ava, intervint Renny, à y repenser, je pense que cela fait deux semaines que tu es en début de phase maniaque, et que là, cela explose. »

Elle se rassit dans son siège au terme d'un effort herculéen, et ne dit mot. Puis, lentement, d'une prononciation laborieuse : «Même si c'est le cas, comme *ça* (elle frappa à nouveau le carnet de son stylo), on ira bien plus vite. »

Renny et Lauren se regardèrent longuement, comme désemparés – que c'était agaçant ! «Super, dit Renny. On va voir ça. Mais pas tout de suite. »

«Allez, vas-y, Renny, mon chou, juste cinq minutes, quoi ! » Bon Dieu, elle parlait comme une nana du Queens maintenant ! Elle se leva, reprit son carnet, et sortit. Elle entendit Renny murmurer à Lauren : «Il faut que j'appelle Sam. »

Cela la fit redescendre immédiatement. Elle n'avait pas envie d'imaginer Sam en train de revivre les ennuis qu'elle lui avait fait subir un an auparavant. Elle revint sur ses pas : «T'as vraiment pas intérêt à appeler Sam, tu as compris ! hurla-t-elle. C'est vraiment *pas* nous respecter. »

Elle se précipita ensuite vers son bureau, parfaitement consciente que Mme Conti et le reste de l'équipe l'avaient entendue et la suivaient des yeux, l'espionnant discrètement derrière leurs putain de vitres, tout en faisant semblant de taper à la machine. Elle s'arrêta au placard d'Hector : «Je vais à mon bureau, je vais m'y enfermer pour abattre tout ce putain de boulot avant de retrouver ma fille. »

Il leva les yeux vers elle. Elle remarqua qu'il était en train d'examiner les rapports sur les sarcomes de Kaposi que Blum avait ramenés plus tôt. « D'accord, dit-il. Ça va ? »

Elle posa la main sur la hanche. « Tu sais ce que je déteste, Hector ? Quand les gens voient une impatience énergique et productive – une pointe d'activisme dans cet océan de putain de bureaucratie sclérosée – et qu'ils la jugent maladive, parce que cela leur fait peur. Parce que cela veut dire que, peut-être, ils vont devoir bouger leur gros cul et enfin vraiment bosser. Et – déjà ! – j'ai l'impression que – même si tu commences à me connaître – tu me vois de cette façon, toi aussi. Tu as peur de moi. »

Il hocha la tête. « Non, pas du tout. » Mais elle pouvait voir les feuilles trembler dans sa main.

Elle le fixa longuement et durement. Les sentiments affectueux et l'agressivité qu'elle éprouvait à son égard se mélangeaient dans son esprit, créant une certaine confusion. Elle voulait pleurer. Au lieu de cela, elle se dit qu'il était *littéralement dans un placard*. C'était très drôle. « J'espère que tu te rends compte que tu es enfermé dans un placard. Tu devrais arrêter de te cacher », plaisanta-t-elle. Puis, elle eut honte. Est-ce qu'elle venait vraiment de dire cela ?

Il devint tout pâle. Bouche bée. « Je ne me cache de rien », dit-il dans un croassement à peine audible.

Elle continua à le fixer. Des voix dans sa tête lui disaient de continuer à le titiller ainsi, mais elle s'arrêta car une autre voix plus douce la supplia d'épargner le jeune homme. « On se voit demain, Hector. »

Elle retourna donc à son bureau, et s'y enferma. Son gros dossier l'attendait. Elle avait exactement quatre-vingts minutes avant de devoir partir retrouver Emmy. Elle pourrait être plus efficace si elle soulignait les choses à faire et déterminait combien de temps elle devait ensuite y passer. Elle ouvrit une page vierge de son carnet jaune, dessina dessus une petite boîte. Puis, elle écrivit : *Projet Chinatown. Compiler les données. Appeler Ben Eng. Format A4 !* Et ainsi de suite. Trente minutes plus tard, elle avait parcouru le document dans les grandes lignes et était prête à y consacrer ses cinquante minutes suivantes. Quelqu'un frappa à sa porte. C'était Blum.

Elle lui servit un accueil glacial. « J'essaie de régler huit dossiers différents avant de partir retrouver Emmy. »

Il entra, ferma la porte derrière lui, s'assit, et se pencha légèrement vers elle. « Aves, tout le monde s'inquiète pour toi. »

Elle s'arrêta. Elle lui répondit par un rire nerveux, désespéré et amer. Elle posa les paumes de ses mains grandes ouvertes sur la table, devant elle. « Blum, je ne vais pas m'en sortir cette fois-ci, c'est ça ? Chaque élan de passion dont je ferai preuve à partir de maintenant sera jaugé et jugé à travers le prisme de l'an dernier, n'est-ce pas ? Si on ne m'abrutit pas d'assez de lithium pour m'empêcher de réfléchir, je ne suis qu'une bombe à retardement, hein ? »

Il éclata de rire. Heureusement, quelqu'un pouvait encore trouver drôles ses blagues, sans arrière-pensée ! « Non, chérie. Personne ne pense ça. C'est depuis la semaine dernière, tu comprends. Tu es différente.

— Blum… » Sa voix se brisa. « Blum, je me sens bien. » Elle se mit à pleurer ; elle pouvait, devant Blum. « J'ai de l'énergie, j'ai des idées. Ne m'enlève pas ça.

— Mais, Aves… » Il se pencha plus près d'elle. « Regarde-toi. Tu es en pleurs. Tu trouves vraiment que tu as l'air d'aller bien ? »

— Oui, je me *sens* bien. Je me sens bien. Tu comprends ? »

Il soupira en hochant la tête. « Tu ne veux pas appeler Vikram et lui reparler du lithium ? Tu veux que je le fasse avec toi tout de suite ?

— J'ai un million de choses à faire avant d'aller voir Emmy, je te l'ai dit.

— Tu retrouves Emmy à quelle heure ?

— Chaque mercredi après-midi, à quinze heures.

— Pourquoi tu ne prends pas un Valium, alors ?

— Je vais *réfléchir* à cette possibilité. » Mais Blum ne bougeait pas de sa chaise. « J'espère que tu ne comptes pas me faire le coup de la thérapie en observation directe, pas à moi, hein, Blum. »

Blum se leva, lui et son mètre quatre-vingts. C'était un natif de Midwood ; ils se comprenaient, tous les deux. « Je sais que tu détestes prendre ce truc, mais il faut que tu penses à toi et à ta famille, à votre sécurité.

— Notre sécurité ! éructa-t-elle.

— On a tous des problèmes à se coltiner, celui-là, c'est le tien, Aves, coupa-t-il sur un ton soudainement plus vif. Comporte-toi en adulte. »

Blum claqua la porte derrière lui. Elle éclata en sanglots. Elle savait bien que les jours heureux touchaient à leur fin. Elle devrait déjà être sur le chemin du retour, pensa-t-elle. Mais elle n'arrivait pas à se détacher de sa présentation et de son dossier. Et voilà, les larmes et l'angoisse se mêlaient à la bouffée d'air frais amenée par tous ses projets, cette envie de vivre, cette excitation. Adieu, tout ça. Elle fourra son carnet jaune dans son sac de travail et accrocha de nouveau à l'épaule son sac-poubelle rempli d'Hello Kitty.

Sur la ligne 6, direction Uptown, elle lança des regards effarouchés à tous ceux dont le corps touchait le sien. À un homme qui la bouscula, elle lança : « Vous pourriez faire attention.

— Va te faire foutre, connasse », rétorqua-t-il avant de quitter la rame.

Son esprit carburait à toute vitesse. Elle aurait dû prendre un Valium avant de retrouver Emmy. Mais au tréfonds de ses entrailles, elle se souvenait encore du brouillard annihilant du Valium, l'an dernier, de son incapacité à s'en extraire, de sa fierté de ne pas avoir eu besoin d'y recourir pendant ces trois derniers mois. Être avec Emmy la calmerait, c'était toujours le cas. Elle n'imposait jamais sa maladie à sa fille. Elles allaient passer un chouette après-midi !

Elle entra dans le salon de thé. Emmy l'y attendait, assise sur une chaise blanche, seule, installée à une table tout aussi blanche, les cheveux bouclés et noirs coiffés avec des barrettes et des nœuds roses et bleus. Son cartable était posé devant elle, avec, écrit en lettres d'adhésif rose, un gros « MILLY ». (Emmy, l'abréviation de M. ; M. l'abréviation de Milly). Elle sourit en voyant sa mère arriver, dévoilant un appareil dentaire. Puis, remarquant que sa mère avait avec elle un sac-poubelle noir, son sourire s'évanouit. Ses yeux se teintèrent d'angoisse.

Mais Ava ne vit rien de tout cela. Elle débarqua dans le restaurant à toute allure, renversant une chaise avec son sac-poubelle. « C'est pas possible, non plus, de laisser une chaise au milieu du passage, aboya-t-elle à une serveuse qui s'était précipitée pour la ramasser. Emmy ! » Brusquement, elle se pencha vers la fillette et l'embrassa ;

Milly se raidit ; elle avait des camarades d'école à quelques tables de distance ; elle savait bien qu'ils la regardaient en gloussant. « Je suis allée te chercher des cadeaux à Chinatown ! » s'exclama Ava. L'une après l'autre, elle sortit les poupées Hello Kitty du sac plastique, et les déposa en arc de cercle sur la nappe. « Elles sont mignonnes, non ? »

Sa mère se blottit à côté d'elle, lui posant des questions sur sa journée à l'école et, *mmmh*, et si elles partageaient un chocolat glacé comme elles le faisaient d'habitude ?

« Oui, dit Milly, mais je dois d'abord aller aux toilettes, parce que je t'attendais pour le faire. »

En se rendant aux toilettes, Milly entendit à quel point sa mère parlait fort à la serveuse, comme si elle voulait que tout le restaurant l'entende. Là-bas, à la cabine téléphonique, Milly appela le bureau de son père, attendit que sa secrétaire le lui passe. Au plus profond d'elle-même, elle se sentait à nouveau déchirée, comme l'an dernier. Mais pour l'instant, elle essayait de se maintenir au-dessus du choc et de l'humiliation et de l'angoisse de savoir à quoi allaient ressembler les jours (semaines ? mois ?) suivants, et elle avait trouvé la force pour passer ce coup de fil. (En fait, elle pensait à Francelle, et combien elle lui était redevable d'être non seulement aimante, mais constante, chaque jour.)

« Il faut que tu viennes à Serendipity, dit-elle lorsque son père prit l'appel. Maman fait une crise à nouveau. »

Copains, copines
(1992)

Il ne restait que lui, noyé au beau milieu d'une piscine de sirop d'érable, un énorme grain de myrtille qui s'était échappé de la crêpe tout juste dévorée. Milly le transperça de sa fourchette et l'approcha des lèvres de Jared.

« C'est pour toi, dit-elle.

— Non, Mille-Pattes, c'est pour toi. »

Milly garda le grain entre ses lèvres, se pencha en avant et le partagea avec Jared – tous deux éclatant de rire tandis qu'ils croquaient la baie afin d'en extraire leur moitié, tout en s'embrassant. L'affaire ne prit que quelques secondes ; ils n'étaient pas du genre à s'engager dans des démonstrations d'affection ostentatoires en public. Mais cette petite scène avait attiré le regard d'une quadragénaire assise à l'autre bout du restaurant, qui les désigna à sa camarade, une femme du même âge.

La première dit : « Je crois que je n'en peux plus des brunchs du samedi ici. »

Son amie la dévisagea, moyennement alarmée : « Pourquoi ? On adore cet endroit.

— Je n'en peux plus d'admirer un beau couple de la génération X, tout juste sorti du lit, débarquer ici avec son aura du dimanche matin, genre on-vient-de-baiser-comme-des-dingues-et-maintenant-on-va-se-traîner-langoureusement-aux-puces-de-Chelsea-en-se-tenant-la-main-avant-de-rentrer-et-de-baiser-à-nouveau. »

Son amie éclata de rire. « Oh, eux. Oui, je les ai remarqués.

— Tu viens de louper la scène de la myrtille, dommage pour toi. »

La copine jeta un œil en direction de Milly et Jared. « Je ne suis pas certaine qu'ils aillent jusqu'au mariage. »

Le regard de Copine #1 se concentra sur eux. Elles jouaient désormais à leur jeu de célibataire préféré : Prévoir le Destin du Joli Couple Amoureux d'À Côté. « Et pourquoi ?

— Mais regarde-le ! s'exclama Copine #2, la plus caustique du duo. Tu l'as vu passer sa main dans sa crinière ? Il est tellement fier de lui. Il va se fatiguer d'elle. Elle a besoin de trop d'attention. Ça saute aux yeux.

— Oh, noooon, répondit Copine #1. Tu ne les vois pas comme moi je peux les voir. Il est dingue d'elle. Il la regarde avec des yeux de merlan frit. »

Et elles continuèrent ainsi. Cela aurait été fort amusant et sûrement déconcertant pour Jared et Milly s'ils avaient pu entendre les pronostics de ces deux inconnues esseulées, perdues dans la foule d'un endroit branché de Chelsea. Mais ce n'était pas le cas, et Milly et Jared sortirent de ce restaurant nouvelle cuisine aussi enamourés qu'en arrivant, pour retrouver la moiteur aux effluves d'ordures de leur premier été post-fac à New York. Ils étaient de ce côté de la ville, et non pas à East Village, car ils devaient retrouver d'anciens camarades de cours dans un nouveau parc ouvert le long de l'Hudson River, pour une sorte de pique-nique/après-midi Frisbee hâtivement organisé la veille à grands renforts de messages téléphoniques. C'était leur vie, désormais, puisque Jared avait réussi à séduire Milly et pouvait donc poursuivre sa myriade d'autres rêves, tandis que Milly était toujours aux aguets, à essayer d'identifier la forme sombre qui flottait au-dessus de leur bonheur.

Lorsqu'ils parvinrent à l'endroit du pique-nique, ils rencontrèrent une inconnue, une brunette qu'ils n'avaient jamais vue, debout au milieu de la foule affalée sur des couvertures, posées sous les quelques arbres qui dominaient la pelouse. Elle s'appelait Drew. Grande et osseuse, les cheveux brun foncé, plaqués en arrière comme un garçon, un nez déterminé constellé de taches de rousseur, de grandes dents blanches légèrement en avant comme un petit écureuil, une voix désabusée avec des inflexions de la côte Ouest et dix orteils peints en rouge profond, comme autant de bonbons rouges vernis sur ses pieds nus. Elle était documentaliste à *Vanity Fair*, où elle travaillait avec Colleen, mais elle se rêvait également jeune écrivaine qui se levait à six heures du matin chaque jour pour travailler sur son roman avant d'aller au bureau.

À leur arrivée, le groupe discutait de la démission de Václav Havel, le président slovaque. La conversation dévia sur une succession de jeux de mots autour de son nom.

« Václav Havel a démissionné après avoir bu pour la première fois… » Drew s'arrêta. « De l'eau. » Son sens du timing et son ton étaient parfaits. Tout le monde éclata de rire. Ce furent les premiers mots prononcés par Drew devant Milly.

Colleen les présenta. « Drew, voici Milly et Jared.

— Oh ! laissa échapper Drew avec joie. C'est le Jackson Pollock et la Lee Krasner du nouveau millénaire dont tu m'as tant parlé ! Enchantée. »

Elle se redressa et s'avança de quelques pas vers eux pour leur serrer la main. À cet instant, Milly remarqua les seins qui saillaient sous la robe d'été vintage à fleurs verte de Drew : deux petits seins, mais incroyablement pleins, avec des aréoles sombres qui semblaient susurrer : *Oh, mais bonjour Millicent !* Milly connaissait de temps à autre cette sensation depuis l'âge de douze ans, et n'y avait cédé qu'à deux reprises, en fac, et elle savait reconnaître ce que c'était : le désir d'une fille. Son regard croisa celui de Drew ; l'étincelle était reconnaissable entre toutes. Mais est-ce que Drew regardait Jared de la même façon ?

Milly recouvra ses esprits. « Mmmh, ébaucha-t-elle comme pour répondre, sur le même ton. Et Kiki Smith et… euh… »

Drew ne la lâchait pas des yeux, et rétorqua du tac au tac : « Qui connaît vraiment Kiki Smith ? Elle est mariée, ou… avec… ? »

Personne ne semblait savoir, même si Asa, une amie de Jared, révéla qu'un ami de ses parents venait juste d'acquérir une sculpture de Kiki Smith.

« On s'en fout, un peu, c'est vrai », continua Milly. Mais que voulait-elle dire ? Ses yeux passaient sans arrêt de Drew à Jared, et tous deux semblaient attendre, amusés, qu'elle aille au bout de sa pensée. « Franchement, Lee Krasner ? Pas très sympa.

— Lee Krasner est *géniale* », dit Drew.

C'est ainsi, donc, que tout commença. Drew se mit à passer du temps avec Milly et Jared, à sortir tard avec leurs amis de lycée et de fac, les réalisateurs en herbe, les peintres et les acteurs, et bien sûr la myriade d'assistants éditoriaux. Et, chaque fois, Jared, Milly et Drew étaient ceux qui restaient le plus tard, dans un rade de l'East Village comme le 7A ou le Blue & Gold, à discourir ivres et avec passion de, oh, comment Bret Easton Ellis pouvait se considérer de la trempe de Donna Tartt juste parce qu'ils avaient été dans la même classe, ou qui était le plus subversif et déviant en termes de genre entre Sinead O'Connor, K. D. Lang ou même Prince. Ou, second degré, ils mettaient «Man in Motion», la chanson titre de *St. Elmo's Fire* sur le juke-box, et ils refaisaient le casting du film avec uniquement eux et leurs amis (et Drew riait à gorge déployée et s'exclamait: «Oh, putain, non!» lorsque Jared et Milly lui donnaient le rôle de Demi Moore). Ou ils inventaient des titres pour les autobiographies de chacun. Pour Jared, qui était artiste et faisait des installations, c'était *L'Artiste-maçon: Vie et mort de Jared Traum*. Pour Milly, *Coup de pinceaux: un destin* avec, en sous-titre, *La success-story de Millicent Heyman*.

Celui de Drew: *Brûler les signes par les deux bouts*. C'était Milly qui avait trouvé celui-là, et il les avait bien fait rire. Milly n'avait jamais eu d'amie comme Drew auparavant. La plupart de ses vieilles amies la traitaient comme une petite sœur, avec affection mais aussi une certaine nonchalance, tandis que Drew était attentive, à l'écoute, voulant toujours savoir si Milly allait bien – comment avançaient ses peintures? son couple? Et Drew faisait rire Milly; parfois, Milly avait l'impression, avec trouble et plaisir, que Drew jouait le rôle de la meilleure amie au grand cœur, dure mais ironique et omnisciente, comme dans les vieux films en noir et blanc. Drew semblait heureuse de faire de même auprès de Jared, ce qui faisait d'elle un sujet d'enchantement et de fascination pour les deux membres du couple.

«Je pense que tu es amoureuse d'elle», plaisantait Jared auprès de Milly, après que Milly lui eut raconté en détail ses discussions avec Drew, les phrases assassines qu'elle avait concoctées, la tenue indécente qu'elle avait portée la nuit précédente, comme la fois où elle avait mis une robe de Lolita avec des chaussettes blanches montantes et des Doc Martens.

« Non, c'est *toi* qui es amoureux d'elle », rétorquait Milly.

Un soir, dans un bar, à trois heures du matin, ils n'étaient plus que tous les trois, et « Desperado » passait sur le juke-box. Ils s'étaient éteints, ivres, pendant quelques instants, ne parlant plus. Jared regarda Drew. « Brûle les signes par les deux bouts, dit-il sans lien logique, et les trois éclatèrent de rire.

— Je vous aime, vous deux, lança Drew. Je me sens en sécurité avec vous.

— Tu es comme notre fille, dit Jared.

— Mmmh, oui, renchérit Milly, tu es notre petite fille.

— Enfin, j'ai deux parents non dysfonctionnels ! » exulta Drew.

Mais très vite, entre Milly et Drew, cela se transforma en une sorte de jeu de miroir déformant, un mélange très complexe d'amour, de désir, de compétition et de peur commune quant à ce qui pourrait leur arriver en termes de vocation et d'histoires d'amour. Une nuit, Milly exposait deux peintures dans une petite exposition de groupe. Tout le monde était venu, dont Drew, qui avoua plus tard à Milly : « Tes peintures et mon écriture sont semblables, car elles parlent d'artifice et de poses, sauf que toi tu les portes aux nues et moi aux gémonies. »

Milly se sentit trahie. « Qu'est-ce que tu veux que je te réponde ?

— Je n'ai pas dit que c'était négatif », insista Drew lourdement.

Et pourtant, ce commentaire obséda Milly. « Tu crois que c'est vrai, ce qu'elle m'a dit ? » demanda-t-elle un jour au déjeuner à Ryan, son ami gay des années lycée. Ryan était un métis chinois minuscule qui travaillait à mi-temps comme assistant administratif de Nora Ephron. Elle le maltraitait, et il aimait ça.

« Tu es obsédée par Drew, remarqua-t-il. Tu ne parles plus que d'elle.

— Jared dit comme toi. » De sa fourchette, Milly prit une large portion de pâtes dans le plat de Ryan. « Je ne sais pas pourquoi... je n'ai jamais eu de sœur, c'est peut-être pour ça ? Mais, même avant qu'elle ne me fasse cette observation, je me disais toujours : *Qu'est-ce que Drew penserait de cette peinture ? Qu'est-ce que Drew penserait de cette robe ? De mes cheveux aujourd'hui ? Ou de cette amie qu'elle ne connaît pas ?* »

Le plus souvent, Milly et Jared mettaient Drew dans un taxi pour la ramener à West Village, puis remontaient à pied jusqu'au Christodora, mais un soir très arrosé, Jared a proposé à Drew :

« Viens chez nous, tu rencontreras Horace », c'était leur nouveau chat. Tous les trois, ils marchèrent bras dessus bras dessous jusqu'à l'immeuble, Milly calée entre eux deux, ce qui lui donna la sensation nouvelle et merveilleuse de tenir l'amour des deux côtés de son corps.

« Salut, Horace, dit Drew en couvrant le chat de baisers. Tu es un grand philosophe romain ? Un Empereur Chat des Arts et des Lettres ? » Jared retrouva une fin de joint qu'ils partagèrent en écoutant Matthew Street sur la chaîne hi-fi.

Milly raconta la scène à Ryan quelques jours plus tard. « Et puis, continua-t-elle, on a fait un plan à trois !

— Sans déconner ! murmura Ryan. Ça a dérapé comment ?

— Je ne me souviens plus vraiment, parce qu'on était tous défoncés, répondit Milly. Juste que, c'était vraiment, genre, Drew est une petite fille qui a désespérément besoin d'amour, et on voulait la serrer entre nous et la protéger. C'était l'inverse de la Drew habituelle. Elle était très calme, déjà. On s'est endormis avec Drew au milieu. »

Ryan la fixa, interloqué, pendant plusieurs secondes. « Tu te fous de moi, c'est ça ? finit-il par lâcher. Ça s'est vraiment passé ou pas ?

— Mais oui ! Et c'était vraiment agréable. Elle s'est réveillée avant nous, et nous a laissé un mot : "Merci, je vous laisse dormir, on se rappelle !" Mais elle n'a pas rappelé ce jour-là, et nous non plus. Alors j'ai fait remarquer à Jared : "Je me demande bien comment ça va être avec Drew, maintenant", et il a répondu : "Moi aussi." Finalement, hier, j'ai appelé Drew et on s'est retrouvées pour déjeuner et on s'est prises dans les bras, on était tout excitées, du genre "Hiiiii !" (Le ton de la voix de Milly, pour Ryan, ressemblait à un *Oh, mon Dieu, mais on a vraiment fait ça !*) Bref, on discute un peu et on commande des salades à emporter, pour aller les manger dans le parc, et là, elle me demande enfin : "Alors, comment ça va depuis ?" Et moi : "Super, je me suis sentie très protectrice envers toi depuis ce vendredi soir… comme si je te voyais différemment, et que je pouvais avoir ce genre de sentiments envers plus d'une personne en même temps". »

Et Drew : « Tu l'as dit à Jared ? »

Et Milly : « Non, pas comme ça. J'ai peur que ça lui fasse péter un câble. »

Alors Milly s'est penchée vers elle, sur le banc, et a embrassé Drew doucement près de son oreille. « Tu étais tellement calme, ce soir-là, gloussa-t-elle. C'est si rare ! »

Mais Drew ne rit pas, elle se contenta de sourire timidement et un peu tristement, et détourna le regard. Puis elle laissa échapper une sorte de *Mmmmgggnn, je ne peux pas supporter ça.*

« Je suis tellement seule, Mill. Je ne peux pas tomber amoureuse d'un couple. Ce n'est pas bien pour moi. »

Quelques mois avant le plan à trois, à contrecœur, Drew avait fini par se séparer de Perry. Perry était son copain, un grand bourgeois élégant à la voix grave, rédacteur chez *Harper's*, qui, un soir à une fête après que Drew avait sorti une phrase particulièrement drôle à propos de *Thelma et Louise*, lui avait demandé, l'air badin : « Qu'est-ce que cela te fait d'être une couche de paillettes apposée sur un vide absolu ? »

Perry savait couper la chique à Drew comme personne, mais elle était folle de lui, de son côté gendre idéal et de sa coupe de cheveux d'aristo édouardien. C'était Drew qui avait fini par le quitter, mais seulement après que Milly et d'autres de ses amies lui avaient dit en toute franchise que Perry lui pompait les dernières onces d'estime qu'elle avait encore pour elle-même. Pendant le dernier mois de leur relation, Drew n'écrivait plus parce qu'elle n'arrivait pas à oblitérer l'idée que Perry l'espionnait par-dessus son épaule, soupirant à chaque ligne qu'elle écrivait.

Après que Drew eut parlé, Milly cligna des yeux, très calme. « On t'aime, mais on ne veut pas te traîner dans une situation que tu ne désires pas », lâcha-t-elle finalement.

Drew regarda Milly droit dans les yeux, puis détourna le regard. « Enfin, toi et Jared, vous n'avez pas plutôt du pain sur la planche ? »

Milly se redressa. « Qu'est-ce que tu veux dire ? »

« Eh bien… » Drew examinait minutieusement sa salade tout en parlant. « Vous ne faites pas de l'art, tous les deux ? Souvent, lorsque des artistes sortent ensemble, c'est parce qu'ils veulent se distraire l'un et l'autre de leur boulot.

— Mais je travaille ! insista Milly. Toute la semaine, j'ai postulé à des bourses et des résidences, j'ai bouclé des dossiers. J'ai fait le tour de la ville.

— Bien sûr, il faut que tu fasses ce genre de choses. Mais, chérie, ce n'est pas travailler, ça.

— *Toi*, tu passes un mois à remplir des dossiers pour huit bourses en simultané, et tu oses me dire que ce n'est pas du boulot », rétorqua Milly. Elles sortirent toutes deux du parc. Milly glissa sa main dans celle de Drew, réconfortée par ce geste qu'elle trouvait légèrement subversif, mais Drew la serra rapidement et la lâcha doucement.

Après cette conversation, Milly devint obsédée par l'idée que Jared l'empêchait de produire une œuvre importante. Lorsqu'elle travaillait dans la pièce où elle peignait – une petite chambre que Jared l'avait aidée à transformer en atelier –, c'est ce qu'elle ressentait lorsque Jared mettait la télévision trop fort, lorsqu'il lui criait quelques pensées diverses, et même lorsqu'il lui amenait du thé. Elle bloquait sur le fait qu'elle travaillait dans leur appartement comme une amateure alors que lui disposait d'un atelier ailleurs, dans un vieil entrepôt de l'extrême ouest de Chelsea, un quartier désolé. (Il était vrai qu'il travaillait à base de béton et de vieux rails de chemin de fer, des matériaux qu'il n'aurait pas pu utiliser en appartement, mais tout de même.) Elle bloquait également sur le fait qu'il ait déjà eu son exposition solo, même si c'était dans une galerie improvisée dans un garage de Park Slope, tandis qu'elle s'était contentée de participer à des expositions de groupe.

Elle repensait à toutes ces fois où elle avait abandonné ses pinceaux pour lui sauter dans les bras lorsqu'il rentrait à la maison, heureuse de son arrivée et de pouvoir enfouir son visage dans ses chemises en flanelle qui sentaient la sciure et le bacon de *diners*. Pourquoi avait-elle chaque fois abandonné son travail en cours pour l'accueillir, comme si c'était un dû ? Et, pire, elle ne supportait plus sa question habituelle, « Tu avances dans tes dessins ? » *Dessins*. Avant, elle trouvait cela mignon et ironique ; désormais, elle pensait que c'était condescendant et castrateur.

Il venait tout juste de prononcer ces mots lorsqu'elle se tourna vers lui, exaspérée. « Tu ne peux pas me laisser respirer, pour une fois ? Juste faire comme si je n'existais pas, même si je suis là ? »

Jared vacilla, comme s'il venait de se prendre une gifle. « Putain, s'écria-t-il, je voulais juste te préparer à dîner. Mais d'accord. *Occupe* ton espace. » Il reprit sa veste et quitta l'appartement pour aller dîner seul. Milly pensa qu'elle avait agi comme il fallait, en affirmant son besoin d'espace vital. Mais lorsqu'elle entendit la porte claquer, elle se dit qu'elle n'avait peut-être pas eu tout à fait raison.

Ryan appréciait Jared et tenta de dire à Milly qu'elle était folle. « Qui t'a fourré dans la tête l'idée que Jared te freine ? Drew ? »

Milly rougit, comme si elle avait été prise la main dans le sac. « Ce n'est pas la question, de savoir qui m'a suggéré cela, le problème, c'est de savoir si c'est vrai ou non ? Drew, elle, se lève tous les matins à six heures, elle se fait un café serré et ensuite elle s'installe pour écrire pendant deux heures de solitude absolue et magnifique. Il n'y a personne dans son dos. »

Ryan rigola, l'air moqueur. « Drew est accro à la coke ! Je doute qu'elle se soit levée à six heures du matin depuis un bon bout de temps, à moins qu'elle ne se couche jamais.

— Elle n'est pas du tout accro à la coke, rétorqua Milly. Elle aime en prendre un peu, de temps à autre, à des fêtes. »

À cet instant, pourtant, Milly se souvint de la dernière fois qu'elle avait croisé Drew, à une fête qu'elle et ses amis m'as-tu-vu de la publicité et de la presse, ces gens que Milly n'avait jamais aimés, avaient organisée trois semaines plus tôt. Les gens y étaient bruyants et sans gêne, et Milly ne passait pas une très bonne soirée. Elle avait été soulagée que Drew vienne la retrouver. Mais elle avait l'air si spectrale, si agitée, si distraite !

Elles s'étaient prises dans les bras et embrassées. « Je suis tellement contente de te voir ici ! » s'était exclamée Drew. Mais tandis qu'elles avaient essayé de discuter ensemble, Drew n'avait pas réussi à poser ses yeux quelque part. Ils n'avaient fait que bouger. Milly avait trouvé qu'ils ressemblaient à des orbites vides essayant de dégager désespérément une joie feinte.

Ryan insista : « Tu préfères ta vie ou celle de Drew ? »

Milly ignora la question. « C'est pas juste un problème avec Jared, tu sais, continua-t-elle. Je crois que je préfère peut-être les femmes aux hommes. »

Ryan soupira. « Je ne vais pas repartir sur ce terrain glissant avec toi. Tu n'as jamais eu d'aventure avec une femme qui ait duré plus de deux semaines. En plus, toi et Jared, vous êtes ensemble depuis… quand ? Deux ans maintenant ? Tu t'inventes des histoires dans ta tête à propos de Jared et de ton travail, et maintenant, tu essaies de tout raccrocher à ta théorie. Alors qu'en vrai, tu fais du bon travail, tu es productive, Jared ne te freine en rien, et tu dois surtout te détendre un peu. »

Milly eut un rire nerveux. « Donc, tu viens de me dire que je déraille. Dommage que tu ne sois pas aussi direct avec Nora. Peut-être qu'elle ne te forcerait pas à lui faire réchauffer quatre fois de suite ses plats. »

Ils éclatèrent de rire tous les deux.

« Je voudrais juste que tu sois moins influençable », commenta finalement Ryan.

Cela calma un peu Milly. « Je veux… soupira-t-elle, je veux juste *travailler*. »

Ryan et tous ceux qui furent témoins de ce mantra de Milly à l'époque pensaient tous qu'elle avait juste besoin d'évacuer du stress. Mais, à la surprise de tous, Milly quitta Jared. Elle s'en sépara tout simplement, et prit un appartement à Cobble Hill, à Brooklyn. Sa colère envers Jared ne se dissipa pas – en fait, elle s'aggrava, au point que Jared n'était plus le seul problème mais quelque chose de plus général. Elle se sentit bien plus elle-même, mais cela ne l'empêcha pas de se durcir et de se murer dans une colère froide et contenue qui rendait perplexe et étonnait tout le monde, et elle la première. Cette colère engendra une hargne inédite dans ses yeux bruns, et fit apparaître de larges sillons sur son front. C'était juste après ses vingt-trois ans.

Elle paqueta ses valises et quitta le Christodora une nuit où Jared était en déplacement. Lorsqu'il revint, il n'y avait plus rien qui appartenait à Milly, si ce n'était une mitaine guatémaltèque, abandonnée par terre, qui avait dû tomber d'un sac fait à la hâte. Il la prit, s'écroula, et jura face à ce seul souvenir pendant l'heure et demie qui suivit.

« Putain, mais quelle folle ! répétait-il en s'essuyant la morve avec le gant. T'es complètement paumée ! » Il finit par s'endormir par terre, épuisé, en compagnie d'Horace, le chat, qui jouait avec la mitaine.

Quant à Milly, elle ne trouva pas tout de suite la sérénité à laquelle elle aspirait en quittant Jared. Elle se réveillait chaque jour en pensant : *Bon, maintenant, ma vie peut enfin commencer*. Mais vers onze heures du matin, elle avait l'impression qu'elle avait déjà déraillé de son propre chemin, et qu'elle n'avait aucune idée de comment tuer le temps l'après-midi même, et de quoi faire ensuite.

Un soir, elle se retrouva seule à West Village après dîner, avec des amis de lycée dont elle n'était pas particulièrement proche. Elle aperçut une femme entre deux âges à la chevelure poivre et sel désordonnée sortir du magasin Häagen-Dazs, occupée à lécher sa glace avec une précision maniaque, et une terrifiante vague de solitude la submergea. *Je ne sais pas comment donner ou accepter l'amour*, pensa-t-elle. *Je suis emprisonnée et je ne sais pas comment m'en sortir.* Une sueur froide recouvrit sa peau et elle perdit tout à coup tous ses repères, comme si elle n'avait jamais été au croisement de Hudson Street et de la 10e Ouest de toute sa vie. Elle s'assit pendant quelques instants sur une borne, évitant de croiser le regard des passants, qui lui aurait indiqué qu'elle avait l'air d'une folle.

Elle réussit finalement à se lever. Drew habitait à trois rues de là. Dans ce brouillard aveuglant, des larmes se mirent à naître dans ses yeux et à rouler sur ses joues, malgré tous ses efforts pour les retenir. Elle marcha jusqu'à chez Drew et sonna à la porte. Elle attendit quinze secondes avant de sonner à nouveau. Alors qu'une nouvelle vague de vide s'emparait d'elle, lui indiquant qu'elle était toujours totalement seule, sans nulle part où aller, Drew répondit à l'interphone, demandant qui sonnait chez elle.

« C'est Milly, parvint-elle à balbutier. Tu me laisses entrer ? »

Elle posa la main sur la porte, attendant le grésillement et le clic de la porte. Mais une longue seconde s'écoula avant que la voix de Drew ne se fasse à nouveau entendre. « Chérie, ce n'est pas le moment, là. »

Milly appuya sur le bouton de l'interphone. « Bon… tu peux au moins descendre un instant ? J'ai vraiment besoin de parler à quelqu'un. » Alors qu'elle prononçait ces mots, un couple passa devant elle, et la dévisagea, l'air inquiet. Elle était mortifiée. Plusieurs secondes passèrent. « Tu peux descendre un instant, s'il te plaît ? répéta-t-elle.

— Un instant », répliqua Drew.

Milly se rassit sur la borne, épuisée. Dans un moment, Drew descendrait avec des cigarettes et elles s'assiéraient l'une à côté de l'autre, elles discuteraient, comme elles l'avaient déjà fait tant de fois sur cette même borne. Mais plusieurs minutes passèrent, et Drew ne descendait pas. Cette réalité devenait lentement tangible et Milly, incrédule au départ, trouvait cela humiliant et carrément insultant. Finalement, au bout de trente minutes d'attente à sa montre, elle sonna à nouveau. Une minute passa, sans réponse. Milly garda son index appuyé sur la sonnerie pendant vingt secondes, se sentant comme une folle. Pas de réponse. Elle alla jusqu'à une cabine téléphonique et appela Drew, qui était sur répondeur. « Ça me fait tellement plaisir d'entendre votre voix », annonçait la voix enregistrée de Drew. Puis la sonnerie. Pendant un moment, Milly ne dit rien, espérant à moitié que Drew décroche. Mais elle ne le fit pas.

« Tu es en train de te foutre de ma gueule, prononça Milly au répondeur. Je n'en reviens pas. » Puis elle raccrocha. Le choc et l'indignation avaient en quelque sorte leurré son désespoir, et, trop fatiguée pour aller jusqu'à la station de métro et rentrer chez elle, elle leva machinalement la main et héla un taxi, luxe qu'elle ne pouvait guère s'offrir, s'y installa, éreintée et interloquée, et retourna au silence de son appartement de Cobble Hill.

Il lui fallut plus d'un mois pour que sa rage se transforme en une résolution bien plus sobre. *Tu as voulu de l'espace vital autour de toi*, se disait-elle, *alors tiens ta parole jusqu'au bout et fais-en quelque chose*. Et c'est ce qu'elle fit. Elle se mit à peindre de façon plus productive, avec ce qui lui semblait une plus grande concentration. L'obsession qui lui collait à la peau, celle qu'elle avait existé dans l'ombre de Jared et que ses ambitions avaient été étouffées, se dissipa et, en même temps, elle entra dans une période d'apaisement.

Jared, de son côté, menait une existence assez sereine, à sa façon. Il sortait tous les soirs et buvait des verres avec ses vieux amis de lycée. Défoncé, il arrivait auprès de ses amis, sans un mot, et les serrait longuement dans les bras. Ils lui demandaient comment il allait et il haussait lentement les épaules, cherchant ses mots.

« Je dirais que je suis passé d'une période insupportable, de misère rampante, à une période d'abdication traversée par une misère à peine tolérable, lâchait-il. En gros, en me levant le matin, je suis passé de : *Je suis seul, je veux mourir*, à : *Je suis seul, je veux* mourir, ouais, bon, va te faire un putain de café et va lire le journal, et après la journée commence, mon pote, y a rien d'autre à faire.

— C'est déjà ça », s'esclaffaient ses amis.

Il avait un petit rire nerveux. « Ouais, faut croire. »

Puis ses yeux s'embuaient. Une petite larmichette coulait sur sa joue, et il la balayait du revers de la main, honteux. Son meilleur pote, Asa, le remarquait et lui tapotait le dos discrètement pour le rassurer, tandis que, pour la galerie, il continuait à chanter les louanges de *Reservoir Dogs*.

En plus de penser sans cesse à Milly, Jared n'avait pas oublié Drew non plus. Elle lui manquait contre toute logique : vu qu'il était assez intelligent pour comprendre que deux plus deux faisaient quatre, il avait compris que c'était principalement Drew qui avait suggéré à Milly qu'il la freinait dans sa trajectoire professionnelle. Mais elle lui manquait tout de même. Et, comme tout le monde à l'époque, il s'inquiétait pour elle.

Tout le monde savait en effet que, dans le cas de Drew, il y avait toujours des cadavres dans le placard. La plupart des gens s'en doutaient de façon elliptique, puisqu'elle cachait tout derrière le glamour laborieux de ses discussions mondaines. La photographie de voyage de noces posée sur sa commode, celle de ses élégants parents en Italie – sa mère, jolie femme juive aux cheveux foncés aux allures de l'actrice Marlo Thomas, son père, l'air ironique, leur rencontre à Berkeley, comment elle avait été élevée à deux vitesses. Et son père, son père, son père. *Ne me fais pas le coup de papa, pas à moi, à me promettre de venir à ma lecture pour finir par ne pas venir, ou d'arriver à la toute fin.* Ou : *Une bonne tactique à adopter dans la vie, et elle est souvent sous-estimée, c'est que quand tu te disputes avec quelqu'un, reprends la conversation juste au moment précédent quand tu le revois, et fais comme si de rien n'était, et reste hyper gentil ; mon père a toujours fait ça, et ça marchait chaque fois.* Ou : *Quand tu répètes tout le temps que tu ne sais pas quoi faire de ta vie, j'ai l'impression de parler à ma mère lorsqu'elle discourait sur mon père et qu'elle entrait dans un état de transe, aux confins du manque et du ressentiment – un état confus qui la réconfortait. Et je finissais toujours par lui dire : « Ça suffit, je sais que ça t'arrange d'être comme ça, mais maintenant, va à ton rendez-vous, ou sors avec tes connasses de copines, ou va faire du sport ou arrête de cloper, bref, rends-toi compte que chaque jour que tu t'autorises à mijoter en ces eaux troubles, tu donnes raison à papa. »*

Les cartes postales de papa, les chèques de papa, les visites mystérieuses de papa, que personne ne voyait mais qui rendaient Drew invisible et inaccessible pendant cinq jours d'affilée. Les vieux beaux onctueux et cruels qui apparaissaient encore et toujours dans les romans de gare qu'elle lisait dans les bars, son talon d'Achille façon Harlequin. Le père laissait derrière lui un tourbillon tellement complexe !

Drew vivait comme un ogre. Elle dévorait ce qu'elle touchait, elle vivait en cercle fermé autour de références du passé. Combien de fois Drew avait-elle évoqué Lily Bart, Jordan Baker, Dorothy Parker, Holly Golightly, Edie Sedgwick ? Citer ces noms lui permettait d'oblitérer les petits matins blêmes et les relations sexuelles tristes avec des inconnus, les jours de descente. Jusqu'où irait-elle ? Elle avait abandonné sa meilleure amie devant chez elle alors que celle-ci était visiblement au plus bas et avait besoin d'une main amicale, car sinon elle n'aurait pas pu continuer à briller dans son salon en compagnie de quatre types de la presse et de la dope, et qu'elle était trop défoncée elle-même pour descendre et lui parler.

« T'es en train de te foutre de ma gueule, avaient-ils entendu Milly dire au répondeur téléphonique. Je n'en reviens pas ! »

Ils s'étaient regardés, interloqués. Le type de *Details* avait fait la chose la plus inappropriée, en éclatant de rire. La fille qui s'occupait du nouveau lancement imminent de *Harper's Bazaar*, celui avec le bras de Linda Evangelista recouvrant son visage sur la couverture (« Découvrez une ère d'élégance »), avait regardé Drew avec bienveillance et haussé les épaules.

« Tu ne peux pas toujours être disponible », avait-elle commenté.

Drew se ferma sur elle-même après l'incident, comme si l'effet des drogues avait tout à coup disparu – ce qui était le cas, petit à petit, la plongeant dans une tristesse infinie au beau milieu de la conversation – mais, étonnamment, personne ne le remarqua et ils ne partirent de chez elle qu'à cinq heures trente du matin.

Ce fut le début d'une période sombre de six semaines : ces quidams de la presse ou de la communication qui venaient chez Drew, souvent un garçon qui finissait dans son lit, les petits matins de sommeil profond, la gêne des réveils indécis, les après-midi passés à regarder de la merde à la télévision et à essayer de faire une sieste ou à nettoyer la maison, les demi-heures au café à faire semblant de travailler, les soirées à tenter de faire bonne figure à une fête de lancement de livre ou à un anniversaire, les débats à la con sur Tina Brown dans les rades au cœur de la nuit, le repos mérité au retour. Elle ne vit pas Milly pendant toute cette période, elle était trop mortifiée pour l'appeler.

Puis, à l'aube d'un jour de septembre, alors que tout le monde était parti de chez elle, même le garçon avec qui elle avait passé la nuit, Drew se leva et entendit un étrange cliquetis dans les murs, et vers les fenêtres. Elle alluma la lumière, mais le cliquetis continuait. C'était dans sa gorge. Elle s'allongea, très calme et concentrée sur sa respiration, mais le bruit continua. Elle essayait de pleurer, mais n'y arrivait pas, comprit-elle. Son cœur battait à toute allure. Elle se leva, fit face au miroir. Ce qu'elle vit n'était pas 1904, ou 1926, 1963 ou 1968. Elle réalisa qu'elle était en 1993, qu'elle n'avait pas assez de distance pour romancer la situation, et pendant un bref instant, elle aperçut la Drew que les autres gens connaissaient – la Drew gentille, la Drew compréhensive, la Drew effrayée, la Drew triste.

La sonnerie retentit à cinq reprises chez Milly, puis le répondeur se déclencha. « Laissez votre nom, et je vous rappellerai », disait la voix de Milly. Puis : « Mill ? Tu es là ? Tu peux décrocher ? C'est moi. » Un long moment de silence. « Je sais bien que je ne le mérite pas... »

Milly décrocha. « Je suis là », annonça-t-elle, la voix rauque de sommeil. Drew pouvait y déceler de la froideur. « Quel est le problème ?

— J'ai peur, tellement peur, Mill. Je n'arrive plus à pleurer.

— Tu n'arrives pas à pleurer ?

— J'essaie, mais je n'y arrive pas.

— Pourquoi est-ce que tu voulais pleurer, déjà ? » Un silence. « Tu es encore défoncée ?

— Je n'arrive pas à décrocher. »

Milly se figea, horrifiée. « Tu en as devant toi ?

— S'il te plaît, viens me voir. »

Milly eut un rire désabusé. « Alors, maintenant, tu veux que je passe chez toi. Tu es sûre que tu m'ouvriras la porte ? »

Drew savait que cela allait revenir sur la table. « Je suis désolée.

— Comment as-tu pu me faire ça à moi ? »

Mais Drew resta silencieuse à l'autre bout de la ligne, ce qui déconcerta Milly. « Si tu as si peur que cela, lâcha finalement Milly, tu n'as qu'à venir chez moi.

— Mais j'ai peur de sortir de chez moi !

— Je ne viens pas chez toi ! rétorqua Milly, désormais totalement réveillée. Je suis furieuse contre toi ! Tu n'es pas une vraie amie ! »

C'était le coup de grâce qui déclencha les larmes contenues de Drew. « Ne dis pas ça, sanglota-t-elle. Je veux être une vraie amie pour toi. Chérie, s'il te plaît ! Laisse-moi une chance de me rattraper. »

La voix cassée de Drew, ses sanglots incessants, tout cela fit baisser la garde de Milly. Elle soupira longuement, repoussa les mèches emmêlées de ses cheveux qui lui barraient le visage. « Si tu as si peur que ça, saute dans un taxi et viens ici, dit-elle. Je ne vais pas partir de chez moi pour venir à Brooklyn à trois heures du matin.

— Je ne sais même pas où tu habites maintenant », renifla Drew.

Milly lui donna l'adresse – Drew lui assura qu'elle serait là bientôt – et elle raccrocha. Agacée, elle s'en voulait d'avoir accepté. La tornade Drew allait débarquer dans son havre de paix, son foyer bien rangé. Elle se dirigea vers l'armoire à pharmacie de la salle de bains, retira tous les Ativan qu'elle ne prenait d'ailleurs quasiment plus jamais, et les cacha dans un tiroir de commode, afin que Drew ne les vole pas. Elle retourna la toile d'une peinture sur laquelle elle travaillait, face au mur, afin de ne pas avoir à subir les remarques habituelles que Drew faisait sur son travail. Comment pouvait-elle se protéger autrement ? Elle se rendit ensuite à la cuisine, se prépara une camomille et s'installa en robe de chambre à la table, faisant semblant de se concentrer sur les mots croisés du journal de la veille.

Dans le Village, Drew raccrocha, elle aussi. Le cliquetis recommença et elle se dit qu'il devait venir des fenêtres et des murs, que les voisins et les forces de l'ordre tentaient d'entrer dans son appartement d'une façon invisible et subtile, pour l'arrêter et l'hospitaliser. L'idée de se préparer, de s'habiller, de fermer la porte derrière elle, de s'engager dans l'escalier vide et illuminé, de braver le monde extérieur, de marcher sur le trottoir et de héler un taxi, de jouer la comédie de la normalité jusqu'à Brooklyn avec le chauffeur, tout cela la terrifiait. Mais elle savait aussi que, si elle ne partait pas, elle resterait seule avec ce cliquetis jusqu'à l'aube, et que cela la rendrait folle. Elle se concentra pour oublier le bruit, s'habilla, et prit son sac et ses clés.

Oh, et la coke. Il y avait une dose dans un tiroir de son bureau dont elle n'avait pas parlé aux autres, parce que, autrement, ils l'auraient persuadée de la faire tourner, alors qu'elle voulait qu'ils partent. Elle alla la chercher et, en étant tout à fait consciente que c'était pure folie, en prit une bonne partie du bout de sa clé, avant de sniffer le tout. Puis elle fourra le reste du paquet dans le sac, s'allongea sur le dos sur son lit, la tête au rebord, jusqu'à ce qu'elle ressente cette impression réconfortante et familière au creux de sa gorge. Elle se leva et tituba hors de l'appartement, les talons de ses bottes faisant un boucan criminel dans l'escalier vide, sous le grésillement des néons fluorescents. Puis, elle marcha jusqu'à la 7e Avenue, et monta dans un taxi. Elle arriva même à discuter de tout et de rien avec le chauffeur, en faisant attention de ne pas babiller sans discontinuer, comme un cocaïnomane en pleine montée.

Lorsque Milly ouvrit la porte, Drew la prit dans ses bras en sanglotant. Milly resta raide comme un piquet, ahurie, et prit finalement Drew dans ses bras, distante.

« Tu as commencé la drogue à quelle heure, ce soir ? demanda-t-elle à Drew.

— Je ne veux pas parler de ça, répondit Drew à travers deux sanglots. Je veux juste que tu saches que je ne t'ai pas recontactée parce que je suis jalouse de ta vie, et que je me déteste quand je pense ça.

— Je ne pense pas être assez réveillée pour partir dans une grande discussion maintenant. Tu devrais essayer de dormir. J'ai retrouvé un Ativan. Tu le veux ? »

Drew acquiesça, et elle suivit Milly jusqu'à la cuisine. Milly revint avec le cachet et le posa sur la table devant elle, à côté d'un verre d'eau. Drew l'avala, puis fouilla dans son sac pour prendre ses cigarettes.

« On ne fume pas dans l'appartement », la coupa Milly, luttant contre des sensations de pitié, de fascination morbide, d'horreur et de tristesse. Elle avait rarement vu Drew défoncée, ou en aussi

piteux état. Dans un sens, c'était un soulagement de la voir tellement défaite, abandonnant pour une fois sa carapace bravache.
« Viens, on peut monter sur le toit. »

Là-haut, sous le ciel rose et bleu du petit matin, assises en tailleur
sur le revêtement de graviers du toit, elles fumèrent des cigarettes.
La main de Drew tremblait. Milly n'avait pas arrêté de fumer mais,
réalisa-t-elle, cela faisait des semaines qu'elle n'en avait pas grillé
une avec Drew.

« Est-ce que je peux te dire quelque chose ? amorça Milly. Crois-
moi, tu n'aurais pas envie de vivre ma vie si tu savais exactement
tout ce que j'ai subi avec ma mère pendant mon enfance. Je sais
que ça n'a pas été facile avec ton père non plus, mais si tu imagi-
nais moi… C'était vraiment horrible. Comme avoir pour mère
l'actrice Patty Duke, la folle furieuse. »

Milly prononça ces mots sur un ton grave, mais Drew éclata
de rire, ce qui fit rire Milly à son tour, ce qui requinqua Drew. La
première vague d'effets de l'Ativan remontait dans son corps. Elle
connaîtrait bientôt la paix intérieure, et elle dormirait près de Milly,
peut-être même contre elle. Une pensée aux contours mal définis
apparut, même si cela semblait être trop demandé : peut-être
connaîtrait-elle des moments de paix, lorsqu'elle parviendrait à
renoncer à ce projet épuisant d'Être Drew.

« Et, ajouta Milly, j'espère que tu es consciente qu'il faut que tu
suives une cure de désintoxication. Tout le monde en est persuadé. »

Drew continua à acquiescer, les yeux rivés au sol. Puis elle sortit
le paquet de coke de son sac et le tendit à Milly. « Tu peux t'en
débarrasser pour moi ? »

Milly détailla le petit carré de plastique et de poudre blanche
dans la paume de sa main. « Qu'est-ce que tu veux que j'en fasse ?
Que je la revende ?

— Jette le contenu dans les toilettes, rince le plastique, et jette-
le. Comme ça, je n'essaierai pas de trouver où tu l'as caché. »

— Oh, mon Dieu. Tu es *tellement* accro. »

Cela les fit rire à nouveau. Elles finirent leur cigarette et redescen-
dirent. Dans l'escalier, alors qu'elle était derrière Drew, Milly posa
sa main sur son épaule, et Drew la prit pour la caresser contre son
visage et en embrasser le dos. Drew alla se déshabiller dans la

chambre, tandis que Milly emportait le paquet de coke dans la salle de bains. Elle s'accroupit par terre et renversa le contenu dans la paume de sa main, faisant courir son index dans la poudre de sa main droite. Elle s'émerveilla un moment de la capacité d'une poudre blanche inerte de complètement voler la personnalité de quelqu'un, jusqu'à ce qu'elle le rende méconnaissable. Elle n'avait pris de la cocaïne qu'une seule fois, au lycée, et n'en avait pas du tout aimé l'effet.

Elle renversa le reste dans les toilettes, se lava les mains, rinça l'enveloppe plastique dans l'évier, afin de ne pas laisser ne serait-ce qu'un film de poudre dans la poubelle qui aurait pu attirer Drew, et elle déchira l'emballage. Elle se sentit comme lorsqu'elle avait espionné Perry dans la rue, qui marchait tête haute vers le bureau de *Harper's* et ne l'avait pas aperçue, quelques semaines après que Drew et lui s'étaient séparés. La cocaïne et Perry avaient donné à Drew l'illusion qu'elle pouvait évoluer dans le monde, mais cela s'était retourné contre elle. Maintenant, Drew devrait dépenser une énergie considérable pour s'en séparer plutôt que d'en profiter.

Milly ressentait exactement la même chose envers Jared. *Comment est-ce que je peux la juger alors que je vis la même chose?* pensa-t-elle. Malgré l'épuisement et l'agacement, elle sentit une première bouffée de pardon monter en elle. Dans la chambre, le corps éclairé par la lumière blême filtrée par les stores de la fenêtre, Drew dormait déjà, grâce à l'Ativan. Elle était allongée sur le côté, en tee-shirt et culotte, les mains calées sous la tête. Son visage, se dit Milly, était quasi enfantin, relâché, ne cherchant ni à charmer ni à briller. Milly se déshabilla et s'installa dans la même posture, son bras calé sous les seins de Drew, le nez embaumé par l'odeur de ses cheveux. C'était ainsi que Jared l'étreignait dans leur lit, avant qu'elle se rende compte qu'elle n'était pas libre.

Je veux te dire merci
(1984)

Ysabel s'éclatait vraiment. La musique était incroyable et les hommes autour d'elle étaient beaux. Ce qu'elle et Tavi avaient pris – de la MDMA, elle pensait que c'était ce que Tavi lui avait dit – l'avait rendue totalement euphorique, et tous deux dansaient si proche l'un de l'autre, le sourire aux lèvres, bousculant les gens. Dans la chanson qui passait, une femme chantait quelque chose comme : *Had enough of all the pressure… had a life that felt like pouring rain… Then I turned around. I was so astounded by your smile. Finally there was light… and this is the moment of my life !*[1] Issy se sentait comme ça. Il ne devait pas y avoir plus de quelques dizaines d'autres femmes dans ce club bondé, surtout à deux heures du matin, et elle savait qu'aucun de ces hommes n'allait tomber amoureux d'elle, mais elle s'en fichait. Elle était en compagnie de son meilleur ami, Tavi, et d'une petite bande de ses amis, la musique était bonne, Tavi la tenait contre elle, et c'était un week-end de trois jours, celui du 15 août. Elle et Tavi se fixaient du regard, ne s'en détachaient plus, et souriaient. Puis Tavi l'embrassa – pas l'habituel baiser sur la joue, mais sur les lèvres, bouche ouverte. Pas avec la langue, mais tout de même… cela faisait étrange !

Elle posa sa main sur ses lèvres. « Oh, mon Dieu, Tavi ! souffla-t-elle. Tu ne viendrais pas de… ? »

---

1. « Marre de toute cette pression… De cette vie passée sous la grisaille… Et je me suis retournée. Tellement étonnée de sourire. Enfin, un rayon de lumière… C'est le plus beau moment de ma vie ! »

Tavi éclata de rire comme une hyène. « Hahah, eh oui, princesse, je viens juste de… ! » Ce mec était complètement fou. Il était maigre, avec une coupe afro de Portoricain et les dents du bonheur, un jean Sergio Valente, un tee-shirt jaune moulant affichant C'EST QUOI LE PROBLÈME ?, et trois chaînes en or. Tavi, son meilleur ami du quartier de Corona, dans le Queens. Dont elle savait qu'il était gay depuis qu'ils avaient quatorze ans. Quel autre gamin pouvait courir dans tout le quartier en petit short orange, avec un bandeau en éponge arc-en-ciel et des bretelles dépareillées barrant son torse. « Hé, m'sieur, vous avez une petite pièce ? Hé, m'sieur, vous voulez passer du bon temps ? » C'était ainsi qu'était Octavio. Tavi-Boy, comme elle l'appelait. Ils faisaient absolument tout ensemble.

Elle montra à Tavi ses plus beaux déhanchements – comme si elle était Sheila E. dans « Glamourous Life », le clip qu'elle regardait en boucle, dans son petit manteau brillant, à rouler des mécaniques tandis qu'elle tapait sur les tambours de la batterie. Sheila E. était sa nouvelle idole. Dans sa tête, elle *était* même Sheila E. Elle avait une chevelure presque aussi impressionnante qu'elle, coupée asymétriquement, et elle était persuadée d'avoir la même aura. Mais Issy ne se faisait pas non plus de fausses idées ; elle ne se trouvait pas aussi belle ou sexy que Sheila, même si elle faisait du mieux qu'elle pouvait avec ce qu'elle avait, de grands yeux bruns brillants, une peau caramel souple et de jolies courbes. Si elle ne faisait qu'un petit mètre soixante-deux, si son nez était un peu plus plat, son front un peu trop grand et ses lèvres un peu trop fines, elle faisait de son mieux pour masquer ces légers défauts avec du maquillage, un sens aigu de la mode et une attitude irréprochable.

Dans son quartier, elle était très appréciée. Après tout, elle était la cadette des sœurs de Freddy Mendes, un grand type charismatique qui avait failli intégrer l'équipe des Mets et qui, franchement, ne s'occupait absolument pas d'elle. Mais récemment, alors qu'elle venait tout juste d'avoir vingt-cinq ans et qu'elle s'échinait à décrocher son diplôme de prothésiste dentaire tandis que tous ses amis se mariaient et avaient des enfants – ou ne se *mariaient pas* mais attendaient des enfants –, elle commençait à se demander : *Qu'est-ce que je vais devenir ? Est-ce que je vais rester seule toute ma vie ?* Elle passait alors en revue toutes les qualités qu'elle possédait : *Je suis bienveillante. J'ai un bon sens de l'humour. Je sais cuisiner. Je prends très bien soin de mes dents. Je ne prends pas les choses trop à cœur – je suis le mouvement !* Lister ses qualités mentalement l'aidait, et elle ajoutait chaque fois une prière, celle de rencontrer le bon type avant d'avoir vingt-huit ans. (La date de péremption précédente avait été à vingt-cinq ans, jusqu'à ce qu'elle fête son vingt-cinquième anniversaire.)

Parfois – souvent, étonnamment, dans une église, là où elle s'imaginait être censée se sentir le plus en sécurité – son estomac se nouait d'une violente appréhension, car le monde n'allait pas si bien ; comme d'ordinaire, au contraire, elle trouvait tout le monde bon et l'ordre des choses respecté, elle réalisait alors qu'elle était dans le faux. Elle pensait à la manière dont son père et son frère avaient martyrisé leur foyer, le nombre de fois où elle avait entendu les mots *salope* et *puta* dans leur bouche, et dans celle des autres hommes, ses oncles et ses cousins, depuis qu'elle était toute petite, avant même de connaître la signification de ces mots. Elle pensait à tous ces salauds de sa famille et du quartier, comment les hommes s'en sortaient impunément, puis elle pensait à l'indignation résignée et laborieuse de sa grand-mère et de sa mère, et de tant de vieilles femmes qu'elle connaissait, et comment ces mêmes femmes semblaient évacuer ce sentiment en médisant les unes des autres, en se trahissant, et tout à coup, elle n'allait plus si bien, ou elle se disait que les vraies réponses n'étaient pas ici, dans l'église, à écouter le prêche de ce vieux Dominicain à la peau claire, discours monotone censé persuader les fidèles de ne pas céder aux sirènes de Satan. Et elle se demandait sérieusement s'il n'existait pas, peut-être, une autre forme de vie pour elle, quelque chose de mieux que celle-ci, qui lui promettrait mieux qu'un diplôme de prothésiste. Puis, presque imperceptiblement, elle soupirait et évacuait ses pensées noires.

Mais ce soir, son esprit n'était pas à la mélancolie. Elle s'éclatait juste – et, oh, mon Dieu, elle se sentait si légère ! Et puis, tous ces mecs étaient *canon* ! En voilà un qui venait vers elle. Le DJ venait de changer de titre. « *Baby, you make my love come down*, hurla la foule en écho à la chanteuse. *Oh, you make my love come down*[1]. » Et tout à coup, ce type, avec son gros cul et son torse poilu recouvert de chaînes en or dépassant de son débardeur violet, se rapprocha d'elle.

---

1. « Chéri, tu fais naître l'amour en moi. Oh oui, chéri, tu fais naître l'amour en moi. »

« Hé, bébé », articula-t-il au-dessus du vacarme. Il approcha du poppers de son nez, inhala profondément, puis lui tendit le tube. Elle avait aperçu des types en prendre toute la soirée sur la piste de danse, et s'était demandé ce qu'ils faisaient. Elle s'accorda donc un sniff de cette substance. Tout à coup, elle se sentit délicieusement légère et hilare, elle s'accrocha au cou du type tandis qu'il lui tripotait les seins et les fesses. Ses genoux se rapprochèrent, dans ses collants. Elle allait devenir dingue si elle ne baisait pas bientôt, se dit-elle. Elle n'avait pas baisé depuis – eh bien, deux ans maintenant, lors de cette sortie de route à une fête. Depuis elle n'avait pas cherché. Même la première fois, à l'âge de quinze ans, avec Ricky Malandrino, cela ne s'était pas passé comme elle l'avait imaginé – elle avait eu mal, et cela s'était achevé avant même d'avoir vraiment eu lieu. Ça ne lui avait pas semblé très romantique. Et ensuite Ricky l'avait ignorée dans la rue. Pas une super expérience.

Mais là, à ce moment précis : waouh. Ils se frottaient et se chauffaient, et elle s'accrochait à son cou, sans le lâcher, et elle sentait que tout son corps, en dessous, se liquéfiait au contact de ses grandes mains. Il plaça une main sous son menton, et il lui sourit, et il embrassa doucement ses lèvres. « Tu es belle, lui dit-il.

— Arrête ça ! répondit-elle en riant, de bonne humeur. T'es juste défoncé. »

Il perdit son sourire, et afficha une mine très sérieuse. « Non, bébé. Faut que tu me croies. » Il l'embrassa une nouvelle fois, puis s'en alla, la laissant seule, quasi immobile au beau milieu des danseurs. Tavi, qui avait vu toute la scène, se glissa jusqu'à elle.

« *Puta* », dit-il, puis il éclata de rire. Elle le repoussa, très fière de cet interlude.

Ils continuèrent à danser – pendant des heures, lui sembla-t-il. À différents moments, d'autres hommes vinrent vers eux, dansèrent en leur compagnie, allumèrent Tavi – il venait souvent au Paradise Garage Club et il connaissait pas mal d'autres clients comme lui –, et parfois elle aussi. Ooh, le DJ passait maintenant « Heartbeat » – ooh, elle adorait cette chanson, ce rythme lent, « *heartbeat, you make me feel so weak* » –, elle se sentait comme ça ! Fragile, à force de danser et de désirer. Elle dansait les bras en l'air, le visage tourné vers les lumières de la piste de danse. Elle se sentait sexy !

« Chérie, t'es une vraie chaudasse sur cette chanson ! » lui cria Tavi au-dessus de la musique.

Elle le repoussa à nouveau, « T'es dégueulasse ! »

D'autres types arrivèrent pour danser avec eux. Des baisers, et des mains baladeuses. Un des types, nota Issy, était très beau, mais sombre, un *Boricua* sûrement, avec un air sérieux et absolument pas efféminé. Un peu coincé, avec de grandes lunettes en écaille carrées, qu'il enlevait régulièrement pour en essuyer la vapeur d'eau. Il dansait là, au beau milieu des autres mecs, dans son tee-shirt moulant, son jean branché et ses Nike, quelques chaînes en or autour du cou – mais il restait tout de même plus élégant.

Tavi présenta tout le monde malgré le vacarme de la boîte de nuit ; elle et le joli mec un peu coincé – qui avait quel âge, pas encore trente ans ? – se regardèrent droit dans les yeux. Il lui adressa un sourire doux, mais pas du genre « Héééé, chériiiiie ! » que lui faisaient les pédés d'ici.

Il s'avança vers elle, et l'embrassa sur la joue. « Enchanté, moi c'est Hector, hurla-t-il au-dessus du vacarme.

— Moi, c'est Ysabel, répondit-elle sur le même ton. Issy.

— Comment tu connais Tavi ?

— On a grandi ensemble à Corona, cria-t-elle. Depuis tout gamins. »

Hector acquiesça, pour lui dire qu'il avait compris. « Il est dingue ! »

Issy éclata de rire. « Je sais ! Il est dingue, c'est vrai ! Mais je l'adore !

— Moi aussi.

— Et toi, tu le connais comment ?

— Au début, on se croisait dans les clubs, mais maintenant on est volontaires dans la même association, à GHMC, on répond au téléphone. »

Elle fronça les sourcils, étonnée. « C'est quoi ?

— Gay Men's Health Crisis, une association pour la santé des homos, expliqua Hector. On aide les malades du sida.

— Oh. » Elle fronça les sourcils, une horrible pensée lui traversant l'esprit. Elle posa son regard sur Tavi. « Il va bien ? demanda-t-elle à Hector.

— Oh, oui, je crois. En tout cas, de ce que j'en sais, aucun souci. Le test de dépistage n'existe pas encore. On essaie juste d'offrir un service de proximité aux malades car le Département de la santé de la ville ne fait rien. Ce que je sais bien, vu que j'y travaille. »

Issy hocha la tête, l'air grave. Elle espérait que Tavi était en bonne santé. Autrement, elle n'avait pas trop compris ce que lui avait dit Hector. Il semblait bien sérieux pour un type sur une piste de danse ! Il avait même complètement arrêté de danser pendant un moment.

« C'est terrible, ce qui arrive », enchaîna-t-elle.

Il acquiesça en retour. « Ouais. Il faut faire attention, se protéger. »

Tavi vint vers eux. « Alors les filles, on parle de quoi ? » hurla-t-il.

Issy le repoussa gentiment. « Tavi, tu ne m'avais pas dit que tu étais volontaire dans une association de lutte contre le sida ! »

Tavi sembla désarçonné un instant, comme s'il n'avait pas voulu qu'Hector le lui dise, puis il rigola et passa son bras autour des épaules d'Hector. « Ouais, on est les Mères Teresa des pédés ! Je joue à la réceptionniste avec mon petit casque et mon micro. » Il fit une imitation, un peu forcée, de la secrétaire parfaite, et donna un coup de hanche à Hector. « Ce type arrive toujours à recruter des pédés pour la bonne cause. »

Hector haussa les épaules. « Si on ne le fait pas, personne ne le fera. » *Il était tellement sérieux !* pensa à nouveau Issy. *Mais très attirant.* Il ne pourrait pas se détendre un peu et profiter ? Elle lui prit la main et le força à la faire tourner sur elle-même : « Allez, *papi*, fini les discussions sérieuses, tu vas te bouger les fesses ! »

— Ah, mais quelle allumeuse ! cria Tavi, aux anges. Tu l'as entendue, Hectorina, elle a envie que tu lui défonces la craquette ! » Hector sourit un peu bêtement, haussa les épaules, puis, obéissant, lui esquissa un petit coup de reins, avant de s'éclipser poliment et de disparaître dans la foule.

Soudain, elle se retrouva toute seule sur la piste, à l'endroit où elle avait dansé avec Hector. Issy se sentit abandonnée. Elle perdit un instant pied, et elle tenta de se raccrocher instinctivement à quelqu'un pour amortir sa chute. Et quelqu'un était là. Mais pas

Tavi, comme elle l'espérait. C'était le *moreno* à torse poilu et lèvres pulpeuses, en débardeur violet.

« Oh, mon Dieu, merci, dit-elle en se redressant. J'ai failli tomber.

— Je t'ai vue, oui ! rigola-t-il en dévoilant des dents très blanches, qu'Issy remarqua favorablement. T'étais, genre, biiiim ! » Il fit une imitation très drôle d'elle en train de tituber sur ses talons hauts et chercher à tout prix une branche à laquelle se rattraper.

« Oh, mon Dieu, dit-elle, je suis vraiment désolée.

— Pas de souci. On est dans un club ! »

Le DJ changea de chanson, un titre qu'elle avait beaucoup aimé il y avait quelques années, « I Want to Thank You ». *I want to thank you, heavenly father*, disaient les paroles. *For shining your light on me. You brought me someone who really loves me. An not just my body*[1]. Cette chanson sonnait un peu comme une prière pour Issy. C'était de la danse, mais mélancolique, et elle ne put s'empêcher de s'exclamer en direction du type en débardeur violet : « J'adore cette chanson ! »

Ses yeux s'illuminèrent de joie. « Moi aussi ! » Il prit ses deux mains, et l'engagea dans un pas de danse un peu vieillot, à la faire tourner entre ses deux bras, puis à la serrer contre lui, jusqu'à ce qu'elle sente la moiteur de sa poitrine velue contre sa joue et son eau de Cologne – comme son frère aîné. La danse s'arrêta là. Elle devenait de plus en plus consciente du poids de son corps contre le sien – la largeur de ses épaules, ses hanches contre sa taille, son jean contre ses collants, la chaleur de son souffle dans son oreille.

« *Dios mío* », souffla-t-elle, en s'étonnant elle-même.

Débardeur Violet éclata de rire, et prit son menton entre le pouce et l'index. « Tu sais à quel point tu es magnifique ?

— Tu me l'as déjà dit ! protesta-t-elle. Tu es juste défoncé à je ne sais pas quelle drogue.

— Je ne prends pas drogues, insista-t-il. Bon, si, j'ai gobé un Quaalude. »

Elle rigola, triomphante. « Tu vois ! T'es complètement éclaté. »

Mais il continua à tenir son menton et à la regarder dans le blanc des yeux. « Non, bébé, je te trouve belle. Pourquoi as-tu tant de mal à le croire ? »

---

1. « Je veux te remercier, Saint Père, pour cette révélation. Tu m'as offert quelqu'un qui m'aime vraiment. Et pas juste pour mon corps. »

Issy se sentait à la fois touchée et gênée. Pourquoi avait-*elle* tant de mal à croire cela ? se demanda-t-elle en continuant à danser sur la chanson, entre ses bras. Peut-être parce qu'elle ne l'avait jamais entendu auparavant – ni de la part de sa famille, ni de ses amies, et encore moins de ses petits copains. Elle était juste… enfin, elle *était*. Elle ne pensait pas être une souillon, mais pas non plus une reine de beauté. Elle ne se posait pas beaucoup de questions sur elle-même. Elle devait passer bien plus de temps à penser à son *abuela* qui habitait au-dessus, à quelles courses elle devait faire sur le chemin du retour de son école dentaire, ou ce qu'elle se ferait à dîner. Mais là, elle devait l'admettre, c'était tout de même génial d'avoir un beau – même si étrangement beau – gosse en train de la regarder droit dans les yeux et de lui dire qu'elle était belle.

Puis, elle réalisa qu'elle avait oublié un détail. « Mais tu es gay ! fit-elle remarquer.

— Je suis bi, répondit-il en haussant les épaules. Je préfère même sûrement les filles aux mecs, pour être honnête. C'est juste que j'aime bien la musique et l'ambiance ici. Et puis le mélange des genres.

— C'est un super club », approuva-t-elle. Elle ne pouvait pas dire le contraire. Tavi lui promettait depuis un an qu'il l'y amènerait, et ce soir, ils y étaient finalement allés ensemble. Et d'ailleurs, en parlant de Tavi, où était-il passé ? Elle regarda autour d'elle, en vain. Tout à coup, elle se rendit compte qu'elle ne connaissait plus personne alentour, même vaguement.

Puis, les lèvres de Débardeur Violet furent sur les siennes. Elles étaient incroyablement douces et insistantes. Sa gorge se noua un instant. Ce n'est pas bien, pensa-t-elle. Mais apparemment, Débardeur Violet ressentit son malaise, et il lui pressa ses mains si fermement en bas de ses reins qu'elle se sentit fondre sous lui.

« Détends-toi, bébé, et profite, murmura-t-il. Ça va aller. C'est les vacances. »

C'était vrai, se dit-elle. Elle se perdit dans sa bouche. Elle s'accrocha de toutes ses forces à son torse solide. *It took a long time for it to happen*, continua la chanson. *But I knew those nights I prayed. That you would send me someone who's real.*

102

And not someone for play[1]. Issy voulait à tout prix un mec comme ça, se dit-elle. Elle se souvenait de Freddy, pas plus tard que la semaine dernière, en train de promener sa main sur le ventre de sa belle-sœur enceinte, Vanessa. Son frère, d'habitude si bravache et hâbleur, avait ce jour-là un regard tendre, presque révérencieux. Elle voulait qu'un homme la regarde comme cela. Peut-être était-ce lui ! Et comme ce serait amusant de dire aux gens, pendant le restant de sa vie, qu'elle l'avait rencontré dans un club gay !

Elle était si absorbée dans sa rêverie qu'elle ne remarqua pas tout de suite que Débardeur Violet l'emmenait hors de la piste de danse. Elle ouvrit les yeux, se sentant délicieusement endormie et détachée de son corps, puis l'attira vers elle. « On va où, comme ça ? demanda-t-elle.

— Allons prendre un peu l'air dehors, bébé. » Il la blottit dans ses bras et l'entraîna vers la sortie.

« Attends, il faut que je prévienne Tavi, dit-elle en essayant de se faire entendre malgré la musique.

— Tavi... » Elle ne comprenait pas ce qu'il disait. Elle se mit sur la pointe des pieds et parcourut des yeux la foule, où de nombreux couples s'étaient formés pour un slow, comme elle la minute précédente. Elle ne voyait pas Tavi. Enfin, songea-t-elle, quelques minutes à l'air frais ne feraient de mal à personne.

Il y avait du monde en train de fumer et de rire au-dehors, profitant de la fraîcheur de cette agréable nuit de mai, sous un ciel constellé d'étoiles, surtout vers l'ouest, au-dessus de l'Hudson River. Encore un peu allumée par la MDMA, Issy eut la chair de poule au contact de la brise. Débardeur Violet mit son bras autour d'elle pour la réchauffer et la guida un peu plus loin, à l'écart de la foule, dans la rue. « Allons nous asseoir dans ma voiture. Je suis garé juste à côté.

— Mais je ne connais même pas ton nom ! » s'exclama-t-elle en prenant un peu de distance.

---

1. « Ça a mis du temps à arriver. Mais quand je passais ces nuits à prier, je savais que Tu m'offrirais quelqu'un de sincère. Qui n'est pas juste là pour s'amuser. »

Il se retourna. « Je ne t'ai pas dit ? Je m'appelle Chris. Ton ami Tavi et moi, on se voit tous les jours. » Oh, pensa Issy. Donc il connaît Tavi. Cela la rassura. « Et toi, tu t'appelles comment ?

— Moi, c'est Ysabel. Mais tout le monde m'appelle Issy.

— C'était le nom de mon *abuela*, ma grand-mère.

— Tu es trop, toi ! rigola-t-elle, les mains sur les hanches.

— Je ne plaisante pas, protesta-t-il, riant à son tour. Je peux te montrer des photos si tu veux ! »

Elle resta un moment sans rien dire, en le regardant fixement. « Tu es trop », répéta-t-elle en se rapprochant de lui. Il passa ses bras autour de sa taille.

Sa voiture, garée au coin de la rue, était une Ford Fairmont bleu clair, avec un pendentif en plastique de San Cristobal accroché au rétroviseur central. « Ah, maintenant, je comprends pour le nom, dit Issy en l'apercevant. Chris-Tobal. »

« Exactement ! acquiesça-t-il en riant. *El santo de los viajeros*, le saint des voyageurs. »

Ils s'installèrent à l'arrière de la voiture, fenêtres ouvertes pour laisser entrer l'air frais. La rue, située dans un quartier industriel de la ville, était vide, à part l'activité lointaine du club. Pas un bruit alentour. Elle ferma les yeux, laissa sa tête tomber en arrière. En une seconde, elle sentit ses lèvres revenir sur les siennes. Elle se blottit contre lui, ses jambes au-dessus des siennes. Elle sentit alors une de ses grosses mains, très poilues, se glisser entre les boutons de son chemisier trop grand au graffiti rose et jaune. Puis, l'instant d'après, deux de ses doigts se faufilèrent sous son soutien-gorge. À ce moment précis, elle éclata en sanglots.

Le saint des voyageurs battit en retraite prestement. « Pourquoi tu pleures, bébé ?

— Je ne sais pas », répondit-elle, et c'était vraiment le cas. Elle se souvenait vaguement de Tavi lui dire que la MDMA lui aiguiserait tous ses sens, et que les psys utilisaient cette molécule pour forcer leurs patients à exprimer leurs sentiments. « Je me sens juste très heureuse. C'est une super soirée. »

Il rigola. « Bien sûr, que c'est une super soirée. Vu qu'on s'est rencontrés. »

Son chemisier et son soutien-gorge volèrent en l'air, puis ses collants. Le saint des voyageurs était effectivement bisexuel, se dit-elle, impressionnée. Alors qu'il la pénétrait, et qu'elle s'enfonçait de plus en plus profondément dans les coussins de la banquette arrière, elle resserra les bras autour du cou de San Cristobal, s'abandonnant totalement à la puissance de leurs corps enlacés. Lorsque leur rythme s'accéléra, enfin, elle sentit les prémices d'une vague de plaisir intense. Elle allait avoir son premier orgasme avec un homme ! Elle était dépassée par toutes les sensations qu'elle avait en elle. Elle pensa que cela n'arriverait finalement pas, que cela augmenterait de plus en plus, mais lorsque ce fut le cas, elle pensa que cela ne finirait jamais. Pendant ce temps, San Cristobal jouit également, en elle. Ils restèrent emboîtés l'un dans l'autre, sans rien dire, à retrouver leur souffle et à trembler, jusqu'à ce que le ciel noir redevienne bleu.

San Cristobal se rassit ensuite dans le siège, sans manières, puis se détourna d'elle pour prendre une cigarette d'un compartiment situé dans la porte avant. « Tu en veux une ? »

Elle était un peu déçue par ses premiers mots après l'orgasme. Ils étaient tout sauf romantiques. « Non, ça va. Je ne fume pas. C'est mauvais pour les dents. » Elle commença à remettre ses vêtements.

« Je me les brosse bien, et je passe des bâtonnets interdentaires », répliqua-t-il en rejetant la fumée par la fenêtre. Il était désormais assis à une bonne trentaine de centimètres d'elle. Il posa sa main libre à l'arrière de son cou, comme la seule concession qu'il voulait bien faire à leur intimité. Pourtant, Issy ne voulait pas que ce moment s'arrête. Elle s'allongea à nouveau, posant sa tête sur sa cuisse.

« Quand je pense qu'il faut qu'on retourne là-bas pour que je retrouve Tavi.

— Ouais », émit-il d'un ton hésitant. Puis, après un silence : « En fait, je crois que je vais rentrer chez moi, vu que je suis sorti du club. J'ai des trucs à faire aujourd'hui. Ils te laisseront rentrer seule. »

Cela la cloua sur place, accentuant la sensation de nullité que même l'effet extatique de la MDMA ne pouvait masquer. « Bien sûr, arriva-t-elle à dire. Ne t'inquiète pas pour moi.

— Non, ce n'était pas une question. Je voulais dire, je sais que tu pourras rentrer dans le club toute seule, parce que les videurs sont sympas. Je les connais. »

Double insulte. Il ne semblait même pas vouloir lui faire du mal, juste être carré, comme s'il voulait vraiment clarifier ses intentions.

« Non, reprit-elle. Enfin, j'ai compris ce que tu voulais dire. » À ce moment précis, elle se releva puis vérifia sa coiffure dans le pare-brise arrière. Elle n'y aperçut que rues vides, immeubles et taxis en maraude, et tout brillait et ressortait sur l'horizon à cause de la MDMA, étrange contrepoint à l'immense tristesse qu'elle ressentait soudain.

« Bon. » Elle se tourna vers lui. « Ciao. » C'était, se dit-elle, le moment de vérité. *S'il te plaît*, continua-t-elle dans sa tête, en tentant de ne pas se laisser trahir par son regard, *demande-moi mon numéro de téléphone ou quelque chose du genre.*

« Salut bébé. » Il tira une dernière fois sur sa cigarette, lança le mégot par la fenêtre, et se pencha pour lui déposer un baiser sur les lèvres. « Rentre bien, d'accord ? »

L'insulte finale. Elle sentait les larmes lui monter aux yeux, et elle préféra se tourner au plus vite et sortir de la voiture. Elle se força à ne pas regarder derrière elle tandis qu'elle redescendait jusqu'au croisement de Hudson et King Street. Elle entrerait dans le club, rejoindrait Tavi et oublierait ce qui venait de se passer.

Alors qu'elle s'approchait du videur à la mine plutôt patibulaire – un grand Noir avec une coupe mohawk jaune – afin de lui demander poliment si elle pouvait rentrer à nouveau dans le club, l'ami coincé et charmant de Tavi sortit de l'établissement.

« Issy ! » l'appela-t-il. Il se souvenait de son prénom, et elle s'en voulait d'avoir oublié le sien. « Tu attends Tavi ? »

Elle se demanda s'il voyait à quel point elle était paumée et se sentait trahie, bien loin de l'état d'extase douce de leur première rencontre. « Hein ? réagit-elle. Oh. Oui, enfin, je vais rentrer dans le club pour le retrouver. J'avais besoin de prendre l'air. »

Il la dévisagea plus intensément derrière ses grosses lunettes. « Ça va ?

— Ça va, oui. J'avais juste besoin d'air. »

Il continua à l'étudier minutieusement. « Bon, alors viens, finit-il par proposer, en passant un bras autour de son épaule. Je vais y retourner avec toi.

— Mais tu partais, non ?

— Ça ne va pas prendre plus d'une minute. Et puis il y a un type que j'ai rencontré et dont j'aimerais choper le numéro. Un joli petit blond.

— Oh, alors, arriva à prononcer Issy. Eh bien, merci, merci beaucoup. »

Le videur, qui avait été témoin de cette discussion, les laissa entrer. Issy n'en revenait pas de la foule qui était à l'intérieur, alors que c'était désormais le petit matin. Elle en avait assez vu pour cette nuit, elle en était certaine. Le DJ passait un morceau instrumental, lourd, avec une rythmique africaine et d'étranges bruits de soucoupe volante. Le type coincé chercha sa main, qu'elle lui offrit, tandis qu'ils naviguaient au beau milieu des danseurs.

Elle le tira par la manche un instant : « Tu peux me redire ton nom ? cria-t-elle.

— Hector, répondit-il sur le même ton. Hector Villanueva.

— Merci, Hector. Tu es adorable. » Ces quelques mots suffirent à déclencher une larme. Tout ce qu'elle voulait, c'était un type gentil, se dit-elle. Pourquoi était-ce si compliqué à trouver ?

Hector posa ses mains sur ses épaules. « Qu'est-ce qui ne va pas ?

— J'ai eu une nuit vraiment difficile.

— Ne t'inquiète pas. On va rejoindre Tavi et ensuite tu pourras rentrer chez toi. » Il la serra dans les bras brièvement, comme gêné, pour la rassurer. Issy fit de même, et eut du mal à le laisser partir.

Apprendre à respirer : première biographie
(1995)

À La Guardia, alors qu'elle attendait son vol pour Los Angeles, Milly passa deux coups de fil. D'abord, elle appela sa mère, chose qu'elle faisait presque chaque jour.

« Je suis épuisée, lui dit Ava. Deux morts au foyer ce mois-ci, déjà. Deux filles adorables qui sont parties.

— C'est horrible, murmura Milly. Je suis vraiment désolée, Ava. » Milly essayait de garder une certaine distance avec le travail de sa mère ; cela la rendait trop triste.

« En plus, continua Ava, le chauffage central ne fonctionne plus, et on a dû aller acheter en urgence des chauffages d'appoint pour tout le foyer, parce que c'est impossible de faire dormir des femmes au système immunitaire fragile dans des pièces non chauffées en plein mois de février.

— Il faut que tu prennes soin de toi, Ava », conseilla Milly à sa mère. Quand s'était-elle mise à appeler sa mère Ava ? Sûrement lorsqu'elle avait dans les seize ans ; à cette époque, elle avait tant materné sa mère qu'« Ava » au lieu de « maman » était sorti de sa bouche – parfois avec une indignation à peine masquée, avec ce ton sardonique mordant qui lui titillait la langue et, d'autres fois, tendrement, parce que, bon, il ne fallait pas se mentir, c'était elle la petite fille, pas moi, alors il fallait dire son prénom gentiment, pour qu'elle l'entende.

Désormais, souvent, Milly devait l'admettre, elle prononçait le nom d'Ava avec respect. Parce que depuis plus d'une décennie maintenant, Ava en avait avalé des couleuvres, s'était frayé un chemin à travers les doses massives de lithium, les visites hebdomadaires chez les thérapeutes, les groupes de parole. Elle avait mis de côté ses plaisirs maniaques pour être présente auprès de son prochain. Pour quoi exactement ? Pour les malades, les pauvres et les mourants. En 1989, ce qui avait débuté comme une étrange succession de sarcomes de Kaposi s'était révélé être l'une des pires épidémies que la ville ait jamais connue, une vague mortelle qui semblait surtout toucher les homosexuels et les toxicomanes, des groupes de gens déjà rejetés. Et pourtant, la ville avait si peu géré le problème – pour des raisons diverses et variées, certainement, mais surtout car la municipalité était dirigée, c'était de notoriété publique, par un maire qui n'osait pas avouer son homosexualité et ne voulait surtout pas se salir les mains avec une maladie qui touchait cette communauté.

À la fin des années 1980, Ava en avait eu assez de l'entropie du Département de santé. Elle ne serait plus jamais diabolisée et vilipendée comme l'ennemie de l'épidémie de sida ; elle n'aurait plus à supporter cet affreux petit sourire en coin, haïssable, qu'affichaient ses collègues lorsque ces militants en colère – dont son ancien stagiaire, d'ailleurs – s'enchaînaient à son bureau et la taxaient de meurtrière. Oh, non, Ava avait dit à Hector avant de finalement démissionner : C'est la dernière fois ! C'est alors qu'Ava avait jeté l'éponge et avait fait jouer tous ses réseaux et alerté ses amis pour lever des fonds, afin de racheter un vieil immeuble en ruine de l'Avenue B et d'y installer Judith House, un foyer pour femmes malades du sida. Plus jamais personne ne pourrait dire qu'elle n'avait rien fait et qu'elle était restée une bureaucrate inutile. Elle ne pouvait tolérer plus d'impuissance de sa part.

Ava avait-elle été aussi présente avec sa propre famille ? Avec sa fille ? Même si elle avait réussi à canaliser ses manies les plus folles à coups de forte médication, elle se sentait mal la plupart du temps et jouait son rôle de mère par intermittence. Les choses s'étaient légèrement améliorées, mais Ava faisait toujours savoir à Milly par des millions de petites remarques que, bon, c'était vraiment compliqué en ce moment – trop de maladie, trop de mort pour qu'elle couve Milly, son travail et ses projets artistiques, comme le font les mères de l'Upper East Side avec leurs filles. Sam, le père, était là pour ça. Ava n'était simplement pas ce genre de mère.

Milly avait dû s'avouer qu'elle avait toujours besoin de sa mère. C'était la vérité, poignante et humiliante à la fois. Et depuis qu'elle s'était séparée de Jared, Ava n'avait pas été totalement absente, Milly devait lui accorder ça. Les dîners du dimanche. Les appels désormais quotidiens, même brefs, et traitant plus des épreuves de sa mère que des siennes. (Parce que, il fallait l'avouer, les épreuves que traversait sa mère étaient celles de la ville, tandis que celles de Milly étaient celles d'une petite-bourgeoise de vingt-six ans, et qu'elles avaient principalement lieu dans sa tête, ce lieu habité par l'angoisse et l'incertitude.)

Alors, maintenant, le coup de fil à Ava, depuis l'aéroport. « Il faut que tu fasses attention à toi, Ava, répéta-t-elle. Tu vas te ruiner la santé comme l'an dernier, et après il faudra que tu prennes une semaine de repos, que tu travailles depuis la maison et tu rendras papa dingue. »

Ava émit un petit rire gêné. « Je ne vais pas rester tard à Judith House ce soir. Papa et moi allons dîner au Blue Ribbon.

— Vous êtes tellement branchés », fit remarquer Milly d'un ton détaché.

Ava toussa. « Il faut croire. » Un autre silence. « Comment va Esther ? »

Milly adorait la façon qu'avait sa mère de dire cette phrase : *Comment va Esther ?* De ce ton de petit soldat, je-suis-une-bonne-mère-qui-demande-à-sa-fille-comment-va-sa-partenaire-lesbienne, parce que je-suis-bonne-joueuse-sur-le-sujet-et-tout-ce-truc-de-lesbiennes.

Milly éclata de rire. « Elle va bien, maman. Elle est partie pour le week-end. Elle participe à une conférence à Oberlin.

— Oh, super. Cela parle des femmes et… et de la fiction et de l'identité ? »

Milly rit à nouveau. « Un truc du genre. C'est autour de Willa Cather, en fait.

— Oh, super. Et toi, ma chérie ? Tu as eu la bourse NYCHA ?

— C'est NYFA, maman. NYFA. La New York Foundation for Arts.

— Oh, oui, c'est vrai. Désolée. NYFA, NYCHA ! » NYCHA était l'acronyme de la New York City Housing Authority, avec qui Ava devait batailler régulièrement.

Milly haussa les yeux au ciel, excédée. « Voilà. Non, pas de nouvelle de la bourse de la NYFA. Sûrement la semaine prochaine.

— Bien. » Sa mère semblait distraite. Milly entendait les éclats de voix des filles du foyer Judith et des équipes qui y travaillaient, trouvant encore des sources d'amusement malgré leurs problèmes. Sa mère devait sûrement trier des papiers en ce moment, pendant qu'elles discutaient. Enfin, elle allait devoir entrer dans l'avion.

« Et qu'est-ce que tu vas faire à Los Angeles avec Drew ? arriva à demander sa mère.

— Je ne sais pas ! répondit Milly sur un ton enjoué. On ira sûrement voir des amis. Drew m'a promis de m'emmener voir un spectacle, un truc de cabaret que j'ai toujours voulu voir... un homme et une femme, je crois, vraiment un très mauvais remake de Steve & Edie, qui chantent des versions *lounge* des tubes de Michael Jackson sur fond de synthétiseur dans un endroit très ringard où tout le monde – enfin, tout le monde, tous ces gens de la génération X – vient pour les voir au second degré, alors que le couple se prend vraiment au sérieux. Cela fait très longtemps que je voulais y aller.

« Ça a l'air super, dit Ava, toujours aussi absente (Milly savait qu'elle avait perdu l'attention volatile de sa mère). Et... Et... » Sa mère essayait de revenir dans la conversation. « Et Drew ? Son livre est sorti ?

— Il sort dans deux semaines, je crois.

— Et comment s'appelle-t-il, déjà ? *Leçons de respiration* ?

— Non, ça existe déjà, mais ce n'est pas la même chose. Ça s'appelle *Apprendre à respirer*.

— Oh, oui, c'est vrai. C'est un roman, c'est ça ?

— Non, une autobiographie.

— Une autobiographie ? Mais elle n'a que vingt-sept ans ! »

Milly éclata de rire. « Je sais ! Mais, bon, elle a écrit son autobiographie.

— Sur ses années drogue ?

— Je crois, oui.

— J'espère qu'elle te décrit positivement, alors. Parce que tu l'as vraiment bien aidée à l'époque.

— Oh, maman, soupira Milly, je ne sais même pas si je suis dedans.

— J'espère bien que tu y es. Au moins un peu. Et sous une bonne lumière.

— Écoute... Désolée pour tes pensionnaires qui sont mortes. Essaie de ne pas trop en faire, maman. »

Elles se dirent toutes deux qu'elles s'aimaient, et mirent un terme à la conversation. Puis Milly appela Esther à son hôtel à Oberlin. « Je voulais t'appeler avant de monter dans mon avion pour L.A., dit-elle, avec cet étrange empressement féminin et délicat qu'elle adoptait lorsqu'elle s'adressait à Esther, au téléphone ou en personne.

— Je ne peux pas te parler longtemps, mon chou-fleur, parce que je relis frénétiquement tous les livres de Cather avant que la rencontre ne commence à treize heures. » Esther l'appelait chou-fleur. Une fois, alors qu'elles étaient en train de baiser, Esther l'avait appelée par tous les noms de fruits qui lui passaient par la tête – courgette, potiron, kumquat, persil et chou-fleur. Mon petit chou-fleur. Et ce surnom était resté. Dans un sens, cela ne choquait pas beaucoup Milly. Elle était suffisamment consciente de sa beauté pour savoir qu'elle ne ressemblait pas à un chou-fleur, et elle se demandait si c'était une manière pour Esther de la faire descendre de son piédestal, de la rendre moins belle. D'un autre côté, elle aimait lorsque ses amantes, et les gens en général, lui donnaient un petit surnom. Jared l'avait appelée Mille-Pattes, et Drew continuait à utiliser ce mot, et elle aimait ce surnom même si l'idée d'un mille-pattes dégoûtait parfois les gens. Pas Milly, en revanche. Lorsque des gens lui donnaient un surnom, elle se disait qu'elle devait compter pour eux. C'est pour cette raison qu'elle ne s'était pas offusquée de ce chou-fleur.

« Ne t'inquiète pas, je ne vais pas te garder longtemps », dit Milly. Elle imaginait Esther, affalée sur le lit de sa chambre du campus d'Oberlin, ses sourcils très foncés qui se rejoignaient, un crayon au bout mâché entre les dents. Esther, qui avait trente-huit ans alors qu'elle n'en avait que vingt-six, avait des cheveux poivre et sel coupés court et plaqués en arrière, des lunettes écaille sur le bout de son long nez, des hanches généreuses sous ses vêtements, et portait un anorak aux poches remplies de notes de cours, de tickets de taxi, de tabac à rouler et de baume à lèvres – sa seule concession à la vanité. Esther, professeure de CUNY, auteure prolifique de livres scientifiques et militants sur la sexualité des femmes à une époque de déstabilisation sexuelle et de stigmatisation des malades ; et même signataire d'un roman (hautement conceptuel et allégorique), *Urgent*

People. Esther, que les gens trouvaient cassante et acerbe dans ses saillies, mais qui, vraiment – Milly le savait –, était juste franche et directe et se faisait vite un avis sur les gens qu'elle aimait et respectait ou non, et qui n'arrivait pas à ne pas le montrer.

Comme Milly avait été seule il y avait un an de cela ! Au début, Drew était allée en cure de désintoxication. Puis elle était revenue pendant quatre mois environ – quatre mois de verbiage tiré de son programme de désintox, en douze étapes, se souvenait Milly, encore fatiguée par cette période, même si elle avait été soulagée de voir que Drew avait ainsi réussi à acquérir des principes de base pour recouvrer une certaine stabilité. Puis, soudainement, Drew avait déménagé à L.A., après avoir décidé que le beau temps permanent était la clé de son équilibre mental. Apparemment plus important que certaines bonnes amies, s'était dit Milly, qui n'avait pas véritablement digéré ce sentiment d'abandon.

Et Jared ne faisait plus du tout partie de la vie de Milly. Elle était très seule la plupart du temps, se cloîtrant dans le confort et la sécurité que lui apportait son appartement de Cobble Hill. Puis Esther était arrivée dans sa vie, elle était venue participer au groupe de lecture de femmes que Milly avait rejoint dans son quartier. Milly – Milly ! – avait eu le courage d'inviter Esther à rejoindre les autres femmes du groupe pour boire un café, après son intervention. Milly avait regardé Esther, cette femme forte et accomplie, droit dans les yeux, et avait fait jouer tout son pouvoir de jolie fille qu'elle avait au plus profond d'elle-même. Et Esther, qui n'avait pas le temps de jouer ou de s'adonner aux douces folies d'une cour tout en sous-entendus, lui avait rendu son regard et avait accepté l'invitation à boire un café.

Très vite, elles avaient développé le genre de relations que toutes les lesbiennes du milieu des arts et des lettres de New York enviaient, et même dans le domaine sexuel. Les filles disaient que, lorsque Milly arrivait dans un endroit en compagnie d'Esther, elle était auréolée d'une lueur étourdissante, celle d'une hétérosexuelle qui prenait enfin le pied qu'elle avait attendu toutes ces années sans le savoir. Mais, honnêtement, Esther se donnait du mal, disons, oh, une fois par semaine – ces derniers temps, peut-être moins ! Une fois qu'Esther avait fait comprendre à Milly à quel point elle pouvait la faire jouir – lui apposant ainsi une sorte de cadenas sexuel et lui enlevant toute nostalgie vis-à-vis de Jared –, elle retourna à sa vie : elle était bien trop occupée pour faire passer le plaisir de quelqu'un d'autre avant son œuvre importante. Et c'était d'ailleurs plutôt confortable et familier pour Milly – pour elle, les choses étaient ainsi –, et elle n'y pensait donc pas.

« Je voulais juste te dire que je pensais à toi, lui dit Milly au téléphone.

— Oh, moi aussi je t'aime mon chou-fleur. Je pense à toi aussi. » Étrange, remarqua Milly, Esther lui parlait du même ton distrait que celui de sa mère quelques instants auparavant.

« Vraiment ? demanda Milly timidement.

— Mais oui, assura Esther avec le ton infantilisant d'une institutrice. Tu es excitée de voir Drew ? (Esther et Drew s'entendaient bien ; Esther était clairement attirée par Drew, et Drew respectait le succès littéraire d'Esther, en même temps qu'elle le jalousait.) C'est un peu la dernière ligne droite avant le lancement de son livre, non ? Il y avait une demi-page de publicité dans le *Times Book Review* d'aujourd'hui. Ça ne rigole pas.

— Ils mettent beaucoup d'argent dans le marketing du livre, oui.

— C'est *Prozac Nation*, mais avec une solution pour sortir de la folie ! » Milly éclata de rire. Peu de gens le savaient, mais Esther avait un sens de l'humour concis et lapidaire, très froid, qui lui rappelait celui de son père.

« Saute dans ton avion, mon chouf', que je relise toutes ces notes, et que je n'apprenne pas que tu as montré tes seins de petite fleur à tout Los Angeles. »

Milly rit doucement. Lorsque Esther se trahissait avec sa jalousie, elle ne faisait en fait que suggérer que Milly ne pouvait être attirée que par d'autres femmes, et non par des hommes. Pourquoi ? Milly n'en avait jamais encore discuté avec elle. Esther avait le droit de parler de Jared, et du fait qu'il ne comprendrait ou n'atteindrait jamais certains strates très simples de Milly. Mais lorsque c'était Milly qui l'évoquait, Esther murmurait, du même ton d'institutrice : « Tu sais, je crois qu'il vaut mieux que tu parles de Jared avec tes amis, pas avec moi, si tu as vraiment besoin de parler de lui. »

Et Milly acquiesçait et disait : « Je sais, je suis désolée », en espérant qu'elle n'avait pas blessé Esther ou qu'elle ne l'avait pas brièvement distraite de son œuvre en construction.

Milly entama *Écrit sur le corps*, un roman de Jeanette Winterson, car Esther le lui avait demandé. Comme cela, elles pourraient en discuter longtemps, blotties l'une contre l'autre, en dégustant des yaourts aux fruits rouges. Puis, elle s'endormit et se mit à rêver, et dans le rêve, elle descendait l'Avenue B en compagnie de Jared, en direction du Christodora, Jared la prenait dans ses bras et remontait le rebord de son bonnet (car c'était l'hiver, dans le rêve), et murmurait : « Je t'aime, Mille-Pattes. » Et elle lui répondait distinctement, dans son sommeil : « Jared, tu m'as tellement manqué. » Et elle se réveilla en disant ces mots, un filet de bave s'écoulant à la commissure de ses lèvres.

Le trentenaire assis à côté d'elle, aux origines sûrement moyen-orientales, avec une casquette des Lakers et en train de lire *The Economist,* la dévisagea longuement, ahuri, mais ne dit rien.

Elle s'essuya la bouche, mortifiée et perdue.

« Mille-Paaaaaaaattes ! » C'était Drew, assise à l'intérieur de sa Volkswagen cabriolet rouge cerise, lunettes noires sur le nez, qui l'attendait à la sortie de l'aéroport de LAX. Milly sentit une explosion de joie dans sa poitrine en se précipitant sur Drew, qui était magnifique, ses cheveux chocolat coupés en carré asymétrique, une mèche mettant en valeur ses joues et l'autre retombant, arrondie, vers l'intérieur, autour de ses épaules. Heureusement, elle n'était pas bronzée, ce qui rassura Milly qui pensait avec horreur que tout le monde à L.A. avait la peau brun orangé. Mais, remarqua-t-elle, Drew portait un pendentif égyptien.

« Tu as un ankh ! s'exclama Milly en l'embrassant dans la voiture. Tu es tellement New Age.

— Grave, dit Drew d'un ton badin, c'est ma petite boussole de spiritualité. Un élément minuscule qui m'aide à rester concentrée sur mon nouveau voyage.

— Waouh, tu es tellement côte Ouest, chérie », repartit Milly, ce qui eut le don de les faire rire toutes deux. Drew écoutait L7 sur sa radio et elle baissa un peu le volume. Elle fit un geste en direction d'un petit livre souple posé sur le tableau de bord.

« Regarde ça. »

Milly s'en empara. C'était les épreuves de son livre, *Apprendre à respirer*, avec un crayon à l'intérieur ; Drew l'avait couvert de notes, sûrement ses dernières corrections.

« Oh, mon Dieu, c'est incroyable ! s'écria Milly, en feuilletant rapidement les 224 pages du volume. Et cette photo, tu es tellement canon dessus. »

Sur la photographie de la quatrième de couverture, Drew était penchée en avant, très séductrice, un pull noir décolleté… et encore ce pendentif égyptien ! Sur la couverture, il y avait aussi Drew, mais juste la moitié de son visage, avec *Apprendre* écrit en lignes de cocaïne, sur un fond noir et *Respirer* en pierres noires zen sur fond blanc. (Puis, en plus petites lettres, *première biographie*.) Milly jeta un œil à la première phrase du livre, après les pages de copyright et la citation en exergue (tirée du *Petit Prince*, nota-t-elle). La première ligne disait : « Avant de respirer, j'ai crié. » *Eeeeh bien*, pensa Milly.

« Je suis tellement fière de toi, Drew-pie, dit-elle.

— Tu n'as pas vu la page de dédicace », avertit Drew, évasive, les yeux rivés sur la route.

Milly s'y rendit aussitôt : « Pour Milly, était-il écrit, qui m'a réveillée. »

Milly se tourna pour regarder Drew, les yeux toujours fixés sur la route, qui la gratifia d'un long regard en coin. Milly se souvint de cette nuit, deux années plus tôt – comme elle avait été en colère ! Comme elle avait été proche de simplement dire à Drew d'aller se faire voir et de raccrocher le téléphone ! Mais ce que Jared avait toujours identifié comme une générosité débordante, son côté « Milli-tude », et ce qu'elle considérait comme sa plus grande faiblesse, avait pris le dessus. Et voilà où en était arrivée Drew, à la remercier publiquement pour que le monde sache que la décision de Milly, cette nuit-là, avait été un événement déterminant dans sa vie… l'événement qui l'avait fait passer de son abjecte addiction de toxicomane à ce qu'elle était devenue : une femme magnifique. Avec un amoureux charmant que Milly n'avait pas encore rencontré, mais cela ne saurait tarder. Elle exsudait une paix intérieure nouvelle, Milly devait l'avouer, qui était effarante, et peut-être même un peu suspecte avec ce pendentif égyptien, mais, bon, il ne fallait pas faire la fine bouche. Et Drew semblait avoir vraiment laissé ses démons derrière elle. Elle avait fait un emprunt grâce à son à-valoir afin d'acquérir une petite maison à Silver Lake.

« Heureusement que je t'ai réveillée cette nuit-là, parce que autrement je n'aurais pas eu le droit à ma dédicace, rigola Milly.

— Je sais bien. Mais tu m'as vraiment réveillée, chérie. Parce que tu es Millicent Sophie Heyman, Ange de Miséricorde. »

Milly rougit et posa sa main sur celle de Drew, sur le levier de vitesse. Puis elles roulèrent en silence pendant un long moment, occupées à écouter « Andres ». Milly se sentait incroyablement heureuse, heureuse d'être à Los Angeles sous tout ce soleil, heureuse d'échapper quelques jours à l'hiver brutal de New York. Elle se sentait plus heureuse qu'elle ne l'avait été depuis un moment, même durant ses moments les plus doux avec Esther ces derniers mois. Quant au pendentif de Drew, peu importait ! Pourquoi s'en soucier ? Tant que cela fonctionnait !

Une fois arrivée à l'adorable nouvelle petite maison de Drew, Milly rencontra son petit ami depuis huit mois, Christian, un monteur de film né en Angleterre qui, comme l'ancien copain de Drew, Perry, était mince et élégant et avait une coupe de cheveux très édouardienne. Mais, contrairement à Perry, il était doux, calme et absolument pas péremptoire. Christian se moquait de lui-même en avouant être l'un des deux cents monteurs à travailler sur le film de James Cameron, *Titanic*, qui allait sûrement finir par devenir le film le plus coûteux de l'histoire du cinéma. Christian vénérait Drew ; à un moment, alors que Drew lisait un extrait de la chronique de son livre dans *Publishers Review*, en prenant une voix théâtrale et comique – « un coup de pied dans la fourmilière, après le narcissisme bourgeois d'Elizabeth Wurtzel ! » –, Christian la regarda amoureusement avec une dévotion et une admiration pures.

Cela eut le don d'émouvoir Milly, et de la rendre nostalgique. Jared aussi la regardait parfois ainsi, et elle avait trouvé cela plutôt infantilisant et étouffant, alors que maintenant, Esther… eh bien, Esther ne regardait qu'elle-même. Esther lui avait dit un jour : « Ne nous laissons pas aller à être la première supportrice de l'autre, dans notre travail, gardons deux univers parallèles. » Mais le problème, c'était que Milly avait déjà lu une grande partie de l'œuvre d'Esther, et cela revenait donc souvent dans la discussion, et Esther n'y trouvait absolument rien à redire, tandis que la première fois qu'Esther avait vu le travail de Milly accroché dans son appartement, ou une fois dans le tout petit atelier de Downtown Brooklyn qu'elle partageait avec trois autres artistes, elle avait dit : « Le meilleur cadeau que je puisse te faire, à toi et ton travail artistique, c'est de ne pas le commenter et de te le laisser à toi seule. » Ce qui, à l'époque, avait semblé sensé à Milly sauf que, depuis... Esther ne pouvait vraiment *rien* dire ? Chaque fois qu'Esther voyait son travail et ne disait rien, elle lui pinçait quasiment les fesses en lâchant un commentaire cryptique du genre : « Tu as des *idées* », ce qui avait le don de faire naître les pires angoisses chez Milly. Est-ce qu'Esther détestait ?

« Comment va ta mère, Mille-Pattes ? » lui demanda Drew lorsque Christian sortit de la pièce.

Milly soupira. « Ça va. » Elle marqua une pause, sirotant le thé Chai que Drew lui avait préparé. (Si ça avait été l'ancienne Drew, elles auraient sûrement déjà ouvert une bouteille de vin rouge, mais dans sa nouvelle maison, il n'y avait pas d'alcool. Drew avait rencontré Christian aux Alcooliques Anonymes, et il ne buvait pas non plus.)

« Elle va même très bien, continua Milly. Enfin, cette pauvre femme est tellement abrutie de médicaments, cela atteint obligatoirement sa concentration et son énergie, et pourtant elle arrive à s'occuper du foyer, à trouver de l'argent pour son fonctionnement et offrir chaque jour un peu plus aux résidentes. Je crois qu'elle voudrait ouvrir un autre établissement, Uptown. C'est drôle, parce que tu sais, lorsqu'elle travaillait au Département santé de la ville, les activistes défilaient avec, genre, sa tête au bout d'un pic, avec un chapeau de sorcière, une sorte d'effigie, et maintenant, elle est devenue la Liz Taylor de Downtown ! »

Drew éclata de rire. « Elle est incroyable ! » Puis, un silence. « Je pense tellement à John Russell. » C'était un ami dramaturge qui était mort du sida en début d'année. « Trente et un ans. Ce n'est pas horrible, franchement ?

— Si, je sais.

— J'ai lu qu'il y avait de nouveaux traitements en cours de développement, et qu'ils seraient très prometteurs.

— Je sais. Ma mère en parle tout le temps. Elle a des résidentes qui se sont proposées pour la phase de test. Celles qui ont décroché de la drogue. »

Drew acquiesça l'air complice, *Mmmmmh.*

Elles ne se parlèrent plus quelques secondes, profitant de ce silence amical. Les yeux de Milly tombèrent sur la photo d'une jolie petite fille en robe d'été rayée, aimantée à la porte du réfrigérateur.

« Oh, mon Dieu, mais c'est Blanche ? » Blanche était la nièce de Drew, qui habitait Menlo Park. Milly ne l'avait pas revue depuis des années.

« Oui, c'est Blanche ! répondit Drew, extatique. Elle n'est pas adorable et trop mignonne ?

— Si, concéda Milly. Mais tu sais quoi ? Je crois que je n'aurai jamais d'enfants. » Dès que Milly prononça ces mots, elle resta bouche bée tant ils avaient été faciles à dire, sans ciller.

Drew éclata de rire. « Pourquoi ? Tu y as déjà réfléchi ?

— J'ai peur d'avoir la même maladie que ma mère. »

Drew soupira et posa sa main sur celle de Milly. « Chérie, je sais. Mais tu n'as jamais montré ce genre de symptômes. D'habitude, tu sais, il y a des signes, même dès l'enfance, non ? L'hyperactivité, et la dépression infantile, cela existe. Tu n'as jamais eu cela, non ?

— J'ai eu mon lot de dépression infantile.

— Bien évidemment ! Regarde tout ce que tu as subi avec ta mère. Mais chérie… (et Drew eut un petit éclat de rire, avec peut-être une pointe de vieille jalousie) tu es l'une des personnes les plus stables et modérées que je connaisse. »

Drew le lui avait dit à de nombreuses reprises. Bien sûr, si l'on comparait Milly à des gens comme Drew et sa mère, c'était vrai. Mais que c'était pénible d'être stable, même modérément ! *Quand est-ce que ce sera à mon tour d'être celle qui ne va pas bien, pour que les gens s'occupent de moi ?* pensa Milly.

Néanmoins elle s'abstint de dire ces mots. Elle se contenta de : « Oui, mais pourquoi prendre le risque ? Pourquoi souffrir en observant un être qu'on a mis au monde endurer le même mal que le nôtre ?

— Chérie, regarde toutes les épreuves qu'on a traversées, contra Drew. Et tout ça avant le tendre âge de vingt-sept ans ! » Milly rit un peu, à contrecœur. « Tu aurais préféré ne pas être née et ne pas avoir connu tout ça ?

— Mmmmh, admit Milly. *Ça, c'est une question difficile.* »

Ce soir-là, plus tard dans la soirée, juste après minuit, elles étaient à ce bar très Rat Pack, le Dresden Room, où les gens étaient tous trop bronzés, assises sur une banquette avec Christian et un de ses amis scénaristes, très bel homme, du nom de Fabrice. Fabrice était venu avec sa petite amie, Sonya, une créatrice de sac qui habitait Saint-Louis. Milly, Drew et Christian buvaient de la San Pellegrino, tandis que Fabrice et Sonya avaient choisi des Martini. Milly regarda autour d'elle ; tout le monde voulait imiter l'ambiance de *Pulp Fiction*, en ce moment, nota-t-elle : les hommes avec des chemises col pelle à tarte et des vestes en cuir, les femmes avec leur frange à la Uma Thurman. Le duo de chanteurs, Marty et Elayne, s'époumonait de façon ridicule au-dessus de leur synthétiseur, occupés à reprendre « Beat It » de Michael Jackson.

Milly, penchant la tête, lança un regard affectueux à Drew, comme pour lui dire : *C'est tellement ringard, j'adore !* Mais elle surprit le regard de Drew qui suivait la trajectoire de quelqu'un dans le club, un chemin qui menait jusqu'à la banquette où ils étaient, et Drew s'écria tout à coup : « Oh, mon Dieu ! Hé, salut les gars ! »

Milly se retourna – et sentit son visage se décomposer. C'étaient Jared et ses amis de lycée, Asa et Jeremy. Que fichaient-ils ici ? Était-ce un piège ? Est-ce que Drew avait prévenu les garçons ? Drew lui ferait-elle ça ?

Mais Milly prit la décision immédiate de se comporter comme une adulte. « Oh, mon Dieu, s'exclama-t-elle devant Jared, essayant d'avoir l'air enjouée – ou, en tout cas, pas désarçonnée. Je ne savais pas que tu étais là ce week-end.

— Moi non plus, je ne savais pas que tu étais là. » Ses cheveux étaient plus longs qu'à l'habitude. Il avait l'air… plus âgé ? Juste un peu… plus gros ? Plus triste ? Milly ne parvenait pas à déterminer. Il portait la veste en velours marron Pierre Cardin que son père avait dans les années 1970. Milly sentit son corps bondir.

« Je… bégaya Jared. Jeremy vient juste de déménager ici.

— Mais oui, j'étais au courant ! » dit Drew, les yeux écarquillés, après s'être levée pour donner un baiser à Jared et aux garçons.

Il y eut un silence gênant pendant un moment, puis tout le monde éclata d'un rire forcé afin d'évacuer la gêne. « Eh bien, continua Drew, vous… vous venez d'arriver ? Vous voulez vous joindre à nous ? » Drew commença à pousser Christian, Fabrice et Sonya vers la gauche, dégageant de l'espace sur la droite. Milly n'avait pas d'autre choix que faire de même, et Jared se retrouva juste à côté d'elle – oh, grands dieux, elle sentait son odeur de pin et de bacon –, avec les garçons à sa gauche à lui. Jared ne l'embrassa pas et ne la toucha pas.

« Salut, lui dit-il. Écoute, je ne savais pas du tout que tu serais ici ce week-end.

— Moi non plus, confirma-t-elle. Enfin, je ne savais pas du tout que tu serais ici. »

Asa et Jeremy la saluèrent à leur tour, demandant des nouvelles de ses parents – ils se connaissaient depuis le collège, comme Jared. Ils parlèrent de leurs amis en commun à New York, et de ce qu'ils faisaient maintenant. Elle parlait par-dessus l'épaule de Jared qui, lorsqu'il ne parlait pas par-dessus l'épaule de Milly pour s'adresser à Drew et lui poser des questions sur sa vie à L.A., restait en retrait. Leurs visages étaient très proches, et formaient un angle étrange. Elle le regarda, timidement, leurs yeux se croisèrent brièvement et elle y aperçut le même éclair de tristesse à nouveau, ou était-ce de la colère ? Sa cuisse pressée contre la sienne sur la banquette trop petite fit déferler une vague de souvenirs au plus profond de son corps, toutes ces différentes façons qu'avaient leurs corps de s'emboîter. Pendant ce temps, Drew revenait à sa conversation avec Fabrice et Sonya, tandis qu'Asa et Jeremy se parlaient.

Il y avait trop de bruit et il était difficile de tenir une conversation. Ils devaient parler, mais dans d'autres conditions.

« Tu restes ici jusqu'à quand ? lui demanda-t-elle.

— Lundi. Je repars par le même vol que Jeremy lundi matin, puis je retourne bosser sur mes dossiers d'école d'art.

— Tu postules à une école d'art ? Je ne savais pas… » Bien sûr qu'elle ne savait pas : ils n'étaient pas restés en contact. « Oh, waouh. Super. Où ?

— Yale, Columbia, Chicago, NYU. C'est tout.

— C'est *tout* ? C'est déjà beaucoup !

— Je sais. J'ai passé un temps dingue à préparer tout ça.

— J'en suis certaine, oui ! »

Puis ils tombèrent tout à coup dans un triste trou noir de silence.

« Eh bien, reprit-elle, je suis vraiment contente que tu postules.

— Ouais, dit Jared en haussant les épaules. Et toi ? Tu en es où dans ton travail ?

— Ça marche bien, ça marche bien. J'adore mon nouvel appartement. La lumière est belle.

— Super. » Son ton semblait sévère. *Il ne veut rien entendre de ce nouvel endroit pour lequel je l'ai plaqué*, pensa Milly. « Et comment vont tes parents ? s'enquit-il.

— Ça va bien. » Elle rit. « Ils vont dîner au Blue Ribbon ce soir. » Il rigola également. « Tellement branchés.

— C'est exactement ce que je leur ai dit ! Et ma mère est… elle est très occupée, mais ça va. Elle est… stable.

— Bien. »

Milly se sentait s'enfoncer dans un marécage de tristesse. Combien de nuits était-il resté assis à ses côtés, allongé, tandis qu'elle se lamentait, pleurait ou angoissait à propos de sa mère ? Combien de fois lui avait-il dit qu'elle devait d'abord penser à elle et ne pas se laisser entraîner dans la folie de sa mère, sans jamais dire le moindre mot déplacé sur Ava ? Combien de fois avait-il discuté aimablement avec Ava lorsqu'elle appelait et que Milly était sortie, ou sous la douche ?

« Et tes parents à toi ? » interrogea-t-elle.

Il hocha lentement la tête, comme pour dire que tout allait bien. « Ils ont hâte de retourner à Long Island dès que l'hiver sera fini. » Il parlait de Montauk, où se trouvait leur maison de villégiature. Toutes les nuits et les jours passés dans cette maison, se souvint Milly, les séances de dessin sur la plage, la baise sur la machine à laver dans la buanderie tandis que ses parents étaient partis acheter du poisson et du maïs pour le dîner. Sa main était à moins de dix centimètres de la sienne. Elle voulait désespérément la prendre – la pulsion était terrible, d'une force incroyable ; sa main se tordait presque, à force de vouloir se poser sur la sienne, son regard suivait les courbes de sa mâchoire, les grands cernes légèrement foncés, comme son père, qui ourlaient ses yeux bruns et lui donnaient un air faussement fatigué.

« Comment avance ton travail, alors ? lui demanda-t-il, comme s'il pouvait lire dans ses pensées.

— Oh ! Super, vraiment. » Et elle le pensait. Elle avait été très productive ces derniers mois ; elle ne pouvait pas se plaindre de cela.

« Et cette grande toile avec… tu sais, l'empâtement…, cette peinture avec des objets qui ressemblent à des fleurs ?

— Oh, elle est très belle, merci ! » C'était étrange à quel point ils étaient formels ! Mais elle se rappela l'excitation de Jared envers cette peinture lorsqu'elle l'avait entamée. « Je l'ai finie ; je crois qu'elle sera dans une exposition collective, dans quelques mois. »

Il sourit, à nouveau avec la même affectation mélancolique et amère. « C'est super. »

Sous la table, Drew lui pinça le genou, en guise d'encouragement. Marty et Elayne étaient en train d'achever « Time After Time ». Puis, comme si c'était voulu, ils entamèrent « The End of A Love Affair », une chanson de Billie Holiday que Milly avait adorée sur une cassette que Jared avait enregistrée pour elle.

Ils se dévisagèrent, désemparés, puis éclatèrent de rire. Qu'y avait-il d'autre à faire ? Jared se frotta la tête.

Milly se retourna vers Drew, qui avait l'air… mais, son premier instinct avait vu juste, n'avait-elle pas l'air fière d'elle et triomphante ? Riant encore, mais avec peut-être une pointe de colère, Milly attaqua : « Drew, franchement, c'est toi qui as organisé ça ? C'est toi qui as tout prévu ? »

Drew s'étouffa. « Quoi ? Si j'ai tout organisé ? Tu te fiches de moi ? Mille-Pattes, j'ai une vie, tu sais, je n'ai pas que ça à faire. »

Mais, étrangement, Milly sentait la colère monter en elle. « C'est le genre de choses dont tu es capable. » Venait-elle vraiment de dire cela ?

« Mil, je t'en prie », commença Jared, mais elle l'ignora, en continuant à fixer Drew, qui semblait surprise et ne disait rien. « Milly… tenta Drew. Oui, Jeremy m'a dit qu'Asa et Jared passeraient ce week-end. Je ne voulais pas te le dire. »

Les yeux de Milly s'écarquillèrent. « Mais tu leur as dit de venir ici.

— Milly, je ne leur ai *pas* du tout dit de venir ici.

— Milly, elle dit vrai », confirma Asa.

Drew continua : « Je leur ai dit qu'on t'emmènerait probablement au Dresden Room un soir pour voir Marty et Elayne, parce que c'est ce que tout le monde fait lorsqu'on a des amis de passage.

— Et, Milly, ajouta Jeremy, je n'ai *pas* dit à Jared que tu étais à Los Angeles.

— Non, c'est vrai, affirma Jared d'un ton neutre.

— Je ne voulais pas qu'il se prenne la tête tout le week-end, poursuivit Jeremy. Mais, franchement, il fallait que j'emmène mes amis voir Marty et Elayne. C'est une institution, ici, à L.A. »

Milly se recroquevilla sur elle-même, d'ahurissement et de résignation.

« C'est tellement compliqué, Mills, relança Drew, avec les amis et... » Drew haussa les épaules, comme impuissante, en direction de Jared, qui lui répondit par le même geste.

Ils restèrent tous assis, sans mot dire. Est-ce que la chanson finirait un jour ? se demanda Milly. C'était une véritable torture. Enfin, elle lâcha : « Je crois qu'il faut que j'aille aux toilettes. » Jeremy, Asa et Jared devaient tous se lever de la banquette pour qu'elle puisse passer, un processus lent qui la mit mal à l'aise.

« Tu veux que je t'accompagne ? » proposa Drew. Milly hocha la tête en signe de dénégation, et elle quitta la tablée.

Elle ne se rendit pourtant pas aux toilettes. Elle sortit du lieu, marcha un peu et s'assit sur un banc au coin de la rue. Si elle fumait encore, elle se serait allumé une cigarette. Mais elle avait arrêté. Elle resta assise là. Au début, elle se dit que c'était vrai, que personne ne marchait à L.A., car les rues étaient toutes vides, mis à part quelques personnes montant ou descendant de voiture.

Pourquoi s'était-elle levée et était-elle sortie ? Parce qu'elle était en colère. Paranoïaque, elle pressentait que Drew et les garçons avaient monté toute cette histoire pour que Jared et elle se remettent ensemble. Savaient-ils à quel point elle avait dû se faire violence pour avoir enfin une vie à elle, loin de Jared ? Elle pensa à son appartement de Cobble Hill, avec quelle fierté elle avait installé chaque meuble, chaque vieux tapis, chaque peinture ou chaque plante qu'elle avait récupérés dans la rue, dans une brocante ou chez ses parents. Elle pensa à Jake et Frodo, ses chats, se chamaillant chez elle, se frottant le museau contre ses jeans lorsqu'elle peignait. Et elle pensa à la lumière qui entrait par la fenêtre du fond, celle qui donnait sur le jardin du propriétaire, cette lumière poussiéreuse et ambre qui flottait dans la pièce au-dessus de sa tête tandis qu'elle peignait, se délectant de la profondeur absolue des couleurs de la peinture. Et puis, Leonard Cohen qui chantait sur son vieux lecteur CD et l'odeur du poulet rôti qu'elle avait mis au four pendant qu'elle peignait, du vin rouge qu'elle buvait avec ses amies en dînant le soir. Et comment elle n'avait pas regardé à la dépense lorsqu'elle avait acheté son lit – les meilleurs oreillers et duvets en plume d'oie, et la couverture que sa grand-mère lui avait tricotée, Jake et Frodo allongés contre ses genoux lorsqu'elle se mettait au lit, une pile de six livres qu'elle lisait en simultané posée juste à côté d'elle. Elle avait voulu cette vie, la Vie Solo de Milly, et elle s'y était entièrement lovée.

Pourtant, Milly était à moitié terrifiée. Le silence lui soufflait : *Va jusqu'au bout de ce chemin de pénombre.* Au milieu de la nuit, lorsqu'elle se levait pour aller aux toilettes, elle pouvait l'entendre – elle enfilait alors des chaussons et jetait un manteau au-dessus de ses tee-shirt et caleçon pour sortir dehors, descendre le chemin d'une forêt imaginaire, dans la neige, qui la menait à une rivière large et calme. C'était pour cela qu'elle avait peur, car elle pouvait continuer à marcher et ne jamais revenir. Toutes les choses qui comptaient pour Milly disparaissaient derrière elle tandis qu'elle s'engageait plus profondément dans la forêt, en direction de la rivière – ses peintures, sa mère et son père, ses amis, les fêtes d'anniversaire, les échanges de fringues entre copines, les galeristes, les robes qu'elle avait portées au lycée et les manteaux en daim frangé des années fac, les chats (non, en fait, elle pourrait emmener ses chats dans les bois). Ce monde s'évaporait derrière elle comme la viande braisée se détache de son os, la laissant vierge, nue, vulnérable. Le silence lui murmurait de le faire, et une telle part d'elle-même, une part profondément enfouie, une part terrifiante, le voulait. Alors elle mettait Leonard Cohen au beau milieu de la nuit, et essayait de retourner à la vie et au cours des choses, à son existence connectée aux autres. Le matin, jetant un regard par la fenêtre depuis son lit, elle apercevait son propriétaire dans le jardin, et elle était soulagée car tout cela n'avait été qu'un demi-rêve de quatre heures du matin.

Mais Milly, à ce moment, avait besoin de Jared, lui qui savait lire sa peur. Le jour, sa personnalité mal dégrossie et son odeur de bacon – l'espace vital qu'il occupait, comme un chien de ferme, son ombre s'étirant sur toute sa vie et son travail ! – pouvaient l'envoyer crier dans cette forêt. Au milieu de la nuit, lorsqu'elle sortait en titubant des toilettes, et qu'il passait son bras autour d'elle pour l'attirer vers lui, elle se fondait dans cette masse chaude et puante et disait : « Je t'aime », en pensant : *Merci pour tout, Jared,* avant de se rendormir.

Tout à coup, il apparut, dressé au-dessus d'elle, sur le banc au coin de North Vermont.

« Alors, Mille-Pattes, ça va ? » Il s'alluma une cigarette. Elle lui fit un peu de place sur le banc et il s'assit à ses côtés. Elle croisa les bras en regardant droit devant elle, bouillonnant de sentiments contraires.

« Jeremy ne m'avait absolument pas dit que tu étais ici, commença Jared. J'ai flippé en te voyant. Mais on était devant votre table. »

Ses yeux le fixèrent avec colère. « Ils ont tout prévu, fulmina-t-elle. Même s'ils ne nous le disent pas, ils avaient tout prévu. Je suis certain que Drew leur a dit qu'on serait là vendredi. Ils pensent qu'ils ont raison d'agir ainsi. » Elle s'en voulait d'être ainsi en colère à nouveau, et d'exprimer ce qu'elle pensait. « Comment osent-ils ? Comment osent-ils ? J'ai le droit de décider de ma vie. Je n'ai pas à supporter cela. » Elle était surprise de se retrouver en sanglots tout à coup. « J'ai le droit de vivre ma vie. »

Jared s'était assis tout près d'elle, mais il s'éloigna doucement. Il se leva et la regarda. La cigarette tomba de sa main. « Je vais te laisser, alors, Milly. »

Elle se leva, et le tira par sa veste pour le faire rasseoir. « Non, je ne veux pas que tu me laisses ! » sanglota-t-elle. Elle enfouit son visage dans sa veste. « Tu me manques. Je t'aime. Tu me manques tellement. J'essaie juste de me contrôler. »

Elle était secouée par des hoquets de pleurs. Il la prit dans ses bras et la rassura. Elle sentait que cette colère qu'elle avait toujours ressentie en sa présence – non pas envers lui mais contre une chose qu'elle ne pouvait identifier, là-bas, derrière son épaule, une masse informe et hideuse –, elle sentait qu'elle allait la pulvériser. Et elle fut soulagée d'enfin réaliser, dans ses sanglots, que ce n'était en tout cas pas la faute de Jared. Il détestait cette colère tout autant qu'elle – il la détestait pour elle, avec elle.

126

Elle pleura jusqu'à ce que son visage soit cramoisi, jusqu'à ce qu'elle se sente éteinte dans ses bras.

« Il faut qu'on retourne à l'intérieur, parce que aucun de nous deux n'a de voiture », énonça Jared.

Elle haussa les yeux. « Je sais. C'est pathétique.

— Je ne veux pas t'étouffer, Milly. Il y a toute la place que tu veux, autant que tu le désires. »

Elle était vraiment éreintée. « Retournons à New York et décidons là-bas. Je n'arrive pas à avoir les idées claires avec tout ce soleil. »

Elle sortit des bras de Jared lorsqu'ils entrèrent dans la salle ; elle n'allait sûrement pas donner une telle satisfaction à Drew et aux garçons. Ils marchèrent directement devant Marty et Elayne afin de rejoindre la banquette.

« Oooooowww, ronronna Elayne dans son micro. Regardez-moi ces deux choux ! Mes chéris, on dirait que vous avez envie de connaître l'amour. Vous voulez savoir ce que c'est, l'amour ? J'en suis certaine. Pas toi, Marty ?

— Bien sûr que si, renchérit Marty dans son micro. Je crois même que je sais ce que c'est. »

Marty et Elayne entamèrent alors leur incontournable version crooner de « Foreigner Song ». Milly et Jared se rassirent dans la banquette. Drew examina le visage bouffi de Milly.

« Tu as réclamé cette chanson comme cerise sur le gâteau ? » demanda Milly à Drew. Drew glapit : « Tu es *tellement parano*, Millicent Heyman ! Tu es dingue, tu le sais, hein ? »

Elles explosèrent de rire. « Tu es dingue aussi, Drew Forman ! s'écria Milly. Apprendre à respirer ! Je vais te montrer moi, comment on respire ! »

Milly se pencha vers Drew et lui passa les bras autour du cou. « Tu es dingue, tu es dingue ! » Drew poussa un léger cri en gloussant comme une petite folle. Les garçons et les autres personnes se dressèrent sur leur siège, du genre : *Euh, qu'est-ce qu'il se passe là, putain ?* Et Milly ne le savait pas vraiment elle-même, sauf que c'était la première fois depuis longtemps qu'elle se sentait véritablement joyeuse.

Portrait de l'artiste
(2010)

Mateo a grandi. Il repense avec amusement au personnage qu'il jouait au lycée, M-Dreem, il y a un peu plus d'un an, tellement cool dans ses débardeurs et ses tee-shirts flottants, le petit prince de l'école d'Art & Design. Depuis, il a évolué. À Pratt, il y a ces étudiants un peu plus âgés – il les appelle les Steampunks –, qui portent uniquement des bottes montantes à lacets vintage, des pantalons moulants, de vieilles montres à gousset et des chapeaux noirs, ou de vieilles casquettes souples, et Mateo s'est en quelque sorte amouraché d'eux. Il traîne tout le temps avec eux, et eux, tous ces gamins du New Jersey, l'apprécient parce qu'il est tellement « New York » et « réel » à leurs yeux.

Il imite certains aspects de leur look, il passe énormément de temps, lorsqu'il n'est pas sur le campus, à écumer les magasins de fripes d'East Village, où il vit encore avec Millimaman et Jared-Papa, et à y acheter tout ce qui est noir et a l'air ancien. Son imposante coupe afro se cache désormais derrière des cheveux coupe au bol, par exemple, et ses grosses Nike Air noir et rouge sont cachées par des pantalons de cosaque. Il aime le look, il aime mélanger les genres, il aime écouter moins d'Outkast et plus de vieux tubes de Josephine Baker ou le Cure du début. Et son art : Bordel, à quoi pouvait-il bien penser à l'école d'art avec ce carnet de notes à la con ? Il en rit maintenant. Dès qu'il s'est mis à voir plus d'autres œuvres, à fréquenter le New Museum ou les galeries de Chelsea et du Lower East Side, il a changé son fusil d'épaule, il est devenu plus minimal, plus abstrait. Pour son dernier projet du séminaire de dessin, il est allé chercher des détails dans les vieux clichés de Josephine Baker – un œil, ses pieds, ses seins – et les a redessinés dans une nuée de gouttes d'eau se répétant à l'infini, de nourriture informe, d'étranges spirales de gelée. Il a honte de lui lorsqu'il se souvient de ce truc en forme d'araignée qu'il avait fait comme projet de fin d'études. Mais à quoi pouvait-il bien penser ?

Aujourd'hui, mi-avril, c'est le premier jour de chaleur du printemps. Tout le monde est allongé sur les pelouses du campus, pieds nus, cartons à dessins posés sur le côté, Lady Gaga chantant depuis les fenêtres de la résidence. Il traîne avec Keiko, une sculptrice de L.A. qui s'habille comme une fille d'Harajuku, à Tokyo (petite jupe écossaise d'écolière, grosses bottes montantes, une mèche violette dans ses cheveux noirs), avec qui il est sorti lors de plusieurs fêtes, et avec Fenimore, dont le vrai nom est Carl, natif de Rochester, un des types Steampunks. Keiko parle de l'exposition de Marina Abramović au MoMA, où Marina se contente d'inviter les visiteurs à s'asseoir devant elle, pendant aussi longtemps qu'ils le veulent. Keiko y est allée et a fait la queue pendant six heures.

« Lorsque j'ai fini par m'asseoir en face d'elle, dit Keiko, c'était top, on aurait dit une statue de cire, sauf qu'elle s'autorise à cligner des yeux, et que tu peux voir sa poitrine se soulever lorsqu'elle respire.

— Mais elle ne parle pas, si ? veut savoir Fenimore.

— Nooooon, dit Keiko, qui porte une sorte de manteau en plaid et des socquettes blanches ornées de marguerites, sa mèche violette brillant au soleil. Et tu n'as pas le droit de lui faire des grimaces ou de dire quelque chose, tu dois juste la regarder et voir où ton esprit vogue. »

Mateo intervient un instant : « C'est tellement intense », dit-il, car après y avoir réfléchi pendant une minute environ, il en est persuadé. Il aimerait y aller. Mais cela lui semble un peu trop effrayant.

« C'est *si* intense », confirme Keiko. Elle est allongée sur la pelouse, pose sa tête sur les genoux de Mateo et il se met à triturer ses cheveux. Mateo dévisage Fenimore, qui regarde au loin derrière ses lunettes noires, comme s'il était perdu dans ses pensées. Est-il jaloux ? Il a dit, l'autre jour, qu'il trouvait Keiko canon. Mais il est totalement obsédé par *My Own Private Idaho*, et Mateo pense qu'il est peut-être gay, ou au moins bi.

« Teeeellement intense, répète Keiko. Au début, tu vois, c'est bizarre… je me disais : *Pourquoi est-ce que je m'assois en face de toi et que je te regarde, je ne te connais même pas ?* Et puis, après, tu commences à penser des trucs chelous. Tu continues à regarder son visage, mais tu penses, tu vois, j'ai commencé à penser à ma grand-mère. » La grand-mère de Keiko était morte six mois plus tôt, à San Francisco. « Et je ne l'ai pas vu arriver, mais je me suis mise à chialer ! Je me suis effondrée. Et puis… et ça c'est le truc, quand je le raconte, personne ne me croit…

— Et elle t'a tendu un mouchoir ? » ironise Mateo. Fenimore éclate de rire. Mateo ne se l'avouera jamais, mais il frissonne toujours un peu lorsque Fenimore rigole à l'une de ses blagues.

« Non ! fait Keiko. Je te jure, même si elle n'est pas censée parler ou grimacer, je te jure que j'ai vu sa bouche faire *Non*. Comme pour dire : *Ne pleure pas*. Et là, je me suis arrêtée sur-le-champ. J'étais terrifiée ! Qu'est-ce qu'il s'était passé ? Tu vois, j'étais paumée, genre, je n'aurais jamais imaginé, c'était comme quand ma mère, aux funérailles de ma grand-mère, m'a dit : *Arrête de pleurer, Keiko, tu me gênes.* C'était tellement humiliant. Où j'en étais ? Oui, donc, elle, enfin, Marina Abramović, c'était juste une statue, quoi, et là je me suis dit, j'ai imaginé, je dois être la quatre cent cinquantième personne qu'elle a vue en, disons, six semaines, donc elle doit s'en foutre que je pleure ou pas. Et ça m'a tuée le truc, tu vois, donc je me suis levée et je me suis cassée.

— Tu es restée combien de temps ? » interroge Mateo. Il a entendu que certaines personnes avaient fait la queue des heures pour s'asseoir en face d'elle et que d'autres étaient restées assises des heures également, ce dont elles avaient le droit. Elles peuvent rester autant de temps qu'elles le veulent, jusqu'à ce que le musée ferme.

Keiko réfléchit. « Sûrement vingt ou vingt-cinq minutes en tout. Je ne sais pas comment les gens peuvent rester deux heures et faire comme si personne ne faisait la queue derrière eux.

— Les gens qui attendent, commente Fenimore, font partie de la performance. »

Keiko prend à nouveau la main de Mateo, et joue avec ses doigts. « Il faut croire, oui, dit-elle, pas sûre d'elle. Mais ce n'est pas mon truc. » Lorsque sa main se cale dans celle de Mateo, il ressent une vive chaleur, et cela lui rappelle la présence d'une dose dans sa poche, ce qui exacerbe cette sensation dans l'estomac, cette mémoire du corps. Depuis la fête chez Oscar l'année dernière, il sniffe de l'héroïne une à deux fois par mois – pas plus, et uniquement en sniff, ce qui est moins trash que de la fumer ou de la shooter. Personne n'est au courant, sauf quelques types du Lower East Side chez qui il se fournit et avec qui il en prend. Il est fier d'avoir été capable de contrôler sa toxicomanie et d'avoir su cacher ses descentes à Millimaman et Jared-Papa. (Ce matin, après la fête chez Oscar, ils avaient à peine pensé qu'il était ivre.)

Il n'a personne dans sa vie pour lui demander pourquoi il sniffe de l'héroïne. Mais si cela était le cas, et s'il était capable de le formuler de façon intelligente, il dirait quelque chose comme, depuis qu'il a onze ans, lorsque Millimaman et Jared-Papa l'ont finalement pris entre quatre yeux pour lui expliquer que sa mère, cette femme sur le cliché datant du 14 avril 1984, était morte du sida alors qu'il n'était encore qu'un bébé et l'avait laissé à une tutrice légale, Ava, et que c'était ainsi que Millimaman et Jared-Papa l'avaient pris en garde puis adopté – alors, depuis ce moment-là, et chaque année d'adolescence un peu plus, il s'était senti comme déconnecté du monde dans lequel il avait été elévé. Ce monde semblait irréel, une ombre, un mensonge, une version bêta du monde dans lequel il aurait grandi si la femme sur le cliché n'avait pas disparu, et s'il avait vécu avec elle et avec son père. Alors, il aurait connu le monde dans lequel il était supposé vivre. Personne ne savait d'ailleurs l'identité de son père. Sa véritable mère, une femme du nom d'Ysabel Mendes, avait apparemment prétendu qu'elle ne connaissait pas le père, ce qui, alors que Mateo vieillissait et devenait plus intelligent, lui faisait penser que sa mère, si attirante et amusante sur cette photo, avait été une salope qui ne savait pas avec qui elle couchait. Souvent, Mateo fantasmait de retrouver sa famille, quelque part dans le Queens, d'arriver sur le perron de leur maison dans un quartier situé à une heure de train de l'East Village, avec cette photo en main, et de dire : *Hé, salut, je suis ton cousin, ou ton petit-fils, ou ton neveu, hé, allez, viens, je veux connaître ma véritable famille.*

Mais Mateo ne fit jamais cela. L'idée même d'agir ainsi le terrifiait. Au lieu de cela, pendant toutes ses années lycée, même s'il cultivait son allure cool, sa colère intérieure ne fit que monter en puissance. Il se sentait trompé de s'être ainsi rapproché de Millimaman et de Jared-Papa pendant ses années prépubères, et il les regardait désormais avec de plus en plus de suspicion, se demandant pourquoi ils l'avaient adopté plutôt que d'avoir un enfant à eux. Ils n'avaient jamais abordé ce sujet, et il ne savait pas du tout comment leur en parler ; il crut bon de prendre ses distances avec eux, devenant de plus en plus froid au fur et à mesure qu'il réalisait qu'ils lui offraient une vie qu'il n'aurait sûrement jamais eue autrement. Peut-être qu'il ne voulait pas de cette vie de petit bourge blanc ! Peut-être voulait-il être un mec du ghetto, le fils d'une femme morte du sida et d'un géniteur inconnu. Mais, bien évidemment, il préférait sa vie. Il l'adorait, même. Il adorait son lycée, ses professeurs, ses amis, ses projets artistiques. Mais, ensuite, il devait rentrer chez lui et les croiser, ses mystérieux bienfaiteurs. Pourquoi ses sentiments avaient-ils ainsi changé ? Cette question le tourmentait. Pourquoi ne pouvait-il pas accepter leur amour et leurs embrassades comme lorsqu'il avait encore dix ou onze ans ? Est-ce qu'il les *haïssait* ? Quel était le mot juste ? C'était très confus pour lui, et cela faisait naître énormément de sensations indésirables, dont il ne savait pas se défaire, sauf à se jeter à corps perdu dans la peinture et le dessin.

Puis, il avait découvert l'héroïne. Comme le 14 avril 1984 s'était merveilleusement marié avec ce moment. Le mystère du passé et la confusion du présent ne faisaient plus qu'un. Ou peut-être qu'il se sentait juste bien et se foutait de réconcilier les deux. Il se sentait parfait, et même lorsqu'il n'était pas défoncé, il se consolait en pensant qu'il le serait bientôt à nouveau – le week-end, par exemple. Il savait qu'il avait trouvé une façon de concilier ce qu'il désirait pour son avenir même lorsque son passé venait frapper trop fort à sa porte.

Mais maintenant, alors qu'il est avec Keiko et Fenimore, il oublie cette chaleur montante qui lui brûle l'estomac. « Il faut que je rentre bosser », dit-il. Il a un partiel dans trois jours.

« Je peux venir dîner chez toi ? demande Keiko.

— Pourquoi tu veux aller jusqu'à East Village pour dîner ? Après, il faudra que je te renvoie chez toi. J'ai du boulot ce soir.

— J'aime bien tes parents, insiste Keiko. J'aime bien être dans une vraie maison avec les parents des autres, surtout quand ce sont des artistes. Ça me plaît.

— Moi aussi, renchérit Fenimore. Je peux venir ? »

Mateo soupire, mais il n'est pas contre, parce que c'est plus simple d'être avec les parents lorsque ses amis sont là. Ses copains les effacent, à leur façon. Il sort son téléphone.

« Coucou, chéri, dit Millimaman en décrochant.

— Hé. Je peux inviter Keiko et Fenimore à dîner ce soir ? Ils ont envie de venir.

— Je pensais qu'on serait tranquilles tous les deux ! » objecte-t-elle. On entend des voitures derrière elle ; elle est dans la rue. « Papa est à son atelier, ils ne pourront même pas discuter avec lui de l'immeuble et de ses sculptures. Ça sera juste moi, ta vieille mère ennuyeuse, peintre et bourgeoise.

— Je vais leur dire ça. » Il relaie l'information.

« On veut venir quand même, Millimaman ! crie Keiko dans le combiné.

— Ouais ! rajoute Fenimore. Les vieilles peintres bourgeoises, ça déchire !

— Dis à Fenimore que je suis très flattée », répond Millimaman. Puis : « Pourquoi se fait-il appeler Fenimore alors que son nom est Carl ? Ça fait partie d'un projet artistique ?

— Un truc du genre, oui. C'est une œuvre en temps réel. Qu'est-ce que tu veux que je ramène ? Il y a du vin ?

— Aucun de vous n'a le droit de boire de vin, fait-elle remarquer. Vous êtes tous mineurs. On va m'envoyer en prison pour avoir été une mère indigne.

— Papa nous laisse boire.

— On amène le vin, Milly ! » crie Keiko.

Millimaman soupire. « Comme vous voulez. Et aussi une laitue et une baguette. Et, hum, un bocal de bonne sauce tomate. On fera des pâtes, Mateo.

— Ça nous va. » Elle essaie de rajouter quelque chose mais Mateo la coupe, « Au revoir, à tout à l'heure ! », et il raccroche. Quelques minutes plus tard, Keiko, Fenimore et lui sont dans un train pour rejoindre Downtown. Après être passés chez l'épicier, ils entrent au Christodora, croisent Ardit, le concierge impassible à la tête carrée, et le saluent d'un signe de la tête. L'estomac de Mateo se noue légèrement, comme chaque fois qu'il le croise, car il y a quelques mois, Ardit l'a surpris en train de piquer du nez dans l'ascenseur à trois heures du matin, et Mateo lui a servi une mauvaise excuse, affirmant qu'il était tellement fatigué qu'il s'était endormi debout. À quelques occasions depuis, lorsque Mateo rentrait chez lui dans le même état, il observait l'immeuble jusqu'à ce qu'il aperçoive Ardit sortir virer un zonard, ou se glissait dans l'escalier de secours afin de monter les six étages à pied pour ne pas avoir à attendre l'ascenseur. C'était interminable. Il s'écroulait ensuite dans l'escalier pendant une heure, à l'abri des regards puisque c'était le cœur de la nuit.

Lorsque Mateo, Keiko et Fenimore entrent dans l'appartement, Milly est assise à la table de la cuisine, devant son ordinateur portable, occupée à boire du thé glacé. Tout le monde se salue et s'embrasse.

« Regardez ce boulot, les enfants », dit Milly. Elle est en train de noter les projets de fin d'année de l'école d'Art de LaGuardia, où elle enseigne la peinture depuis douze ans, et elle montre au trio une gouache sur bois abstraite, peinte par une fille du nom de Claudia Torres. « Qu'est-ce que vous en pensez ? »

Milly élargit l'image et les trois l'examinent un moment. « Ça ne me dérange pas, lâche finalement Fenimore. Il y a de l'énergie.

— J'aime bien les couleurs pâles, approuve Keiko, enjouée. Elle a des idées, je les devine.

— J'espère qu'elle suit des études de comptable en parallèle, ironise Mateo.

— Oh, Mateo, arrête un peu ! proteste Keiko. C'est méchant.

— T'es dur, mec, rajoute Fenimore. On peut pas tous être aussi doués que toi. »

Milly se retourne et regarde Mateo. Elle ouvre la bouche pour dire quelque chose, puis la referme et hoche la tête, sans détacher ses yeux de lui. *Ouais, ouais*, pense-t-il. *Je sais tout ce que tu me reproches, ma vieille.* Comme il a une haute estime de lui-même ! Son petit air supérieur d'artiste. Cela la dépasse, il le sait. *Ce n'est pas une vie facile*, dit-elle toujours, *la vie d'artiste, et il faut se serrer les coudes, être généreux et bienveillant dans nos dires, encourager les gens, etc.* Putain de sainte Milly, qui apprend aux gamins du

134

public comment faire de l'art, alors qu'avec l'argent de sa famille et de celle de Jared ils n'ont pas besoin d'enseigner pour vivre. Mais durant toutes ces années, ils lui ont appris à faire partie des « vraies gens », ils ont voulu montrer à Mateo « la valeur des choses », paraît-il. Il sait bien que ses *bubbes* et *zaydes* lui paient ses études, mais Jared et Milly le forcent encore à faire des petits boulots l'été et durant les vacances d'hiver pour apprendre cette « valeur ».

« T'es ingérable », lâche finalement Milly doucement. Elle vient d'avoir quarante ans cette année. La première fois que Fenimore est venu au Christodora, il a pris le bras de Mateo et lui a dit : « Mec, ta mère, quelle bonasse. » Tous les amis de Mateo le pensent, les garçons et les filles. Les mecs tombent amoureux d'elle, et les filles veulent lui ressembler ou sont également amoureuses d'elle. Cette aura de douceur, de chaleur et de gentillesse qu'une Julia Roberts exsude. Ce que tante Drew, qui n'est pas vraiment la tante de Mateo mais il l'a toujours appelée ainsi, nomme « l'air de Milly ».

Mateo tend son menton en direction de Milly et grimace : « Dommage que tu penses ça vu que tu es obligée de vivre avec moi. »

Milly éclate de rire ; elle sait comment réagir. « Non, mon ami, je crois que c'est le contraire, jusqu'à ce que tu gagnes ta vie et que tu puisses te payer un appartement tout en faisant tes études.

— Ne joue pas au con avec ta mère, lance Fenimore, agrippant Mateo et Keiko. Travaille, Milly, nous, on prépare le dîner. » Fenimore débouche la bouteille de rouge, en sert un verre à chacun, et les trois élèves préparent une salade et les pâtes tandis que Milly continue à travailler, échangeant quelques phrases de temps à autre. À un moment, Mateo l'observe : ses cheveux auburn attachés par un nœud lâche, ses lunettes sur le bout du nez, ses jambes croisées enserrées dans un jean moulant, son pied nu qui bat la mesure, ses orteils peints en noir brillant. Cet air toujours soucieux qu'elle affiche lorsqu'elle contemple de l'art. Mateo se laisse aller à un moment d'affection. Puis Milly lève les yeux et surprend son attitude douce. Il se reprend, et lui tire la langue avant de détourner les yeux – mais pas assez vite, pourtant, pour ne pas apercevoir le petit sourire triomphateur qui barre son visage alors qu'elle referme son ordinateur.

Le vin détend Mateo. Le dîner est bon, informel, tout le monde partage la baguette et se sert du pain pour saucer le reste des spaghettis. Keiko raconte à nouveau son aventure avec Marina Abramović ; Milly raconte qu'elle et Marina se connaissent depuis des années, ajoutant : « C'est dingue qu'elle en soit là, c'est super pour elle. » Keiko et Fenimore discutaillent et échangent des potins à propos de l'école et des professeurs. Mateo plane un peu grâce au vin, fait tourner les pâtes sur sa fourchette, nettoie la table et remplit le lave-vaisselle quand tout le monde a fini, afin qu'ils puissent continuer à discuter.

Il revient à table avec de la glace pour tout le monde. « Merci, chéri », dit Milly lorsqu'il en pose devant elle – juste une petite boule, car elle n'en prend jamais plus : on ne ressemble pas à cela sans beaucoup de discipline et d'abnégation. Puis, après le dessert, Keiko et Fenimore se lèvent pour partir.

« Je vais vous accompagner en bas, dit Mateo.

— Tu as un partiel dans trois jours, proteste Milly. Tu devrais aller bosser dans ta chambre.

— Mais je reviens ! » promet Mateo, plaintif.

Dans la rue, il conduit Keiko et Fenimore jusqu'au métro. Fenimore marche quelques pas devant eux, pensif, tandis que Keiko et lui s'embrassent un instant sur le chemin. « J'adore ta mère, déclare Keiko.

— Ouais, ça va. »

Mateo les regarde disparaître dans l'escalier de la bouche de métro. Quelle chaleur ! East Village vibrionne dans cette canicule, tout le monde est sorti. Il s'allume une cigarette, prend un chemin un peu plus long pour rentrer. Il pense à ce qu'il a dans son portefeuille et son estomac se noue avec délice, sa peau est irradiée de chaleur.

Puis, alors que Mateo passe devant un alignement d'immeubles sur la 2e Rue, il le voit : Hector. Le gay taré dont la chienne, Sonya, l'a mordu au Christodora lorsqu'il était petit, juste avant le 11 Septembre. Cela avait été horrible, avec Jared-Papa qui voulait attaquer Hector en justice avant que la mère de Millimaman, Ava, n'implore Jared de ne pas le faire, lui expliquant qu'Hector était tombé au fond du trou après la mort de son amoureux. Jared avait juste demandé à un avocat d'envoyer une lettre à Hector stipulant que s'il se débarrassait du chien, qui constituait une menace pour tout l'immeuble, alors il ne le poursuivrait pas en justice pour la morsure. Jared n'avait reçu aucune réponse à sa lettre, et était entré dans une rage noire lorsqu'il avait croisé Hector et sa chienne dans l'entrée la semaine suivante. Elle avait toujours l'œil aussi fou.

« Maintenant, je vais porter plainte, avait dit Jared à Milly quelques minutes plus tard.

— Attends un peu, l'avait-elle interrompu. Ardit vient de me dire qu'Hector avait revendu son appartement et qu'il déménageait. Il est ruiné, apparemment, vu qu'il n'a pas travaillé depuis deux ans, et il ne réussit plus à rembourser l'emprunt. » Une partie de la colère qui avait pris possession du visage de Jared s'était évaporée : « Tu en es sûre ?

— Ardit me l'a dit aujourd'hui, et Hector lui a appris hier qu'il avait trouvé un acheteur. »

Jared était resté silencieux un long moment. « Lui et son chien ne partiront jamais assez vite d'ici », avait-il conclu.

Tout le monde au Christodora connaissait Hector, ce type qui avait été si important dans la recherche contre le sida, mais qui était devenu depuis un toxicomane qui carburait à la crystal meth. Au grand soulagement de tous les habitants du Christodora, sa chienne et lui avaient finalement déménagé pour se retrouver dans un taudis à loyer modéré, situé à quelques rues de là. Là-bas, selon les rumeurs des commères du Christodora, il avait continué à fumer, avec une pipe de verre, tout l'argent qu'il s'était fait avec la revente de son appartement. Durant la première décennie des années 2000, il avait poursuivi sa descente aux enfers devant tous les habitants du quartier, le bel homme musclé à peine quadragénaire déchu en un quinquagénaire marmonnant des insanités sans queue ni tête, hurlant dans la rue sur son chien qu'il gardait dans son minuscule appartement avec jardin. Tous les gens du coin savaient ce qui s'y passait, et qui il fréquentait.

Et voilà que Mateo se retrouve devant Hector, tandis qu'Hector crie en direction de son nouveau chien, encore un croisé berger et pitbull, cette fois brun avec des taches noires et blanches, tirant sur sa laisse pour aller sur la chaussée.

« Recule, putain de clebs ! » crie Hector. Mateo fait un pas en arrière et observe ; les gens s'approchent d'Hector et le chien traverse tout à coup la rue, paniqué. Hector est chauve, trop bronzé, avec un bouc mal soigné, une cigarette dans la bouche, un débardeur détendu au-dessus d'un torse rasé et creusé, un short en jean trop court même pour East Village, des tongs arc-en-ciel et un gros bracelet de force en cuir. *Il ressemble à un gay totalement à l'ouest,* se dit Mateo, *une sorte de version trash et crack, en provenance d'Alphabet City, du Big Gay Al de* South Park.

Mateo ne peut se résoudre à traverser la rue pour l'éviter. Il continue, comme fasciné, à regarder le spectacle du gros chien.

« Hector, c'est ça ? » lance finalement Mateo, à distance respectable.

Hector se tourne vers lui. « Brisa, assis, bordel ! crie-t-il au chien, qui l'ignore, tirant en direction de la rue, hurlant misérablement. Qu'est-ce que tu me veux, *negro*? réplique-t-il.

— C'est moi, Mateo. Du Christodora. Tu te souviens de nous, les Traum, au sixième ?

— Oh, putain ! s'exclame Hector, esquissant un sourire qui révèle une dent manquante, en haut à droite. Merde, t'as bien grandi, mec ! Ça fait longtemps que je t'ai pas vu.

— Oui, c'est vrai », confirme Mateo. Il se demande si Hector se souvient de l'incident de la morsure de chien, il y a neuf ans. Mateo tente de caresser son nouvel animal, qui s'écarte pour tirer plus encore vers la route, comme s'il voulait galoper autour du quartier pour dépenser son énergie. « C'est ton nouveau chien, c'est ça ?

— T'as du feu, *negro*? interrompt-il Mateo.

— Hein ?

— T'as du feu ? Ma clope s'est éteinte. »

Oh, note Mateo, *c'est vrai. Elle est éteinte dans sa bouche.*

« Ouais, dit Mateo en sortant son briquet. Bien sûr. » Il s'avance vers Hector pour lui rallumer sa cigarette, humant cette odeur qu'il a sentie un jour lorsqu'il est allé dans un bar cuir sur Christopher Street, pendant cinq minutes, avec des copains du lycée, pour la blague – un mélange de clope, de bière renversée au sol et de sent-bon. « Eau de Pédé », avaient-ils commenté en partant du bar, sachant bien qu'ils n'auraient pas dû, mais cela les avait fait rire.

« *Gracias, negro.* » Hector sait-il qu'il ne parle pas espagnol – enfin, pas beaucoup. Il pense à son partiel – il devrait rentrer au Christodora. Mais il n'arrive pas à partir, pour une raison inconnue. Hector, pourtant, semble indifférent à cette rencontre, se contentant de fumer sa cigarette qui se consume à nouveau.

« C'est ton nouveau chien ? redemande Mateo.

— Nouveau ? rit Hector. Brisa n'est pas nouvelle. C'est une putain de quadra.

— Non, mais… c'est pas celui que tu avais dans l'ancien appartement, si ?

— Dans le… répète-t-il, apparemment perdu. Oh, tu veux dire au Christodora, c'est ça ? Non, non, là-bas, c'était Sonya. La pauvre bête est morte il y a quelques années. »

Il éclate de rire et Mateo l'imite, timidement. « Ouais, je me souviens de Sonya, dit Mateo. Elle était dingue. »

Hector sourit. « Ouais, commente-t-il. Je l'adorais, cette salope. » Il tire à nouveau sur sa cigarette – une putain de menthol, remarque Mateo, c'est *trash*. « Hé, attends voir, dit Hector. T'es le petit gamin qu'elle avait mordu, non, et dont le blanco de père voulait m'attaquer en justice, c'est ça ? »

Mateo ne savait plus où se mettre. « C'était moi, oui. Le weekend juste avant le 11 Septembre.

— Putain, *negro* ! s'exclame Hector. Et te voilà ici, maintenant. Adulte et tout. » Il grimace à nouveau.

« Eh ouais. J'ai survécu à la morsure ! »

Ils éclatent tous deux de rire. Hector jette son mégot de cigarette par terre. Mateo suit sa trajectoire, jusque dans le caniveau, parfaitement conscient qu'il devrait rentrer chez lui, mais incapable de partir.

Il montre du doigt l'appartement en sous-sol. « Ça va, ton nouvel appart' ? poursuit-il afin de prolonger la conversation.

— C'est une cave. Ça va, sauf l'hiver, alors je vais vivre à Palm Springs. Dans une autre cave. » Hector éclate d'un rire heurté. « Au moins, les gens me laissent tranquille ici. » Sans autre cérémonie, il tourne sur ses talons pour rentrer. « Viens, chérie, dit-il au chien, en tirant la laisse. *Está bien, negro*, lance-t-il à Mateo.

— Tu me fais visiter ? » interroge Mateo. *C'est vraiment ce que je viens de dire ?* se demande-t-il ensuite.

Hector se retourne, dévisage étrangement Mateo, puis hausse les épaules. « Ouais, bien sûr, si ça te botte. »

Hector n'avait pas menti. C'était une putain de cave. Un bordel sans nom. Des accessoires pour chien partout, de la nourriture pour chien au sol. Des piles de journaux. Un vieux canapé en cuir tout déchiré et usé, recouvert d'une vieille couverture. Un grand écran de télévision avec les infos du coin, volume coupé. Des boots, des *bombers*, des casquettes de base-ball, un peu partout. Une image sur le meublé télé, représentant Hector, il y a bien vingt ans, avec un blondinet gay – une de ces photos de plage vraiment gay, avec leurs Speedos tout étriqués, leurs lunettes couvrantes, bras dessus bras dessous.

Hector se dirige vers le réfrigérateur, ouvre un yaourt liquide au chocolat, et le tend à Mateo. « T'en veux un ? Je ne bouffe que ça. C'est plus simple que de manger.

— Non, merci », dit Mateo. Le chien se frotte à sa jambe et Mateo lui masse mécaniquement la tête. Hector va dans la chambre située à l'arrière, lance de la musique *house* gay, puis revient. *Boum, boum, boum, boum, boum, boum, boum.* Une diva hurle *You got me feeling high*, une connerie de ce style. Le cœur de Mateo s'accélère, ses mains tremblent et ses jambes sont faibles. Il se sent proche de l'évanouissement. Son partiel lui semble être à des millions d'années de là.

« Pourquoi t'as voulu venir ici, *negro* ? » Hector se tient derrière le comptoir de la cuisine, et boit son yaourt liquide. « Tu veux te défoncer ? » poursuit-il.

Enfin, pense Mateo, *il a posé la question*. « Tu veux sniffer de l'héro avec moi ? »

Les yeux d'Hector s'illuminent. « T'as de l'héro ? » Mateo acquiesce. « J'en ai pas pris depuis un bon bout de temps, dit Hector. Tu veux la fumer ? »

Mateo ne répond pas. La fumer – il ne l'a encore jamais fait. Il a toujours pensé que c'était l'étape avant l'ultime, celle qui amène les seringues, et qui fait de toi un junkie à part entière, et pas un consommateur récréatif. « J'ai jamais fumé, avoue-t-il finalement.

— Attends », dit Hector. Il retourne dans la chambre, augmente le volume de la musique, revient avec un carton en papier alu et un rouleau de papier toilette, ouvre le rideau fatigué de la pièce de devant, révélant un ballet de pieds de passants qui marchent dans la rue, au-dessus. Il s'assoit sur le canapé souillé et s'allume une autre menthol.

« Viens ici. » Mateo s'exécute, si près de lui qu'il peut sentir l'Eau de Pédé. Il sort la dose de son portefeuille, et la tend à Hector.

La chienne, qui s'était posée dans un coin de la pièce, se relève et vient caler sa grosse tête entre eux deux, comme si elle voulait elle aussi se défoncer.

« Assis, putain ! », crie Hector, en la repoussant. Elle couine mais s'exécute, les regardant tous les deux par en bas, l'air misérable, comme si elle s'effaçait. Hector déchire un bout de papier alu, puis le plie et le déchire à nouveau, jusqu'à ce qu'il fasse un carré de dix centimètres environ. Il dépose un peu de la poudre planche en son centre. Mateo l'observe, fasciné, pendant qu'il fait son affaire. *Pourquoi tu acceptes ?* se demande-t-il à lui-même. *Tu vas planter ton examen, c'est évident.* Mais tout au fond de lui-même, il est toujours, toujours, toujours juste en train d'observer Hector, se sentant inexplicablement chez lui. Il met sa main sur la tête du chien, et elle se frotte avec désespoir contre son bras. Son pied bat nerveusement en rythme avec la *house* assourdissante.

Finalement, Hector lui tend le carré en alu, et le rouleau en carton. « Inhale seulement quand tu vois la fumée arriver », dit-il, passant le briquet sous le papier alu. Dès que Mateo aperçoit la fumée bleue s'élever au-dessus du papier alu, comme un génie sortant de l'éther, il inspire dans le rouleau. Puis, plus vite encore que lorsqu'il sniffe, son monde s'écroule et est aspiré, doucement et magnifiquement, à l'intérieur de son estomac, cette sensation veloutée qui déferle dans chaque veine de son corps. Il coule au plus profond des profondeurs, et le monde semble apparaître sous ses pieds, comme s'il regardait le ciel depuis sous l'eau, tout bouge, tout tremble, c'est si doux, si agréable.

Il sourit en direction d'Hector. « Putain de dingo de gay », dit-il, en souriant. Hector rit avec lui, les yeux explosés. Après, Hector inspire à son tour la fumée, et il se penche vers Mateo, la bouche emplie de fumée, puis s'arrête, tourne la tête, et la souffle. Ils prennent quelques bouffées chacun à leur tour, enfin Hector repose ses instruments de fortune. Ils sont allongés tous deux sur le canapé. Le chien saute dessus et se cale entre les jambes de Mateo, bien heureux de ne pas se faire envoyer bouler cette fois-ci. La putain de *house* continue à marteler son rythme. Quelque part à l'intérieur de sa tête, Mateo pense : *Arrête cette putain de house de gay*, mais il s'en fiche un peu.

« C'est tellement bien », parvient à dire Mateo.

Au début, Hector ne répond pas. En fait, ce taré est du genre calme ! L'héro lui a coupé les jambes. « C'est si paisible », dit Hector finalement.

Le bras de Mateo se tord, avec délice, au même rythme que son estomac, vaguement nauséeux, convulse. Finalement, la musique s'arrête et ils restent ainsi tous les trois allongés dans la chambre désormais plongée dans la pénombre, éclairés par les images changeantes de la télévision silencieuse. Hector entend des voix, des voitures, un camion à glaces qui passe dans la rue. C'est le lieu idéal, lui dit son corps. La dose d'héro est le trou dans le ciel par lequel nous passons pour arriver ici, comme Bugs Bunny, quand il est pourchassé et qu'il saute dans un cercle d'air et réapparaît lorsque Elmer Fudd veut le tuer, et qu'il finit juste les quatre fers en l'air. C'est un ciel bleu azur, c'est juste de l'air, mais il y a un trou par où passer. Passer par le trou dans le ciel.

Mateo se retourne, se cale sur le côté, entoure de son bras la jambe d'Hector, place son pied sous ses fesses. Il est englouti dans l'Eau de Pédé d'Hector, c'est si réconfortant, le chien se sent bien entre ses jambes, avec sa respiration lourde et chaude. Il sent Hector qui joue gentiment avec ses nattes.

« Je me souviens de ces cheveux de dingue, dit Hector. Le putain de *negrito* de l'immeuble. »

Mateo affiche lentement un sourire. « *Negrito* », répète-t-il, éclatant de rire dans une bouffée de bonheur.

En parallèle
(1989)

La climatisation marchait mal à Reminiscence, sur MacDougal Street, dans le Village, et il avait fait chaud tout l'après-midi. Il faisait moite dehors, surtout pour un début juin. Milly sortit de la boutique où elle travaillait pendant l'été à la fin de sa première année de faculté, passa sa main dans ses cheveux bouclés légèrement humides, se frotta les yeux, soupira. Elle avança de quelques pas, sentit la chaleur et sa propre fatigue – et, plus que tout, comme si le temps était suspendu, cette étrange période de la journée aux alentours de dix-huit heures lorsque la petite rue était silencieuse et que les klaxons et les bruits de moteur semblaient être à des kilomètres – et elle se surprit à s'asseoir sur une borne, à remonter sa robe noire légère et bohème, à prendre une cigarette dans son sac en daim frangé. Elle l'alluma, tira un bandana de son sac pour s'essuyer le visage, puis l'attacha autour de sa tête afin de retenir ses cheveux en arrière. Elle pensait à Jared Traum, et se demandait si elle devrait retourner à la boutique pour l'appeler ou attendre qu'il remonte chez lui, Uptown. Ou peut-être resteraient-ils ici, Downtown ; elle ferait mieux de retourner à la boutique, alors, où Alicia travaillait jusqu'à la fermeture, et l'appeler maintenant, puis aller l'attendre dans un café du coin…

Elle avala une longue bouffée de fumée de sa cigarette, une American Spirit, une marque que tous ses amis s'étaient mis à fumer. Jared Traum, pensa-t-elle. Elle le connaissait depuis l'école municipale, lorsqu'ils vivaient Uptown. Puis, ils avaient atterri dans la même faculté, suivi des cours d'art ensemble, et il y avait ce réconfort de croiser sur le campus quelqu'un que tu connaissais d'avant, même si ce n'était pas rare lorsque tu venais de New York ; elle était l'une des huit filles de son lycée qui avaient fini dans cette faculté.

Au mois de mai, Jared lui avait dit qu'il passerait à New York plusieurs semaines, avant de partir pour une résidence à Cranbrook – elle aurait adoré que ses parents l'envoient elle aussi pour un programme d'été de peinture ! Mais non, elle devait travailler pendant tout l'été, puis ils iraient dans une maison de famille dans le North Folk, à Long Island, pour une semaine en août. C'était tout ce qu'elle aurait en guise de vacances. Jared lui avait dit qu'ils devraient se voir cet été. Ouais, avec plaisir, avait-elle répondu. Puis, il l'avait appelée hier soir, depuis le bureau de son père dans l'East Village, où il aimait aller car son père lui laissait une pièce entière pour qu'il en fasse son atelier.

Est-ce qu'elle voulait sortir demain soir ? avait-il proposé. Oh, il était donc sérieux, avait-elle pensé. Eh bien, oui, bien sûr, avait-elle dit. Elle pensa à ses cheveux et leurs boucles couleur miel, son nez très droit, son visage légèrement hâlé. Leurs épaules se touchant dans cette salle de ciné, dans la pénombre, lors d'un cours au mois d'avril, pendant qu'ils regardaient le clip *O Superman*. Son ennui relatif quant à l'obligation consécutive de devoir écrire un essai sur ce titre de Laurie Anderson. La fixation de Jared, son amour de la VHS comme médium. Que feraient-ils en cette soirée si moite ? Ils pourraient manger des sushis, puis aller voir des amis jouer au Bitter End. Devait-elle se changer ? Se maquiller ? Il faisait tellement chaud.

Deux types sortirent de l'appartement situé de l'autre côté de la rue, en tee-shirt sans manches, short en jean remonté au-dessus des genoux et bottes noires. Le plus brun avait passé son bras autour du blond. Les gays étaient canon, pensa Milly en laissant son esprit divaguer, ils n'avaient aucune pudeur à exhiber leur corps. Elle trouvait cela libérateur. Puis : Mais… ! C'était Hector, qui avait bossé avec sa mère au Département de santé de la ville, jusqu'à ce qu'il démissionne et lui mène la vie dure. Cela avait été terrible, mais il s'était calmé. Il avait changé de visage : adieu le garçon timide des débuts ! Cette image fit rire Milly, que sa mère soit confrontée à quelqu'un de plus agressif, de plus psychotique qu'elle, et qu'en plus cela soit son ancien *protégé*.

Les deux hommes descendaient la rue. « Hector ! » Milly se surprit à crier. Les deux hommes se retournèrent, et elle jeta sa cigarette par-dessus son épaule avant de traverser la rue. Hector était incroyablement beau, comme sa mère l'avait toujours dit, et en effet, elle avait raison. Il avait de beaux muscles là où il fallait. Son petit ami, le type blond, était beau aussi, dans un genre classique de blond, yeux bleus, des allures d'adolescent pour la vie. Il était un peu plus petit et plus jeune qu'Hector.

« Bonjour, je suis Milly Heyman, se présenta-t-elle. Je suis la fille d'Ava. On s'est rencontrés il y a quelques années dans une… cérémonie… un truc de ce genre. » Sa mère avait reçu une médaille du mérite de la municipalité pour avoir réussi quelque chose dans le domaine de l'hygiène des restaurants, et ils s'étaient tous mis sur leur trente et un pour l'occasion.

Hector la dévisagea. « Ah, ouiiiii », prononça-t-il lentement. Lui et le type blond portaient des sacs en toile remplis de prospectus et de dossiers. Il s'avança en lui tendant la main, mais fit un pas de plus et l'embrassa avec beaucoup de retenue. Il fit un signe en direction du blond. « Je te présente Ricky. »

Elle serra la main de Ricky et ils se saluèrent. La voix de Ricky était bien deux octaves plus haute que celle d'Hector – il devait venir du Sud ou du Midwest, un truc de ce genre.

Puis un moment de silence gêné. « Voilà, je t'ai aperçu dans la rue, ajouta-t-elle, et comme je t'ai reconnu, je voulais te dire bonjour. »

Hector hocha la tête en souriant, avec un air un peu supérieur ou méprisant, pensa Milly. « Tu es à la fac, maintenant, c'est ça ? demanda-t-il.

— Oui, je viens de finir ma première année. Je travaille ici pendant l'été. » Elle fit un geste en direction du Reminiscence. « C'est la fin de ma journée.

— Ouais, on a vu que tu fumais ta clope de fin de journée, vilaine », se moqua Ricky. Ils éclatèrent tous de rire. Milly rougit et haussa les épaules, assez contente de se faire traiter de méchante fille.

« Je sais, ce n'est pas bon pour la santé, dit-elle.

— On a tous nos vices », fit remarquer Ricky. Ils éclatèrent encore de rire, avant de laisser place à un nouveau silence.

« Bon, je vais y aller, lança gaiement Milly. Je voulais juste te saluer. Tu ne bosses plus au Département de santé, n'est-ce pas ? »

Hector secoua la tête, en fronçant un peu les sourcils. « Non, non. Je suis à plein temps dans l'activisme.

— Pour lutter contre le sida, c'est ça ? » Milly avait remarqué quelques éléments qui dépassaient de leurs sacs, dont un triangle rose qui était devenu bien connu ces dernières années. « On a une antenne dans notre faculté, continua-t-elle sur le même ton.

— Génial ! s'exclama le blond – quel était son prénom, déjà, Billy ? Tu en fais partie ? »

Elle haussa les épaules, rougissant de honte. « Hum, disons que je suis allée à une fête de levée de fonds, ça suffit ? »

Hector et le blond éclatèrent de rire. « C'est un début, observa Hector. Je m'occupe aussi d'un fonds pour financer les essais cliniques, c'est ça qu'on fait en ce moment.

— Chéri, c'est moi qui te finance, oui, plaisanta le blond en donnant une petite tape sur la cuisse d'Hector. L'argent récolté… dit-il en se tournant vers Milly, cela couvre à peine la facture de téléphone.

— Oui, c'est vrai, c'est toi qui paies tout en ce moment », concéda Hector, en passant à nouveau son bras autour de l'épaule du blond.

Milly rit de bon cœur. Elle était charmée et touchée. Elle connaissait pas mal de gays et de lesbiennes à la fac – elle avait eu une aventure secrète (et une autre publique) avec une fille l'année dernière – mais aucun couple de gays qui vivaient ensemble, tractaient ainsi à deux et se chamaillaient sur les factures du foyer comme le faisaient ses parents.

Un autre silence, puis Hector caressa la nuque du blond : « On doit y aller. » Il sortit un tract avec le triangle rose dessus et le tendit à Milly. « On va à une réunion.

— D'accord, dit-elle. Oh, mais je crois que ma mère y va aussi. »

Les yeux d'Hector s'écarquillèrent. Lui et le blond se regardèrent, ébahis. « Ta mère ? répéta Hector. Tu ne plaisantes pas ?

— Ce matin, elle m'a dit qu'elle voulait aller à une réunion pour ça, qui a lieu ce soir. » Milly désigna le triangle. « Elle était en train de lire le *Times* et elle m'a montré un article sur le sujet et une photo de vous avec vos pancartes. Lors d'un genre de manifestation, c'est ça ?

— Montréal, oui, dit le blond. On a fait une grosse manif lors d'une conférence là-bas.

— Ça devait être ça », confirma Milly. Enfin, je suis quasiment sûre qu'elle m'a dit quelque chose du genre, c'est ce soir, je vais y aller. »

Hector grimaça. « Cela va être très intéressant à observer.

— En *effet*, rajouta le blond.

— Elle… » commença Milly. Elle devait choisir ses mots avec attention. « Je crois qu'elle est frustrée par…

— Par ce qu'elle a le droit de faire au Département ? » poursuivit Hector.

Milly soupira. « C'est toi qui l'as dit, pas moi.

— Peut-être qu'elle pourrait faire bouger les choses de l'intérieur », dit le blond à Hector.

Milly n'était pas certaine du sens de sa remarque. « En tout cas, vous verrez bien si elle vient ! »

Ils descendirent la rue ensemble pendant quelques centaines de mètres, en discutant de tout et de rien. Étaient-ils malades ? se demanda Milly. Ils n'avaient pas l'air, en tout cas. Mais elle savait que des années pouvaient passer avant que la maladie ne se déclare. Ils étaient bras dessus bras dessous, et à un certain moment, sur un trottoir très fréquenté, elle dut marcher en file indienne derrière eux, comme un petit enfant. Elle s'arrêta devant un café et leur annonça qu'elle s'arrêtait là.

« Accompagne-nous à la réunion, et tu verras si ta mère sera finalement là », proposa le blond.

Milly éclata de rire. « Moi ? Non, non, je… enfin, je serais peut-être venue, mais je suis déjà prise. Et je sais qu'il ne fait pas bon embêter ma mère dans son travail. »

Le blond rit à son tour. « Si elle se pointe, tu ne seras pas la seule à l'ennuyer, je peux te le jurer. »

Milly ne savait pas quoi répondre. Hector se pencha pour l'embrasser. Il sentait bon, remarqua-t-elle, quelque chose comme de la noix de muscade. « Je la protégerai si elle vient, lui dit-il. Je sais qu'elle est de notre côté. »

Puis Hector passa à nouveau son bras par-dessus l'épaule de Ricky et ils laissèrent la fille d'Ava médusée derrière eux. Il se dit qu'il devrait peut-être attendre d'avoir tourné au coin de la rue pour sortir de son champ de vision, mais il s'en ficha – quelque chose dans cette conversation l'avait fatigué et stressé, et il avait désormais besoin d'un moment de tendresse, de désir et d'amour avec Ricky. Il laissa tomber son sac à terre, et prit Ricky intensément en pressant sa main gauche au bas de sa nuque et en empoignant de la droite ses fesses rebondies, puis il lui enfonça la langue dans la bouche. Lorsque Hector embrassait Ricky en public – enfin, dans le Village, c'était vrai –, il avait l'impression de revenir en arrière, loin, très loin en arrière, à ces années de déni et de frustration, et de rattraper le temps perdu comme un chien affamé. Il avait trente-deux ans! Combien d'années avait-il gâchées?

Un homme entre deux âges, obèse et transpirant dans sa chemise-cravate, passa devant eux : « Grands dieux, dans la rue? marmonna-t-il assez fort pour se faire entendre.

— Eh oui, répondit Hector. Dans la rue. Désolé de vous choquer.

— Regarde là-bas », dit Ricky, toujours dans les bras d'Hector. Ricky fit un petit signe de la tête en direction de la fille d'Ava, qui les observait, fascinée, depuis le perron du café où elle s'était arrêtée. Lorsqu'elle les vit se retourner vers elle, elle se faufila à l'intérieur, mortifiée. Hector et Ricky éclatèrent de rire. « Et ça va, la fac? » plaisanta Ricky.

Ils reprirent leur chemin. Hector garda son bras autour de la taille de Ricky. Il était quasiment accro à ce geste, le serrant jusqu'à ce qu'il sente sa tête au bord de l'explosion. Puis, l'appétit dévorant, incontrôlable d'Hector se réveillait et Ricky disait : « Oh, bon Dieu, non, pas encore, *el voraz!* » Et c'était vrai qu'avec Ricky, Hector était réellement vorace ; il s'émerveillait à quel point cela fonctionnait chaque fois ; il suffisait qu'il pose ses mains sur ses fesses pendant quelques secondes, et il se mettait à grogner et à s'émerveiller : « Ah, putain, ah, putain! » Ricky, lui, se délectait en riant des pouvoirs de son cul, lui le petit coiffeur devenu puissant objet de désir. Parfois, Hector en était presque aux larmes, c'était trop pour lui ; une effusion complexe et totale de sentiments qui embrassaient le passé, le présent et le futur. Le passé : Comment avait-il survécu si longtemps sans cela ? Toutes ces nuits au laboratoire, au bureau, à vivre caché. Le présent : Était-ce bien réel ? Pouvait-il être si heureux ? Il explosait de joie ! Le futur : Et s'il perdait tout cela ? Il en mourrait, assurément. Profites-en au maximum maintenant ! Il s'attarda de nouveau sur le cul de Ricky avec une joie renouvelée et psychotique, un mélange de gratitude et de terreur qui faisait pleurer Ricky : « Tu es taré, tu me fais peur ! »

Ils descendaient Bleecker Street, maintenant, et Hector baissa petit à petit sa main.

« Arrête ! siffla Ricky, en remontant le bras d'Hector. Un peu de tenue, quand même. »

Hector le dévisagea et lui lança un sourire silencieux et énigmatique. Puis, le circuit infernal du désir et de la peur redémarra dans son esprit, et il demanda : « Tu y es allé cette semaine ? »

Ricky abandonna son sourire satisfait. « Allé où ? »

Hector savait que Ricky se disait : *Oh, non, pas ça, pas encore.* « Arrête, tu sais très bien ce que je veux dire. Allé faire un test. »

Ricky se raidit, bomba le torse, son visage se durcit et, presque imperceptiblement, il accéléra le pas, mettant son sac à l'épaule. « J'irai la semaine prochaine. Là, c'était la folie. Trop de boulot et de conneries à faire. » Il pencha la tête dans son sac empli de tracts et de dossiers.

« Mercredi, je t'ai dit qu'on s'y retrouvait et je t'ai appelé au salon de coiffure mais tu ne m'as jamais rappelé.

— On a eu plein de boulot. Ivana est venue. »

Hector éructa un petit rire crispé. « Ah, Ivana passe avant, alors.

— Oui, en effet, rétorqua Ricky de son ton agacé. Elle a ramené, littéralement, une centaine d'amis. »

Cela ne servait à rien, Hector le savait, de faire tout cela, d'arranger tout ce qu'ils mettaient en place lors de ces réunions afin d'obtenir plus vite les médicaments, de travailler au miracle du traitement parallèle – un traitement où l'on pouvait avoir les nouveaux médicaments expérimentaux même sans être sélectionné pour les essais cliniques parce que tel ou tel laboratoire n'avait pas voulu de vous car vous n'étiez pas le spécimen exact recherché. Ils allaient permettre à des milliers de gens de prendre un médicament en phase de développement, le ddI, et lorsque vous le preniez en même temps que l'AZT, il y avait de très grandes chances de soigner ce que l'AZT n'arrivait pas à faire seul. Enfin, se corrigea Hector en son for intérieur, pas de *très* grandes chances, mais de grandes chances tout de même. Hector savait que Ricky était au courant de tout cela. Il lui dit simplement : « On peut y aller la semaine prochaine, s'il te plaît ?

— Oh ! » s'exclama Ricky, furieux. Il s'arrêta net sur le trottoir, forçant Hector à stopper également. « Je te l'ai déjà dit des centaines de fois, Hector. Je ne veux pas savoir. *Je ne veux pas savoir.* » Il prononça cette phrase sur un ton agaçant. « Je n'en vois pas l'intérêt. *La-la-la la-la !* » Il marcha quelques pas de plus, puis s'arrêta à nouveau. « Et si tu es si inquiet, tu n'as qu'à utiliser une putain de capote quand tu me baises. D'accord ? » Il reprit sa marche.

« Tu me casses les couilles, lui lança Hector. Tu sais bien que c'est pour toi que je m'inquiète, pas pour moi. »

Ils restèrent ainsi, dans la rue, à cinq mètres de distance, étrange duel. Finalement, Hector proposa à Ricky : « Allons à la réunion, plutôt. » Ils reprirent leur marche, mais sans se toucher. Une voiture passa avec, à fond, le nouveau tube de Madonna, « Cherish ». Dans le clip, elle jouait dans les vagues avec un beau mec déguisé en sirène et une mignonne petite fille noire aux cheveux bouclés.

À quelques dizaines de mètres de la réunion, ils croisèrent Chris Condello, l'un des collègues scientifiques d'Hector au sein du mouvement. Il avait les cheveux teints en blanc, et portait un sac en toile sur l'épaule, un tee-shirt Bronski Beat couvert de sueur et élimé. Ils se firent la bise. Hector remarqua que Ricky se tenait un peu en recul du groupe, comme il le faisait toujours lorsqu'il se sentait mal à l'aise à cause de son manque d'intellect, les fois où Hector rencontrait un autre ami scientifique.

« Tu es prêt pour la présentation avec moi ce soir ? demanda Chris à Hector. Tu expliques le contexte et moi les développements possibles ?

— Parfait », répondit Hector. *Pourquoi tu ne fais pas le contexte et moi les développements possibles ?* pensa-t-il. Mais, la plupart du temps, il évitait ces stupides petites guerres d'ego dans le groupe. Il gérait de la même façon clinique et efficace sa relation au groupe que lorsqu'il travaillait, en vivant caché, au Département de santé, et il savait que les gens le respectaient pour cela, et parce qu'il disposait d'une vraie connaissance médicale et qu'il n'avait donc pas à en faire des tonnes comme certains des types autodidactes ou de ceux qui s'étaient formés au contact de gens comme lui. Le fait de travailler directement avec des malades qui avaient leur vie en jeu, ainsi que celle de leurs amis et amants, plutôt qu'avec les bureaucrates surdiplômés du Département de santé l'avait littéralement époustouflé. Lorsqu'il voulait remettre en place des gens lors de ces réunions qui semblaient stupides, impétueux, en colère, mal informés, fous, il se rappelait qu'il avait suivi de longues et coûteuses études et qu'il les mettait désormais en œuvre pour sauver la vie des gens de sa communauté – et il y prenait du plaisir, il y faisait des rencontres, il planifiait de véritables révolutions, et cela se finissait sur la piste de danse à la fin – plutôt que de passer son temps à trier des papiers dans un placard de la municipalité.

Ils arrivèrent à la réunion. « Putain, c'est bondé ce soir », dit Ricky. Et c'était le cas, en effet, nota Hector, un peu étonné, comme chaque fois qu'il se présentait devant une salle remplie. Les réunions : un tel mélange de colère justifiée et de désir complexe, d'énergie sociale, d'amertume et de douleur qui précédait le sida, et remontait à l'enfance et à l'adolescence. Une marée de petits Blancs en tee-shirt sans manches, en short en jean et en bottes ! Et puis les membres de ce qu'ils appelaient Brown Town, environ trente d'entre eux. Il y avait Ithke Larcy, l'assistant social avec son impressionnante figure surmontée de dreadlocks, et le petit ami blanc d'Ithke, Karl Cheling, le prêtre évangéliste gauchiste au regard inquiétant. Tous deux essayaient de forcer la ville à trouver un toit aux sans domicile touchés par le sida, plutôt que de les laisser se faire trimballer de foyer en foyer. Et puis il y avait les lesbiennes. La romancière Esther Hurwitz, la reine du *ratpack* des brouteuses arty de Downtown, était là, remarqua Hector ; elle venait depuis un certain temps déjà et l'ouvrait souvent, mais certains la soupçonnaient d'être là afin de glaner du matériau pour un roman qu'elle écrirait un jour sur eux. Avec tout le boucan, on avait du mal à s'entendre penser.

Hector et Ricky tombèrent sur des garçons que Ricky présenta comme des amis, des types d'à peine vingt ans qui travaillaient dans la mode ou dans la coiffure, et qui venaient ici car ils savaient que ce devait être la chose à faire – mais aussi car, ces dernières années, c'était devenu l'endroit le plus branché où il fallait se montrer. Ici, vous pouviez être en colère et sexy en même temps, remonté en masse contre l'épidémie, et repartir chez vous avec encore toute l'énergie carnassière du groupe, ou aller danser ou baiser au Boy Bar ou au Meat, tandis que Dusty Springfield chantait *Since you went away, I've been hanging around, wondering why I'm feeling down*[1], le tout rythmé par des *claps*. Les garçons étaient là avec Micky, une lesbienne d'un mètre soixante aux cheveux teints en rouge qui avait décidé de venir à la réunion lorsqu'elle avait entendu que la définition fédérale du sida – qui influait sur la destination des fonds et l'orientation de la recherche – n'incluait pas les symptômes qui ne touchaient que les femmes, comme les lésions apparaissant au début du cancer cervical. « Putain, ça me rend dingue, avait dit Micky. Les lesbiennes aussi chopent le sida ! » De fait, c'est exactement ce que Micky avait crié à Barbara Bush lors d'un événement à Washington qu'elle avait réussi à infiltrer, en prétendant être une jeune assistante parlementaire, l'air incroyablement hétérosexuelle dans son petit tailleur et avec sa perruque blonde maintenue par un serre-tête.

Hector sentit une main se poser sur son coude. C'était Chris. « Que le spectacle commence », dit-il.

Ils se frayèrent un chemin à travers la foule. À mi-chemin, Korie Wright, qui était encore trois années auparavant un designer de trente et un ans plein d'avenir, les arrêta. Oh, grands dieux, qu'il avait l'air maigre, avec son torse quasiment concave, flottant sous son débardeur.

« Il faut que je vous demande quelque chose, commença Korie.

— Tu auras sûrement la réponse lors de notre présentation, répondit Chris tout en continuant à avancer.

— Chris, bon Dieu ! » s'exclama Hector. Parfois, la froideur de Chris l'ahurissait. Était-il au moins séropositif ? songea Hector. Quelle était l'origine de ce détachement ? Ou était-ce parce qu'il ne l'était pas ? Cela lui semblait incroyable, même ici, que l'on puisse avoir envie de cacher sa séropositivité. Bien sûr, il y avait plein de gens comme Ricky qui avaient tout simplement peur de faire un test, ou ne voyaient pas l'intérêt de savoir. Certains considéraient

---

1. « Depuis que tu es parti, j'ai erré sans but, à me demander pourquoi j'étais déprimée. »

que ne pas savoir était un choix politique ; si personne n'était au courant, alors c'était égalitaire, et tout le monde devait accepter d'avoir des rapports protégés et plus personne ne serait un paria.

Hector, le bras de Korie touchant le sien, prit son autre main. « Qu'est-ce qui se passe, Korie ?

— Marty Delaney, à San Francisco, m'a rappelé à propos de son médicament, le Compound Q. Il mène des tests non autorisés. »

Hector acquiesça. « Oui, je sais.

— Tu devrais aller voir ce qu'il en retourne, et essayer, non ? »

Hector savait que Chris pensait que le Compound Q, un médicament anticancer en provenance de Chine, pouvait soigner le sida – Hector le pensait aussi –, mais il n'arrivait pas à digérer l'insensibilité de Chris. « On en parle plus tard, dit-il à Korie. C'est une décision compliquée à prendre. »

Les yeux de Korie clignèrent, comme apeurés. « Tu penses ?

— Il est possible qu'il y ait des effets secondaires très graves », aboya Chris en sa direction.

Korie fronça les sourcils. « Ah bon ?

— Il peut y en avoir, oui, tempéra Hector. Cela peut causer des troubles mentaux. Mais buvons un café après la réunion, et reparlons-en. Il faut que j'en touche un mot à Marty, mais je pense que cela vaut le coup de considérer cette solution. »

À la grande surprise d'Hector, Korie le serra dans ses bras. « Merci, chéri. C'est réconfortant de voir que des scientifiques comme vous restent humains. » Korie adressa un regard de haine à Chris, qui sembla se figer sur place, puis tourna les talons.

Chris et Hector reprirent leur marche. « Qu'est-ce qu'il voulait dire, ce con ? demanda Chris. Je lui ai juste dit qu'il y avait un risque. »

Hector s'arrêta et le fixa dans les yeux. « Il ne savait pas ce que recouvrait ce terme d'effet secondaire. Et toi non plus il y a deux ans, j'en suis sûr. Alors arrête d'étaler ta science ici. Les gens sont réellement malades. »

Chris le regarda, bouche bée, et ne répondit pas. Hector le dévisagea pendant une seconde puis, fort de cette nouvelle sensation d'autorité, continua son chemin en regardant derrière lui pour voir si Chris le suivait. C'était ce qu'il faisait.

La foule se tut pour le début de l'intervention des participants. Les porte-parole des différentes communautés firent leur rapport, des votes à main levée eurent lieu, des manifestations furent décidées et des comités élus. Esther Machin se lança dans une longue harangue théorique à propos de l'identité de la marginalisation jusqu'à ce que quelqu'un dans la foule, ne respectant pas les règles du lieu, crie : « Allez, crache le morceau ! » Hector et Chris prirent enfin le micro pour leur présentation.

« Voici le rapport du comité scientifique à propos de ce médicament en phase d'expérimentation, le ddI », commença Hector. Les présentations publiques l'avaient aidé à vaincre sa timidité ; le sentiment d'être utile en expliquant les arcanes des tests en laboratoire et les coulisses du Département de santé dans un langage simple et direct pour un public concerné par le problème l'avait doté d'une nouvelle aura, de plus de maturité. « Ce médicament... »

« *Hector Villanueva, t'es canon putain !* » C'était un gay hystérique qui hurlait depuis le fond de la salle. Hector rougit instantanément, puis sourit. La pièce commença à pousser des cris hystériques et assourdissants. « *C'est vrai !* » et « *Pareil !* » fusèrent depuis d'autres coins de la pièce. Hector remarqua Ricky dans la foule, le sourire aux lèvres et hochant la tête de résignation.

Hector reprit son souffle et continua. « Ce médicament sera probablement le premier à être validé par les autorités publiques afin de lutter contre la séropositivité. Depuis l'AZT en 1987, cela n'était pas arrivé. » Hurlement et sifflets. « Je sais, je sais. L'AZT coûte une fortune et il ne soigne pas comme nous l'avions espéré au début. Mais on peut avoir de grands espoirs dans une médication croisée entre le ddI et l'AZT, cela devrait mettre KO le virus... »

Un nouveau cri dans la foule : « Ava Heyman, du Département de santé, meurtrière ! » La foule se retourna. Ava, son ancienne patronne, venait d'entrer dans la salle, ses cheveux gris coiffés en queue-de-cheval, ses lunettes de lecture au bout du nez, sa grosse sacoche en cuir à l'épaule. Elle était seule. Hector la dévisagea depuis l'estrade, incrédule.

« Je ne suis pas une meurtrière, dit-elle de sa voix rocailleuse du Queens, sur un ton dégoûté. Je suis là pour écouter. Et pour aider.

— Vous n'avez fait que de la merde depuis huit ans », cria une autre personne. C'était Ithke Larcy, l'activiste de la cellule logement.

« Ithke, tu sais bien que c'est faux, rétorqua Ava. Je ne te laisserai pas me condamner devant la foule. Toi et Karl êtes venus me voir la semaine dernière, et on a élaboré un plan de relogement pour les séropositifs et les porteurs du sida, et tu sais que c'est en cours.

— Porteurs du sida ! éructa Ithke, ses dreadlocks tournoyant au rythme de son visage, avec une rage non feinte. Écoute-toi parler. On est des êtres humains. »

Ava balaya sa remarque d'un geste de la main. « Oh, ça va, Ithke, arrête ton cirque. »

La salle était au bord du chaos, et Hector remarqua que quelques-uns s'avançaient vers Ava. « Mes amis, du calme ! » se surprit-il à crier dans le micro. « Du calme ! » La foule s'arrêta et se retourna vers lui, surprise. Certains savaient, d'autres pas, qu'il avait travaillé pour Ava. Beaucoup lui faisaient confiance pour peser sur elle, auprès du Département de santé. Et elle était venue ce soir.

« Je connais le docteur Heyman, déclara-t-il à la foule. J'ai travaillé avec elle au Département de santé pendant huit ans. » Tout le monde le fixait, sourcils froncés, comme s'ils se demandaient ce qui allait venir ensuite.

« Je savais qu'elle viendrait ce soir, continua-t-il. Et, soyons honnêtes, lorsqu'un fonctionnaire du Département quitte le confort de la bureaucratie pour venir ici, c'est parce qu'il veut aider. Alors ne rejetons pas nos alliés quand ils sont devant nous, et laissez l'occasion au docteur Heyman de nous écouter ce soir et de voir ce que nous pouvons faire ensemble. » Il marqua une pause. « Et merci de ne pas encercler ainsi le docteur Heyman. »

Les combattants agressifs qui s'étaient massés autour d'elle reculèrent de quelques pas. La salle était incroyablement silencieuse. Hector et Ava se regardèrent dans les yeux. Puis, un large sourire moqueur barra le visage d'Ava.

« Merci, Hector. Tu as toujours été chevaleresque. » La majeure partie de la salle s'esclaffa. Ava relâcha sa mâchoire et son corps. *Voilà*, pensa-t-elle. Le pire était passé. Ses médicaments la faisaient suer, et elle espérait que la sueur sur son torse n'était pas visible sur sa chemise. Elle posa sa lourde sacoche au sol. Ithke et Karl vinrent vers elle pour la saluer et l'embrasser. C'était incroyable à quel point ces hommes pouvaient ainsi changer d'attitude ! pensa-t-elle. C'étaient des petits garçons blessés, impulsifs. Comment se comportaient-ils avec leur mère ? Comment se comportaient-elles avec eux ?

Elle se concentra sur ce qu'Hector exposait : Donc, oui, le ddI. À quel point les essais cliniques de cette molécule étaient rigides et excluants – bon Dieu, Hector expliquait tout ce processus compliqué à la foule avec un langage si clair, si articulé, sans leur mentir ! – et que tous ceux qui avaient vraiment besoin de ce médicament n'avaient pas accès aux essais. Donc, en tant qu'activistes, ils avaient forcé les autorités compétentes, la FDA en tête ainsi que le laboratoire, à les recevoir pour accepter un nouveau concept d'essais, le marquage parallèle : le laboratoire continuerait à faire ses essais avec les patients de leur choix, ceux qui présentaient tous les critères nécessaires à leurs yeux, mais en parallèle, il laisserait des essais s'organiser avec d'autres personnes qui présentaient des critères bien plus communs. Cela allait débuter dans quelques semaines.

Ava se pencha vers Ithke. « C'est inouï qu'ils aient décroché un tel accord. Au FDA, on n'a jamais laissé passer ça auparavant. »

Ithke grimaça : « Petit à petit, vous allez apprendre à ne plus nous envoyer bouler. »

Ces garçons… quand même ! Quelle morgue ! Elle se contenta de sourire pour toute réponse, mi-charmée, mi-réprobatrice, comme une mère avec son fils trop grande gueule. Ithke était-il séropositif ? se demanda-t-elle. Qui l'était dans la salle ? Certains avaient l'air malade, mais la plupart avaient belle allure – jeunes, sexy, en bonne santé. Elle avait l'impression d'être dans une boîte de nuit gay, sauf que les tee-shirts et les pancartes recouverts de slogans remplaçaient la musique assourdissante. Elle pensa à ses médicaments. Ses putain de pilules qu'elle prenait depuis des années, le carrousel infini et épuisant des pilules qui la rendaient instable, en sueur, énervée, en surpoids, narcoleptique, avec des tics et d'étranges éclairs dans le cerveau. Et puis il y avait ces constantes montagnes russes, ces visites assommantes chez son médecin autocratique, ces tiraillements et ces nœuds dans le corps, cette volonté d'atteindre un état d'équilibre, au moins un peu, pour ne pas avancer comme un zombie ahuri. Les changements d'humeur et les pilules avaient fait d'elle une malade publique et elle devait affronter chaque jour l'empathie des gens envers les malades, alors qu'elle ne leur avait rien demandé et qu'elle détestait cela.

Elle avait tant de pilules parmi lesquelles choisir, et c'était si compliqué de savoir comment bien les utiliser. Alors que ces hommes, ils n'avaient quasiment aucun médicament pour les soigner. Le seul, l'AZT, était si toxique. Elle ne mourrait sûrement jamais de sa maladie, tant qu'elle resterait dans sa camisole chimique. Mais qui, ici dans la salle, survivrait? Comment réagirait-elle si elle apprenait que Milly, sa fille, allait mourir à petit feu pendant cinq ans? Cette pensée lui noua la gorge. Que pensaient les mères de ces garçons? Savaient-elles, d'ailleurs, que leur fils était gay? Et Hector. Était-il porteur? Elle n'avait jamais eu le courage de lui demander, même lors de sa dernière année au Département alors que, pour la première fois depuis son arrivée comme stagiaire timide en 1981, sa colère et son dégoût avaient commencé à faire surface dans les réunions ou lors de discussions banales.

Ithke et Karl la quittèrent pour aller exposer les problèmes de logement. Hector descendit de l'estrade, et fendit la foule en sa direction. Avant qu'il ait pu l'atteindre, une femme à lunettes en écaille et larges bottes s'approcha d'elle.

«Bonjour, je m'appelle Esther Hurwitz, annonça-t-elle. Je suis activiste et écrivain. Je tiens la chronique de ces morts. Je voudrais vous demander: comment arrivez-vous à vous regarder dans une glace, vous une femme et une Juive, alors que vous n'avez rien fait pour stopper cette épidémie? »

Ava était interloquée. Puis elle éclata de rire, incrédule. «Je vous rassure, j'arrive à me regarder dans la glace et j'y reconnais la femme et la Juive que je suis. Et vous? Vous pensez vraiment que vous allez trouver du soutien auprès des autorités en vous comportant ainsi?

— Vous ne nous avez jamais soutenus, rétorqua Esther. Vous avez toujours été inutile. »

Hector se joignit à elles. Ava se tourna vers lui. «Qui est cette fille? Elle vient juste de m'accoster pour m'insulter. »

Hector, dérouté, ne pipait mot. Ava le regarda longuement à nouveau. Il lui manquait tant! Elle était... elle était si fière de lui.

« Esther, elle est de notre côté, lâcha finalement Hector à Esther. Vraiment. »

Esther dévisagea Ava pendant plusieurs secondes, derrière ses lunettes en écaille : « Vous n'avez rien fait pour que l'on y croie. »

L'inflexion de sa voix calma un peu Ava. Elle était touchée de voir combien de femmes – des lesbiennes, surtout – étaient présentes ce soir, alors que les femmes auraient pu faire comme si c'était juste un problème d'hommes et ne pas s'engager. « C'est pour cela que je suis là ce soir, ma chère. »

Esther croisa les bras, et la regarda en sourcillant. « On verra bien, alors… *ma chère.* » Elle tourna les talons et partit.

« Sacré public, lança Ava à Hector.

— Et encore, tu n'as pas tout vu. » Il fit signe à Ava de le suivre, et ils se rendirent au foyer attenant à la salle, qui était plus calme. Ils s'assirent sur un banc. « J'ai croisé ta fille ce soir.

— Milly ?

— Elle travaille dans une boutique en face de chez nous. »

Ava hocha la tête, l'air pensif. « Ah, mais oui, c'est vrai. Dans un café, c'est ça ? »

Hector ne put réprimer un sourire. Pauvre Milly. Ava n'était pas vraiment la mère la plus attentive qui soit – elle avait déjà trop à faire avec la santé de la ville et de ses habitants. « Dans une boutique, corrigea-t-il, Reminiscence.

— Mais oui, bien sûr, je le savais. C'est une jolie fille, n'est-ce pas ?

— Absolument, confirma Hector.

— Je suis fière d'elle », murmura Ava l'air absent.

Ils se murèrent dans le silence. Ils entendaient les cris et les applaudissements divers dans la grande salle, mais ils étaient toujours seuls dans le foyer. Leurs regards se croisèrent, et ils sourirent timidement. Ava prit la grande main d'Hector dans la sienne pendant un instant, puis la relâcha. « Tu as de grandes mains ! » plaisanta-t-elle.

Il haussa les épaules : « Je suis comme ça, oui. »

Nouveau silence. « Tu vas bien, Hector ? » finit-elle par marmonner.

Il la regarda dans les yeux, haussa à nouveau les épaules. « Oui. En tout cas c'était le cas en février, lors du dernier test. Depuis, je suis fidèle à Ricky.

— Et Ricky ? »

Hector se pinça les lèvres. « Cela reste entre nous, d'accord ?

— Bien sûr.

— Je pense qu'il est peut-être malade. Une longue grippe cet hiver, et des ganglions. Je veux qu'il passe un test mais il refuse. Il a peur. »

Ava ne dit rien pendant un moment. Elle finit par se tourner vers lui, assise sur le banc, et lui souffla, d'un air extrêmement concerné, comme si elle avait peur qu'on ne les entende : « Je me fais du souci pour toi, et je veux m'excuser. Je n'ai pas été assez active lorsque tout cela a commencé. Personne n'a su réagir correctement. À cause de la population qui était touchée, et parce que nous ne voulions pas nous salir les mains. On a sans cesse repoussé. Tout le monde. »

Hector émit un petit rire amer. « Tu crois qu'on ne le sait pas ? Tu penses que nous tous, ici, on n'avait pas compris ? Ava, à ton avis, pourquoi on se retrouve ici ? Pourquoi on débarque à vos bureaux avec le *New York Times* derrière nous, pour vous mettre face à vos erreurs ? C'est à cause de votre comportement qu'on a été obligés d'agir ainsi. » Ses mains tremblaient pendant qu'il parlait – oh, comme il détestait montrer sa colère ! « Je préférerais mener cette bataille depuis un bureau du Département de la santé, avec mes putain de collègues.

— Tu sais que j'ai milité pour, Hector. Avec Steve. Avec Ed !

— Ava, tu sais bien que ce putain de pédé honteux de maire n'a rien fait. Et toi non plus. »

Venait-il de dire cela à son ancienne chef pour laquelle il avait bossé sept ans ? Apparemment. Une seconde plus tard, il se sentit transpercé par la culpabilité. Pendant sept ans, il l'avait observée se débattre dans son travail, parfois suante, parfois essoufflée, à slalomer dans la jungle de ses médicaments, à essayer de nouvelles combinaisons. Elle avait virtuellement écrasé son esprit de médications pour pouvoir continuer à travailler, être un minimum présente auprès de sa fille adolescente, et pour ne pas leur faire honte à elle et à son mari. Pendant toute cette période, elle n'avait été absente que deux semaines en tout, afin de se faire hospitaliser en 1986 dans une sorte de stage d'accompagnement psychologique pour apprendre à vivre avec sa maladie en compagnie d'autres patients touchés par le même fléau. Les rides qui barraient son front et ornaient ses yeux et sa mâchoire, à même pas cinquante ans, témoignaient de chaque année de sueur, de dépression et de doute qu'elle avait vécue depuis dix ans. Ses cheveux étaient devenus poivre et sel, frisottants, et elle les coiffait d'une pince en plastique ; désormais, elle se fichait d'être élégante ou attirante. Elle avait perdu quelque chose, et elle portait un lourd fardeau, symbolisé par ce cartable noir absurdement lourd.

Elle croisa son regard. « Tu sais que nous avons un très grand groupe de nouveaux qui vient compléter nos équipes de la cellule de lutte contre le sida, au Département de santé. » Ces trois dernières années, cette cellule avait, au mieux, fait un travail anémique sur le sujet, afin de coordonner les différents services de la municipalité. « C'est encore confidentiel, mais dans quelques jours, Steve va me nommer responsable du Département. Et je vais gérer ce service comme tu ne l'as jamais vu. »

Hector sourit et rigola. « J'ai hâte de voir ça ! »

Elle rit à son tour. « Ils ont intérêt à marcher au pas ! Et si dans trois mois, je n'obtiens pas ce que je veux, ce que *nous* voulons, dit-elle en faisant un grand geste du bras comme pour embrasser la salle, je démissionne et je prends le maquis comme toi. Maintenant, je me fiche de devenir la première femme chef du Département de la santé dans deux ans… qu'ils aillent se faire foutre. »

Hector l'avertit : « Tu sais qu'en me disant ça, je ne vais plus te lâcher. »

Elle haussa légèrement les épaules, comme pour dire : *Et alors ?*

« Et tu sais quoi, même si je t'apprécie, si c'est nécessaire, je n'hésiterai pas à régler mes comptes en public.

— À ton avis, pourquoi je me serais fait chier à te dire ça ? railla-t-elle. Je sais que tu ne vas pas me lâcher. Toi et moi, on va travailler main dans la main dans les mois à venir, mon ami. »

Si je t'accorde ma confiance et que tu me lâches, je te tue, voulait-il lui dire. Mais il avait mieux. *C'est génial de rebosser avec toi, Ava*, s'apprêtait-il à répondre. Alors, dans le coin de son champ de vision, il aperçut une femme – une petite Latina aux cheveux tirés en arrière en chignon venait d'entrer dans le foyer, short multicolore et tee-shirt baggy, l'air terrifié. Ava, remarquant l'hésitation d'Hector, l'aperçut elle aussi.

160

« Vous avez besoin de quelque chose ? » l'interpella Hector.

La femme tourna les talons, comme de peur d'être remarquée. Elle marmonna quelques mots que personne n'entendit.

« Qu'est-ce que vous dites ? » demanda Hector en adoucissant sa voix et son visage, afin de la calmer. Cela sembla marcher. La femme avança droit vers eux. « C'est la réunion sida ? interrogea-t-elle dans un semi-murmure, comme si une foule invisible allait l'entendre.

— Oui. *Las activistas* », répondit-il en riant, avec une affectation assez marquée, un ton qu'il avait appris à maîtriser année après année, même si ce n'était guère convaincant. Il n'arriverait jamais à être un de ces gays efféminés, comme Ricky. « Vous voulez nous rejoindre ? Nous avons besoin de Latinas. »

Elle pencha la tête, son visage barré par un sourire embarrassé. Mais… non ! Elle se mit à pleurer. « Je vais mourir, sanglota-t-elle. Je crois que je vais bientôt mourir. »

Hector et Ava se regardèrent et firent de la place sur le banc afin que la femme, qui n'avait pas l'air d'avoir plus de trente ans, s'assoie. La tête entre les mains, elle continua à pleurer et répéter : *Je vais mourir.*

« Du calme, ça va aller, dit Ava, en passant son bras autour de son épaule. Pourquoi dites-vous cela ? Vous êtes séropositive ? »

La femme acquiesça. Toujours en pleurs, elle expliqua : « Il me reste cent trente lymphocytes T. Je me sens tout le temps malade. Je n'ai plus mes règles régulièrement. Ça ne fonctionne plus. »

Hector et Ava échangèrent un autre regard. « *Chica*, dit Hector à la fille, cent trente lymphocytes T, c'est beaucoup. Pourquoi pensez-vous que vous allez bientôt mourir ? Il y a des médicaments et des traitements pour cela.

— Ça n'a rien fait sur mon ami, répliqua-t-elle en relevant la tête pour inspirer un bol d'air et essayer de retrouver ses esprits. Il a pris de l'AZT qui le rendait malade, et il est quand même mort en février.

— Oh, ma chérie, je suis désolée », dit Ava.

Maintenant, Hector arrivait à comprendre. Bien sûr, elle parlait de Tavi Peña. Cette grande folle avec qui il avait bossé au GHMC. Tavi, une fois qu'il avait découvert qu'il était séropositif, car il était tombé malade, ne voulait plus venir, car il n'avait pas le courage de se battre. Il était retourné dans le Queens, dans sa famille qui, Dieu merci, l'aimait et l'avait soigné et accompagné jusqu'au bout. Hector avait été à l'enterrement, ainsi qu'à la messe donnée à Jackson Heights, avec tout le tintouin espagnol. Mais il n'avait pas croisé cette adorable *chica* là-bas. Tout à coup, il se souvint : cette nuit au Paradise Garage, il y a si longtemps, avec cette femme – à l'époque, une jeune fille ! – et Tavi complètement défoncés. Le soir où il avait rencontré Ricky !

« Vous voulez parler de Tavi, c'est ça ? » demanda Hector à la fille.

Elle renifla pour ravaler ses larmes. « Oh, mon Dieu, vous connaissiez Tavi ?

— Bien sûr. Et vous ne vous souvenez pas de cette nuit où je vous ai rencontrée avec Tavi au Paradise Garage ? C'était il y a cinq ou six ans ? »

La fille sembla éberluée pendant une bonne minute. Puis, une flamme s'alluma dans ses yeux et son visage changea de couleur. Elle mit sa main devant la bouche. « Oh, mon Dieu. Oh, mon Dieu. Cette nuit-là.

— Oui ! plaisanta-t-il. Cette nuit-là ! » Il prit ses mains dans les siennes. Elle se cacha derrière et rit doucement, très gênée.

« Ah, j'ai dû louper une sacrée soirée, commenta Ava.

— Oh, non, vraiment pas ! démentit la fille. Vraiment pas du tout.

— Bon, d'accord, murmura Ava. Vraiment pas du tout. En tout cas, restez avec ce gars-là (elle désigna Hector d'un mouvement de la tête), et tout ira bien.

— Cela fait un an que je suis au courant, maintenant, dit la fille, et je ne peux pas en parler à ma famille. Mon père et mon frère me tueraient.

— Pourquoi ne viendriez-vous pas dans la salle de réunion avec moi ? proposa Hector. Chaque chose en son temps. Quel est votre prénom ? Je ne m'en souviens plus. Moi, c'est Hector.

— Issy. Ysabel. Mais Issy c'est très bien. J'ai besoin de conseils. Le médecin veut que je prenne de l'AZT mais j'ai peur d'en prendre après ce qui est arrivé à Tavi. Ça le rendait tellement malade, et cela ne l'a quasiment pas soigné. »

Hector se leva et souleva gentiment Issy par le bras. « Viens à la réunion. »

Ava se leva. « Je vais rentrer chez moi. » Elle embrassa Hector sur la joue. « On se parle demain. J'ai plus d'information à te donner sur tes futurs collègues.

— Merci d'être passée, lui dit Hector.

— Ne me remercie pas, c'est insultant. » Ava se retourna vers Issy. « Restez avec lui », conseilla-t-elle une fois encore, en désignant Hector d'un mouvement de tête. Ava posa sa main sur le bras de la fille. *Ça va aller*, s'apprêtait-elle à lui dire. Mais pouvait-elle vraiment le lui dire ?

Elle sortit du bâtiment, dans la douceur de cette nuit de juin. Perdue dans ses pensées, toujours à repenser à la réunion, elle déambula jusqu'à une épicerie et y acheta des chewing-gums. C'était devenu son calmant favori, après toutes ces années de relation misérable avec les médicaments. En sortant, elle en avala un, et continua à marcher. Au bout de quelques rues, elle tomba sur une femme noire en tongs, short en jean et vieux tee-shirt crasseux de Rick James. Elle était assise sur un carton et son visage était très émacié – on aurait dit le visage du *Cri* de Munch.

« Vous avez une cigarette ? » l'apostropha la femme d'une voix éraillée.

Ava était ébahie : lorsqu'on est malade, il ne faut pas fumer, faillit-elle répondre. « Je ne fume pas, désolée, se contenta-t-elle de dire.

— Je peux avoir un chewing-gum alors ? »

Ava lui en tendit un et la femme, plutôt que de le déballer et l'avaler, le mit directement de côté dans sa poche.

« Vous n'avez pas d'endroit où dormir ? » finit par demander Ava à la femme, espérant ne pas avoir été déplacée. Elle était toujours déchirée entre son instinct de New-Yorkaise à ignorer les sans-abri et celui de déléguée à la santé avide d'information sur l'efficacité des politiques municipales.

La femme ne sembla pas plus perturbée que cela. « Je ne veux pas vivre dans un foyer. Je ne bougerai pas d'ici tant que je n'aurai pas une pièce à moi. »

Ava sortit 20 dollars de son sac et les tendit à la femme. « Vous pourrez vous payer à manger avec ça ?

— Vous avez peur que je claque tout en crack ? plaisanta la femme. C'est peut-être ce que je vais faire ! »

Ava ne put s'empêcher de rire avec la femme. « C'est votre choix, mais j'espère vraiment que vous vous achèterez à manger avec. »

La femme haussa les épaules. « Merci en tout cas. C'est très gentil de votre part. »

Ava sourit timidement et passa son chemin. Elle savait qu'en allant ce soir-là à la réunion, en donnant ces informations à Hector, elle s'exposait beaucoup et cela lui donnait l'impression d'être libre. Sa maladie la rendait folle. Elle devait s'en remettre sans cesse à son psy, à ses médecins. Ils n'avaient aucune idée de la terreur qui l'étreignait lorsqu'elle prenait le métro. Se précipiterait-elle sur quelqu'un contre sa propre volonté ? Ou ressentirait-elle l'angoisse de repartir dans un épisode maniaque, ou la peur d'une crise, ce qui était tout aussi atroce ? Le paysage intérieur de sa maladie était sauvage, rude et ses médecins étaient tellement… détachés, tellement froids ! Elle ne voulait pas devenir comme cela.

Arrivée à Union Square, elle monta dans un taxi pour rentrer chez elle. Détendue, elle observait les passants – et, grands dieux, c'était Milly, sa fille, marchant dans la rue avec un grand type aux cheveux blonds. Qu'est-ce qu'elle faisait dans ces fringues informes de hippie ? Ava se contorsionna dans son siège pour les observer jusqu'à ce qu'ils disparaissent de son champ de vision. La sensation était particulière – Milly vivait chez eux pendant tout l'été, mais c'était comme si Ava venait de la voir pour la première fois depuis des années. Tout cela car, même si Ava n'arrivait pas à se le formuler, la culpabilité l'empêchait de penser à Milly ou même de la regarder. Ava était parfaitement consciente que sa maladie avait éclipsé les jeunes années de sa fille.

Mais Milly s'en était bien sortie, non ? Elle avait eu tous ses diplômes avec les honneurs et s'était fort bien tirée de sa première année en faculté. Elle allait devenir artiste ! Les Heyman, qui étaient d'extraction paysanne et russe, avaient eu beau progresser sur l'échelle sociale à New York, ils n'avaient jamais eu d'artistes dans leur famille auparavant. C'était une source de fierté. Et Ava était fière de Milly. Mais Milly avait deux qualités dont sa mère était jalouse. Déjà, la beauté. Ava avait été sexy, mais son apparence s'était délitée, avec un léger strabisme à la Barbara Streisand, et sa ligne avait suivi celle de Sam, son mari, tandis que Milly avait de grands yeux de dessin animé, un nez fin et de longs cheveux bouclés bruns. Son autre qualité, qui devait en partie provenir de sa beauté, était son calme. Ava ne l'était pas. Ava était bruyante, se faisait remarquer, et obtenait ainsi ce qu'elle voulait – et parfois même ce qu'elle ne voulait pas. Milly était si délicate, en retrait, observatrice ! Elle avait toujours été ainsi, pensa Ava. Ce devait être l'influence détendue et affable de Sam qui était lui aussi quelqu'un de très calme. La beauté et la quiétude de Milly étaient presque insupportables aux yeux de sa mère, une pensée si terrible qu'elle ne se l'avouait pas complètement.

Le taxi continua son chemin et la déposa chez elle, une maison de briques rouges. À l'intérieur, Sam était installé devant la télévision, en train de regarder une rediff du talk-show *MacNeil/Lehrer Newshour*, la cravate défaite et posée à côté de lui, les pieds déchaussés sur la table basse. Elle posa son sac par terre, fit sauter ses chaussures à petits talons, et s'écroula à côté de lui sur le canapé.

« Je peux vous supplier de me masser les pieds, bel homme ? » lança-t-elle.

Sam souleva son pied gauche et l'embrassa avant de commencer à le masser. « Tu es rentrée plus tard que d'habitude, aujourd'hui », fit-il remarquer. Il avait dû arrêter la course à cause d'un problème de genou, et avait pris près de dix kilos en deux ans, mais Ava trouvait son surpoids réconfortant. Pas spécialement excitant, mais elle se fichait pas mal du désir sexuel désormais.

« Je suis allée voir des activistes du sida, dit-elle en grognant de plaisir à cause du massage, la tête appuyée sur le coussin du canapé.

— Et ça s'est passé comment ?

— Ils m'ont huée. Mais je savais que ça se passerait comme ça. »

Sam rit doucement. « Tu as l'habitude. Tu es une dure à cuire, de toute façon. »

Elle releva la tête pour le regarder. « Dure à cuire ? Je ne suis pas quelqu'un de bien ? Une mauvaise mère ? »

Sam sourcilla, très surpris. « D'où tu sors ça ?

— J'étais dans le taxi quand j'ai vu Emmy dans la rue, avec un garçon. C'était très étrange, comme sensation. Elle avait l'air si… » Ava marqua une pause, cherchant le bon mot. « Étrangère. À moi. Comme si je ne l'avais pas vue depuis des années. Et tout à coup, je me suis demandé… » Ava éclata en sanglots, comme si toute la pression de la soirée remontait tout à coup. Elle se contorsionna dans le canapé pour se lover sur le torse de Sam. « Je ne sais pas, Sam, j'ai juste eu une mauvaise sensation, et je me suis demandé si… »

Sam la rassura en lui caressant les cheveux. « Non, tu as été très bien, dit-il fermement. Tu as été très bien. » *Elle n'a pas été bien*, pensa-t-il, mais il ne le lui dirait jamais. À quoi cela servirait-il ?

« Ça va ? » demanda Jared à Milly.

Elle leva les yeux vers lui, et prit sa grande main, couverte de quelques poils roux. « Oui, ça va, il fait juste chaud. Tu veux aller boire un verre ? »

Ils marchèrent jusqu'au Blue & Gold, sur la 7e Rue Est. Des amis de lycée de Jared, Asa et Jeremy, s'y trouvaient déjà, et ils firent jouer le juke-box tout en buvant des pichets de bière durant les heures qui suivirent, passant de Fleetwood Mac à Steve Miller. Milly était ivre et se sentait heureuse et sans le moindre souci pour la première fois depuis le début de la semaine. Ils eurent une discussion longue et animée à propos de George Bush, combien c'était un crétin fini et comme c'était dommage que Barbara Bush ne puisse pas dire publiquement qu'elle était pour le droit à l'avortement. Vers trois heures du matin, Milly et Jared laissèrent Asa et Jeremy à la terrasse du bar, et Jared proposa à Milly de venir chez lui, au Christodora, dans l'appartement que son père avait acheté un an plus tôt à prix sacrifié, fit-il remarquer fièrement, de 90 000 dollars.

Milly accepta, et alors qu'ils approchaient de l'entrée de ce majestueux immeuble en briques qui dominait Tompkins Square Park, Milly observa en détail la ferronnerie qui surplombait la porte, peuplée de créatures ailées étranges, et interrogea : « Qu'est-ce que cela signifie, Christodora ?

— Je ne sais pas. Cela me rappelle les gâteaux de Stella D'Oro. Cet immeuble servait de foyer d'accueil pendant la Grande Dépression. Tu te rends compte que la ville a racheté le tout dans les années 1970 pour seulement 50 000 dollars ? C'était un vrai taudis.

— Le nom sonne comme un poème de Rossetti ou une peinture préraphaélite », remarqua Milly.

Une fois dans l'appartement à hauts plafonds, décoré avec du mobilier d'occasion et du matériel d'artiste, Jared sortit une boîte du beau milieu de son linge sale, puis une pipe, et lança Sinead O'Connor sur son lecteur CD.

Il tira sur la pipe, puis la proposa à Milly. « Tu en veux ? »

Milly fronça les sourcils. « Je ne devrais pas », observa-t-elle. Elle avait vécu de mauvais épisodes paranoïaques avec l'herbe ces dernières années. Mais c'était en groupe de six ou sept personnes, et là ils étaient seulement tous les deux.

« Prends-en juste une bouffée.

— Tu peux me l'allumer ? »

Il s'exécuta, tous deux face à face au milieu du salon plongé dans la pénombre. Milly sentit la défonce l'envahir, la confusion, la sensation décuplée du corps de Jared contre le sien. Que faisait-elle là ? Jared inspira à nouveau et reposa la dope. La pièce semblait encore plus énorme et effrayante à Milly. L'herbe lui faisait toujours cet effet-là : douter si elle connaissait vraiment les personnes avec qui elle était, même si dans le cas de Jared ils étaient amis depuis l'âge de onze ans.

« On peut allumer des bougies ? » demanda Milly.

Jared fonça dans la cuisine, en retourna le contenu, puis revint avec une douzaine de bougies et les alluma toutes. Leurs ombres dansaient dans la pièce et éclairaient les chaises et le canapé en tweed. Jared revint vers elle et la prit dans ses bras, passa doucement sa main dans ses cheveux pour les attacher en arrière, sur la nuque, et posa sa main sur son menton, pour l'attirer vers ses lèvres.

« Tu n'imagines même pas à quel point je te trouve belle depuis qu'on était à l'école ensemble. »

Elle éclata de rire. « Cette phrase n'est pas très correcte grammaticalement. » Elle était parcourue par un désir irrépressible, et retira le tee-shirt de Jared, pour poser son visage sur son torse mince et velu.

« Toi aussi, tu es très beau », dit-elle, tandis que Jared lui enlevait son bandana des cheveux et relevait lentement son chemisier en lin. Il dégrafa ensuite son soutien-gorge dans le dos, puis se pencha en avant pour lui embrasser les tétons jusqu'à ce qu'ils durcissent.

Il releva les yeux, les cheveux ébouriffés après avoir passé ses mains dedans. Il sourit.

« J'adore ta petite dent cassée, badina-t-elle.

— J'allais justement la faire soigner, mais maintenant, je vais la garder, dit-il. Doucement, il la repoussa de quelques pas. « Déshabille-toi devant moi. »

Elle sourit à son tour. Dans son état de défonce, Jared était à la fois Jared et un autre que Jared ; il était aussi cet étudiant sexy qu'elle ne connaissait pas et qui l'effrayait un peu, et elle aimait cette dualité. Elle se débarrassa de ses habits, puis retira sa robe. Ils perdirent tous deux leur sourire et se regardèrent droit dans les yeux. Elle retira sa culotte devant lui, maintenant totalement nue.

Il retrouva son sourire et s'exclama : « Putain.

— À ton tour. »

Il enleva ses Converse basses, pied après pied. Il ne portait pas de chaussettes et Milly sentait l'odeur âcre de ses grands pieds suants, les orteils recouverts d'un duvet. Il déboutonna son Levi's et s'en débarrassa, son érection pointant tel un poteau sous le tissu fin de son caleçon à carreaux.

Elle éclata d'un petit rire, en arquant les sourcils. « Eh bé. Tu ne me montres pas le matériel ? »

Il releva un sourcil. « Elle est grosse, hein ? » se vanta-t-il, sans le moindre humour.

Milly rit. « Ça a l'air. J'ai un peu peur. Je peux la voir ? »

Jared rougit, mais il était clairement fier de sa queue. Il la sortit du caleçon. Elle était imposante et en érection, pointant vers elle comme une arme affamée. Elle restait bouche bée, hébétée mais aussi un peu effrayée.

« Désolé, je sais qu'elle est grosse. »

Elle éclata de rire. « Tu vas arrêter de faire ton vantard ! » Jared se contenta de hausser les épaules. Le refrain de la chanson démarra. *Nothing compares to you*[1], chanta Milly à Jared en riant.

Son visage s'illumina. « Millicent Heyman », prononça-t-il lentement. Il avança d'un pas en lui chantant : *All the flowers that you planted, mama, in the backyard*[2]. Il s'agenouilla, passa ses bras

---

1. « Tu es incomparable. »
2. « Toutes les graines que tu as semées, *mama*, dans le jardin. »

autour de la taille de Milly, et l'attira par terre à ses côtés. Il fouilla de la main pour s'emparer d'un coussin du canapé, et l'installa derrière sa tête. Il plongea entre ses cuisses, les mains posées sur ses seins.

« Oh, mon Dieu, glapit Milly lorsqu'elle sentit sa langue en elle. Je n'ai pas l'habitude de ça. »

Il releva les yeux, la bouche luisante. « Vraiment ? Tu es vierge du cunnilingus ? »

Elle gloussa en acquiesçant.

« Cela fait un an que je me branle en pensant à ça, avoua-t-il.

— Oh, mon Dieu ! s'écria-t-elle, à la fois horrifiée et flattée. Tu étais vraiment obligé de me le dire ? »

Il leva à nouveau les yeux. « Après chaque cours ensemble en arts plastiques. En regardant ta photo dans l'annuaire de la fac.

— Non, dis-moi que ce n'est pas vrai. » Elle releva sa tête sur le coussin et se cacha le visage de ses mains, mais il les retira et les garda dans les siennes. Elle resta allongée. Oh, grands dieux. Elle était atterrée, fascinée. *Il n'y a plus que moi au centre de la pièce, pensa-t-elle, comme si j'étais sous les feux de la rampe. Je ne mérite pas tant d'attention.* Elle frissonna en gémissant. C'était comme si Jared avait disparu dans la pénombre, et qu'il s'était transformé en un démon lécheur entièrement affairé sur elle. Elle trouvait cela insoutenable d'être ainsi le centre de tant d'attentions.

Elle lui prit les mains et les pressa fort. « Non, c'est trop, arrête. »

Il se dégagea. « Non. »

Elle se mit à pleurer.

Il s'arrêta pour se glisser à sa hauteur, visage contre visage, caressant sa nuque. « Qu'est-ce qu'il y a ? Tu n'aimes pas ?

— C'est trop. » Elle n'en revenait pas d'être en pleurs. Quelle imbécile elle faisait ! « Je ne le mérite pas. » Elle était mortifiée. Avait-elle vraiment dit cela ? Elle voulait disparaître.

Jared éclata de rire. « C'est ça, le problème ? Mais tu as aimé ?

— Je ne peux pas gérer tant de plaisir. Ça va me rendre dingue. »

Son visage s'illumina à nouveau. « J'espère bien. Jeune fille bien sous tous rapports.

— Tu ne me connais pas vraiment. » Elle était complètement défoncée et n'avait aucune idée de ce qu'elle disait. « Je ne peux pas perdre tout contrôle. »

Il soupira discrètement. « Je te connais peut-être mieux que tu ne crois.

— Non, tu ne me connais pas. »

Il fit courir son doigt sur ses lèvres, puis son nez. « Les gens en disent bien plus sur eux-mêmes qu'ils ne le pensent », dit-il.

Cette éventualité lui coupa le souffle. Jared mit un bras autour d'elle et descendit sa main libre entre ses cuisses, qu'elle n'avait pas pensé à croiser.

« Qu'est-ce que tu veux, Milly ? »

Pourquoi lui poser cette question ? Mais… Elle le fixa au plus profond de ses yeux, et à ce moment précis, elle eut la chance de ne plus être écrasée par sa timidité, reconnaissante qu'il soit nu contre elle dans cette grande chambre aux ombres dansantes.

« D'accord, parvint-elle à dire. Si tu veux vraiment savoir. Je veux qu'on baise, je veux te sentir en moi et me sentir incroyablement proche de toi. » Un camion de pompiers passa quelques étages plus bas, ses néons envoyant des lumières folles contre le plafond pendant quelques secondes.

Jared eut un sourire plutôt satisfait. « Je peux te donner cela. »

Ensuite, cela devint plus facile pour Milly. Elle avait perdu sa virginité l'année précédente, avec un type d'Atlanta avec lequel elle sortait depuis sept semaines, à l'automne. Depuis, elle avait eu plusieurs expériences sexuelles, mais jamais aussi satisfaisantes ou sécurisantes qu'avec Jared. Sa peau recouverte d'un duvet roux, ses légères poignées d'amour, la droiture de son nez. Il s'apprêtait à la pénétrer avec son engin de compétition lorsqu'il fouilla dans les poches de son pantalon et en sortit un portefeuille où se trouvait un préservatif.

« Voilà », dit-elle en faisant rouler le caoutchouc sur sa queue. Entre le moment où il la pénétra, à force gémissements et premiers coups de reins, et les trente à trente-cinq minutes où ils n'arrêtèrent pas un instant, son monde se déplia devant elle. Sa dernière année de lycée, avec cet étrange voyage en compagnie de son père où ils étaient allés à Vassar puis avaient rendu visite à sa mère au retour, cette image de sa mère – Milly et son père entrant dans une pièce de zombies assis devant « Sally Jesse Raphael », pas d'Ava à l'horizon, jusqu'à ce qu'une forme cachée sous une couverture d'hôpital se révèle être elle. Puis l'écume au bord de ses lèvres alors qu'elle essayait de parler, une fois qu'ils l'avaient réveillée. Ces images défilaient dans sa tête alors que Jared s'introduisait doucement en elle, les yeux dans les yeux, ses lèvres frôlant les siennes. Cela n'avait pas arrangé les choses de fumer, nota-t-elle. Elle avait l'impression que son cerveau allait exploser tandis que Jared la pénétrait.

« Qu'est-ce qu'il y a ? » Il s'arrêta et la regarda. « Tu es partie où ?

— Je suis là. » Elle attira ses hanches plus fort contre elle. Les deux mecs, ce soir, Hector et le blond, le baiser dont elle avait été témoin, dans la rue, comment ils l'avaient surprise, comment elle s'était enfuie. Qu'avait-elle voulu leur dire ? Jared était tellement profond en elle, en sueur dans cette pièce sans climatisation, avec seulement un ventilateur au plafond.

« Tu es tellement belle, Milly, murmura-t-il, en ne bougeant plus, avant que le sexe devienne plus sauvage et, alors qu'elle inspirait longuement afin de se calmer : Je t'aime. »

Les mots la tirèrent de sa stupeur. « Tu ne peux pas le savoir maintenant.

— Je le sais parfaitement. »

Un orage fit trembler l'appartement. La seconde d'après, de la pluie battait à la fenêtre. Elle pouvait l'entendre en train de dégouliner sur les rebords des vitres. « Il faut qu'on ferme les fenêtres », dit-elle.

Mais le sourire de Jared était si grand ! « Non. » Puis – et comment avait-il fait ? – en restant en elle, il se contorsionna jusqu'à ce qu'il soit derrière elle et pose ses lèvres sur ses épaules. Milly se perdit dans l'enchevêtrement compliqué des fils de la chaîne audio, et, alors que Jared se remettait à bouger en elle, pendant les minutes qui suivirent, elle oublia tout de lui et des ombres dansantes, et laissa le monde se concentrer sur elle, pour finir par s'y abandonner totalement.

La pluie – et c'était une chaude pluie de printemps – avait déjà fait de telles flaques sur la route que lorsque Issy allait traverser la rue en sandales, Ricky, les bras toujours remplis de tracts, l'interpella : « Holà, attention, ma chérie ! », et la retint par la taille afin qu'elle ne tombe pas dans la large flaque. Ils étaient en train de quitter un restaurant où ils s'étaient rendus après la réunion – elle,

Hector, ce type, Ricky, qui devait être son petit ami et un autre type du nom de Korie, pas vraiment beau garçon.

Elle était restée aux côtés d'Hector pendant toute cette houleuse réunion, un peu fatiguée et abattue mais aussi étrangement soulagée, comme si elle se sentait enfin en sécurité. À la fin de la réunion, Hector – qui avait l'air d'être un ponte – l'avait présentée à un groupe de femmes, certaines Latinas mais surtout *lesbianas* au vu de leur allure, et elle s'était retrouvée membre d'un comité chargé de faire accepter, au niveau fédéral, une définition du sida qui inclurait les symptômes propres aux femmes. Comme ne pas avoir ses règles de manière régulière, par exemple ! C'est ce qui lui arrivait ! Ensuite, Hector avait proposé : Viens, on va manger un bout chez Joe Jr. Accompagne-nous. C'était ce qu'elle avait fait, assise devant son bol de soupe à la tomate et son fromage grillé (Hector avait payé l'addition) tandis que les autres avaient surtout discuté d'un médicament chinois, s'il fallait ou non le prendre contre le sida, car Korie voulait savoir. Pour Hector, ce n'était pas une bonne idée.

« Je pense qu'il vaut mieux attendre et plutôt faire ce traitement croisé avec le ddI », dit-il à Korie, qui inspira un bon coup, comme s'il digérait une nouvelle idée. Tout le monde avait parlé de ce nouveau médicament, le ddI, à la réunion, avait remarqué Issy. Serait-ce le traitement qui ferait tout changer ? Et si elle survivait ? Elle avala sa soupe en écoutant attentivement Hector et Korie échanger leurs points de vue. Elle apprenait de nouvelles terminologies ce soir. Certains types lui avaient dit qu'ils n'y connaissaient rien en sida ou en science ou en corps humain ou autre avant de fréquenter ces réunions, et que maintenant, en quelques mois, ils pouvaient lire eux-mêmes les rapports du médecin et suivre une conversation sur le sujet. Peut-être cela lui arriverait-il aussi ! Elle avait déjà des connaissances en dentaire. (Et, dans son rôle de prothésiste dentaire, elle se sentait intensément coupable de ne pas avoir révélé à ses collègues sa séropositivité, et angoissait terriblement à l'idée que quelqu'un le découvre et qu'elle soit licenciée ou – pire – qu'elle n'infecte un patient en saignant.)

Ricky passa son bras autour de son cou. Elle savait qu'il avait dans les vingt ans, mais il aurait aussi bien pu en avoir douze, avec ce visage de petit garçon ! « Comment était ta soupe, chérie ? » s'enquit-il.

Elle éclata de rire. « Super. Je n'ai pas beaucoup mangé avant ce soir. J'étais angoissée à l'idée de venir à cette réunion.

— Eh bien tu es venue, et tu as fait forte impression ! » Elle appréciait Ricky. Il lui rappelait les personnages d'une vieille comédie musicale dans une ferme, le genre de mec sur qui elle tombait lorsqu'elle zappait devant la télévision. Cent pour cent américain, souriant et bel homme, même s'il avait une coiffure de punk.

Les garçons n'avaient pas envie de s'en tenir là et évoquèrent l'idée d'aller danser dans un bar appelé le Boy Bar. Elle ne pensait pas y être allée avec Tavi – peut-être était-il nouveau.

« Qu'est-ce que tu fais, ma chérie ? » lui demanda Ricky.

Elle haussa les épaules. « Je vais sûrement reprendre le métro pour le Queens. » Dieu que c'était stressant de vivre avec sa famille et de leur cacher la vérité. Lorsqu'elle ressemblerait à Korie, comment ferait-elle diversion ?

« Viens danser avec nous ! » dit Rickie.

Elle éclata de rire. « Moi ? Non, allez-y, les garçons. »

Korie la prit par l'épaule. « Oh, chérie, allez, je t'en prie, si moi je peux tenir, toi aussi. »

Elle regarda Hector. « Viens avec nous un moment, *chica*. »

L'endroit était un trou noir avec de la musique assourdissante, comme le Paradise Garage à l'époque. En entrant, cela lui rappela Tavi, et la musique la prit à la gorge. Alors qu'ils s'avançaient vers un groupe d'hommes, elle sentit le sol se dérober sous ses pieds, et elle porta sa main à sa gorge. Oh, comme elle avait enterré ses sentiments à propos de Tavi ! Oh, Dieu, il avait été comme un frère pour elle, bien plus que son *vrai* frère. Enfin, il avait plutôt été comme sa sœur. Et elle n'avait pas trouvé les mots pour lui dire, lors des derniers mois de sa vie, alors qu'il était si malade, qu'elle souffrait du même mal. Il était mort sans le savoir. Elle avait oblitéré toutes ses pensées envers Tavi depuis des mois. Elle n'avait pas mis un pied dans un club et entendu cette musique boum-boum depuis sa disparition.

Hector, qui l'observait, posa sa main sur sa nuque. « Ça va ? lui cria-t-il dans l'oreille.

— Je ne suis pas allée en club depuis Tavi », cria-t-elle en retour, sur la pointe des pieds.

Il passa la main sur son épaule. « C'est trop pour toi ? On peut sortir, si tu veux. »

Elle ne lui avoua pas qu'elle n'avait quasiment jamais été dans un club gay avant cette soirée six années auparavant, la nuit où elle était persuadée d'avoir été contaminée par ce *moreno*, à l'arrière de sa voiture. Quatre ans plus tard, elle avait commencé à avoir des problèmes comme des rhumes qui ne semblaient jamais vouloir partir, et des ganglions douloureux et enflés. Le médecin qu'elle avait vu lui avait demandé si elle avait des raisons de penser qu'elle aurait pu être séropositive.

Elle n'avait pas eu à réfléchir bien longtemps. Une semaine exactement après sa rencontre avec le *moreno*, elle s'était demandé si elle avait fait une bêtise, car elle lisait de plus en plus de choses sur cette maladie. Elle avait insisté pour utiliser un préservatif les deux fois où elle avait baisé par la suite.

« J'ai eu une relation sexuelle non protégée avec un bisexuel », avait-elle expliqué au médecin.

Pendant les deux semaines où elle avait attendu le résultat de sa prise de sang, elle s'arrêtait à l'église chaque jour pour y allumer un cierge et prier pour ne pas être contaminée. Lorsque le médecin l'avait rappelée pour lui dire qu'elle était bien malade, elle s'était dégoûtée, écœurée d'avoir été trop naïve et confiante de penser que Dieu lui ferait un cadeau. Quelle idiote ! La vie ne lui amenait rien de ce qu'elle désirait, et c'était le dernier rire sardonique de sa destinée qu'elle entendait là, la triste vie d'Ysabel Mendes. Ce sentiment qu'elle avait longtemps refréné, celui que le monde n'était pas un monde juste et bon, comme le disait l'Église, était remonté en force dans sa gorge, un éclair brûlant et humiliant.

« Je vais devenir encore plus malade et je vais mourir ? » avait-elle demandé au médecin, les yeux emplis de larmes. Et entretemps, se dit-elle, je serai virée de mon boulot, je serai insultée et rejetée par ma famille et mon quartier. Ce sera le bonheur. « Il me reste combien de temps ?

— Il ne faut pas voir les choses comme cela, avait répondu le médecin. Vous êtes en bonne santé pour le moment. Votre taux est élevé. Si nous vous suivons et qu'il descend, alors on verra pour l'AZT.

— Quoi ?

— Un médicament contre le sida.

— Cela se soigne ?

— Non, mais cela peut se juguler un moment. Et d'autres médicaments vont arriver. Pour le moment, mangez sainement, ne fumez pas et ne buvez pas, faites du sport, ne stressez pas trop. Cela va aller. »

Expulser sa colère dans un club de gym bon marché après le travail, c'était la concession d'Issy à son médecin. Autrement, elle oublia le diagnostic, le rangeant dans un coin éloigné de son cerveau. Si le médecin disait que tout allait bien, alors elle n'allait pas y penser. Et elle ne le dirait à personne. Mais la vie devint stressante et elle était tout le temps sur les nerfs ou au bord des larmes. Elle avait l'impression qu'elle ferait tout aussi bien de se balader avec un sigle SIDA sur elle. Elle avait peur que si son frère apprenait que, lorsqu'elle jouait avec sa petite nièce, elle était déjà séropositive, il deviendrait fou de rage et la frapperait.

Puis, il y avait quelques mois, elle avait remarqué que, dans les journaux et à la télévision, il y avait ce groupe principalement composé d'hommes gays qui bloquait les rues, se faisait arrêter, réclamait à la ville et à l'État d'agir plus efficacement contre la maladie. Elle suivait leurs aventures avec un frisson coupable. Ils n'avaient pas peur que les gens sachent qu'ils étaient malades – ils étaient dans tous les médias. C'est ce qui l'avait poussée à venir à la réunion ce soir, ce qui lui avait procuré un soulagement colossal.

Maintenant, la musique montait dans ses jambes, et elle se laissa tomber légèrement au bras d'Hector. « Non, ça va, lui dit-elle. Je veux danser un peu !

— Je connais ta passion, chérie, on a déjà dansé ensemble il y a longtemps.

— Oh, bon Dieu, tais-toi ! » Elle lui donna une petite tape sur le bras, honteuse mais tout sourires. Il jeta sa tête en arrière et éclata d'un grand rire satisfait. Tout à coup, elle réalisa qu'il n'avait plus ses lunettes épaisses de l'autre nuit. C'était pour cela qu'il était plus sexy et plus détendu. Ça, se dit-elle, et aussi ses muscles. Ou peut-être aussi parce qu'il était si populaire parmi les activistes.

« Viens, *chica* », proposa-t-il.

Ils commandèrent des bières et descendirent au sous-sol, qui était bondé et moite. Une grande drag queen avec d'énormes faux cils et une perruque blonde traversa la foule comme un bateau de croisière, en lançant des bises à gauche et à droite. « C'est Lady Bunny, lui cria Ricky à l'oreille. Une fille du Sud. »

Issy acquiesça. La musique faisait son effet, et elle se déhanchait avec les garçons, excitée. Mis à part son problème de règles, elle n'était pas encore malade – elle se sentait bien ! Elle commença à se dire que, peut-être aujourd'hui, tout irait bien.

Puis elle remarqua le frêle Korie accoudé au bar, seul, avec sa bière, le regard dans le vide. Mais Hector et Ricky étaient avec elle. Ils la regardaient s'agiter sur la piste, l'encourageaient, « Allez, chérie ! » Ils se donnaient des coups de hanche et des petites tapes de félicitations, la prenant en sandwich. « Waooooouh », cria-t-elle. Elle se sentait mieux, et elle ne vit pas, ou ne les entendit pas à cause de la musique, lorsque Ricky glissa une pastille avec un smiley dessus entre les lèvres d'Hector.

Hector fixa la pilule. « Tu as chopé ça où ? cria-t-il à Ricky.

— C'est Korie qui me l'a donnée.

— Korie ? Il ne devrait pas prendre cette merde.

— C'est pour ça qu'il me l'a donnée. »

Hector fronça les sourcils. « J'ai beaucoup de boulot et de rendez-vous demain.

— Une pilule, ça ne va pas durer plus de quelques heures. Ça ira. Il n'est que vingt-deux heures trente.

— Je suppose que tu as déjà pris la tienne. »

Ricky répondit par un large sourire sardonique. Mais Hector sentait la colère monter en lui. « Tu ne fais pas attention à toi, putain, Ricky. Tu me rends dingue. »

Ricky prit son bras. « Pas ce soir. Amusons-nous avec cette pauvre fille.

— Ne t'avise surtout pas de lui refiler un ecsta. »

Ricky prit un air offensé. « Tu me crois capable de ça ? »

Ils se dévisagèrent pendant une seconde, tout en dansant sur place mécaniquement. Finalement, Hector hocha la tête et avala la pilule avec une lampée de bière. « Ouh, le vilain garçon, se moqua Ricky.

— Tu ne fais juste pas attention », répéta Hector.

Ricky s'en fichait. « Toi, tu fais trop attention », répliqua-t-il en souriant puis en fourrant sa langue dans la bouche d'Hector avant que ce dernier ne puisse réagir. *We always hang in a buffalo stance, we do the dive every time we dance*[1], entonna la chanson. Hector ressentait le pouvoir d'attraction sexuel de Ricky prendre possession de lui, et lorsqu'il se dégagea enfin du baiser, il aperçut la *chica* se frayer un chemin dans la foule, qui accueillait désormais une trentaine de participants à la réunion. Où allait-elle ? Il se résigna à attendre la montée de l'ecstasy en dansant – quelque chose qu'il avait « appris » à faire ces dernières années : bouger son corps. Ils devaient être fiers d'eux, toute cette thérapie croisée, pensa-t-il en regardant Ricky danser avec Micki, la lesbienne aux cheveux violets. Ricky était vraiment en grande forme, et Hector savait qu'il adorait danser sous ecsta toute la nuit, même si c'était lundi soir et qu'il devait faire les racines d'Ivana demain matin.

Les études suggéraient que l'AZT combiné au ddI attaquerait le gène pathogène, se rappela Hector. Les choses allaient sûrement bouger courant 1989, les symptômes et la mortalité allaient plonger. Puis, bam ! Ce moment où l'ecsta montait et que le monde prenait des couleurs arc-en-ciel. Cette vague fiévreuse de confort et de joie.

« Tu le sens ? » demanda Ricky, dans ses bras. Et là, bon Dieu, le remix de Shep Pettibone du titre de l'été, *When you call my name, it's like a little prayer, I'm down on my knees, I'm gonna take you there*[2]. Toute la pièce hurla et se lança dans le rythme effréné du morceau. Hector les imita en compagnie de ses amis les plus extravertis de la réunion. Il retira son tee-shirt, le coinça dans son pantalon. Le cul de Ricky dans ses mains, la langue de Ricky dans sa bouche – Ricky était là, Ricky était là, c'était l'été, Madonna était de leurs côtés, le traitement combiné arrivait bientôt. Tout allait bien se passer.

---

1. « On fait les malins comme à un shoot photo, on tortille du cul chaque fois qu'on danse. »

2. « Quand tu dis mon nom, on dirait une prière, je suis à genoux, je vais t'emmener là-bas. »

DEUXIÈME PARTIE

La côte Est
1992-2012

Silver Lake
(2012)

Ferait-on mieux d'aller à pied à la réunion des Alcooliques Anonymes ou de prendre la Prius ? Après près de vingt années passées à Los Angeles, Drew croyait toujours dur comme fer en la supériorité des lieux où l'on pouvait marcher. Comme tous les New-Yorkais qui avaient migré à L.A. – même ceux, comme elle, qui n'avaient habité que brièvement à New York –, elle s'accrochait à son identité de la côte Est. Peu importait si la vie à L.A., franchement, était plus douce, plus agréable, plus simple, plus belle. Être new-yorkais était plus cool, en partie parce que c'était une tannée d'y vivre. Balader Lewy – son bouledogue anglais qui bavait sans cesse – autour de Silver Lake tandis qu'elle laissait libre cours à ses pensées était sa façon à elle de se raccrocher à sa période new-yorkaise, alors qu'elle était hors de contrôle, une fêtarde qui bougeait son boule sur les tables basses en écoutant Mary J. Blige dans un after privé.

Bien sûr, près de deux décennies après les faits, Drew pensait qu'elle pouvait enfin ranger dans un coin cette tragédie de sa vie et enfin se laisser aller à un peu de nostalgie pour la fêtarde new-yorkaise qu'elle avait été ! Lorsqu'elle s'abandonnait ainsi, elle s'imaginait en train de marcher : ses cheveux, sans une seule mèche poivre et sel de quadragénaire, tirés en arrière par une jolie barrette, vêtue d'une sorte de mini-robe noire et de grosses bottes compensées, un duffel-coat s'il faisait froid, en train de marcher à toute allure au petit matin, la fumée explosant devant ses yeux chaque fois qu'elle tirait une bouffée de sa Camel recouverte de marques intenses de son rouge à lèvres Viva Glam.

Elle décida donc d'aller à pied à sa réunion des AA. Elle devait y retrouver Mateo. Quelques heures plus tôt, alors qu'elle était occupée à écrire dans son atelier, après que Christian soit parti en studio pour vingt-quatre heures de montage, Mateo était passé la voir.

« Je vais à l'Intelligentsia pour dessiner, ça te va ? On se retrouve à la réunion directement. »

L'Intelligentsia était un café situé sur Sunset où Mateo travaillait à temps partiel. Lorsqu'il avait annoncé qu'il allait voir s'il y avait du travail là-bas, la première réaction de Drew avait été de lui dire d'attendre, qu'elle appellerait un ami propriétaire d'un autre café, que cela serait plus simple. Mais elle s'était ravisée. Mateo prenait ses responsabilités, et assumait ses décisions. C'était une bonne chose.

« D'accord, chéri, répondit-elle. On s'y retrouve. »

Elle entendit la porte se refermer derrière lui. Puis elle se refit du café et écrivit pendant deux heures. Elle bossait sur un texte plutôt simple. Elle se préparait à la sortie de son quatrième livre, *Couples*, son expérience de vie pendant une semaine avec six couples différents dans tous les États-Unis, dont deux lesbiennes noires de la classe ouvrière à Inglewood, des parents adolescents *white trash* dans une caravane avec leurs deux nouveau-nés en West Virginia, et un couple libre chrétien à Overland Park, dans le Kansas. Chacun de ces voyages d'une semaine avait constitué une expérience très intense, étrange, en la plongeant sur le terrain intime d'un couple chaque fois différent. Lorsqu'elle revenait à L.A. après cette semaine, Christian venait la chercher à l'aéroport, et elle prenait son visage entre les mains, le couvrant de baisers et lui soufflant : « Surtout, parle-moi, parle-moi.

— Que veux-tu que je te dise ? plaisantait-il.

— Rien, tout ce que tu veux. Je veux entendre ta voix. Tu m'as tellement manqué. »

Christian prenait alors une mine faussement inspirée. « "Deviendrai-je le héros de ma propre vie ?", commençait-il sur un ton particulièrement théâtral et emphatique, en exagérant son accent anglais, "ou que ce rôle soit tenu par un autre, peu importe, ces pages de la vie seront de toute façon écrites". Ça te va ?

— Je t'aime, je t'aime, je t'aime », disait Drew, passant ses mains dans ses cheveux en bataille qu'elle aimait tant, puis ils rentraient chez eux et baisaient dans le salon, restaient ensuite allongés par terre en écoutant Arcade Fire, et Drew soufflait sur le torse diaphane de Christian : « Je suis tellement heureuse de revenir dans ma propre vie.

— C'est très étrange de partir ainsi dans la vie d'un autre pendant une semaine », faisait remarquer Christian. Et Drew acquiesçait, *mmmhh*. Mais c'était ainsi que Drew avait fini par gagner sa vie. Après *Apprendre à respirer,* son livre traitant de son addiction à la drogue et sa désintoxication, qui avait rencontré un succès raisonnable à sa sortie en 1994, elle avait compris qu'elle n'avait pas assez vécu de choses intéressantes pour écrire une nouvelle page de son autobiographie, et qu'elle n'avait aucune idée pour un roman. À l'époque, elle avait observé Hillary Clinton exploser en vol à cause de la façon dont elle avait géré la réforme du système de santé – même après que tous ces hommes au Congrès s'étaient levés pour l'applaudir parce qu'elle avait l'air tellement intelligente !

Tout ce cirque lui avait donné une idée. Le projet s'appelait *Quand vous tenez les manettes : Comment les femmes exercent leur pouvoir.* Drew avait contacté une demi-douzaine de femmes de pouvoir dans le monde et les avait poliment sollicitées pour leur demander si elle pouvait passer du temps avec elle. C'était ainsi qu'était né son deuxième livre, lui aussi relativement bien médiatisé. Drew prouvait ainsi qu'elle n'était pas seulement une biographe de talent mais aussi une journaliste. Puis sortit *Dans un gant de velours : Comment les hommes changent,* à peu près le même livre que le précédent, mais avec des hommes. (Au plus profond d'elle-même, Drew ne pensait pas que les hommes avaient vraiment changé – même le leader écologiste avec qui elle avait passé du temps était le plus gros con qu'elle ait jamais croisé, se disait-elle – mais c'était son éditeur qui avait choisi le titre.) Une chaîne du câble à la mode avait même acheté les droits d'adaptation de ses deuxième et troisième ouvrages, pour une sitcom qui n'avait finalement jamais vu le jour, mais au moins Drew s'était fait une petite fortune grâce à ces accords.

Tout cela l'avait amenée à son dernier livre, et aujourd'hui elle finalisait une sorte de page promotionnelle pour *Cosmopolitan* : « Les secrets des couples qui marchent : ce que j'ai appris d'eux. » C'était sur cela que Drew avait travaillé durant deux heures, mais comme elle était extrêmement rapide et efficace, elle trouvait déjà que c'était bien trop long pour un tel papier sans intérêt. Le fond de l'article était de dire que ces couples qui marchent communiquaient à bâtons rompus et adaptaient sans cesse les modalités et les contours de leur relation.

Voulant tirer une leçon de son enquête, elle avait même suggéré à Christian qu'ils dédient désormais leurs mardis soir à des conversations « sans tabou » à propos de leur relation. Il avait accepté à contrecœur, et ils avaient tenu leur engagement pendant quelques semaines – mais, en privé, Drew s'avouait qu'elle avait été soulagée lorsqu'ils avaient passé un mois à oublier ce pacte hebdomadaire.

C'en était fini pour cet après-midi. Elle pouvait enfin quitter la maison et respirer à l'air libre. Elle mit Lewy en laisse – on pouvait emmener son chien à la réunion, tant qu'il n'aboyait pas ou ne déféquait pas à l'intérieur. Lewy n'avait fait ses besoins qu'une seule fois, alors qu'il avait une gastro-entérite, mais, heureusement, Drew avait des sacs en plastique sur elle et avait pu nettoyer très rapidement sans se faire remarquer.

Elle arriva quelques minutes en avance à la réunion qui se tenait dans l'arrière-salle d'un vieux café au croisement de Sunset, et discuta avec les participants habituels. Il y avait Boaz, un ancien fumeur d'herbe producteur de programmes télévisés pour enfants, en compagnie de sa femme qui suivait un traitement pour son cancer du sein. Boaz semblait tout le temps au bord des larmes et il se reprenait toujours juste avant de craquer, ce que Drew trouvait très sexy et viril au sens traditionnel du terme, même si elle n'aurait jamais imaginé pouvoir dire cela, car il était conseillé de venir à ces réunions pour pleurer, applaudir, prier, insulter – faire tout ce qu'il fallait pour expulser ses sentiments les plus profonds de sa vie et, Dieu vous bénisse, se sevrer de l'alcool et de la drogue. Il y avait Justin – l'acteur gay de spots publicitaires, large torse, grosse barbe grise – qui essayait de monter une comédie musicale avec son mari, Doar, avec qui il élevait deux enfants adoptés de Compton. Justin n'avait aucune gêne à pleurer lors de ces réunions, et il le faisait fréquemment. Drew aimait beaucoup Justin, ils allaient souvent manger des tacos ensemble après les réunions, mais elle se crispait toujours lorsqu'il levait la main et prononçait de sa voix aiguë et plaintive : « Justin, toxicomane, alcoolique ? » puis ravalait sa salive et ne disait plus rien.

Ils savaient tous ce qui allait suivre. Justin allait sangloter doucement et tristement pendant soixante secondes interminables – inévitablement, quiconque était assis à côté de lui le prenait dans ses bras et lui tapotait le dos affectueusement –, et il prenait ensuite la parole, pour ne parfois pas dire plus que : « C'est tellement difficile, voilà. C'est vraiment difficile aujourd'hui. Mais je vous suis reconnaissant de pouvoir être là. Merci. »

Drew espérait parfois qu'il en dirait plus et donnerait du grain à moudre aux autres pour avancer. Mais au bout de près de vingt ans de réunions de ce genre, elle avait désormais accepté le fait de prendre les gens comme ils étaient.

Enfin, sauf avec Susannah. La belle Susannah à la longue chevelure ondulée lui rappelait Milly si celle-ci n'avait pas été si timide et n'avait pas ainsi enfermé sa beauté, qu'elle l'avait acceptée et en avait profité en toute liberté. Susannah sortait ce genre de phrase : « Honnêtement, je ne pense pas que je sois *faite* pour cette industrie. C'est trop *violent*, et malheureusement, je suis bien trop *sensible*. » Mais cette violence n'avait pas empêché Susannah de devenir une scénariste à succès, auteure d'à peu près toutes les productions originales sur Lifetime – elle s'occupait de tous les téléfilms traitant de vies de femmes, s'inspirant de vies réelles, tandis que Drew, elle, allait vivre dans des caravanes pendant une semaine pour faire le même travail. En tout cas, comme son parrain le lui avait fait remarquer, son exercice d'autocritique franche et sans faux-semblant lui avait permis de comprendre que sa détestation de Susannah avait à voir avec son esprit de compétition. Comme elle savait que c'était son ego qui entrait en jeu, elle pouvait prier Dieu (un dieu sans genre, sans visage, sans incarnation) de lui enlever ce poids afin de résoudre ce genre de problèmes. Cela faisait déjà plusieurs années que Drew avait arrêté de porter le pendentif égyptien qui avait tant perturbé Milly, mais elle était toujours sujette à la spiritualité et consacrait chaque jour, au réveil, vingt minutes à méditer, même si cet exercice de concentration sur son mantra intérieur se transformait souvent en passage en revue des choses à faire ou des humeurs du jour – comme lorsque son jardinier avait laissé l'arroseur de gazon fonctionner toute la nuit pendant un été de sécheresse absolue.

Une fois installée à la réunion des AA, Drew se prépara une tasse de thé dans un gobelet en plastique, et discuta avec Boaz, qui avait passé la matinée au lit à regarder des DVD de *The View* et *Ellen* avec sa femme de retour de chimiothérapie au centre de soins anticancer City of Hope.

« Franchement, dit-il en haussant les épaules, j'ai eu de la chance d'avoir fini la production d'une émission et d'avoir le temps de rester à ses côtés pendant une telle épreuve. »

Drew lui caressa le bras légèrement. « Boaz, tu sais bien que tu aurais de toute façon trouvé un moyen de rester avec elle même si tu étais en pleine production. »

Elle maîtrisait l'art de caresser légèrement le bras, ainsi que de formuler des phrases qui rappelaient aux gens qu'ils étaient mieux qu'ils ne le pensaient. Après trois ans de ces réunions, elle avait réalisé qu'elle était progressivement devenue, sans s'en rendre compte, la femme cool, jolie, douée et consciente de l'être, avec une jolie/belle coupe de cheveux, le genre de femme que prenaient en exemple les jolies jeunes filles qui découvraient ces réunions, et emmenaient avec elles leur timidité, leurs cheveux emmêlés, leurs tics faciaux, car elles avaient loupé leur vie tout comme Drew des années plus tôt, sûrement à cause d'une relation terrible avec leur père ou d'une mère qui leur avait subtilement rabâché qu'il fallait être belle, parler d'une voix aiguë et interrogative, faire passer leurs envies après celles des autres et ne jamais, au grand jamais, montrer agacement ou colère. Drew avait parrainé des dizaines de filles comme elles. Elle les appelait même « mes filles » et, comme elle avait un incroyable tempérament de mère juive (trait de personnalité qu'elle avait identifié et accepté avec sobriété, ce qui l'avait encouragée à explorer le côté plus intellectuel et dialectique du judaïsme), il s'avéra que ces filles étaient un moyen pour elle de faire le bien, vu qu'elle avait compris que Christian et elle n'auraient sûrement jamais d'enfants. Tous deux admettaient, en riant, qu'ils étaient « trop égoïstes et fidèles à Lewy », leur bouledogue, pour en avoir.

Boaz fit un léger mouvement résigné des épaules, de la façon virile et contenue qui était la sienne et qu'elle aimait bien. « Ouais, je sais, dit-il. Où est le fils adoptif ? »

Drew éclata de rire. « Il arrive. Il est passé à Intelligentsia pour prendre un boulot à temps partiel. Et dessiner aussi un peu, je pense.

— Cela va faire quatre-vingt-dix jours qu'il n'a pas rechuté, c'est ça ?

— Mardi, oui ! s'exclama Drew. Quarante-cinq jours à Gooden, et le reste avec nous.

— C'est super que vous l'ayez pris chez vous », dit Boaz.

Drew baissa les yeux. « Je dois bien ça à sa mère. Cela fait des années que je lui dois beaucoup. À vie.

— Où sont ses parents ? À New York ? »

Drew acquiesça. « Ce sont de vieux amis, du temps où j'habitais là-bas. Des artistes. Ils sont *tellement* new-yorkais. Nés là-bas. »

Boaz hocha lentement la tête. « Peut-être était-ce dur pour lui de grandir avec deux parents artistes alors que lui-même l'était.

— Ce sont des artistes professionnels, mais ils ne sont pas non plus hyper connus. » Elle marqua une pause. Que voulait-elle dire ? Non, décida-t-elle, c'était la vérité. « En fait, ils l'ont adopté lorsqu'ils étaient vraiment, vraiment jeunes. Vingt-six, vingt-sept ans. Juste après mon départ de New York.

— Vraiment ? »

Drew hocha la tête. Comme elle avait été étonnée, en 1997, lorsque Milly lui avait annoncé au téléphone que, trois ans après qu'elle se fut remise avec Jared, ils adoptaient cet enfant ! « C'est une histoire de dingue. Cela faisait quelques années qu'il vivait à l'orphelinat, après la mort de sa mère. Du sida. Et la mère de mon amie en avait eu la garde provisoire. Elle s'occupait de lui et essayait de lui trouver une famille d'accueil.

— Putain, commenta Boaz en se grattant le menton. Quel bordel.

— Je sais, oui. Et ils l'ont légalement adopté une année plus tard. »

La réunion allait commencer, et ils prirent des chaises métalliques pliantes pour les installer en rangées. Drew ordonna à Lewy de s'allonger sous la chaise vide à sa droite, déposant un morceau de papier sous sa gueule pour recueillir sa bave, et posant son sac sur la chaise afin de réserver la place pour Mateo.

« Quel bordel, parfois, la vie des gens, hein ? » marmonna Boaz. Elle acquiesça et lui pressa la main. La réunion commençait. C'était Julia qui prit la parole en premier. Julia était une gamine de Seattle très fragile, enfant de l'assistance publique, qui rêvait de devenir réalisatrice. Drew avait déjà entendu son histoire deux fois ces derniers mois, et cela l'agaça lorsqu'elle comprit qu'elle allait devoir l'écouter à nouveau. Elle fit une courte prière pour que son Pouvoir Spirituel lui donne quelque chose de nouveau et d'intéressant à écouter cette fois-ci, pour qu'elle ne perde pas complètement ses vingt minutes.

« Je suis très nerveuse à l'idée de prendre la parole devant vous. Et je n'arrive pas à me concentrer, en ce moment », commença Julia.

Vraiment ? pensa Drew. *Alors que tu as déjà parlé deux fois en deux mois ?* Puis elle s'admonesta elle-même. Elle n'était pas généreuse. Et elle réalisa, alors qu'elle tournait la tête chaque fois qu'un nouvel arrivant entrait dans la salle, que c'était parce qu'elle était irritée et distraite à cause de l'absence de Mateo. Sept minutes après le début de la réunion. Treize minutes. La fin de l'intervention de Julia, les applaudissements, la corbeille pour recueillir les dons afin de payer le loyer de la salle de réunion, les mains levées de ceux s'identifiant à Julia avant de revenir à ses propres défis spirituels et pratiques du jour.

« Que se passe-t-il avec Mateo ? » demanda finalement Boaz en se penchant vers elle.

Elle le dévisagea d'un air sombre, et croisa les bras. « Je ne sais pas », murmura-t-elle.

Vers la fin de la réunion, alors qu'il n'était toujours pas arrivé, Drew leva la main et fut autorisée à prendre la parole. « Bonjour, je m'appelle Drew, je suis une ancienne toxicomane et alcoolique, dit-elle pour ce qui devait être la quinze millième fois de sa vie.

— Bonjour, Drew, répondit un chœur de voix bienveillantes.

— Merci pour cette intervention, Julia. Je t'ai déjà entendue prendre la parole par le passé et, chaque fois, je perçois quelque chose de nouveau et j'ai l'impression de te connaître un peu mieux. »

Julia lui renvoya un grand sourire plein de gratitude, ce qui conforta Drew dans ce qu'elle venait juste de dire.

« Mais je dois admettre que j'étais distraite pendant tout ton exposé car un nouveau venu, que beaucoup d'entre vous connaissent – Mateo, qui est en quelque sorte mon beau-fils, qui vient de New York –, devait me retrouver ici à la réunion et qu'il n'est pas là. Je sais bien qu'à ce stade de la désintoxication, au bout de seulement quelques semaines, il n'y a pas d'autre endroit où il devrait être. »

Un chœur de désapprobation contenue se souleva dans la pièce.

« Je suis nerveuse, continua Drew. J'imagine le pire, et peut-être aurai-je honte lorsqu'il franchira le pas de cette porte et qu'il m'entendra ainsi parler de lui. Il était peut-être juste en retard après avoir croisé d'autres membres de l'AA et il s'est laissé entraîner dans une conversation sans fin… Il ne devait pas savoir comment leur dire qu'il devait être à la réunion dans vingt minutes. Dans mon cas, lors des premières semaines de ma sobriété retrouvée, cette réunion était ma priorité. »

Un autre chœur de désapprobation.

« Et c'est toujours le cas, rajouta Drew en haussant la voix, galvanisée par le soutien, car si je n'en fais pas une priorité, je perdrai tout. Je perdrai mon incroyable époux, je perdrai ma carrière littéraire que j'adore tant, je perdrai ma maison sur les collines, je perdrai mon chien. » Lors de ses interventions, elle énumérait souvent les choses qu'elle perdrait ; c'était bon pour elle car, ainsi, elle phrasait sa vigilance nécessaire, mais signalait également aux nouveaux venus à quel point ils pouvaient se reconstruire s'ils restaient sobres pendant près de vingt ans, comme elle.

« Voilà, désolée, je suis anxieuse, enchaîna-t-elle. Dieu m'en préserve, mais s'il retombe, ce n'est pas ma faute. Je dois l'accepter, même si je dois appeler sa mère à New York pour lui dire que je ne sais pas où il a disparu. Je dois l'accepter car je l'ai accueilli chez moi quelques semaines après sa cure de désintoxication, et je lui ai donné sa chance. Je pensais que cela pourrait l'aider de partager l'existence de deux personnes sobres, le temps qu'il arrive à trouver une façon de vivre un an en restant sobre – cela va lui

189

prendre temps, car ce gamin a ruiné toutes ses opportunités en école d'art, dit-elle en regardant nerveusement dans son dos afin de s'assurer que Mateo n'entre pas en plein milieu de son exégèse. Tout cela va briser le cœur de ses parents. C'est cela aussi, cette maladie. Un gamin brillant avec des parents brillants et toutes les opportunités possibles au monde. J'ai vu le travail de ce gamin, et c'est tellement fort. Je voulais le présenter à Deitch, s'il restait sobre. »

Le public hochait la tête en guise de soutien et désarroi. « S'il a disparu, ce n'est pas ma faute, répéta-t-elle, un peu inquiète du ton de sa voix. Parce que personne ne peut vous forcer à devenir sobre. Il faut le vouloir. » Mon Dieu, elle parlait comme les vieux routiers des AA dont elle se plaignait toujours ! Boaz lui passa le bras par-dessus l'épaule.

« En tout cas, merci de m'avoir laissée m'exprimer. Je vous suis reconnaissante d'être là, et d'être encore sobre aujourd'hui, parce que peu importe que je le sois depuis près de vingt ans. Ce qui compte, c'est ce que je suis. Aujourd'hui.

— Merci, Drew ! », s'exclama le public en chœur. Elle soupira et se laissa tomber dans son siège. D'autres prirent la parole, mais elle n'entendait pas ce qu'ils disaient, car elle bouillonnait de colère. Discrètement, elle sortit son iPhone et envoya un texto à son parrain : « Mateo n'est pas venu à la réunion, je pète un câble. » Trois minutes plus tard, il lui répondit : « Du calme, ne tire pas de conclusions trop hâtives. » C'était ce qu'elle avait besoin d'entendre.

Après la réunion, Boaz lui proposa de la reconduire chez elle, et elle accepta.

« On peut passer par Intelligentsia ? » interrogea-t-elle.

Il la dévisagea du coin de l'œil. « Bien sûr. »

Mateo n'était pas assis en terrasse de ce grand café branché, pas plus qu'il n'était assis à l'intérieur. Elle s'était promis de ne pas le faire, mais elle le fit tout de même : elle demanda au responsable aux oreilles saturées de piercings s'il avait vu Mateo, mais il ne l'avait même pas aperçu. Elle retourna à la Prius de Boaz avec la nausée, l'estomac lourd.

« Il n'est jamais venu, m'a dit le type du bar, lança-t-elle en rentrant dans la voiture.

— Ah, merde », commenta Boaz. Il roula jusque chez elle.

« Tu peux m'attendre ici une seconde ? lui demanda-t-elle lorsqu'il s'arrêta. Je vais vérifier quelque chose.

« Bien sûr. » Drew se précipita à l'intérieur, et tomba exactement sur ce qu'elle craignait. Son portefeuille, qu'elle avait bêtement laissé sur le bureau, vu qu'elle allait simplement à une réunion, était vidé de son argent liquide et de ses cartes de crédit. Et dans la pièce où Mateo dormait, tout avait disparu. Elle courut vers Boaz.

« C'est ce que je craignais. Mon argent liquide et mes cartes de crédit, tout a disparu, et ses affaires aussi.

— Tu plaisantes.

— Non. » Elle éclata en sanglots. « Quels crétins on fait ! Il aurait pu rester en centre, et on se serait juste vus aux réunions. Mais non, j'ai voulu aider mon amie. » Elle repoussa les mèches qui lui tombaient devant les yeux. « Quels imbéciles.

— Tu veux que je vienne avec toi ?

— Non, chéri, retourne voir Rebecca. Je vais rentrer chez moi, faire opposition à mes cartes et appeler Christian. Oh, et bon Dieu, il faut aussi que j'appelle sa mère. »

Elle dit au revoir à Boaz, puis retourna chez elle. Ses yeux étaient exorbités et elle avait envie d'un verre de vin blanc. C'était fou à quel point elle était dévorée par cette envie lorsqu'elle était en crise, même vingt ans après. Elle se servit un verre d'eau à la place et appela la banque, tout en fouillant partout alors qu'elle attendait qu'on veuille bien lui répondre, afin de voir si Mateo avait laissé un mot. Rien.

Un employé lui répondit enfin. Oui, dit-il, un retrait à un guichet à Silver Lake à 13 h 37 pour 400 dollars, le maximum autorisé, puis un autre dans un guichet pas loin de là, à 13 h 47, pour 400 dollars, le maximum autorisé. Rien de plus pour le moment. Drew fit opposition à sa carte de retrait, puis à celle de crédit qui, miraculeusement, n'avaient pas encore été utilisées. Elle réalisa à ce moment-là que Mateo avait réussi à avoir son code de carte. Comment avait-il fait ? se demanda-t-elle. Aucun accro à la coke ou au crack, se dit-elle, ne pouvait être aussi retors et prêt à tout qu'un putain de junkie.

Puis elle reprit ses esprits et respira longuement. Lorsqu'elle et Christian avaient accueilli Mateo, se souvint-elle, ils avaient bien eu conscience que cela pourrait arriver. Il avait déjà fait le coup à

Jared et Milly à New York. Voilà donc que cela recommençait, c'était désespérant, se dit-elle, mais cela ne servait à rien de s'énerver ; c'était au-delà de ses compétences, elle n'y pouvait rien. Mais le sentiment le plus curieux qui la taraudait était celui de laisser à nouveau tomber Milly, vingt ans plus tard.

Elle appela Christian pour le tenir au courant.

« Ça me rend triste comme pas permis, grommela-t-il.

— Tu avais bien dit qu'il devait passer une année en centre après sa cure de désintoxication, et c'est moi qui ai insisté pour qu'on lui propose de venir chez nous. Et il faut être clair, après toutes ces années, j'ai dit ça par pure culpabilité. Je ne voulais pas admettre que Milly doive encore une fois se coltiner un problème de toxicomanie avec quelqu'un d'autre, sa mère, puis moi et son propre fils. Je me suis sentie coupable.

— Tu ne l'as pas fait par culpabilité, mais par amour. Tu le sais bien. »

Drew s'écroula dans la chaise de la cuisine, et sentit les larmes monter. « Je voulais me faire pardonner. »

Christian émit un petit rire qui l'étonna. « Parce que tu es toujours amoureuse d'elle, chérie, dit-il, l'air compréhensif. J'ai toujours été conscient que tu avais un autre amour dans la vie, en plus de moi, et c'est Milly. Sainte Milly.

— C'est un peu bas de me balancer ça maintenant, se plaignit-elle entre deux sanglots.

— Eh bien… » protesta-t-il. Puis il fit silence. « Je suis désolé. Je n'aurais pas dû. Mais je pense quand même que tu as agi par amour, pas par culpabilité. Tu n'as pas à en avoir honte…

— Sauf qu'il doit déjà avoir une aiguille plantée dans le bras.

— Huit cents dollars, ce n'est pas énorme. Attends plutôt que je repasse à la maison dans une ou deux heures avant d'appeler Milly.

— Tu penses qu'il va revenir ?

— Il ne peut plus vivre avec nous, dit Christian fermement. Mais on pourra appeler pour qu'il soit accepté dans un centre ou même à nouveau en cure s'il en a besoin. »

Drew poussa un long soupir. « C'est vraiment une sale journée.

— Appelle ton parrain, chérie. Je t'aime et je ne vais pas tarder à rentrer. »

Elle resta assise encore un quart d'heure, à sangloter doucement. Elle arpenta la maison à la recherche d'indices. Il avait vidé la chambre d'ami de toutes ses affaires, si ce n'était son bonnet de laine noire de skater qu'il portait nuit et jour comme une sorte de protection, enfoncé jusqu'aux oreilles au-dessus de ses larges lunettes noires opaques et couvrantes. À cette heure-ci, il devait être quelque part, une aiguille plantée dans le bras, sans son casque de protection. À cette pensée, Drew fut transpercée par sa première réaction maternelle. Une réaction violente et terrible.

Elle avait appris à aimer Mateo. « Quel est le plus grand souvenir de ta carrière artistique ? » lui avait-il demandé la semaine dernière alors qu'ils promenaient Lewy – il lui avait posé cette question sur un ton très, très détaché, parce qu'il était du genre très, très cool et qu'il ne laissait jamais paraître son excitation ou sa tension lorsqu'il parlait d'art. Et ils s'étaient retrouvés à parler pendant longtemps de leurs propres processus créatifs, et Drew aurait adoré que Milly soit là train de les écouter et d'entendre son fils s'exprimer si bien et si intelligemment à propos de l'art, un discours clairement inspiré par Jared et Milly. Il avait adoré faire à manger le soir avec elle et Christian, puis les trois avaient regardé une télé-réalité idiote mais amusante de jeunes artistes sur Bravo, avant *Opening Night*, car elle et Christian lui avaient fait découvrir, avec bonheur, Cassavetes. Elle avait aussi adoré aller aux réunions avec lui, lui donnant son jeton de trente jours puis de soixante jours de sobriété, et, bientôt, pensait-elle, celui des quatre-vingt-dix jours. En parallèle, elle racontait tout à Milly.

On ne peut pas tout contrôler. C'était l'essence de ce que lui avait dit son parrain pendant leurs quarante-deux minutes de conversation. Puis elle avait raccroché, et s'était remise à pleurer, avant de reprendre le combiné et d'appeler Milly, tout cela pour tomber sur son répondeur. « *Bonjour, c'est Milly, laissez-moi un message et je vous rappellerai.* » *Je vous rappellerai.* Si certaine et confiante. Milly avait ce message de répondeur depuis bien avant tous les problèmes de drogue de Mateo, trois ans plus tôt, et sa voix sonnait comme si tout allait encore bien.

Le bip s'acheva. « Mille-Pattes, dit Drew d'une voix lente et fatiguée. Mateo a disparu. Il est parti. Appelle-moi. Je suis vraiment désolée. Rappelle-moi. »

À nouveau de retour
(2012)

Dans un studio une pièce situé sur la 2ᵉ Rue Ouest, dans un quartier non déterminé de Los Angeles recouvert de petits immeubles beiges à peine protégés du soleil par quelques palmiers, de mauvais haut-parleurs d'un ordinateur portable crachent « All I Do Is Win », de DJ Khaled. Mateo est adossé à un lit et plonge dans l'extase lorsque Carrie lui introduit la seringue dans le bras.

« Merci, putain, merci, merci, merci, ça fait tellement longtemps que j'attends ça », arrive-t-il à prononcer avant de fermer les yeux et de les retrouver, ces millions de petits doigts qui lui grattent l'intérieur du ventre avec tant de bonheur. Bon Dieu, cela fait tellement longtemps depuis la dernière fois à New York – quatre-vingt-six jours exactement – et la sensation est si pure, si intacte. Cela valait le coup d'attendre.

Carrie ressort l'aiguille. « Tu peux me shooter, maintenant ? » demande-t-elle.

Mateo l'avait rencontrée lors d'une réunion à L.A. Cela ne faisait que quelques semaines qu'ils avaient décroché. Au moment où il l'a aperçue – cheveux décolorés, grands yeux bruns étincelants, peau diaphane et lèvres incroyablement ourlées, large tache de naissance autour de l'œil droit, tétons murmurant sous le débardeur et bras maigres couverts de tatouages – toute son aura exsudait un sentiment de je-ne-veux-pas-être-là –, il savait qu'il devait tout faire pour rester loin d'elle, car il était tout à fait conscient de ce qu'elle faisait naître en lui. Il était venu à la réunion tout seul, sans Drew ou Christian, et ensuite, il ne leur avait pas dit qu'il y avait rencontré

Carrie, noté son numéro de téléphone sur le portable bon marché que Drew et Christian lui avaient acheté afin d'être toujours en contact avec eux et les autres gens de son programme. Il prit son numéro après avoir discuté avec elle, à la fin de la réunion.

C'était une réunion pas comme les autres. Il n'y avait pas tous les bourgeois bohèmes sobres de Silver Lake, tous ces yuppies ex-alcoolos, ces fumeurs d'herbe et ces gays carriéristes qui étaient tombés dans la méthamphétamine, ou ces quelques vieux cocaïnomanes comme Drew qui avaient eu une jeunesse glamour. Ce jour-là, il n'y avait que des gamins paumés et quasiment clochardisés, crasseux, habitant surtout le centre-ville. La plupart étaient des junkies dénués de toute créativité ou, comme Carrie qui prétendait être chanteuse, n'avaient vécu qu'en périphérie de la vie artistique de L.A. puis en avaient totalement disparu. Mateo se sentait bien avec eux, soulagé, sans rien à prouver. Il y avait même des Noirs et des Mexicains. Il s'installa avec son bonnet bien enfoncé sur les oreilles et ses lunettes noires calées sur le nez, les bras croisés sur le tee-shirt à rayures vertes qu'il avait trouvé dans le grand sac bleu royal de vêtements que lui avait préparé Millimaman avant de venir lui rendre visite pendant sa cure de désintoxication à New York. Il avait pris le sac en sortant de sa cure pour rejoindre Drew et Christian à L.A. Sa vie se résumait plus ou moins à ce sac, même si Drew et Christian lui avaient donné sa chambre à lui afin qu'il puisse s'y installer un moment.

Il s'assit dans la salle de réunion du centre-ville, les jambes écartées, dans le jean serré qu'il avait dû acheter en 2010 ou 2011 – toute cette période brumeuse quand il arrivait encore à aller en cours à Pratt mais que sa vie ressemblait de plus en plus à un long rêve opiacé. C'était l'époque où les seringues et les aiguilles, avec ce qu'elles comportaient de terrifiant et d'addictif, d'urgente nécessité, avaient fait leur apparition. La première fois qu'il avait laissé quelqu'un le shooter, il avait pressenti qu'il ne pourrait revenir en arrière, et il avait eu raison.

Lors de cette réunion, il constata avec horreur que le format de prise de parole impliquait que tout nouvel arrivant en dessous d'une année de sobriété devait parler. Il échangea quelques regards, même un sourire en coin et un mouvement de la tête, avec Carrie, qui était assise à cinq chaises de lui. Puis ce fut à son tour de parler.

« Je m'appelle Mateo, et je suis narcroc », dit-il. Chaque fois qu'il disait cela, il pensait aux Parents et à quel point cela les consternait qu'il fasse cette mauvaise blague – *je suis narcroc* – mais cela le faisait rire, parce que cela le classait tout en bas de l'échelle dans la structure mise en place au Twelve-Step World. À Silver Lake, il s'était autorisé une seule fois à se présenter ainsi.

Drew, qui était derrière lui ce jour-là, lui avait envoyé un sourire en coin, amusée, et avait demandé d'une voix faussement naïve : « Tu es un *narcroc* ? » Il avait acquiescé en retour et souri, elle s'était marrée pendant une seconde.

Il en était alors à soixante-douze jours d'abstinence. Il appréciait Drew, il devait l'admettre. Elle avait toujours été présente dans sa vie, lorsqu'elle venait à New York et qu'elle buvait de gigantesques tasses de thé dans la cuisine de Millimaman, et lors d'un voyage qu'il avait fait avec *Los Parentes* sur la côte Ouest pendant l'été de ses treize ans. Drew était plus ou moins la meilleure amie de Millimaman, et il l'avait toujours bien aimée parce qu'elle avait un côté direct, franc et parfois vulgaire dont Millimaman, avec son perpétuel air de reproche contenu, manquait.

« T'es un gangsta, toi », lui avait sorti Drew d'un air froid lors d'un de ses séjours à New York, alors qu'il se tenait devant elle, tout juste de retour de l'école, le jean descendu sur ses fesses, son tee-shirt large et flottant, les cheveux tirés en arrière par un élastique qui pendait à l'arrière de sa casquette Yankees à large rebord, le sac à dos pendu de façon lâche à ses épaules.

« Il parle comme un gangsta, oui », avait observé Millimaman, en hochant la tête lentement comme elle le faisait toujours.

Il s'était gratté le menton en regardant Drew boire sa tasse, avec son grand sac en cuir hors de prix posé à ses pieds, puis il avait rétorqué, en essayant de ne pas sourire : « Peut-être que je suis un gangsta.

— Viens par ici, gangsta », avait-elle dit en éclatant de rire, et il s'était approché d'elle, et elle l'avait longuement pris dans les bras et embrassé tandis qu'il restait debout, droit, devant elle, passant à peine un bras autour de sa taille. « Ce que tu fais, c'est magnifique », avait-elle déclaré. « Ton talent m'hallucine.

— Comment tu sais ce que je dessine ? »

Drew avait fait un petit mouvement du menton en direction de Millimaman. « À ton avis, qui m'envoie tout le temps des photos de tes créations par e-mail et me tient au courant de chaque distinction et bonne note que tu as ? »

Millimaman avait le regard plongé dans sa tasse de thé, essayant de rester le plus neutre et énigmatique possible, mais avec cette lueur déchirante dans les yeux, comme si elle allait éclater en sanglots, qui le touchait et le désespérait tout à la fois.

« Tu ne m'as jamais dit que tu faisais ça », avait-il finalement dit à Millimaman.

Milly avait relevé les yeux, l'air innocent. « Je trouvais juste que tes derniers dessins en classe étaient bons et je voulais les lui montrer. Tu m'en veux pour ça aussi ? » Elle s'était tournée vers Drew. « Il m'en veut tout le temps, en ce moment.

— Je ne t'en veux pas. Juste… je ne savais pas.

— Et je lui envoie mes chapitres à relire », avait ajouté Drew. Drew écrivait de drôles de livres ; elle était une sorte de journaliste qui voyageait pour rencontrer des gens et en écrivait des livres, pas des articles, il en était quasiment certain. Il n'avait pas su pas quoi dire. Il décelait quelque chose dans leur monde commun, quelque chose qu'il n'arrivait pas vraiment à cerner, sauf que c'était étrange et peut-être même un peu lesbien, une sensibilité partagée de fille blanche, et il ne voulait pas en savoir plus. Il avait préféré regarder Drew droit dans les yeux, hausser les épaules et lâcher : « Bon, super, merci. Bienvenue à New York. » Et il était reparti en direction de sa chambre.

« Merci pour l'accueil, avait commenté sèchement Drew.

— Mateo », l'avait appelé Millimaman.

Il s'était arrêté. « Ouais ?

— Je voulais m'assurer que tu n'avais pas oublié le rendez-vous de dix-huit heures, ce soir. »

Il s'était recroquevillé intérieurement, humilié. Elle parlait du psy. Il y avait eu quelques incidents, c'était vrai – un affrontement avec Jared-Papa qui s'était terminé par un coup de poing au visage qu'il regrettait à moitié et des insultes où il l'avait traitée, elle, de *salope* –, et après quelques horribles journées de tension où il avait pensé fuguer une nuit, ils étaient venus dans sa chambre très gentiment et lui avaient demandé s'il accepterait d'aller voir un médecin du quartier, qui vivait à quelques rues de là, un certain Richard Gallegos. Il voulait répondre par la négative mais après le coup de poing et l'insulte, peut-être était-il obligé d'accepter. Et ce soir-là, même s'il avait espéré y échapper pendant toute la journée, il devait aller le voir pour la première fois.

« Ouais, je m'en souviens », avait-il marmonné en retour, avant de retourner dans sa chambre et de claquer la porte, de mettre Young Jeezy sur son ordinateur portable et de faire ses devoirs jusqu'à dix-sept heures trente, lorsque Millimaman avait passé la tête dans l'entrebâillement de la porte, et lui avait demandé s'il était prêt à y aller.

« Il n'est que dix-sept heures trente-cinq, avait-il répondu sans détacher ses yeux de l'ordinateur.

— Pour un premier rendez-vous, je pense qu'il vaut mieux que tu arrives un peu avance », avait-elle prévenu.

Il s'était redressé, avait longuement soupiré, puis sauvegardé le document sur lequel il travaillait. « D'accord, je me prépare.

— Tu veux que je t'accompagne ? »

Il avait levé les yeux : « C'est à quelques rues d'ici, non ? Pourquoi, tu as peur que je n'y aille pas ? »

C'était à son tour de soupirer et de se passer la main dans les cheveux. « Non, Mateo. Juste… » Elle s'était arrêtée. « Laisse tomber, bien sûr que tu peux y aller tout seul.

— Ça marche. » Son regard avait croisé le sien, et celui de Milly avait croisé le sien. Il pouvait lire dans ses yeux. Ils disaient : *Pourquoi ? Pourquoi ? Pourquoi est-ce que tu me détestes ?* Et il sentait que les siens disaient : *Madame, s'il vous plaît, laissez-moi tranquille !* Puis, ils avaient détourné leurs regards et elle était partie en refermant la porte.

Quelques minutes plus tard, il avait rentré sa queue-de-cheval dans le trou à l'arrière de sa casquette, pris ses clés et son téléphone portable, était passé par la cuisine qui sentait la nourriture asiatique que Millimaman préparait – un truc au gingembre. Millimaman, Jared-Papa et Drew buvaient de la San Pellegrino. Il avait esquissé un petit signe de la tête en leur direction, et avait tracé vers la sortie, les mains enfoncées dans les poches.

« On t'attend pour dîner, d'accord ? » lui avait crié Millimaman.

Il avait grogné, mais pas assez fort pour qu'on l'entende. Il n'avait pas voulu claquer bruyamment la porte derrière lui, mais le résultat était le même. En bas, il s'était allumé une cigarette et avait sorti son téléphone portable pour retrouver l'adresse du psy que Millimaman lui avait envoyé par texto. Il avait marché jusque-là, sonné à la porte, était entré dans la salle d'attente – table couverte de magazines pour bourgeois cultivés, grands fauteuils club confortables, une étrange machine blanche dans le coin de la pièce qui émettait un bruit dissonant et qui était censée, l'apprit-il plus tard, couvrir le bruit des conversations qui se tenaient dans le cabinet de consultation.

Il était seul, et alors qu'il attendait assis, sa colère était montée progressivement. Tous les trois devaient être confortablement assis devant leur verre à parler de lui, d'à quel point il leur causait des soucis et que… pourquoi était-ce à lui de venir ici ? Pourquoi n'étaient-ils pas là avec lui ? Leur avait-il demandé de l'adopter ? Non. Et pourquoi l'avaient-ils adopté, d'ailleurs… Pourquoi n'avaient-ils pas eu d'enfants à eux ? Oh, il commençait à connaître la musique, maintenant. Ils le lui avaient dit lorsqu'il avait douze ans. Elle était morte du sida. Et *bubbe* l'avait connue, bla-bla-bla. Souvent, il sentait qu'il la détestait, sa véritable mère, qui qu'elle soit ou ait été. Quelle salope d'espingouine elle avait dû être pour choper le sida ! Il détestait tout le monde, en fait, sauf Zoya, à l'école, qui serait désormais, il venait de le décider, sa petite amie, comme elle l'avait toujours voulu. Il avait sorti son téléphone portable et commencé à lui écrire : « Je suis chez ce putain de psy où m'ont envoyé mes parents. »

Il venait tout juste d'envoyer le message lorsqu'une femme blanche entre deux âges, cliché de l'East Village avec ses grosses lunettes à monture noire, était sortie du cabinet, laissant place à un type grassouillet du même âge, au visage solennel. C'était un Latino très bien coiffé, aux cheveux courts et avec un étui à téléphone en cuir à la ceinture. Il lui avait tendu la main et déclaré, de son accent portoricain d'opérette, qu'il s'appelait Richard Gallegos.

« Mateo.

— Suis-moi. »

Le cabinet était petit et chaleureux, dans des tons beiges neutres, et il sentait bon. Il y flottait comme une odeur de bougies parfumées et, au milieu, deux sièges club en cuir y trônaient face à face. Il y avait de l'art ethnique Banania aux murs. Le type s'était assis et lui avait parlé d'un truc inintéressant, une sorte d'assurance : Mateo devrait payer même s'il manquait un rendez-vous ou annulait moins de vingt-quatre heures avant. Puis il avait conclu : « D'accord. D'accord. Bon, Mateo. Alors, ce n'était pas ton idée de venir ici, n'est-ce pas ? Plutôt celle de papa et maman ? »

Je ne les appelle pas comme ça, s'était-il apprêté à lui répondre. Mais il était animé par une telle colère – ne serait-ce qu'entendre quelqu'un dire papa et maman lui semblait insupportable – qu'il avait fait quelque chose d'inattendu. Il avait regardé ce Gallegos avec plus de haine et de mépris qu'il ne s'en pensait capable, puis avait rabattu sa casquette et s'était recroquevillé dans sa chaise, le visage tourné vers le dossier du fauteuil. Il savait que c'était un peu ridicule et enfantin, mais il n'y pouvait rien, il ne savait pas comment réagir autrement.

Mateo avait attendu que Gallegos dise quelque chose. Pendant un très long moment, rien. Puis, il avait lâché : « Tu sais, quoi qu'il se passe, tu seras peut-être très soulagé de venir ici chaque semaine et de parler de tout ça. Je ne suis pas tes parents, et tu peux tout me dire. Je ne te jugerai pas, et tu n'es pas obligé de m'apprécier non plus. »

Mateo était resté dans la même position, à lui tourner le dos. Il s'était autorisé à considérer cette proposition. Peut-être qu'il suffirait de ne pas le regarder ? Il avait décollé son visage du cuir du fauteuil.

« C'est que je ne veux juste pas être ici, avait-il commencé.

— Ça ne me dérange pas.

— Je veux partir. Ce ne sont même pas mes vrais parents. Ils ont dû vous le dire, non ?

— Ce sont tes parents adoptifs, c'est ça ?

— Ils ne sont pas mes vrais parents. Et c'est n'importe quoi qu'ils m'aient adopté. Pourquoi n'ont-ils pas eu des enfants eux-mêmes ?

— Tu leur as déjà demandé ? »

Mateo ne l'avait jamais fait. Ils n'avaient jamais abordé le sujet, aucun des trois. « Non, avait-il répondu.

— Et pourquoi ? »

Un silence. Est-ce que cela serait vraiment si déplacé que de le leur demander ? Peut-être le ferait-il. Puis il avait pensé à eux trois assis dans la cuisine, à parler de lui, et sa rage avait redoublé d'intensité. « Je m'en tape, avait-il maugréé. Je suis passé à autre chose.

— On n'est pas obligés d'en parler tout de suite, avait dit Gallegos. On peut aborder n'importe quel sujet. »

Mateo s'était alors autorisé à se retourner, toujours en boule, ses manches pendant au-dessus de l'accoudoir du fauteuil. Il avait dévisagé Gallegos, dont le visage était large, joufflu, mou, féminin, et juché de fines lunettes en acier. Au moins était-il bronzé, avait pensé Mateo. C'était une sorte de soulagement au milieu du monde de Blancs de ses parents qui pensaient tous être tellement libertaires et multiculturels. Gallegos avait avancé son visage en souriant légèrement.

Mateo avait fini par aller le voir pendant deux mois en parlant aimablement de tout et de rien, de l'école, de l'art et de son avenir, mais sans pour autant lui ouvrir véritablement son cœur. Il regardait souvent le gros visage caramel de Gallegos, avec ses doux yeux bruns, et se sentait alors parcouru par des sentiments antagoniques de regrets et d'espoirs. Une fois, il avait été tellement déconcerté par cela que, au beau milieu d'une phrase de Gallegos, il avait fermé les yeux, le visage soudainement pourpre.

Gallegos s'était arrêté, et l'avait observé. « Que se passe-t-il ? » avait-il interrogé.

Je me suis demandé pendant un instant si vous étiez mon père, avait failli lui dire Mateo. Cette pensée, venue de nulle part, avait flotté dans son esprit. Mais il ne l'avait pas avouée à Gallegos. « Je me suis perdu dans mes pensées », avait-il préféré prétendre.

Pendant dix-huit mois, Gallegos avait aidé Mateo à faire le point sur son avenir, et à la fin du lycée, il était devenu un genre de star de l'école. Il avait réussi à contenir son ressentiment bouillonnant envers Millimaman et Jared-Papa, à vivre en paix avec eux. C'était à l'été 2009, juste après son diplôme de fin d'études, alors qu'il savait qu'il intégrait Pratt, qu'il avait quitté Gallegos à l'amiable.

Et c'était à cette époque que cette lente descente sans rappel dans l'héroïne avait débuté – chez Oscar, lors de la fête de fin d'année, puis de temps à autre pendant l'été précédant son entrée à la fac. Juste au moment où sa vie commençait à prendre plus ou moins forme. Il ne se l'expliquait absolument pas ; pourquoi était-il tombé ainsi en chute libre dans la dope ? Mais il ne voulait pas non plus vraiment le comprendre. Il prenait cela comme un cadeau, une solution, bien au-delà de la compréhension. Il avait l'impression qu'il touchait enfin à une vie dont il avait toujours rêvé – loin, très loin.

Puis, Hector lui avait fait fumer la drogue – ces longues sessions incroyablement calmes et sereines avec Hector, son chien apaisé, les ombres des passants derrière les rideaux de la fenêtre de son appartement crasseux en sous-sol. Ce n'était qu'après la deuxième ou troisième session en compagnie d'Hector qu'il avait ressenti pour la première fois une véritable sensation de manque, comme une grippe terrible qui se propageait, les tremblements, la misérable position fœtale du corps en sueur, ravagé par les crises de panique causées par le manque de drogue, seule solution à cet état. Lors d'un de ces épisodes douloureux, il avait atterri non pas chez Hector qui avait quitté New York pour passer l'hiver dans l'appartement vide d'un de ses amis à Palm Springs, mais chez un ami toxicomane à Jersey City, et il s'était laissé injecter l'héroïne pour la première fois – un enculé de lycéen du New Jersey au visage rondouillard du nom de Eddie ! À ce moment précis, il avait fait une croix au peu de dignité mentale du toxicomane qui lui restait, celle qui lui soufflait qu'il pouvait contrôler son addiction et qu'il ne franchirait pas la ligne limite, celle de se shooter. *Je suis l'esclave de la dope*, avait-il pensé, non horrifié mais soulagé. Maintenant, il pouvait s'y abandonner complètement. Lorsqu'il fermait les yeux, désormais, des aiguilles, des seringues, des garrots, des veines en manque dansaient dans sa tête.

Un mardi midi, alors qu'il revenait en manque au Christodora, soulagé de savoir que ses Parents étaient au boulot, il avait attendu l'ascenseur dans le hall d'entrée vide – Bora, le fils d'Ardit, n'était pas au comptoir d'accueil où grésillait encore le son de sa télévision portable. Avant que l'ascenseur n'arrive, il avait entendu des pas descendre l'escalier – des pas humains, mais aussi de chien, et le raclement de la laisse d'un chien contre le béton.

« Eh merde ! » C'était la voix d'Elysa, l'amie actrice de Millimaman. L'instant d'après, il avait entendu le bruit des pas

202

remonter l'escalier. Il avait jeté un œil par la porte de la cage d'escalier et était tombé sur Katsu, son nouveau chien – Kenji, son amour d'enfance, était mort bien des années auparavant –, attaché à la rampe, allongé à côté du sac à main grand ouvert d'Elysa. Elle avait sûrement dû oublier quelque chose en haut et était remontée en courant. Il avait inspecté le sac, tout en caressant machinalement la tête de Katsu, avait trouvé le portefeuille d'Elysa, en avait sorti une liasse de billets, avait reposé le sac par terre, et était sorti discrètement du Christodora alors que l'ascenseur repartait en haut sans lui. Il avait attendu d'être bien enfoncé dans le parc attenant avant de regarder la liasse de billets qu'il avait subtilisée, 187 dollars au total. Il avait pensé fouiller l'appartement pour trouver de quoi se payer sa prochaine dose, mais là, il n'en avait plus besoin. En moins d'une heure, il était de retour à Jersey City, en train de piquer du nez – tout comme le lycéen joufflu et quelques autres junkies, invités par Mateo. Il venait de se sortir brillamment de sa première crise de manque.

Lorsqu'il avait regardé son téléphone sept heures plus tard, il avait aperçu un message vocal de Jared-Papa : « Tu sais que tu as été filmé ? disait-il d'un ton écœuré. Il faut que tu rentres tout de suite et que tu nous expliques ce qui se passe. On pense que tu as un problème de drogue, et apparemment, tout l'immeuble aussi, maintenant. Tu es dans la merde, Mateo. »

Il y avait aussi un texto de Millimaman : *S'il te plaît, S'il te plaît, S'il te plaît, rentre à la maison.*

Il n'était pas rentré chez lui jusqu'au lendemain, protégé de tout état de manque par le reste de la dope qu'il avait achetée, caché entre sa chaussure et sa chaussette, terrifié qu'ils le trouvent et le lui enlèvent. Bora lui avait lancé un regard alors qu'il rentrait, puis avait détourné les yeux, l'air dégoûté, en hochant la tête.

« Tu ferais mieux de te dépêcher », avait-il lancé.

Là-haut, il les avait retrouvés assis à la table de cuisine – ils n'étaient pas allés travailler, afin d'être là lorsqu'il reviendrait. Il était démasqué. Au moins, il n'aurait plus à leur mentir sans cesse. Il était resté debout devant eux, en les regardant, résistant à la terrible envie de se gratter ou de se recroqueviller à cause des douleurs du manque qui allaient arriver. Ils l'avaient dévisagé en retour, l'air perdu et résigné. Ils étaient tristes, il le voyait bien, car tout ce qu'ils avaient imaginé pour lui venait d'exploser devant leurs yeux.

« C'est l'héroïne, Mateo ? » avait demandé Jared-Papa.

Il avait acquiescé. Millimaman avait éclaté en sanglots.

« Toi, avait continué Jared en mâchant chaque mot, tu montes avec nous chez Elysa et tu vas t'excuser, pour qu'elle comprenne que tu as un problème de drogue. Ensuite, tu vas faire ta valise, et on va à l'hôpital, à Metro North, pour t'envoyer en cure de désintoxication dans le Connecticut. On a déjà appelé. Cela va se passer comme ça, et si ça ne te plaît pas, tu peux faire ta valise et ne plus jamais remettre un pied ici. On ne veut pas de ça ici.

— Ah ouais, tu veux de quoi alors ? » s'était surpris Mateo à rétorquer malgré son début de manque.

Milly s'était levée. « Mateo, chéri, *s'il te plaît*, écoute-nous. Tu dois te soigner avant que cela n'empire. »

Il avait capitulé pour elle – pas pour lui, juste pour elle. Il était allé en cure de désintoxication. Mais au bout de quelques mois là-bas, cela s'était aggravé, avec le désormais tristement célèbre Incident de la Sculpture, au mois d'octobre 2011, au terme duquel il s'était fait définitivement expulser de l'appartement. C'est alors que Drew était intervenue et l'avait installé dans un centre de désintoxication dans le désert de Californie, puis chez elle – et l'avait inscrit à la réunion des AA où il avait rencontré Carrie, et ses cicatrices de suicide mal cachées par son pull à manches longues. C'était à son tour de parler. « Je m'appelle Mateo, et je suis un narcroc.

— Bonjour, Mateo, chantonna chacun.

— Cela fait soixante-dix-neuf jours aujourd'hui. » Tout le monde applaudit et certains crièrent des mots comme « Super ! », « Bien ! ».

« Euh… » Que voulait-il dire ? « Je crois que je suis content d'être sobre. » Puis, il ne savait pas pourquoi, il rigola un peu. Comme s'il se moquait de ce qu'il venait juste de dire. Cela lui semblait telle-ment cliché. « Euh… J'ai pas mal d'envies. Je pense à plein de choses. »

Les têtes se levèrent dans toute la pièce.

« Et aussi… enfin, je pense au futur. Je veux retourner à New York. Je suis un artiste, et je veux finir ma faculté d'art. L.A. me fait flipper. »

Les gens éclatèrent de rire. « Putain, il fait trop chaud, mec, on n'est qu'au mois de janvier ! » dit-il, cabotinant un peu en réponse aux rires. « Mais bon... Des gens bien s'occupent de moi. Et les gens qui font figure de parents pour moi à New York ne veulent plus avoir affaire à moi. Alors j'essaie de me concentrer sur aujourd'hui et de ne pas trop flipper sur mon avenir. » *C'est toujours mieux d'utiliser des phrases toutes faites de thérapie, quand tu ne sais pas quoi dire. Donc,* voilà, *pensa-t-il.* « Merci.

— Merci, Mateo », reprit tout le monde en chœur.

Carrie était assise en face, à trois rangs de lui, et elle n'eut donc jamais à prendre la parole. Lorsqu'il finit de parler, il croisa son regard et elle lui sourit doucement, comme pour lui dire : « Bien joué », et il lui répondit par un sourire similaire.

À la fin de la réunion, alors qu'il aidait à ranger les chaises, elle vint le voir et lui demanda s'il voulait venir boire un café avec les autres. Ils s'assirent au bout d'un long banc occupé par leurs confrères toxicomanes, certains murés dans le silence et d'autres trop agités – aucun ne semblait être bien dans sa peau.

« J'ai envie d'une cigarette, mais je vais attendre que l'on reparte plutôt que d'aller la fumer dehors maintenant », annonça Carrie, pour briser le silence. Cela faisait vingt-deux jours qu'elle avait décroché – si l'on considérait la tabagie comme la dernière toxicomanie acceptable pour un junkie en désintoxication. Elle était dans un état pas possible, une boule d'énergie négative, tremblante et nerveuse, à se pincer sans cesse la lèvre et à regarder dans le vide. Mais putain, qu'est-ce qu'elle était belle.

« Tu ressembles un peu à Jean Seberg, lui dit Mateo.

— C'est qui ?

— Tu plaisantes ? Tu n'as jamais vu *À bout de souffle* ?

— Non. C'est quoi ?

— Un film de Godard. »

Elle haussa les épaules. « Je ne sais même pas qui c'est.

— Un réalisateur. » Bon, pensa-t-il, elle est jolie, mais ce n'est pas une intello. D'où venait-elle au fait ? D'Arizona ? Ceci expliquait sûrement cela.

« Tu n'as qu'à me montrer le film, un de ces jours. » Elle le regardait en coin, comme si elle faisait semblant de lire le menu déchiré du café.

« Ça peut s'arranger, oui », acquiesça-t-il sur un ton énigmatique.

Ils n'avaient même pas parlé d'héroïne. Mais lorsqu'ils avaient échangé leurs numéros avant de partir du café, il savait que ce n'était pas une bonne idée. Il n'en parla pas à son parrain, comme il ne lui avait pas avoué qu'il pensait de plus en plus à Hector, que leurs sessions oniriques lui manquaient, et qu'il se demandait si Hector était encore à Palm Springs, qui n'était situé qu'à deux heures de route. Il n'en parla pas plus à Drew et Christian. Pas étonnant qu'il se soit senti aussi merdeux quand il avait fait son sac à la hâte en partant de la maison tandis que Drew était trop occupée à écrire, et quand il avait raflé toutes les cartes de crédit de son portefeuille, glané dans le sac posé sur la table de la cuisine. Il avait pris ces cartes comme une sorte de garantie contre lui-même ; après ce vol, il lui serait plus facile de fuir et reprendre la drogue, plutôt que de revenir sur ses pas, de rendre les cartes à Drew et de ruminer sur sa fugue avortée.

Son cœur battait à cent à l'heure tandis qu'il descendait les rues sinueuses, en route pour Sunset Boulevard. En son for intérieur, il savait qu'il retournait à la case départ, qu'il annulait tout ce qu'il avait réussi ces quatre-vingt-six derniers jours – tout ce temps précieux qu'il avait passé dans ce magnifique centre de désintoxication dans le désert, où il avait fait du yoga et mangé de la nourriture bio, toute cette relation de confiance qu'il avait construite avec Drew et Christian depuis sa sortie. Et il savait aussi que le message qu'il allait envoyer n'était pas bon, qu'il entraînait quelqu'un avec lui dans sa chute. Mais il n'avait pas le choix. Il était temps. Dans son cœur, il n'avait jamais vraiment pensé qu'il tiendrait, disons, plus de quatre-vingt-dix jours sans dope. Ce n'était pas une façon viable de vivre, et une partie de lui plaignait les membres des AA qui pensaient vraiment que c'était possible. En fait, il aimait ressentir cette concentration dure et pragmatique qu'il fallait pour slalomer entre toutes ses pensées contradictoires et raisonnables et foncer, l'air défiant et inexorablement, vers le trophée. C'était comme lorsqu'il créait – une concentration totale et pure.

« Ça te branche qu'on se voie ? » envoya-t-il par texto à Carrie alors qu'il attendait un bus sur Sunset où tous les regards des gens à l'arrêt de bus – les vieilles femmes en robes fanées et les employées de maison en jean et tee-shirt – semblaient lui dire : *On sait ce que tu t'apprêtes à faire.* Mais, putain, il était libre ! L.A. ne lui avait jamais semblé ainsi, un grand terrain de jeux qui lui ouvrait ses bras. Il pourrait sûrement trouver un plan avec Carrie, mais si cela ne marchait pas, il savait qu'il se débrouillerait autrement, sûrement dans les prochaines heures. Il ressentait de la joie devant cette grande toile blanche et vierge qui se dressait devant lui. Ce qui lui rappela que... un distributeur de billets ? Il savait qu'il avait tout le temps nécessaire avant que Drew et Christian se rendent compte du vol et puissent faire opposition. Il dégota un distributeur devant une épicerie, retira la somme maximale de 400 dollars, et, toujours porté par le même sentiment de liberté, se traîna avec son sac à quelques rues de là jusqu'à un autre et retira une fois encore la somme maximale autorisée.

Juste après, il reçut un texto de Carrie : son adresse, agrémentée d'un « Tu viens maintenant ?

— Grave.

— T'es pas loin, renvoya-t-elle. Prends le bus, vers le sud, sur Alvaro. »

Elle lui donna des indications plus précises et il s'y dirigea à pied. Il finit par arriver à Westlake, un quartier sans identité, trouva le lotissement d'immeubles aux couleurs pâles, avec les palmiers faméliques dehors, sonna chez elle, poussa la porte lorsqu'elle lui répondit, puis arpenta un couloir glauque recouvert d'une moquette fatiguée et souillé au plafond par des infiltrations d'eau.

Carrie lui ouvrit la porte pieds nus, en débardeur et short en jean effrangé. « Héééé, dit-elle, les yeux écarquillés à la vue de son gros sac de voyage. Qu'est-ce que tu as là-dedans ?

— Eh bien, commença-t-il en entrant chez elle, un petit studio mal éclairé accueillant un futon, une télévision gigantesque, un ordinateur portable avec des haut-parleurs, des piles de fringues absolument partout et un vieux poster de Debbie Harry en 1979 surplombant le futon. J'en peux plus. Juste, j'en peux plus. J'en ai assez. »

Elle recula de quelques pas. « Tu retournes à New York ? »

Il n'avait pas pensé jusque-là. « Je veux déjà me défoncer, surtout. » Voilà, c'était fait, il avait craché le morceau. Il haussa les épaules et eut un petit rire piteux.

Carrie porta sa main à la bouche. « Ah, merde. Vraiment ?

— Tu peux rien me choper ? C'était de ça que je te parlais quand je t'ai demandé si ça te branchait qu'on se voie. »

Elle caressa le haut de chacun de ses bras. « En fait… j'étais pas certaine d'avoir compris. » Elle continua à se gratter les bras, plus nerveusement. Cela faisait désormais trente-trois jours qu'elle était sobre – elle n'avait jamais tenu autant. Mais c'était à ce moment-là qu'il fallait qu'il reste déterminé. Les sentiments humains devaient être percés avec la précision d'un laser s'il voulait obtenir ce qu'il désirait.

« Je voudrais juste en prendre une fois avec toi », dit-il. Il savait qu'il fallait faire vite. Il s'avança vers elle, lui prit le visage dans les mains, la massant doucement au niveau de la nuque, puis ses épaules nues. « On peut juste en prendre ensemble une fois et se remettre ensuite à compter les jours en même temps, une fois qu'on est repartis de zéro.

— Oh, putain. » Elle avait posé ses mains sur ses bras à lui, mais elle ne le repoussait pas vraiment. « Ça a été déjà tellement difficile d'arriver là.

— Il faut que je fasse une pause dans cet effort », lui répéta-t-il.

Elle émit un son désagréable en enfonçant ses ongles dans ses bras. « Mateo, il faut que tu partes », dit-elle enfin.

Ils se dévisagèrent longuement. Il savait qu'il allait lui jouer la comédie du pauvre petit garçon égaré, son regard malheureux. Mais comment faire ? Peut-être valait-il mieux battre en retraite pour le moment.

Ce qu'il fit, littéralement. « Pas de problème. Je vais me débrouiller tout seul. Désolé d'être passé. Je n'aurais pas dû.

— J'aurais préféré que tu te rendes à une réunion, plutôt. Tu veux qu'on y aille maintenant ? » Carrie possédait une vieille voiture, une Honda Civic de 1994.

Il ne pouvait pas lui dire qu'il savait que c'était déjà trop tard – son sac était fait, il avait volé les cartes de crédit. « Non, je vais tracer ma route », dit-il en rouvrant la porte pour partir. Il se retourna, lui déposa un baiser rapide sur le front. « Prends soin de toi, surtout. »

Il connaissait le sentiment de solitude qu'il allait laisser derrière lui : sa petite chambre triste ; son absence de connaissances à L.A. sauf les amitiés ténues qu'elle avait nouées lors des réunions ; le talk-show à la télévision, à bas volume. Il comptait là-dessus.

Et cela fonctionna. Carrie soupira. « Pose ton sac, Mateo. Je peux te conduire chez un type que je connais. »

Banco. Il fallait jouer serré, désormais. Il se retourna vers elle. « Tu peux juste l'appeler, et j'irai tout seul. Tu n'as pas besoin de t'embarquer là-dedans. » Elle partit mettre ses tongs, prendre ses clés de voiture et ses lunettes noires. « Ferme-la, s'il te plaît », lâcha-t-elle sur un ton agacé, en le regardant dans les yeux alors qu'elle le rejoignait à la porte. À cet instant, il se sentit moralement tiraillé ! *Regarde ce que tu viens de faire*, pensa-t-il, *tu es le diable en personne.* Mais il se dit aussi : *Mission accomplie.* Maintenant, il devait garder des nerfs d'acier et maîtriser toute ambivalence et culpabilité tandis que l'aiguille entrerait dans sa peau.

Ils ne parlèrent pas pendant le voyage. Sur Sunset, il remarqua une fille, à moitié cachée dans la pénombre d'une entrée d'immeuble, en train de piquer du nez, en débardeur et short, et il espéra que Carrie ne l'avait pas aperçue. Carrie continua vers l'ouest sur la 3e Rue, jusqu'à un quartier mignon de Windsor Square, et elle s'arrêta devant un immeuble couleur pêche, situé à un coin de rue.

« Tu ne l'appelles pas avant ? s'étonna-t-il.

— Il est toujours là. »

Carrie sonna.

« Ouais ? répondit la voix d'un mec.

— Salut, c'est Carrie ! » dit-elle d'un ton enjoué.

La sonnette retentit, et la porte s'ouvrit. Les couloirs de l'immeuble empestaient le désinfectant à l'orange. Mateo entendit MGMT à fond de l'autre côté de la porte, qui s'ouvrit. Le type était un putain de branché aux tempes grisonnantes. Il aurait pu être scénariste. L'endroit était décoré façon vintage années 1950, avec une grande photo seins nus de Brigitte Bardot sur un lit.

« Salut ! » dit le mec. Il embrassa Carie puis, étrangement, augmenta le volume de la musique à tel point que tout le monde dut faire des efforts pour se faire entendre. Oh, comprit Mateo, il avait peur que ses clients portent un micro. Carrie ne semblait pas du tout nerveuse. Elle était juste détachée et triste. Bon, pensa Mateo, dommage. Le type voulait qu'ils restent chez lui. Carrie envoya un regard interrogateur à Mateo. Avaient-ils déjà baisé ensemble ?

« Nan, répondit Mateo, je préfère rentrer et kiffer. » Il tendit au type 200 dollars et lui demanda des seringues.

Le type le fixa, étonné, presque impressionné. « T'es sérieux, là ? »

Puis il haussa les épaules et partit dans sa chambre. Mateo s'assit sur le canapé à côté de Carrie, sans rien dire. Il posa une main sur sa nuque et la massa. Elle le regarda en hochant la tête. Ah, merde. Ses yeux étaient emplis de larmes. Il fallait agir. Il se pencha vers elle, et lui déposa doucement un baiser sur les lèvres.

« On va passer un super moment, la rassura-t-il tendrement, en souriant.

— Je sais », admit-elle, sur un ton plus résigné que véritablement excité.

Le type revint avec un sac en papier, que Mateo fourra dans la poche de son jean. Il remercia cet enculé de branché qui dealait dans son quartier de bourges à la con.

« Ne sois pas si distante, Carrie », lui lança le branchouille alors qu'ils partaient. Carrie lui sourit faiblement. Ils retournèrent chez elle en silence. La télévision était encore allumée – elle avait oublié de l'éteindre.

« Je voudrais prendre une douche avant, avança Carrie.

— Non, non, non, viens par ici », dit Mateo en l'attirant vers lui, la prenant dans les bras. Il n'en pouvait plus d'attendre, son cœur manquait d'exploser dans sa poitrine et il était en sueur. Il devait rendre le moment sexy s'il voulait se défoncer tout de suite. « Je t'apprécie beaucoup, tu sais. Je veux te sentir.

— C'est dégoûtant ! » rigola-t-elle en gigotant dans ses bras. Il la déposa par terre.

« Attends », prévint-elle.

Elle alla dans la cuisine et en ramena le matériel dont ils avaient besoin. La cuillère, le briquet, les serviettes en papier et l'alcool à quatre-vingt-dix degrés. Ils s'assirent par terre l'un à côté de l'autre. Mateo se sentait déjà défoncé ; il était arrivé à son but ; il était assis là avec, devant lui, tout ce dont il rêvait. Il avait la gorge nouée, un nuage de papillons dansait dans son estomac, ses bras et ses jambes étaient déjà délicieusement sous l'effet de la drogue – en cure de désintoxication, on lui avait expliqué que ce phénomène était lié à la mémoire du corps, un « souvenir euphorique ». Il retira sa ceinture et enleva sa chemise, puis examina l'intérieur de son coude gauche, où la trace minuscule des seringues avait presque disparu, serra la ceinture autour de son bras. Carrie préparait le matériel pour lui, l'air résigné. Il osa la regarder. Sa tête tremblait lentement.

« Qu'est-ce qu'il y a ? demanda-t-il.

— Je vais retomber, retourner à la case départ. »

Mateo ne put empêcher pendant un instant la honte l'envahir. Il ne dit rien, mais une fraction de seconde, elle croisa son regard, et elle y aperçut cette honte, et peut-être que cela l'aida finalement, car cela lui rappela qu'il était humain comme elle, pas une machine froide.

Mais il n'apprécia guère ce moment. D'ailleurs, il dit, froidement : « Tu sais bien à quel point tu vas te sentir bien dans une seconde. Oublie le reste. C'est ce que je fais. Dans un instant, cela ne comptera plus.

— Pourquoi est-ce que tu es venu à L.A. en fait ? » questionna-t-elle.

Il la dévisagea et éclata de rire, tout en prenant la seringue qu'elle lui avait préparée. « Pourquoi tu me demandes ça maintenant ? »

Il était prêt, aiguille en main. Il la regarda à nouveau une fois. Elle le fixait le regard vide, avec cette connasse d'Oprah qui parlait en arrière-plan. Encore un putain d'après-midi chaud et ensoleillé dans ce putain d'anonymat de L.A., dans un putain d'appartement anonyme, situé dans un putain de quartier anonyme, avec une fille quasiment anonyme. Il était une fois de plus sans repères, il aurait pu être n'importe où dans le monde à ce moment précis, il s'apprêtait à décoller, à s'effacer, et c'était la meilleure sensation qui puisse exister. Le moment qui précédait était encore meilleur que le shoot en lui-même. Puis l'aiguille entra. Et ensuite : Oh, cet éclair électrique ! Oh, cette violence à l'intérieur de son corps ! Enfin : la chute, la chute, la chute. Elle était toujours là, pendant la chute, 14 avril 1984, les choucroutes de cheveux années 1980, la mini-jupe en jean, les leggings, le perfecto en cuir. Pourquoi ne venait-elle le voir que lors de ces moments-là ?

Il était maintenant au plus profond de sa chute. Il ne savait pas que Carrie l'avait observé, l'air terrifié et abruti, un mélange de désir et de jalousie. Ou que, jusqu'à ce moment-là, elle s'était réservé la possibilité de partir – de courir jusqu'à sa voiture et de rouler jusque chez son parrain –, un voyage qui aurait pu finir mal car son cœur battait comme jamais, et que son corps était parcouru de frissons et de tremblements. Mais maintenant qu'elle le voyait ainsi, totalement défoncé par Dieu Héro, elle ne bougerait pas de là, elle en avait elle aussi tellement besoin.

À des millions de kilomètres de là, il la sentit retirer l'aiguille, défaire sa ceinture. « Tu peux me shooter, maintenant ? » l'entendit-il lui dire au loin, comme depuis une autre stratosphère. À des centaines de couches à l'intérieur de lui, il rigola. *Est-ce que je peux te shooter ? Est-ce que j'ai l'air de pouvoir te shooter ? Mais putain, fais-le toi-même, t'es pas défoncée et tu as tout le matos devant toi.* Il éprouvait tout de même une immense gratitude – pas envers Carrie qui, une fois de plus, était si loin, mais juste envers le fait d'être à nouveau défoncé. Il était si soulagé que cette longue période de quatre-vingts jours et quelques passée à prétendre ne plus vouloir se droguer soit finie… enfin, c'était à moitié vrai. Il ne voulait plus en prendre, mais il avait épuisé toute l'énergie nécessaire à rester loin de la dope. Il en avait plus qu'assez de devoir ainsi lutter. Par terre, adossé au pied du futon, il s'écroula dans un orgasme en piquant du nez. Putain ! Bon Dieu, c'était si bon de piquer ainsi du nez ! Et bientôt… la remontée !

« Mateo, s'il te plaît, tu peux m'aider ? » demanda à nouveau Carrie. Il attrapa sa ceinture et se traîna jusqu'à elle. Il n'avait aucune idée du temps, mais sa main resta tendue avec la ceinture au bout pendant trente secondes avant qu'elle ne la prenne et se fasse son garrot. Putain, Dieu merci ! Il rampa jusqu'à elle et enfonça sa tête entre ses jambes, son odeur se mélangeant avec sa défonce, le plongeant un peu plus dans son bonheur opiacé, au ralenti, à la même vitesse que lorsque son sang avait été aspiré par le réservoir de la seringue. Bon Dieu, qu'est-ce que c'était bon, putain !

Il trouva assez d'énergie pour lui ouvrir les cuisses et poser sa bouche grande ouverte au-dessus de son entrejambe, tandis qu'elle préparait sa dose – c'était sa façon à lui de lui dire qu'il fallait qu'elle évacue son sentiment de culpabilité pendant un instant, et qu'elle pense à après, juste après, lorsqu'elle serait défoncée. Il continua à tomber – le fantasme enfin réel de tomber dans un trou noir sans fin, sans peur de l'impact et de la chute – tandis qu'elle préparait son injection, très concentrée. Puis ses frissons et ses éclairs électriques le transpercèrent à son tour, comme plongeant dans sa défonce. Putain de bordel de merde ! Encore une fois, au ralenti, il sentit sa queue reprendre vie, comme souvent lorsqu'il venait de se shooter, même s'il était conscient qu'il ne pouvait avoir d'orgasme dans cet état.

Mateo savait qu'il fallait attendre que ces éclairs et ces chocs se calment en elle, car elle tombait à son tour et se retrouva à ramper à terre. Cela lui sembla durer des millions d'heures mais, installé au-dessus d'elle, il lui retira ses vêtements, puis enleva les siens, et, alors qu'ils ressemblaient à deux quasi-cadavres allongés sur le tapis, il lui ouvrit la chatte avec les doigts et y fourra lentement sa queue violacée, profitant de la sensation incroyablement lente et extatique de la pénétrer.

Elle s'étira et se contorsionna pour qu'il la pénètre le plus profondément possible. « Mateo. » Elle l'appelait par son prénom comme une petite fille de quatre ans. « Merci, Mateo. Tu avais raison. »

Il tendit les bras, lui bloqua les mains derrière sa tête. Il avait gagné. Il se sentait puissant et démoniaque. Il était encore et toujours M-Dreem !

« J'avais raison, ouais, meuf », dit-il, plaquant sa bouche à terre avec la sienne, puis se relevant et fondant à nouveau sur elle comme une arme de destruction massive. *Oh, putain*, pensa-t-il, *je n'aurais jamais dû naître, mais si j'avais dû naître, j'ai été conçu pour ces moments-là.* Se shooter et baiser. Il était extatique. Pendant vingt secondes peut-être, qui lui semblèrent durer deux heures, il sentit son corps en fusion avec celui de Carrie, mais là, même alors qu'il continuait à la baiser de plus en plus lentement, il se sentait s'éloigner inexorablement de son trou noir. Il n'y avait plus que lui et cette femme, leur lien impie, lui qui continuait à célébrer son existence vide, jusqu'à ce que, lorsqu'il releva enfin la tête et regarda Carrie, il aperçut à la place de son visage celui de la photo qu'il portait toujours sur lui, ce visage et le sien, fusionnés en un seul.

« Putain ! » glapit-il, brisant la lenteur du moment, bondissant hors de Carrie, transpercé par un spasme alors qu'il était retombé à côté d'elle, sur le dos, se touchant la queue comme s'il se pinçait pour savoir si tout cela n'était qu'un rêve.

« Qu'est-ce qu'il se passe ? » demanda Carrie, qui n'émit qu'un borborygme baveux, elle pouvait à peine regarder Mateo. *Je pense que l'héro est coupée avec un truc, de l'acide ou de l'ecsta,* voulait-il lui dire, mais il n'y arrivait pas – il la dévisagea avec le regard implorant et terrifié d'un enfant, toujours agrippé à sa propre queue.

« Je sens un truc différent, aussi », dit-elle. Elle monta sur lui, s'abaissa et se pencha hors de son champ de vision. Elle prenait sa revanche, maintenant. Et cela continua ainsi. Il tourna la tête sur le côté afin que tous deux, même s'ils avaient comme fusionné, puissent être tranquilles à des milliers de kilomètres l'un de l'autre, et il se laissa sangloter doucement. C'était cathartique et réconfortant, au beau milieu de la défonce absolue de l'héro. Il pleura et pleura, se lâcha comme un petit enfant, tandis qu'elle le baisait, et l'instant d'après, elle s'endormait sur lui, tandis qu'il était encore en elle.

Lentement, très lentement, le bruit de la sueur de leurs deux corps collés le sortit de sa torpeur et il la repoussa. « Mateo ! » protesta-t-elle une première fois, se réveillant pendant six secondes, avant qu'il ne la repousse une nouvelle fois doucement sur le tapis. Il rampa jusqu'à son pantalon pour y prendre son téléphone portable ; il avait terriblement envie de voir Hector, dont le canapé élimé de New York était devenu son endroit préféré pour se défoncer, avant qu'il ne parte en cure de désintoxication ; Hector, trop maniaque pour être vraiment accro à l'héroïne, prenait soin de Mateo tandis qu'il était défoncé à la méthamphétamine et faisait entrer différents visiteurs à l'arrière de la pièce.

Mateo s'était habitué au sentiment de sécurité à piquer du nez en sachant qu'Hector le surveillait et cela lui manquait à ce moment précis, et il voulait joindre Hector, pour voir s'il était à Palm Springs. Il fouilla dans son pantalon et en ressortit le téléphone, dont la batterie était presque vide. Il avait un texto de Drew : « S'il te plaît, reviens à la maison ou va à l'hôpital. Au moins, donne de tes nouvelles et dis-moi où tu es. Je t'aime. » Puis un message de son parrain. « Qu'est-ce qu'il se passe ? Tu n'es pas obligé d'en passer par là, tu sais. Tu penses que si, mais ce n'est pas vrai. Il te suffit de m'appeler. » Mateo les effaça tous les deux. Ils avaient également laissé des messages vocaux, mais il les effaça sans même les écouter.

Le numéro de téléphone d'Hector était gravé à jamais dans la mémoire de Mateo, un détail qui lui donnait autant envie que la vue d'une aiguille. Il lui envoya un message. « Suis à L.A., t'es où, putain de dingo ? t'es à Palm Springs ? »

Le téléphone en main, il se traîna, ventre nu, sur le tapis – oh, bon Dieu, que c'était bon ce grattement sur la peau, et à l'intérieur de lui –, et s'arrêta au niveau de Carrie – mais, est-ce qu'elle respirait encore ? Oui, elle respirait. Lentement, mais elle respirait. Il la prit dans les bras, lui embrassa le cou, jusqu'à ce que sa queue bande à nouveau. Puis il lui rouvrit ses cuisses et la pénétra par-derrière, en cuillère.

« Mateo », bredouilla-t-elle, en se collant à sa queue. En elle, il partit à nouveau dans les vapes, n'émergeant que lorsque le téléphone vibra dans sa main mi-close. Il vérifia. « Putain, ouais, truc de malade, je suis à PS, disait le texto d'Hector. Adresse ? Je viens sur toi. »

Mateo sourit. Hector « viendrait sur lui » et s'occuperait de lui et de Carrie. Hector n'arrêtait pas de raconter à quel point il adorait Palm Springs, l'air sec et les paysages désertiques ainsi que les grandes fêtes gay. Comment cet enculé d'Hector, qui n'avait pas un rond, pouvait se payer un billet pour aller à Palm Springs, ou même une voiture de location ? Et comment traversait-il le pays avec toute sa dope sans se faire serrer ? Où est-ce qu'il mettait son putain de chien ? Bon, on s'en fout, pensa Mateo. Il allait venir.

« C'est quoi l'adresse d'ici ? demanda-t-il à Carrie.

« Pourquoi ? marmonna-t-elle.

— Un pote à moi qui veut passer. »

Elle se contorsionna, mécontente. « Pourquoi ?

— Pas de stress. Il ne prend pas d'héro et il veut nous regarder pendant qu'on pique du nez. »

Elle lui indiqua l'adresse et il l'envoya par message à Hector, une épreuve qui sembla lui durer une heure. Puis, toujours en Carrie, Mateo s'assoupit à nouveau.

La sonnerie de la porte d'entrée retentit. Mateo regarda son téléphone. Il était 3 h 42 du matin, plus de deux heures s'étaient écoulées depuis son dernier message à Hector. Cela sonna à nouveau. Hésitant, Mateo sortit de Carrie. Il arriva à se relever et enfiler son jean. Il tituba jusqu'à la porte de l'appartement, ouvrit la porte extérieure, puis regarda par l'œil-de-bœuf, tout sourires. C'était Eau de Pédé, lunettes noires en plein milieu de cette putain de nuit. Mateo lui ouvrit la porte. Hector était avec un grand échalas aux cheveux teints en blond, un gay efflanqué à cause de la meth, à moitié à poil sous un tee-shirt Lady Gaga et des leggings violets sous un short très court. C'était quoi ce bordel ? Mateo se tint de côté pendant qu'ils se précipitaient à l'intérieur, pressés de quitter le couloir.

« Putain, *negrito*, c'est dingue, non, on est sur la côte Est, dit Freakshow, les lunettes toujours au bout du nez, son Eau de Pédé émanant de son jean blanc trop serré et de son débardeur. Pourquoi tu m'as pas dit que tu serais là ? Ça fait longtemps que t'es pas venu. Tu te souviens que je t'avais dit que je venais ici tous les ans pour une grosse teuf ? J'ai plein de potes ici. »

Hector n'arrêtait pas de parler, tandis que Mateo le regardait, ahuri. Le torse d'Hector est encore plus creusé en haut que la dernière fois que Mateo l'avait croisé. Il s'était rasé la tête et quelqu'un lui avait dessiné un vilain tatouage dans le cou – une sorte de chat de dessin animé totalement flippant. Quant à son enfoiré de toxico de pote – Bon Dieu, pensa Mateo, ce gamin doit avoir vingt-trois ans, et on dirait qu'il va en avoir le double. Ses dents et sa peau étaient dévastés.

« Qu'est-ce que tu branles ici ? » demanda Hector à nouveau. Mais Mateo ne répondit pas. Il était dans les vapes, les yeux lourds, défaillant sur ses jambes devant eux.

« Ah, putain, couina Coton-tige, défoncé. Ils sont *éclatés*. »

Mais Mateo s'en fichait. Freakshow était là. Mateo arriva à poser une main affectueuse sur l'épaule d'Hector. « Freakshow, marmonna-t-il. Putain de *freak* de New York.

— Ça ne s'est pas amélioré depuis la dernière fois que je t'ai vu », constata Hector en guidant Mateo à travers la pièce, où la télévision toujours allumée à bas volume passait un talk-show du câble en direct du sous-sol de l'animateur. Il déposa Mateo sur le futon, avant de remarquer Carrie, nue, les jambes écartées, à court de souffle, sur le tapis.

« Putain de bordel de merde, dit Hector. Elle fait une OD ? »

Coton-tige resta dans le cadre la porte, l'air paniqué, tandis qu'Hector s'agenouillait vers Carrie et lui remontait la tête. Au milieu de sa défonce, Mateo était heureux que Freakshow s'occupe de lui et de Carrie. Mateo savait bien qu'Hector allait ouvrir son sac à dos qui contenait ses sex toys, ses films pornos et son lubrifiant, ainsi que la petite boîte noire avec sa pipe à meth ; il savait qu'Hector allait réveiller Carrie en lui fourrant la pipe entre les lèvres ; il savait qu'elle allait se lever tout à coup, dans cet étrange état physique vibrionnant, entre la défonce de l'héroïne et le speed de la meth, cet état que Mateo avait connu quelques fois en compagnie d'Hector. Mateo savait qu'elle ne ferait plus d'overdose, maintenant. Et Hector vint à côté de Mateo ensuite, pour lui déposer la pipe entre les lèvres.

En un instant, Mateo visualisa tout ce qui se passait dans la pièce. Coton-tige aspirait avec voracité sur la pipe et enlevait son short et ses leggings, soufflant de la fumée dans la bouche de Freakshow, bouche contre bouche, avec des va-et-vient constants ; Carrie, nue, jambes écartées, regardait Mateo l'air hébété, complètement défoncée sur le tapis. Freakshow arracha ses vêtements, se retrouva en caleçon de cuir noir, et se pinça les tétons, se léchant les lèvres et s'asseyant sur le futon. Coton-tige fourra un DVD dans le lecteur de la télévision, puis l'écran géant explosa de la peau bronzée orangée et de la musique techno des pornos gay. Les yeux de Mateo semblaient, après ces heures à comater, s'agrandir si vite qu'ils allaient lui sortir de la tête. Il était à la fois excité et flippé ; il retira son jean et se mit à frénétiquement branler sa queue molle, puis à se gratter le cuir chevelu.

« Putain, oh, putain de putain, répétait-il. Bordel, bordel, bordel ! »

Carrie rampait vers lui à terre, les yeux exorbités également. « Mateo, viens ici, disait-elle. Prends-moi dans tes bras.

— Je ne peux pas, pas maintenant, répondit-il, l'air perdu. Il regardait, comme désespéré, Freakshow.

« Il faut qu'on te fasse descendre un peu », dit Hector. Il alla fouiller dans sa petite boîte noire, en sortit quelques doses et prit une clé. Il donna d'abord à Carrie, puis à Mateo, puis à Coton-tige puis, enfin, à lui-même, une grosse dose de quelque chose – quelque chose d'autre, tiré d'une autre réserve.

Peu importait ce qu'Hector lui avait donné, Mateo sentit immédiatement que cela marchait; la pièce bougeait désormais plus lentement, dans une sorte de mouvement érotique triste. En un instant, Carrie était sur Mateo, à le serrer si fort, à descendre sur lui; juste à côté d'eux, Coton-tige faisait de même avec Hector.

Putain, réussit à comprendre Mateo, ils vont baiser à côté de nous. Son cœur battait fort, mais c'était agréable; ses yeux étaient mi-clos, mais lorsqu'il les rouvrit, il réalisa qu'il ne savait absolument plus où il se trouvait; Freakshow avait dû leur donner de l'acide, ou des champignons, ou de la kétamine ou de la MDMA ou un mélange de tout cela; alors qu'il observait tous les visages présents dans la pièce, il ne vit que le sien et celui de la photographie. Ah oui, pensa-t-il, il était revenu à cet état de douceur intense. Carrie l'avait remis en elle, et elle penchait sa tête vers son cou.

« Oh, non, pas ça, pas ça », glapit Coton-tige tandis qu'il s'activait sur Freakshow, signifiant visiblement l'exact contraire, répondant en écho aux hommes qui baisaient à l'écran. Mateo eut un éclair de lucidité où il réalisa que la soirée ne finirait sûrement pas bien.

« Ysabel, prononça-t-il clairement, face à elle, alors qu'elle le regardait. Ysabel Mendes. »

D'habitude, il détestait penser à son nom, et encore moins le dire à voix haute. Mais, grands dieux, d'où cela sortait-il? Elle était là, en train de le regarder! Il continuait à baiser Carrie, les yeux fermés. Lorsqu'il les rouvrit, sûrement quelques minutes plus tard, il aperçut Coton-tige seul sur le futon, l'air hébété, isolé. Mateo fit le tour de la pièce, à toute allure. Freakshow, nu, était de l'autre côté et le dévisageait, horrifié, en se cachant le visage de ses mains.

Les yeux de Mateo explosèrent dans ses orbites. Il n'arrivait pas à s'arrêter de rire. « Putain, mais quoi, Freakshow? Reviens ici, tu me fais flipper. » Carrie baisait Mateo sans dire un mot, sa tête comme morte sur son épaule, une large tache s'agrandissant sur le futon à l'endroit où il était en elle.

Mais Hector ne bougea pas. Pendant plusieurs secondes supplémentaires. Puis, sans un mot, il se rhabilla et prit son portefeuille ainsi que les clés de sa voiture de location.

« Putain, tu te casses? » demanda Mateo. Paniqué, il repoussa Carrie et se leva si vite qu'il tomba à terre, à genoux. La pièce tournait et se rétrécissait; comme si le Palais des Glaces s'était transformé en Train Fantôme en une seconde. La musique techno du porno tapait dans sa tête et ensuquait son cerveau d'une étrange manière. Freakshow sortait par la putain de porte ! *Où tu vas, bordel ?* essaya de lui crier Mateo, mais il n'y arrivait pas – il rampait vers lui, terrifié à l'idée qu'il parte.

Tu peux pas me laisser maintenant, tenta-t-il de dire, en vain. Il regarda la dernière image des bottes d'Hector disparaître alors qu'il fermait la porte. Mateo atteignit la porte, parvint à l'ouvrir, rampa à l'extérieur et tituba dans le couloir hors de l'appartement, mais Hector pouvait marcher vite, pas lui.

Depuis la vitre du couloir, Mateo vit Hector prendre sa voiture et partir. Le soleil se levait. Mateo était nu, puant et suant, sur l'escalier extérieur, là où quelqu'un pourrait le trouver. Carrie et Cotontige étaient dans l'appartement, avec toute la dope, faisant Dieu sait quoi. *Il faut que tu rentres,* pensa-t-il depuis très loin. La majeure partie de son corps et de son esprit voulait à tout prix reprendre ce coït animal. Il ne pouvait concevoir une seule pensée articulée. Il se mit alors à se masturber tout en regardant à travers la fenêtre du couloir. Il aperçut un joggeur passer ; combien de temps s'était-il écoulé ? Des minutes ? Des heures ?

Puis il entendit au loin des sirènes. Étaient-ce vraiment des sirènes ? Oui, c'était des sirènes. Et elles se rapprochaient. Mais Mateo ne pouvait bouger. Totalement détaché et fasciné, il observa l'ambulance s'arrêter devant l'immeuble, des infirmiers en débarquer au pas de course avec tout leur matériel. Il entendait le vacarme au rez-de-chaussée tandis qu'ils appuyaient sur toutes les sonnettes. Il se décida alors à retourner à l'appartement, et lorsqu'il y arriva, titubant sans un vêtement sur la moquette du couloir, il tomba nez à nez avec cinq urgentistes.

Les monstres ne sont pas gentils
(1997)

Voilà, il était seul. C'était la première chose qui lui vint à l'esprit lorsqu'elle l'aperçut, dans la salle de jeux de l'orphelinat catholique réservé aux garçons de Fort Green, là où elle avait accepté de rejoindre sa mère pour déjeuner. Il y avait d'autres garçons à quelques mètres, tous noirs ou très foncés, âgés de quatre ou cinq ans et occupés à un jeu fort élaboré consistant à heurter leurs petites voitures les unes contre les autres, mais le gamin dont Ava avait la garde légale jusqu'à ce qu'il trouve un vrai foyer, dont Ava avait dit qu'elle voulait veiller sur lui, était allongé seul dans son coin, le ventre à même la moquette orange de la pièce joyeusement baignée par le soleil, ornée de grands dessins colorés aux murs et aménagée avec des meubles multicolores. Lui dessinait des créatures poilues et effrayantes avec des crayons foncés sur du papier kraft blanc. La première chose que remarqua Milly, c'étaient les grosses boucles noires de ses cheveux en pagaille.

Milly et Ava s'agenouillèrent à côté de lui. « Emmy, voici Mateo, présenta Ava. Mateo, voici ma fille, Millicent.

— Coucou, Mateo, dit Milly. Qu'est-ce que tu dessines ? »

Pendant plusieurs secondes, Mateo continua à dessiner. Puis il leva les yeux et leur jeta un regard bref. « Des monstres.

— Ah, d'accord, des monstres ! » s'exclama Ava. Son accent nasal du Queens transperça la pièce, remarqua Milly. « Quel genre de monstres tu dessines, Mateo ? Ce sont des gentils monstres ? »

Mateo leva la tête vers Ava, et fit de gros yeux, ce qui eut le don de faire glousser Milly intérieurement. « Non, dit-il d'un ton neutre. Les monstres ne sont pas gentils.

« — Certains monstres, si ! insista Ava. Et le Monstre Gâteau ? »
Mon Dieu, pensa Milly, que sa mère était bruyante. « Tu connais
le Monstre Gâteau, n'est-ce pas ? »

Studieusement, une fois encore, Mateo laissa passer quelques
secondes, coloriant le dessin, avant de relever ses magnifiques
yeux bruns fatigués. « Non.

— Nous n'avons pas de télévision, au foyer. »

Milly et Ava levèrent la tête. C'était Sœur Ellen, la responsable du
lieu, une solide femme aux cheveux courts, en jean, sweat-shirt et
casquette des Yankees. « C'est mieux comme cela, ajouta la nonne.

— Même pas « 1, rue Sésame » ? s'étonna Ava. On ne peut pas
priver les enfants de « 1, rue Sésame » ! » Elle ne plaisantait qu'à
moitié, se dit Milly. « Emmy, tu imagines, toi, si tu n'avais pas eu
« 1, rue Sésame » ? C'est la meilleure des baby-sitters !

— Une chose que vous ne connaissez pas ne peut pas vous
manquer, fit remarquer gentiment la Sœur. Dès que ces petits garçons sont placés, on ne maîtrise plus la question de la télévision,
mais tant qu'ils sont ici... » Elle s'interrompit. « C'est une règle que
j'ai instaurée. Je préfère qu'ils lisent. Ou jouent, comme maintenant. »

Amusée, Milly observa sa mère prétendre réfléchir à ce point de
vue, et en respecter la position. « Bien sûr, approuva Ava. Je pensais
juste que vous pourriez faire une exception pour « 1, rue Sésame ».

— Pas d'exception. »

Ava se releva pour continuer à discuter avec la Sœur, tandis que
Milly se retournait vers Mateo. « Je peux dessiner avec toi ? tenta-
t-elle.

— Si tu veux », dit-il sans relever les yeux. Il avait quel âge...
quatre ans ? Cinq ans ? Milly le dévisagea un instant depuis sa hauteur, à trente ou cinquante centimètres au-dessus de lui. Elle
n'arrivait pas à vraiment apercevoir son visage, juste cette masse
de cheveux bouclés et noirs. Il portait un tee-shirt Yankees trop
grand pour lui (de fait, songea Milly, comme de nombreux autres
garçons ici ; Sœur Ellen, dans son amour des Yankees, avait réussi
à trouver un accord pour que les joueurs rendent visite aux enfants
et leur offrent des tee-shirts et des casquettes), un bermuda et des
baskets qui semblaient provenir d'Old Navy. Elle observa comment
son adorable petite main potelée tenait le crayon de couleur (brun

221

ocre) avec tant de maestria, sans se crisper. Elle prit une feuille de papier blanc et la boîte de crayons.

« Ça ne te dérange pas si j'utilise du brun terre d'ombre ? lui demanda-t-elle.

— Non. »

Elle s'attela à son dessin, prenant d'autres crayons de couleur dans la boîte. Elle était ravie lorsqu'elle constata qu'il jetait un œil dessus, de plus en plus longuement.

« Voilà, dit-elle, en tenant la feuille devant elle. Qu'est-ce que tu en penses ?

— Qu'est-ce que c'est ? s'enquit-il sans lever les yeux.

— C'est toi qui tiens par la main un gentil monstre. » C'était bien ce qu'elle avait dessiné. On y voyait Mateo, habillé comme actuellement, en train de tenir la main, tout sourires, d'une grosse créature poilue et sympathique, de couleur jaune et bleu, dans un décor de New York qu'elle avait esquissé derrière eux.

Il roula des yeux dans sa direction l'air piteux, comme si elle n'avait absolument pas compris ce qu'il avait dit. « Les monstres *ne sont pas* gentils, répéta-t-il, avant de retourner à son dessin.

— Je pensais en faire un qui l'était. Le premier monstre gentil de l'univers ! C'est pas mal, non ? »

Il ne prit même pas la peine de répondre. Milly resta assise, les yeux posés sur le dessus de sa tête. Puis, elle regarda le dessin qu'il faisait. Il était doué, c'était évident. Il avait dû regarder des images dans les livres et savait instinctivement comment en redessiner les lignes. Elle ne tenta plus d'interagir avec lui, et se contenta de l'observer dessiner. Il fit comme si elle n'était pas là, alors qu'il était obligé de se rendre compte de sa présence.

Sa mère et Sœur Ellen revinrent dans la pièce, et Milly se releva.

« Vous êtes une artiste, donc, m'a appris votre mère », lança Sœur Ellen. Milly commençait à comprendre pourquoi sa mère et Sœur Ellen avaient travaillé main dans la main ces dernières années. Elles étaient toutes deux autoritaires, directes et devaient exiger des autres d'agir rapidement.

« Effectivement, dit Milly.

— Elle enseigne depuis quelques mois au lycée de LaGuardia », précisa Ava. Cela agaçait légèrement Milly que sa mère soit plus impressionnée par le fait qu'elle ait décroché un poste d'enseignante que par n'importe quelle œuvre que Milly avait créée. « C'est l'une des meilleures écoles d'art de la ville. Et son ami, lui, enseigne à Art & Design. »

Sœur Ellen ne semblait absolument pas éblouie par tout ça, et coupa court à la discussion. « Vous pourriez vous joindre à nous les samedis après-midi en couple et faire des trucs artistiques avec les garçons. Et aussi amener vos amis artistes et venir à tour de rôle. »

Milly regarda Ava, qui était juste derrière Sœur Ellen, un sourire amusé aux lèvres, se demandant comment Milly allait se dépêtrer avec cette nonne directive.

« C'est notre seul jour libre, protesta faiblement Milly. Mais, enfin…

— Alors vous n'avez qu'à venir les dimanches, juste après votre jour libre, insista Sœur Ellen. Juste quelques heures. » Elle fit un geste en direction des enfants. « Vous savez, ils ne bougent pas d'ici. »

Milly jeta un regard à Ava qui fit un léger mouvement d'épaule comme pour dire : *Ne me demande pas, c'est toi qui vois.* Puis Milly baissa les yeux vers Mateo, au-dessus de son adorable petite tête et de ses doigts potelés tenant le crayon.

« Bien sûr, nous allons venir », consentit Milly. Elle sortit un petit carnet noir et un stylo de son sac et les tendit à Sœur Ellen. « Notez votre numéro et je vous appellerai pour fixer la date. »

La nonne prit le carnet et le stylo, visiblement satisfaite d'elle-même. « Vous n'allez même pas vivre ça comme un travail », dit-elle en marquant son contact. Milly s'agenouilla à nouveau et, rapidement, caressa la petite tête bouclée. « Je vais revenir, et on dessinera d'autres monstres ensemble, d'accord ? »

Il leva les yeux vers elle, comme s'il lui faisait un honneur. « D'accord, oui. Mais, je suis désolé, il n'y a vraiment pas de gentils monstres.

— Tu en es absolument certain ? » répliqua Milly.

Il inspira un bon coup, comme s'il allait répondre, mais s'arrêta en repensant à la question. « J'en suis presque sûr », confirma-t-il en hochant la tête pour appuyer son propos.

Milly et Ava allèrent déjeuner dans un restaurant jamaïcain, échappant à la chaleur du week-end du 1er mai en se réfugiant dans ce lieu climatisé, et commandèrent citronnade à la menthe et

223

sandwichs au poulet. « Tu voulais passer là-bas aujourd'hui juste pour voir Mateo ? » demanda Milly à sa mère.

Ava, la bouche pleine, fit un signe de la tête. « On pense à redonner quelques-uns de ces enfants à leur mère, dit-elle finalement en s'essuyant la commissure des lèvres avec sa serviette, comme une dame du monde – une affectation à la fois drôle et étrangement touchante pour Milly.

— Tu es sérieuse ? À cause du nouveau traitement contre le sida ? »

Ava acquiesça. « Ouais. C'est ce qu'on appelle le Syndrome de Lazare. Les gens recommencent à vivre. C'est taré. Et après, ils doivent reprendre leur vie en main. Cela veut dire, pour une poignée de mères, qu'elles veulent à nouveau s'occuper de leurs enfants. Elles n'ont plus peur de mourir bientôt. Pour certaines d'entre elles, on tente de fonder une sorte de maison collective où elles pourraient élever leurs enfants ensemble.

— C'est incroyable, commenta Milly. Qui aurait pu penser… » Les mots lui manquaient.

« Que ces gens finiraient par arrêter de mourir ? poursuivit Ava. Pas moi ! Quinze années de mort, de mort, de mort, puis les gens qui ont eu la chance de survivre jusque-là commencent à aller mieux, arrêtent de ressembler à des cadavres. Maintenant, ils doivent trouver un moyen de payer leurs crédits à la banque. »

Milly regarda le visage d'Ava : des traits affirmés. De larges cercles sous les yeux. Des cheveux grisonnants, avec une grande tignasse plus épaisse au milieu, comme celle de son père, Sam, même si Ava l'appelait encore son Elliott Gould et qu'il s'évertuait à continuer à lui donner du Marisa Berenson. Quinze années de drogue pour Ava, mais des drogues d'un autre genre : « Les médicaments pour ma tête », comme les appelait Ava. Et une bonne dizaine de distinctions et honneurs publics depuis qu'elle avait ouvert Judith House en 1990, dont une en provenance directe de la Maison Blanche. Les articles dans le *Times*, *New York Magazine*, *Essence*, le papier dans *Vogue* où ils l'avaient maquillée et habillée et donné une robe Donna Karan pour figurer au milieu d'une demi-douzaine de « guerrières de notre temps ».

« Maman, tu ne te tues pas au travail ? »

Ava réfléchit un instant. « Je ne saurais pas quoi faire de moi-même si je n'avais pas ce boulot, répondit-elle. La chose dont je suis la plus fière dans la vie, c'est d'avoir claqué la porte de cette putain de bureaucratie et de réussir à vraiment aider des gens. »

Milly plongea son regard dans son sandwich, estomaquée par ces mots. Elle sentait les larmes lui monter aux yeux, mais elle résistait car elle voulait être plus adulte que cela.

« Oh, chérie… » souffla Ava. Milly voulait que sa mère lui prenne la main, mais elle n'en fit rien. « Tu sais bien ce que je veux dire. Je parlais de ma carrière. Bien sûr que je suis fière de toi. »

Cela n'aurait pas pu être plus insultant. Milly baissa la voix. « Tu sais, je fais ce que je peux. J'essaie de m'en sortir. J'ai un boulot stable. Je suis avec quelqu'un que j'aime.

— J'adore Jared ! s'exclama Ava.

— Je sais, oui. » Ava aimait effectivement Jared. En partie, se doutait Milly, parce que Jared venait d'une grande famille riche juive d'Allemagne, et que Ava avait toujours rêvé d'avoir de telles origines. Des juifs WASP, et pas des shtetl, comme Ava.

« Et tu sais bien que je suis fière de toi », répéta Ava. Mais, pensa Milly, elle semblait agacée d'être obligée d'exprimer cela à voix haute. Milly savait qu'il était temps de changer de sujet – cela lui ôterait ce nœud de ressentiments qui l'enserrait.

« Moi aussi, je suis fière de toi.

— C'est adorable », dit Ava.

Un silence gêné s'ensuivit. Milly pensait aux médicaments qu'elle prenait également, son antidépresseur, le Wellbutrin. Au bout de quelques mois de traitement, Jared lui avait dit : « Il y a quelque chose qui cloche, Mille-Pattes, c'est évident. Et prendre un médicament légèrement à moyennement fort pour soigner ta dépression légère à moyenne (*légère à moyenne*, comme ce que disait le médecin) ne veut pas dire que tu vas marcher sur les pas de ta mère. Mais arrête de faire comme si tu ne souffrais pas de dépression. Chaque jour est là pour le rappeler, à toi et à moi également. »

Milly s'était donc mise au Wellbutrin. Et est-ce que cela avait fonctionné ? Elle était quasiment certaine de se sentir moins… moins quoi ? Triste ? Ce sentiment que rien n'irait jamais, que cette ombre de crainte planerait toujours autour d'elle, rampante, s'élevant parfois et la plaquant dans son lit, la plongeant dans un livre pendant des heures comme si elle pouvait physiquement l'étreindre et s'y isoler, l'accompagnant hors de son triste appartement et dans les rues d'East Village pendant ces longues, très longues marches, juste pour essayer de comprendre, de trouver un moyen de sortir de cette peur vaporeuse. Et parfois, des larmes surgissaient de nulle part durant ces marches menées à vive allure où Milly se fichait bien de savoir qui la voyait en train de sangloter doucement.

Elle aurait tellement voulu en parler à sa mère. Mais elle ne se donnait pas cette liberté. C'était tellement terrible, avec toute la nature accusatoire qui allait avec – *Regarde ce que tu m'as légué!* Qu'elle et sa mère partagent cet atroce monstre, cette créature mentale qui sévissait à l'intérieur des cerveaux des femmes et les rendait folles, les rendait ingérables pour les gens avec qui elles vivaient – encore une Juive névrotique! –, c'était trop pour les frêles épaules de Milly. C'est pourquoi, tandis qu'elles étaient assises face à face et plongées dans un silence gêné, Milly fit ce qu'elle avait appris à faire toute sa vie : regarder les autres gens, et se demander de quoi ils souffraient.

« Au fait, ce petit chou, reprit-elle. Est-ce qu'il connaît sa mère ? »

Le regard d'Ava s'alluma ; elle aussi, savait parfaitement Milly, était soulagée de passer à autre chose, de parler des autres et de leurs problèmes.

« Je ne pense pas qu'il la connaisse vraiment. Ysabel ne l'avait que depuis un an lorsqu'elle est venue pour la dernière fois à St Vincent et que Mateo a intégré le foyer de Sœur Ellen. Mon Dieu. » Ava soupira. « Qu'elle ait vécu sa grossesse normalement et qu'il soit né normal et sain, c'est un vrai miracle.

— Est-ce qu'elle a pensé… » Milly marqua une pause au beau milieu de sa phrase. « … à se faire avorter ?

— Elle ne pouvait pas », répondit Ava. Puis, sur un ton pontifiant : « Le catholicisme, que veux-tu. Même si sa famille l'a quasiment reniée lorsqu'ils ont appris qu'elle avait le sida et qu'ils ne voulaient plus la voir. Elle n'a pas osé leur demander de l'élever, alors j'ai accepté d'être son tuteur légal jusqu'à ce qu'il trouve une vraie famille d'accueil.

— Qui est le père ? »

Ava eut un petit rire désabusé. « Elle dit qu'elle ne sait pas. Elle a disparu à un moment de sa vie, et elle a fait n'importe quoi de son corps. Elle se droguait, allait danser en club et ne disait pas aux mecs qu'elle était séropositive. Un jour, elle s'est pointée avec un bébé de quatre mois dans le ventre. C'est à cette époque qu'elle a fréquenté notre foyer et que nous lui avons donné de l'AZT... et *voilà*... » Ava fit un grand geste en direction de l'orphelinat, pour évoquer Mateo. « Et c'est pour cela que le gamin est né séronégatif.

— Mmm, dit Milly, en pensant encore au petit garçon qu'elle venait de quitter, le laissant seul avec ses crayons. Et pourquoi tu ne l'adoptes pas toi-même ? Tu as la place pour l'accueillir.

— Moi ? hurla Ava. Avec mon emploi du temps ? Pourquoi pas toi ? »

Après déjeuner, Ava retourna dans East Village et Milly prit le Long Island Rail Road à Brooklyn puis le train pour retrouver Jared dans sa maison familiale de Montauk. C'était la tradition pour le week-end du 1er mai.

« Comment s'est passée la journée avec Ava ? » lui demanda Jared en l'embrassant à la gare où il était venu la chercher. Jared, à presque trente ans maintenant, avait des tempes grisonnantes sous ses boucles blondes et dorées. Il était toujours aussi beau, se dit-elle, lui et sa peau fraîchement hâlée. Il était là depuis vendredi.

« Ça va. » Elle ne voulait pas ennuyer Jared en lui faisant l'exposé de tout ce qu'elle avait pu ressentir après avoir vu sa mère. « Elle m'a amenée dans un orphelinat à Fort Greene. Oh, mon Dieu, Jared ! » Elle lui posa la main sur le bras, tandis qu'il conduisait. « J'aurais aimé que tu voies ce petit garçon, Mateo. Il a quatre ans, et il dessine tellement bien. Il dessinait des monstres qui avaient l'air vraiment effrayants, alors je me suis assise à côté de lui et je lui ai fait un monstre gentil, et quand je lui ai dit ça, il m'a juste lancé un regard tellement désarmant et touchant, et il a dit : "Les monstres ne sont pas gentils." »

Jared gloussa, l'air distrait, tandis qu'il négociait un virage. « Ce gamin a raison. Les monstres ne sont pas gentils. Ils ne seraient pas des monstres, autrement, et on ne rend pas service aux enfants en leur faisant croire qu'il y a des monstres gentils, comme le Monstre Gâteau.

— C'est exactement ce qu'Ava lui a dit ! Elle était outrée que la nonne qui dirige le foyer – qui, d'ailleurs, est une lesbienne absolue – ne laisse pas les enfants regarder la télévision, même « 1, rue Sésame ».

— Tu sais quoi, lui dit Jared en manquant l'interrompre, les monstres sont des monstres. Le sida et les maladies mentales sont le sida et des maladies mentales. Rien d'autre. »

Cela interloqua Milly. « Maladie mentale ? Tu sous-entends quoi, là ? »

Il lui jeta un regard en conduisant. Milly sentit qu'il regrettait ce qu'il venait de dire.

« Je dis juste qu'il vaut mieux appeler toute maladie – sida, névrose, cancer, Parkinson, ou de Lyme comme pour ma sœur – en utilisant son vrai nom, comme cela on est conscient de ce que l'on doit affronter, plutôt que d'utiliser des métaphores ou des sur- noms. »

Milly resta silencieuse. Elle ne savait vraiment pas comment réagir. Elle préféra penser à Mateo et à ce qu'il pouvait bien faire à ce moment précis. Jouait-il parfois avec les autres garçons ?

« Bref… il faut que je te dise quelque chose, avoua-t-elle enfin à Jared. Sœur Ellen – la *butch* qui s'occupe de ce foyer pour gar- çons –, elle m'a un peu forcé la main pour que toi et moi y allions un après-midi de nos week-ends pour dessiner avec ces enfants.

— Ah, vraiment ? s'esclaffa Jared. À Brooklyn ?

— Oui, mais c'est proche de Manhattan. Au croisement d'Atlan- tic et Pacific.

— Le week-end, on va à nos ateliers pour nos propres créations, tu sais.

— Je n'y vais que les dimanches. »

Jared lui lança un regard en coin, mais n'ajouta rien.

Vingt minutes plus tard, ils étaient sur la terrasse de la maison qui dominait la plage, en compagnie de la famille de Jared, buvant du rosé, tandis que le père de Jared, un professeur d'histoire à NYU depuis 1976, préparait les burgers sur le barbecue. Ils allèrent se changer pour enfiler jean et sweat-shirt afin de se rendre au feu de camp annuel avec toujours le même groupe de voisins en compagnie desquels Jared passait le 1ᵉʳ mai depuis qu'il avait onze ans. Puis, ils rentrèrent aux alentours de minuit et baisèrent pour la première fois depuis deux semaines dans les lits jumeaux de la chambre d'enfant de Jared. La chambre sentait et résonnait comme l'océan, et Milly s'y sentait en sécurité et protégée, blottie dans les bras duveteux de Jared tandis qu'il s'endormait.

Le matin, elle se réveilla seule dans le lit, se prépara rapidement et descendit pour prendre un café. Jared était avec sa famille devant CNN.

« La Princesse Diana est morte, annonça la mère de Jared, une belle femme aux cheveux blonds coupés court qui s'occupait d'une association d'aide aux plus démunis depuis douze ans. Hier soir, dans un terrible accident de voiture au milieu d'un tunnel à Paris.

— Oh, quelle horreur ! s'exclama Milly. Ses pauvres enfants ! »

Ils prirent le petit déjeuner, interrompus par la télévision, chacun d'eux retournant à la cuisine pour se resservir du café ou des céréales, puis revenant au drame qui se jouait sur CNN. Ils décidèrent finalement de se rendre à la plage avec serviettes et ombrelles. Mais la sensation de mort, ainsi que les allégations diverses laissant supposer que c'était peut-être un meurtre, les accompagna jusque-là comme une ombre. C'était d'autant plus étrange que Diana était pour eux comme un personnage de fiction ; aucun d'eux ne connaissait quelqu'un qui connaissait quelqu'un qui l'aurait connue, ou même croisée. Milly ne pouvait penser à autre chose qu'à ces deux mignons petits garçons qu'elle laissait derrière elle dans les bras d'un atroce père froid et distant, et de la grand-mère, la reine. Ces pensées la firent glisser jusqu'à Mateo, et ce qu'il pouvait bien faire à cette heure-là, ou à d'autres moments, durant ces longues journées au foyer.

En fin d'après-midi, alors que le soleil déversait une lumière liquide et mordorée magnifique dans tout Montauk, Milly et Jared firent comme tous les ans, et prirent leurs cartons à dessins ainsi qu'une couverture pour battre en retraite dans des dunes isolées et se dessiner l'un et l'autre. Puis ils firent à nouveau l'amour là-bas, sur la couverture, et ils restèrent allongés dessus, nus, et discutèrent longuement.

« L'année où on s'est séparés, ça a été la pire année de ma vie, lui dit Jared. Chaque jour a été une souffrance. On ne se sépare plus jamais, d'accord ? Jamais, jamais, jamais.

— Jamais », murmura Milly. Mais ses souvenirs de cette année étaient bien différents. Bien sûr, elle se souvenait de la solitude de ces nuits seule dans son nouvel appartement, sans Jared. Mais elle se souvenait aussi de la clarté pure des jours et des nuits, du sentiment que sa vie, pour la première fois, était une toile blanche immaculée posée devant elle. Elle n'avait jamais réussi à autant se concentrer sur sa peinture, plutôt que sur celle de ses étudiants ou de Jared. Depuis, elle avait échangé cette concentration artistique pure et régulière, ainsi que sa solitude acceptable, contre une vie de couple et intime allant de pair avec un art superficiel qu'elle remettait toujours au lendemain. Un jour, se disait-elle, elle serait seule dans un atelier perdu dans les bois, avec peut-être quelques autres artistes avec lesquels elle dînerait et boirait un verre de vin en fin de journée, avant de repartir peindre toujours et encore au beau milieu de la nuit.

C'était son fantasme de résidence d'artistes, même si elle n'avait jamais déterminé précisément quand elle irait, ni dans quelle résidence. Maintenant, elle était une femme en couple, avec sa propre famille, la famille de Jared, ses étudiants ; une femme intégrée dans le monde.

De retour à New York après le week-end à Montauk, elle et Jared se plongèrent dans leur première semaine de cours dans leurs nouvelles écoles respectives. Diana était partout : en couverture des quotidiens et des magazines, nuit et jour à la télévision. Milly pensait à elle de façon détachée, comme lorsque l'on pense à une personnalité publique si omniprésente dans les médias qu'elle envahit notre vie. Milly considérait que Diana était devenue assez idiote et inconséquente ces dernières années, assurant qu'elle voulait être la reine dans le cœur des gens, et toutes ces bêtises du genre ; il lui semblait également que, jeune trentenaire mariée, elle profitait du glamour et du sexy dont elle avait été privée depuis qu'elle avait dû porter cette robe de mariée ridicule et écrasante lors d'une cérémonie royale suffocante à l'âge de dix-neuf ans.

Mais il y avait une autre pensée qui taraudait Milly, une pensée renforcée par l'incroyable exhibition de tristesse que cette mort provoquait en Angleterre, avec des gens en pleurs devant le château et priant la reine de faire preuve de compassion, d'humanité. Car Diana était une martyre qui avait fait preuve de bonté et de chaleur dans un monde gouverné par des règles arbitraires et inhumaines. Pourquoi la générosité et l'humanité ne pouvaient-elles pas prévaloir ? Pendant toute la semaine de rentrée, Milly se posait sans cesse cette question tandis qu'elle pensait à Diana – une semaine de nouvelles classes, de nouveaux visages, de nouveaux documents à ingurgiter. Pourquoi des petits garçons étaient-ils abandonnés en foyer ? Cette pensée désespérée laissait Milly au bord des larmes, tandis qu'à la radio passait la nouvelle version de « Candle in the Wind » qu'Elton John avait chanté lors des funérailles de Diana. Puis, Milly se disait qu'elle était folle et qu'elle devrait sûrement augmenter les doses de Wellbutrin.

Le samedi suivant, Jared lui apprit qu'il ne pouvait pas l'accompagner au foyer. La faculté d'art d'Arts & Sciences organisait une rencontre afin de reconfigurer les ateliers. Milly se rendit donc seule là-bas avec une grande quantité de crayons et de papier. Sœur Ellen l'accueillit fort naturellement, comme si elle était déjà venue cent fois ici, et l'amena jusqu'à la salle de jeux ensoleillée où une douzaine de garçons, tous âgés entre quatre et neuf ans, étaient en train de s'amuser. Mateo était assis seul sur une chaise, avec son maillot des Yankees, en train de lire *Le Petit Homme de fromage et autres contes trop faits*, remuant ses pieds d'avant en arrière dans ses toutes petites baskets Nike.

Milly s'agenouilla. « Tu te souviens, on s'est vus la semaine dernière ? On a dessiné des monstres ensemble ? »

Il leva les yeux. Avait-elle surpris une trace de joie sur son visage, ou d'excitation de la revoir, avant de lui présenter à nouveau un regard détaché ? « Je me souviens de toi, lui dit-il sagement.

— Tu as envie de dessiner avec moi, encore une fois ? J'ai ramené du papier et des crayons.

— Je dessine tous les jours. »

Cela cloua Milly sur place, et elle ne trouvait plus les mots adéquats.

« Tu peux dessiner, si tu as envie », ajouta-t-il.

Elle devait faire comme si de rien n'était. « Je vais tout mettre par terre, proposa-t-elle, et si tu en as envie, tu dessineras avec moi. »

Elle se déplaça au centre de la salle de jeux et conversa avec les autres enfants. Ils prirent ses fournitures et se mirent à dessiner. Milly commença calmement à dessiner à son tour une certaine maison de Montauk qu'elle aimait, tout en encourageant les trois ou quatre autres gamins à la rejoindre, leur prodiguant de gentils conseils qu'elle pensait utiles pour leur âge. Elle se força à ne pas regarder du côté de Mateo et elle fut très heureuse, vingt minutes plus tard, lorsqu'elle leva les yeux et découvrit qu'il était derrière son épaule.

« C'est bon, je suis prêt à dessiner, maintenant, annonça-t-il.

— Super », dit Milly en essayant de ne pas laisser paraître son triomphalisme. Elle fouilla dans son sac. « Tu veux prendre des feutres de couleur ? Ils sont plus… » Elle faillit utiliser le mot *sophistiqués*, mais était-ce correct avec un enfant de quatre ans ? « Ce sont pour les plus grands, alors tu aimeras peut-être. »

Il s'allongea sur le ventre, les chevilles croisées en l'air, et se mit à son dessin. Milly veilla à le laisser tranquille, et retourna au sien et aux autres enfants. Une formidable sensation de calme l'avait envahie ; elle n'avait pas l'impression d'avoir oublié une urgence, ou d'être taraudée par un souci. À un certain moment, elle regarda Mateo, qui leva les yeux vers elle, l'air ahuri, comme s'il voulait dire : *Quoi, madame ?*, et cela eut le don de la faire rire, et il lui sourit doucement en retour, avant de retourner à son ouvrage.

« Voilà », déclara-t-il en poussant la feuille vers elle.

Une créature indéfinie, un tas visqueux, de toutes les nuances de bleu et de vert, flottait au-dessus d'une rue avec des maisons aux toits pentus et des passants – des personnages très détaillés, pour un garçon de quatre ans – qui marchaient dans la rue. La créature bleu marine, qui flottait au milieu de nuages, pas loin du soleil, avait de grands yeux vides et un bâton dans la bouche.

« J'aime beaucoup, commenta Milly. Notamment les différentes nuances de bleu et de vert. Qu'est-ce que c'est ? »

Il prit une longue inspiration, comme s'il allait dire quelque chose de grave. « C'est un monstre qui n'est pas méchant, mais qui n'est pas non plus gentil. C'est un monstre entre-deux.

« — Un monstre entre-deux, répéta Milly, en masquant sa joie et en tentant de garder un ton neutre.

— Un monstre entre-deux qui ne fait ni le bien ni le mal, il regarde juste les choses. »

C'est la définition de Dieu, pensa-t-elle de suite. *Dieu nous observe et ne bouge pas le petit doigt.* « Ah, je comprends. Un monstre entre-deux. C'est très bien.

— Tu dessines quoi ? » Il se leva au-dessus de son épaule, les mains sur les hanches. L'attitude directive de Sœur Ellen avait un peu déteint sur lui.

Elle lui tendit la feuille. « Une maison que j'ai vue la semaine dernière et que j'aime beaucoup. »

Mateo examina le dessin sans rien laisser transparaître. « Elle appartient à qui ?

— Je ne sais pas. Je l'ai juste aperçue et je l'ai trouvée belle.

— Tu dessines bien », dit-il.

Milly exulta : « Merci ! »

Elle revint au foyer pour garçons les samedis suivants. Une fois, elle arriva à convaincre Jared de l'accompagner. Il y prit énormément de plaisir, surtout avec un enfant du nom de Tranell qui voulait toujours dessiner la rivière Mariano.

En partant du foyer d'Ellen un samedi, il lui passa le bras autour du cou et lui demanda : « Tu ne veux pas avoir un enfant ? J'ai envie d'être père et d'apprendre à dessiner à mon fils. »

Son cœur se serra. Elle avait toujours su que, s'ils restaient ensemble, le sujet viendrait sur la table un jour ou l'autre. Mais pourquoi maintenant ? Ils n'avaient que vingt-sept ans ! Et Jared savait qu'elle prenait la pilule. Elle rit, en essayant de ne pas paraître trop nerveuse. « Hum, on peut en reparler dans cinq ans, plutôt ?

— Cinq ans ? protesta-t-il.

— D'accord, bon, cinq mois », dit-elle.

Mais en fait, huit jours plus tard, le sujet revint d'actualité, lorsqu'elle n'eut pas ses règles. Elle avait oublié de prendre ses pilules avec elle à Montauk lors du week-end du 1er mai, ce week-end où Diana était morte. Sans en toucher un mot à Jared, elle acheta un test de grossesse, qui se révéla positif. Toujours sans rien lui dire, elle alla voir un médecin, qui lui confirma la nouvelle. Elle ressortit de la consultation complètement abasourdie. De retour à l'école, elle alla s'enfermer dans son minuscule bureau où elle n'était quasiment jamais allée auparavant – on était au mois d'octobre – et appela Drew à L.A.

« Oh, hello, Mille-Pattes, quelle surprise !

— Tu as une minute ?

Drew marqua une pause. « Oui, qu'est-ce qu'il y a ?

— Je viens d'apprendre que je suis enceinte. À l'instant, genre vingt minutes quoi, chez le médecin. Je ne l'ai encore dit à personne. »

Drew était interloquée. « Oh, mon Dieu. Et donc ? » Silence. « Que veux-tu que je te dise ? "Félicitations" ou "Ma chérie" ou "Qu'est-ce que tu vas faire ?" »

— "Qu'est-ce que tu vas faire ?", dit Milly. Et je suis quasiment certaine que je ne vais pas le garder. Je ne vais pas le garder. Je ne vais même pas le dire à Jared, je vais m'en occuper dans mon coin et faire comme si cela n'était jamais arrivé et que je n'avais jamais oublié de prendre ma pilule... Continuer comme si de rien n'était.

— Millicent, la coupa Drew d'un ton grave. Du calme. Tu as tout le temps de te décider s'il n'a qu'un mois. Et pourquoi tu n'irais pas le dire à Jared, franchement ?

— Parce qu'il voudra qu'on l'ait, voilà pourquoi ! cracha Milly, comme si Drew était une imbécile.

— Et il n'y a pas une partie de toi qui en a envie ? Nos amis ont des enfants, à cet âge, Mille-Pattes. Et si je tombais enceinte par accident, je pense que Christian et moi le garderions. »

Par accident ! pensa Milly. Quelle imbécile je fais ! « Par accident ! rétorqua-t-elle. Voilà. Tu n'as jamais pensé à tomber enceinte. Tu as ta vie.

— Oui, mais je dis, *si* je tombais enceinte. Tu ne veux même pas y réfléchir ? »

Milly resta silencieuse et reprit ses esprits, baissant la voix. « Je ne veux pas mettre un enfant au monde avec mon héritage familial. Je ne veux pas perpétuer ce cycle de maladie et le regarder sans rien pouvoir faire.

— Oh, mon Dieu. Tu n'es même pas bipolaire. Et ta mère, depuis qu'elle est soignée, va plutôt bien depuis des années.

— Non, tu as tort, je suis sous antidépresseurs, moi aussi. Et je pense que cela ne fait que commencer. J'ai le même âge que lorsque cela a débuté pour ma mère, et au début, ce n'était qu'une dépression, sans épisodes maniaques. »

Drew resta silencieuse pendant un long moment. Milly l'imaginait devant son ordinateur, le chien sur les genoux, un café froid sur la table. Milly entendait Radiohead en fond sonore.

« Oh, chérie, lâcha enfin Drew. Je peux te demander une chose ? Est-ce que tu peux te donner quelques jours de réflexion ? Tu as tout ton temps. Réfléchis-y.

— Réfléchis-y alors qu'il grandit de plus en plus à l'intérieur, qu'il devient plus humain et que c'est de plus en plus difficile de s'en séparer ?

— Écoute : tu as *vraiment* tout ton temps. Et je pense sérieusement que tu devrais en parler à Jared. Vous êtes en couple.

— Je peux y réfléchir jusqu'à demain et on en reparle ?

— Oui, ma chérie. Je suis ici toute la semaine, je bosse, donc appelle-moi quand tu veux. Mais je peux te dire un truc ? Cela serait magnifique, vraiment. »

Milly soupira, déchirée. « Merci ma Drew-pie », dit-elle en raccrochant.

Ce soir-là, elle rentra chez elle assez tard. Mais elle ne dit rien à Jared. Elle adopta un masque de neutralité avant d'entrer dans l'appartement, pour qu'il ne soupçonne rien. Elle bloquait tout intérieurement. Et le jour suivant, puis le suivant, puis le suivant. Elle appela Drew, n'en parlant à personne d'autre. Drew la mit en contact avec une chercheuse psy très réputée de Columbia qui lui dit qu'en effet il n'existait aucun moyen de prédire si son enfant souffrirait de la même maladie mentale et ou de calculer le pourcentage de chances que cela arrive. La chercheuse, par contre, ajouta que, lorsque l'enfant aurait le même âge qu'elle au début de sa dépression, des traitements bien plus adaptés auraient vu le jour, et que cette maladie serait traitée très facilement. Mais Milly ne pouvait s'empêcher d'imaginer passer des années à observer son enfant, nouée par la peur de déceler les premiers terribles signes de dépression ou de manie, ou les deux.

Finalement, elle appela Drew et lui demanda d'un ton dur : « Si je viens te voir à L.A., est-ce que tu m'accompagneras pour l'avortement ? »

Drew attendit avant de pouvoir répondre : « Je peux te poser une seule question ? Si tu pouvais mettre de côté cette angoisse, est-ce que tu voudrais cet enfant ? »

Milly tenta d'y réfléchir sans se mentir. Elle aimait son nouveau boulot. Elle aimait enseigner l'art aux enfants le samedi. Elle aimait être indépendante dans son atelier, le dimanche. Elle aimait gagner assez d'argent pour pouvoir voyager avec Jared. « À ce stade de ma vie ? Pas maintenant. Non. »

Un nouveau long silence. Puis, Drew : « D'accord, je vais venir te voir, et tu n'as pas besoin de me payer mon billet. Je vais organiser quelques rendez-vous et écrire un papier. Mais une seule chose : je ne peux pas dormir chez toi si tu ne le dis pas à Jared. Ça va être trop bizarre de passer quelques jours avec vous deux, de partir en secret pour ton avortement, et de faire semblant que tout va très bien, madame la marquise.

— Ce ne sera pas aussi difficile si on est deux, raisonna Milly.

— Je ne pense pas que cela soit bien de ne pas le dire à ton copain depuis, quoi, cinq ans ?

— Six ans, techniquement.

— Six ans, oui. Tu mets un mur entre vous deux, et tu vas le regretter ensuite. »

Milly respectait l'opinion de Drew, et y réfléchit. Mais dans sa tête, elle ne voyait pas pourquoi elle devait en parler à Jared. Alors, elle n'hésita pas et prit rendez-vous pour l'avortement, puis informa Drew de la date. En agissant ainsi, elle créait un mur dont elle était la première étonnée. Elle n'en dit rien à Jared, et en ne lui en parlant pas, elle se mit à lui en vouloir d'ignorer la situation – n'aurait-il pas pu deviner qu'elle était enceinte et désespérée ? Elle n'en parla pas non plus à sa mère – cela aurait été prendre de plein fouet toute l'ampleur de sa douleur. Mais ce qui la surprit le plus, c'est qu'elle n'en toucha même pas un mot à son psy. Elle ne pouvait supporter qu'une personne de plus que Drew lui dise qu'elle le regretterait peut-être. Elle devait rester forte et tenir sa ligne de conduite, et s'en débarrasser au plus vite. En son for intérieur, elle n'avait aucune intention d'avoir un jour un enfant – jamais. Elle ne voulait pas que sa maladie familiale s'agite devant ses yeux sous la forme de son enfant.

Drew prit donc un vol pour New York et s'installa à West Village dans l'appartement d'un ami journaliste qui était en déplacement. C'est ce qu'expliqua Milly à Jared, et aussi qu'elles devaient se rejoindre pour dîner et passer une soirée ensemble. Mais, en fait, Drew retrouva Milly le matin même au cabinet d'un médecin à Soho, décoré d'une magnifique vasque en céramique et de peintures de qualité aux murs, avec des canapés brun clair dans la salle d'attente. Lorsqu'elle aperçut Drew, Milly se laissa aller à de longs pleurs, tandis que Drew la tenait dans ses bras.

« Franchement ? » Drew regarda Milly droit dans les yeux : « Mille-Pattes, tu crois savoir de quoi le futur est fait, alors que ce n'est pas vrai.

— Non, protesta doucement Milly, tout en remplissant les papiers officiels, c'est parce que je ne le sais pas, justement. C'est ça que je ne supporte pas. C'est comme se demander si je vais élever une bombe à retardement. »

Drew soupira longuement. « Oh, Milly », dit-elle en guidant son amie jusqu'au canapé. Une infirmière arriva enfin et appela Milly.

« Je reste ici », l'assura Drew tandis que Milly partait avec l'infirmière.

Milly se força à reprendre ses esprits, et entra dans le bureau du médecin. Elle sépara sa conscience de son corps pendant toute la procédure. Le Valium aidait, heureusement d'ailleurs car maintenant que l'opération avait lieu, elle angoissait d'ainsi avorter de l'enfant de Jared (qui en voulait !) sans lui avoir rien dit. Et si elle ne pouvait plus jamais tomber enceinte ? C'était bien ce qu'elle voulait non ?

Je dois vraiment me détacher de cette situation, se disait-elle. Alors elle réfléchit à la peinture, ce qui la calmait toujours, elle pensa à ce qu'elle allait toucher cette année avec son nouveau poste et quel matériel elle pourrait s'offrir avec son salaire, et elle se dit qu'elle pourrait garder un peu d'argent pour apporter du matériel aux petits garçons, le samedi. Elle ferait découvrir la gouache à Mateo, et au pinceau – elle glisserait un pinceau pour la première fois entre ses petits doigts ! –, si Sœur Ellen le lui autorisait. Ce serait un bel après-midi.

Voilà, pensa-t-elle, elle était capable de se détacher de cette situation. Et cela ne voulait pas dire qu'elle n'aimait pas les enfants, pas du tout. Cela ne voulait pas dire qu'elle ne pourrait pas être une bonne mère. Elle pourrait être une mère aimante, une mère attentive, une mère qui couve son enfant, une mère qui y voit une priorité. Tout cela, c'était possible. Elle n'imaginait même pas ce qui pouvait bien se passer entre ses jambes, au croisement de ses cuisses, et elle fit de son mieux pour se laisser bercer par les murmures réconfortants de l'infirmière durant toute l'opération. Juste, elle aurait préféré ne pas être là.

Une fois l'opération finie, ils lui amenèrent une chaude couverture un peu vieillotte et lui dirent de se reposer. Elle se mit sur le côté, cala ses mains sous l'oreiller, et resta ainsi un bon moment. Elle était soulagée que tout cela soit fini. Et elle n'oublierait certainement plus de prendre sa pilule. Elle se sentait un peu engourdie, mais rien de plus. Le Valium la faisait légèrement planer. Drew entra et s'assit à ses côtés, lui caressant et lui lissant les cheveux en arrière, tout en lui souriant. Elle aimait Drew, c'était certain. Elle trouvait étrange d'ainsi alterner remords et ressentiments envers Jared; Drew, par contre, elle l'aimait.

« Comment ça va, chérie ? demanda Drew.

— Ça va, c'est fini. Merci d'être venue.

— On va prendre un taxi pour retourner à West Village, et on va se louer des films qu'on va regarder toute la nuit, d'accord ? proposa Drew.

— Pas de film avec des enfants, dit Milly.

— Pas de film avec des enfants. »

Elle appela Jared depuis l'appartement de l'ami de Drew le soir même. Il se préparait des pâtes et s'apprêtait à aller voir Green Day avec Asa et d'autres amis.

« On sort aussi, lui répondit-elle. Mais on n'a pas encore décidé où. » Elle mentait; elle se sentait à peu près bien, si ce n'étaient quelques crampes, mais elle n'avait aucune envie d'aller dans un restaurant bondé et peut-être d'y croiser des gens. Drew lui envoya un regard légèrement teinté de reproche.

« Tu rentres demain après le travail, n'est-ce pas ? lui demanda-t-il.

— Bien sûr. On préparera à dîner ensemble. »

Drew et elle regardèrent des films idiots jusqu'à minuit, puis s'endormirent ensemble dans le grand lit de l'ami de Drew, lovées l'une contre l'autre, comme lorsque Drew avait débarqué chez

Milly à Brooklyn le soir précédant sa cure de désintoxication. Milly n'avait pas dormi avec quelqu'un d'autre que Jared depuis trois ans, depuis cette période entre 1993 et 1994 où elle et Jared n'étaient plus ensemble et qu'elle avait connu quelques aventures. Et voilà qu'elle retrouvait le corps doux et fin de Drew, ses cheveux à l'odeur de cannelle qui la rassurait tant, et elle dormit bien et longuement pour la première fois depuis des semaines. Le matin, elles prirent leur petit déjeuner chez Tartine, puis Drew héla un taxi sur la 7e Avenue pour aller à l'aéroport.

Elles se prirent dans les bras. « Merci d'être toujours là quand il faut », dit Milly à Drew.

Drew prit le visage de Milly entre ses mains fraîches. « Je t'aime, Mille-Pattes. Je t'appelle quand j'arrive. »

Milly fit sa demi-journée de cours, comme cela était prévu, le cœur joyeux de voir ses nouveaux étudiants et de travailler avec eux. Lorsqu'elle fit les courses pour le dîner, elle se sentait aussi heureuse et chanceuse, et lorsqu'elle revint chez elle et aperçut Jared devant son ordinateur posé sur la table de la cuisine, avec du houmous et de la pita posés à côté de lui, elle ne ressentit ni culpabilité ni remords, juste de l'amour et du soulagement. Elle posa ses sacs, puis alla s'asseoir sur ses genoux, lui passa les bras autour cou et l'embrassa longuement, très longuement.

« Toi et Drew, vous avez baisé, et elle a visiblement rallumé ta libido, dit-il, le rouge aux joues. Heureusement qu'elle est présente dans ta vie ! »

Elle éclata de rire. « Mais non, on n'a pas baisé ! On s'est fait des câlins, mais rien de sexuel. »

L'hiver venant, elle continua à se rendre au foyer de Sœur Ellen les samedis, parfois seule, parfois avec Jared. Il y avait les projets pour Thanksgiving, les projets pour Hanoukka, les projets pour Noël. Chaque samedi matin, elle se réveillait heureuse, avait hâte de remplir son sac de matériel de dessin et sautait dans le train. Elle aimait arpenter la pièce lumineuse car les enfants l'accueillaient avec des cris de joie et devenaient fous lorsqu'ils la voyaient arriver. Tous, sauf Mateo qui, dès qu'il l'apercevait, affichait un sourire doux et calme, avant de s'installer sur une petite table qu'il avait désignée comme son atelier d'art. Là-bas, il montrait précautionneusement à Milly les projets sur lesquels il avait travaillé toute la semaine. Il l'attendait patiemment, très professionnel, les bras croisés, observant chacun de ses mouvements tandis qu'elle évoluait au milieu des autres enfants. Milly savait qu'il savait qu'ils ne constituaient qu'un prologue pour lui, l'étudiant chéri, et il avait raison. Milly l'adorait, mais elle ne se laissait jamais aller à le lui montrer trop car Mateo ne voulait clairement pas qu'elle adopte une attitude différente.

Le 20 décembre, le samedi d'avant Noël, Mateo eut cinq ans.

« On va manger le gâteau d'anniversaire ce soir au dîner », lui apprit Sœur Ellen. Puis Sœur Ellen regarda le paquet cadeau que Milly avait amené à Mateo, après lui avoir demandé l'autorisation.

« Tu veux l'accueillir chez toi ? » questionna-t-elle.

Milly eut le souffle coupé. « Quoi ? Devenir famille d'accueil ?

— Ce n'est pas une adoption, la rassura Ellen calmement. C'est un essai. Si cela ne fonctionne pas, il reviendra ici. » Elle marqua une pause. « Comment est-ce que je peux donner toutes les chances à son talent quand il grandira, avec tous ces autres enfants dont je dois m'occuper ? »

Sœur Ellen fit un peu peur à Milly. Elle avait l'impression qu'Ellen pouvait lire dans ses pensées, ou plutôt dans son cœur, car c'était comme si elle savait pertinemment que Milly avait pensé et repensé des dizaines de fois à ce scénario chaque jour des derniers mois. Elle lui répondit étonnamment directement : « Oui, je voudrais. Mais je ne sais pas si Jared est d'accord. Il veut que nous ayons un enfant ensemble.

— En quoi est-ce incompatible ? »

Milly ne dit rien.

« Écoute-moi, continua Ellen sur le même ton franc, je connais des parents qui ont accueilli des enfants, puis les ont adoptés. Ils pensaient qu'ils n'y arriveraient pas, par manque d'argent ou de temps, ou qu'ils voulaient leurs propres enfants. Ils pensaient que cela leur pourrirait leur vie. Et ce qui s'est passé, c'est que cela leur a ouvert leur vie. D'un coup. »

Milly acquiesça, buvant chacun de ses mots. Elle jeta un regard en direction de Mateo qui était assis les bras croisés, son projet face à lui, battant des pieds dans le vide, à l'observer avec un air patient et déterminé.

Elle gloussa. « Regarde-le. Il sait bien que c'est mon chouchou. »

Ellen sourit. « Et en plus, ajouta-t-elle, c'est son anniversaire.

— Tout ça est ta faute », plaisanta Milly.

Ellen lui massa légèrement l'épaule quelques instants. « Oh, tout était déjà là, tu sais », dit-elle avant de retourner dans la cuisine.

Milly alla voir Mateo. « Coucou, bonhomme. On m'a dit que c'était l'anniversaire de quelqu'un.

— C'est *mon* anniversaire, la corrigea-t-il, comme impatient devant sa timidité. Tu viens regarder ?

— Regarder *quoi* ?

— Regarder ça, *s'il te plaît*, Milly ?

— Merci, c'est mieux comme ça. »

Le soir même, alors qu'ils dînaient ensemble, après avoir parlé à Jared de Mateo et de ses dernières créations, comment il avait réagi en ouvrant son cadeau (vérifiant que toutes ses couleurs favorites étaient bien là, puis lui accordant un *merci* précautionneux), Milly amena le sujet explosif sur la table, indirectement.

« Sœur Ellen m'a demandé si on serait d'accord pour accueillir Mateo chez nous.

— Vraiment ? » Il avait répondu si à la légère que Milly sut qu'il n'avait jamais réfléchi à cette possibilité, même vaguement. Mateo existait pour lui dans un coin éloigné et isolé, certains samedis, lorsque sa vie bien organisée lui laissait le temps nécessaire. « Elle doit passer beaucoup de temps à essayer de trouver des familles d'accueil pour ces petits garçons. »

Elle n'ajouta rien, cherchant comment rebondir, ce qui avait parfois le don d'angoisser Jared.

« Tu lui as dit qu'on allait réfléchir ? » s'étonna-t-il, incrédule.

Elle haussa les épaules. « Je lui ai dit que je t'en parlerais. » Elle essayait de paraître détachée, ingénue.

« Tu le voudrais ? Moi je veux avoir nos enfants à nous, Milly. »

Elle paniqua. Combien de temps arriverait-elle encore à lui mentir ? « J'ai peur d'avoir des enfants, avoua-t-elle tout à coup. J'ai peur de donner naissance à un enfant dépressif et bipolaire. Je ne veux pas revivre ça, avec mon propre enfant. Et si toute cette expérience ne fait qu'aggraver les choses, à cause des hormones, et que je devienne encore plus malade alors que nous avons un enfant à élever ? Là, c'est un gamin qui existe déjà, et à qui nous pourrions donner un foyer. »

Jared semblait de plus en plus abasourdi au fur et à mesure que Milly parlait. Il l'interrompit d'un « T-t-t-t-t » puis s'arrêta. « Tu penses vraiment que ce gamin ne va pas nous poser de problèmes ? réfuta-t-il finalement. Sa mère est morte du sida, Milly. On ne sait même pas qui est le père ou même quel était son problème à lui. Au moins, nous, on se connaît, ainsi que nos familles.

— On nous demande juste de l'accueillir, cela ne nous engage pas à vie.

— Tu y vas chaque samedi, Milly. Je ne te vois quasiment plus ce jour-là. »

Milly sentait les larmes monter en elle, pour des raisons qu'elle ne comprenait pas totalement. « On a une pièce libre qui pourrait devenir sa chambre, argumenta-t-elle. Il aurait sa propre chambre. Sa vie dans sa chambre à lui. Maintenant que je le connais... » Elle se recroquevilla un peu sur elle-même. « Je pense tout le temps à lui, Jared. »

Jared la regarda dans les yeux, intensément. « Vraiment ? s'informa-t-il sur un ton calme.

— Énormément. »

Il essayait de réfléchir à toute vitesse, elle le sentait. « Je pensais que tu voulais qu'on fonde notre famille.

— En quoi est-ce incompatible ? dit-elle, mentant à moitié. C'est que... c'est arrivé comme ça. Il est arrivé comme ça. »

Jared semblait un peu désorienté, et hochait la tête lentement. Ils passèrent à autre chose.

Les trois samedis qui suivirent, elle alla rendre visite aux garçons sans Jared, mais le quatrième, Jared demanda : « Ça te dérange si je viens avec toi ? »

Alors qu'ils approchaient du foyer, il questionna : « Comment va le petit prodige, au fait ? » C'était la première fois qu'il mentionnait Mateo depuis leur conversation un mois plus tôt.

« Il a sûrement fini un projet qu'il veut me montrer. »

En effet. Le dessin consistait en huit différents oiseaux de couleurs différentes, tout sourires, qui volaient dans le ciel au-dessus des cimes des palmiers. En contrebas, du sable et de l'eau, avec des poissons nageant l'air heureux dans l'eau, et des crabes hilares sur le sable.

« Tout le monde sourit, dis donc, dans ton dessin cette semaine ! s'exclama Milly. Ça ne te ressemble pas.

— Ça s'appelle "Paradis", lui expliqua Mateo. C'est différent d'ici, tout le monde sourit.

— Même les crabes, fit remarquer Jared.

— Tu ne viens pas tout le temps, toi », rétorqua Mateo à Jared.

Milly et Jared éclatèrent de rire. « Parfois, je fais la grasse matinée le dimanche », confessa sur un ton penaud Jared.

Ils travaillèrent avec les enfants pendant une heure et demie, et lorsqu'ils s'apprêtaient à partir, Jared prit doucement Milly par le bras et murmura : « Tu veux toujours accueillir Mateo ?

— Tu es sérieux ? Et toi ?

— Cela ne va pas nous tuer. On peut essayer.

— Allons en parler », dit-elle. Ils sortirent pour déjeuner dans le quartier. « Pourquoi as-tu changé d'avis ? voulut-elle savoir.

— Je n'ai pas changé d'avis. J'avais juste besoin de temps pour y réfléchir. Et je crois que ça serait chouette, si tu en as encore envie. Et si cela ne fonctionne pas…

— Ce n'est pas si simple de renvoyer un enfant dans un foyer », prévint Milly.

Jared réfléchit à sa remarque pendant un long moment. « Je peux prendre ce risque. Il n'est pas obligé de nous aimer follement ou d'être particulièrement affectueux. On le mettra à la crèche du quartier et on lui présentera d'autres enfants dans le parc, et si Ellen et les autres gamins lui manquent dans six mois ou un an, il pourra y retourner. Je peux tout accepter de sa part… tant qu'il ne nous mord pas ou qu'il n'essaie pas de nous poignarder. »

Milly éclata de rire. « Ce n'est pas le genre à mordre ou attaquer. Il est bien trop mesuré pour ça. Il te glacera sur place avec son regard. »

Ils retournèrent à pied jusqu'au foyer, passant devant une pile de sapins de Noël jetés là. Milly regarda Jared. « Je t'aime », dit-elle.

Il serra sa main sur son épaule. « Moi aussi, je t'aime. »

Ils rentrèrent à l'intérieur et dirent à Sœur Ellen qu'ils voulaient accueillir Mateo.

Elle leur répondit d'un sourire lent et triomphateur. « J'espérais bien que vous reviendriez. » Elle les guida jusqu'à son bureau.

Ils obtinrent les autorisations municipales assez vite. Ils avaient l'argent, les garanties nécessaires. Ils avaient une pièce pour lui. Ils recevraient des aides de l'État qu'ils pourraient utiliser ensuite pour une nounou lorsqu'ils devraient aller travailler. Ils pourraient prendre Elysa, leur amie actrice qui habitait dans l'immeuble, pour s'occuper de lui. Un samedi, après avoir fini leur session avec les autres enfants, Ellen les convoqua avec Mateo dans son bureau, puis ferma la porte derrière eux.

« Mateo, mon chou, Milly et Jared veulent t'accueillir chez eux », annonça-t-elle. Sa voix s'érailla. Milly n'en revenait pas – cette femme aux allures de dures allait fondre en larmes !

« Est-ce que cela te dirait d'aller vivre avec eux à Manhattan, à East Village ? continua Sœur Ellen. Tu aurais ta pièce pour toi tout seul et tu pourrais revenir avec eux le samedi pour me voir, et puis tous tes copains, et faire des dessins tous ensemble. »

Mateo ouvrit lentement la bouche mais ne dit rien. Milly, qui souriait en sa direction, était terrifiée. Allait-il les rejeter ? Peut-être serait-il plus heureux ici, même s'il n'était pas l'enfant le plus extraverti du foyer. Il continua à ne rien dire.

« Nous avons une très jolie chambre pour toi, dit Milly. Tu pourras en peindre les murs et… ce sera ton atelier de création à toi tout seul. »

Il avait plutôt l'air de trouver cela étonnant et ennuyant ! Milly était dévastée.

« Ce n'est pas ce que je veux, déclara-t-il finalement, l'air vraiment contrarié. Je veux mes vrais parents. »

Milly et Jared se regardèrent. Comment n'avaient-ils pas pu en parler avec Sœur Ellen ? Leurs regards se posèrent sur elle.

« Mateo, dit Ellen. On a déjà eu cette discussion, tu te souviens ? Nous ne savons pas qui est ton papa. Et ta maman est morte quand tu étais encore un petit bébé. Elle était très malade.

— Je pense qu'elle s'est perdue en ville, et qu'elle va mieux maintenant et qu'il faut juste que vous la retrouviez », affirma-t-il avec une confiance étonnante.

Milly prit la main de Jared et la serra fort. Elle n'avait pas envisagé à quel point cela allait être difficile. Sœur Ellen se leva, s'agenouilla devant Mateo et lui prit la main.

« Chéri. Ta maman a vraiment disparu. Elle est morte. Elle ne pourra pas revenir.

— Noooon, je ne pense pas... » commença-t-il sur un ton éminemment raisonnable. Puis Milly sentit comme une lame transperçant son estomac alors qu'elle voyait son petit visage se tordre et tout à coup éclater en sanglots. « C'est pas possible, hurla-t-il. C'est pas possible. Elle s'est juste perdue.

— Oh, mon chou », dit Sœur Ellen, en le prenant dans ses bras où il continua à pleurer – des pleurs intenses, désarmants. Milly sanglota à son tour et Jared la rassura en passant son bras autour de son cou. Ils restèrent ainsi tous les quatre pendant une bonne minute, avant qu'Ellen ne leur dise : « Je vous rappellerai », puis ils partirent.

Milly pleura pendant de longues minutes, dans les bras de Jared. Puis elle réussit à sécher ses larmes et plaisanta : « Tout ça pour ça !

— Donne-lui un peu de temps », dit Jared.

Sœur Ellen les rappela pour leur dire d'oublier cette conversation et de continuer à venir comme toujours les samedis. Mateo savait qu'il pouvait partir ou non avec eux, et Ellen ne voulait pas qu'il ait l'impression qu'elle avait envie de l'expulser du foyer. Les trois samedis suivants, Mateo ne vint pas à leur atelier de création – il ne voulait pas y participer. Pour la première fois, il avait choisi de se joindre au groupe qui allait jouer au basket-ball sur le terrain situé derrière le foyer, le samedi matin. Cela rendit Milly extrêmement triste, et elle porta ce poids écrasant tous les jours qui suivirent.

« Il ne veut pas de nous, expliqua-t-elle à Drew au téléphone.

— Il veut sa mère. Ce n'est pas toi le problème. »

Au début du mois de février, Mateo réintégra le groupe – « C'est un artiste, pas un joueur de basket, et il l'a finalement compris », plaisanta Sœur Ellen – mais exprima clairement à Ellen qu'il voulait juste faire ses dessins dans son coin, sans être embêté par Milly et Jared. Milly y alla seule, car Jared était pris par d'autres engagements, et toutes ces semaines où elle devait se forcer à ne pas faire plus qu'un sourire à Mateo – resté sans réponse – et à lui dire au revoir, furent des semaines de calvaire. Comme c'était étrange que son bonheur repose sur l'acceptation ou non d'un petit garçon de cinq ans ! Sans autre choix, et se sentant légèrement traître, elle s'ouvrit un peu plus à l'enthousiasme et l'affection réels de Tranell, le petit garçon qui aimait tant Mariano Rivera et dont la gentillesse était, pour être honnête, la plus douce des consolations. Tranell était mignon, mais ce n'était pas Mateo, surtout lorsqu'il insistait pour dessiner toujours les mêmes mauvaises représentations de Mariano Rivera, avec de toutes petites variations au niveau du visage ou de la silhouette

« Il m'a parlé de vous cette semaine, la prévint Sœur Ellen quand elle arriva la fois suivante. Il m'a demandé si vous veniez.

— Je ne te crois pas, dit Milly, désabusée.

— Je pense qu'il vaut mieux que tu t'occupes des autres gamins, et que tu le laisses venir à toi. »

C'est ce que fit Milly, profitant joyeusement de l'affection de Tranell. Il voulait encore dessiner Mariano Rivera – cette fois-ci Mariano Rivera tenait la main du Lapin de Pâques. Lorsqu'elle leva les yeux, Mateo était au-dessus de son épaule, l'air impatient, une feuille en main.

« Je peux le faire, dit-il.

— Faire quoi ? répliqua Milly de l'air le plus détaché possible, comme s'il ne l'avait pas ignorée depuis un mois.

— Ça. » Il lui montra un dessin tiré d'une bande dessinée qui représentait un Tyrannosaurus Rex et une coccinelle géante dotée d'antennes menaçantes, coincés dans un filet de chasse complexe. Il essayait de copier l'image, constata-t-elle en regardant la feuille qui comportait quelques premiers traits imprécis, source de frustration.

« Donne-moi un instant, le temps de finir avec Tranell, et je viendrai te voir. » Elle ne pouvait pas tout abandonner parce que, tout à coup, Mateo revenait vers elle. Cela lui aurait envoyé un mauvais message.

Mateo fronça les sourcils et retourna à sa table-atelier. Cinq minutes plus tard, Milly l'y rejoignit.

« Avec un dessin comme ça, dit-elle, il faut que tu identifies les lignes de force, les traits les plus importants du dessin. Tu les vois ? » Elle passa légèrement le doigt dessus. « Prends une feuille propre et essaie de ne dessiner que ces lignes-là, et je ferai pareil à côté de toi, d'accord ? »

Ils s'y mirent tous deux, Milly le nez penché sur sa feuille. À un moment, elle releva les yeux et découvrit qu'il l'observait avec ce qu'elle commençait à prendre pour de la tendresse et un peu d'amusement. « Qu'est-ce qu'il y a ? demanda-t-elle.

— Vous voulez toujours que je vienne vivre avec vous ? »

Milly inspira un grand bol d'air intérieurement, en faisant bien attention de ne pas afficher sa joie. « La proposition marche toujours, si tu en as envie. Je pense que tu aimeras beaucoup East Village, notre quartier. Il y a beaucoup d'artistes qui y vivent, et plein de chouettes choses à faire.

— Tu ne m'en voudras pas que je parte si ma maman vient me chercher ? »

Cela prit Milly de court. Avait-elle pensé qu'il avait accepté la réalité pendant ces quelques semaines ? Elle lui posa la main sur la tête. « Bien sûr que tu pourras partir si ta maman revient, chéri. »

Il regarda sa main, puis son visage, puis sa main. Lentement, il posa la sienne dessus. Il lui sourit, comme s'il avait enfin pris une décision difficile. « Je peux prendre mes dessins avec moi ?

— Bien sûr que tu peux prendre tes dessins avec toi, dit-elle, au bord des larmes. Tu auras ta chambre à toi tout seul, et ton atelier.

— Pourquoi est-ce que tu pleures ? » voulut-il savoir.

Milly essuya ses pleurs du revers de la main, embarrassée. « Parce que je suis heureuse », dit-elle, avouant la vérité.

Il lui prit la main et en caressa le dos comme pour la rassurer. « Tu es une gentille dame. »

Elle rit, ce qui, au milieu des larmes, ressembla plutôt à un gros reniflement. « Merci. Tu es un gentil garçon. »

Pendant quelques secondes, ils s'arrêtèrent de parler.

« Bon, dit finalement Milly en reprenant ses esprits, on va parler à Sœur Ellen ensuite, d'accord ? » Mais il s'était déjà remis à son dessin.

Au bout de tout juste un mois, après une dernière session d'au revoir chez Sœur Ellen où tout le monde pleura pour une raison ou une autre – les enfants car Mateo les abandonnait, Ellen pour la même raison, Milly à cause du caractère déchirant de la scène, c'en était trop pour elle ; tout le monde pleura sauf Jared, le père fort, et Mateo, les pieds sur terre, qui irradiait la confiance et la satisfaction d'avoir enfin une chambre à lui tout seul –, ils l'emmenèrent chez eux, prenant le métro avec tous les objets d'un enfant de cinq ans : beaucoup, beaucoup de dessins et de peintures, et un peu de poterie, le tout fourré dans une boîte et un sac en toile.

Il ne prononça pas un seul mot durant le trajet. On aurait pu croire qu'il était seul, se contentant de faire de petits signes d'approbation quand Jared ou Milly s'adressaient à lui – à quel point il allait adorer le magasin de loisirs créatifs situé au coin de leur rue ou combien il serait content d'avoir ce super professeur de dessin à la crèche où ils l'avaient inscrit. Il ne parla pas plus à Ardit, le gardien de l'immeuble, ou aux autres habitants du Christodora, qui attendaient tous son arrivée depuis un bon mois. Il ne dit rien dans l'ascenseur, rien dans l'appartement, rien lorsqu'il découvrit sa toute nouvelle chambre fraîchement aménagée, sans autre décoration que quelques affiches de superhéros, afin que Mateo puisse décider de lui-même et créer une chambre à son image.

« À toi de décider comment tu veux décorer ta chambre, bonhomme, dit Jared. Les couleurs, les images. »

Il s'assit prudemment sur le lit. Milly remarqua que ses mains tremblaient. « Je peux faire une sieste ? demanda-t-il.

— Maintenant ? s'étonna Milly. Tu ne veux pas faire un tour du quartier ? C'est très joli dehors, tu sais.

— Je suis fatigué, je voudrais dormir un peu avant.

— Fais la sieste, lui dit Jared. Et habitue-toi à ta chambre. » Jared attira gentiment Milly à l'extérieur de la chambre.

« Vous pouvez fermer la porte, s'il vous plaît ?

— Bien sûr », répondit Jared. Il la referma derrière eux, la laissant légèrement entrouverte.

« Complètement ? » rajouta Mateo.

Milly et Jared se regardèrent, interrogatifs. Puis Jared fit un mouvement d'épaule et la ferma complètement. Milly s'éloigna, un peu perdue, jusqu'à la cuisine, Jared sur ses talons. Elle s'assit à la table de la cuisine tout en observant un groupe de garçons jouer au basket-ball, six étages plus bas, à Tompkins Square Park. Jared leur servit un grand verre d'eau chacun.

« Il est en état de choc, dit doucement Jared. Donne-lui un peu de temps.

— C'est *moi* qui suis en état de choc. »

Ils restèrent assis là, les mains posées au centre de la table. « On ne peut plus sortir de chez nous un samedi après-midi », constata Jared en baissant le ton, amusé. Il se mit à rire doucement, puis lui prit la main. « Putain, qu'est-ce qu'on a fait ? »

Milly sourit faiblement et hocha la tête. « J'espère que tu ne m'en veux pas. »

Ils entendirent un violent hoquet. Milly enleva ses chaussures et, en chaussettes, s'approcha de la porte de Mateo, puis revint sur ses pas. Elle prit la main de Jared à nouveau. « Il pleure, souffla-t-elle. Tout doucement, comme s'il ne voulait pas qu'on l'entende. »

Jared fit le tour de la table, la força à se lever, et la prit par les bras : « Cela va prendre du temps, Milly. »

Durant toute l'année 1998, avec en toile de fond le cirque médiatique de Monica Lewinsky qui était sur toutes les télés, Milly observa Mateo s'adapter froidement à sa nouvelle vie. Mateo se faisant des amis à la crèche, au terrain de jeux. Mateo jouant avec ses amis. Mateo avec des amis blancs. Mateo avec Milly et Jared à des vernissages ou des performances. Mateo à Montauk, Mateo à la plage pour la première fois de sa vie, tombant fou amoureux des vagues – et des crabes, qui ressemblaient à ceux qu'il dessinait. (Les vrais crabes ne souriaient pas, par contre.)

Au début, Milly et Jared ramenaient Mateo avec eux au foyer d'Ellen, puis au bout de six mois, il leur apprit, sans plus de détails, qu'il ne voulait plus y retourner. Milly et Jared se regardèrent, surpris, et décidèrent d'accepter sa décision. Milly y retourna pour apprendre le dessin aux garçons à quelques reprises, puis avoua à Ellen qu'elle n'avait plus le temps. Elle était désormais maman, ou en tout cas une quasi-maman de famille nucléaire, et elle sentait le besoin d'instaurer des priorités, comme tout parent, cette sensation qui consiste à moins se soucier des problèmes globaux du monde – une sensation qui semble égoïste vue de l'extérieur, mais qui est tellement inévitable – car le foyer est déjà en soi un univers assez dense et peuplé de défis sans cesse renouvelés.

Un dimanche soir d'été, ils prirent un train pour revenir de Montauk. Milly et Jared portèrent Mateo dans l'ascenseur et le couchèrent, avec encore du sable dans les cheveux, dès qu'ils arrivèrent, car il dormait depuis qu'ils avaient pris un taxi à Penn

Station. Le lendemain matin, lorsque Milly changea les draps de son petit lit, elle trouva, caché entre le matelas et le mur, une photographie écornée d'une Latina aux cheveux permanentés, en perfecto et mini-robe, posant avec un ami et son radiocassette.

Elle retourna le cliché et lut la date, tracée au dos, 04/14/1984. Elle l'examina sous toutes les coutures. Ni Sœur Ellen ni Mateo n'avaient jamais évoqué cette photo. Mais elle n'avait pas à se creuser trop la tête pour deviner qui c'était. Ce devait être la mère de Mateo, Ysabel Mendes, dont Ava lui avait souvent parlé.

Milly regarda intensément le visage de la femme – pas spécialement beau, mais pas spécialement laid non plus, de grands yeux pétillants –, cherchant une ressemblance avec Mateo. Il avait les traits plus fins. Il avait hérité de ses cheveux en pagaille, en revanche. Milly ressentait de la tendresse pour cette femme, de la gratitude même, ainsi qu'une curiosité dévorante de savoir avec qui elle avait conçu Mateo. *J'espère que tu vas bien*, pensa-t-elle en parlant à la photographie. *Ma mère a pris soin de lui. Ne t'inquiète pas.*

Plus tard dans l'après-midi, Milly se rendit à l'épicerie pour y acheter un cadre. En rentrant, elle mit le cadre dans la chambre de Mateo et pensa y mettre la photo dedans, puis poser le tout sur la commode. Mais alors qu'elle était en train de le faire, elle pensa qu'il valait mieux s'abstenir. Elle prit plutôt des clichés d'eux trois à la plage qu'elle venait de développer, et en choisit un. Elle replaça la photo de sa mère entre le matelas et le mur, à l'endroit exact où elle l'avait trouvée, et n'en toucha pas un mot à Mateo.

Durant les années qui suivirent, lorsque Mateo n'était pas à la maison, parfois – alors que Milly se sentait mère et joyeuse, ce qui l'emplissait jusqu'au plus profond d'elle-même d'une douce sensation de confort, loin de cette angoisse qui l'étreignait tout le restant de sa vie –, elle se glissait dans sa chambre pour examiner la photo et imaginer les dernières années d'Ysabel Mendes.

« Born This Way »
(2012)

Dans la rue, juste devant l'appartement de Westlake, Hector retourna à sa voiture de location, encore tremblant. *Putain, tu es tellement défoncé,* se dit-il. Son instinct de survie au plus profond de lui savait que, s'il ne prenait pas un Klonopin de suite, il allait vraiment très mal finir, comme se jeter en voiture depuis la première falaise qu'il allait croiser. Il dénicha une pilule dans la poche avant de son jean, la mâcha soigneusement et jusqu'au bout, avala une lampée d'une vieille bouteille collante de Gatorade qui traînait sur le sol de la voiture. Les effets de la pilule n'agiraient pas avant une demi-heure, il en était conscient, mais il devait tout de même agir, et vite. Il sortit son téléphone, appela les urgences puis se rendit compte que le jeune gamin maigrelet avec qui il était venu avait laissé son mobile sur le siège de la voiture. Encore mieux. Hector s'en empara et appela les urgences. La femme à l'autre bout de fil lui aboya dessus pour connaître son identité, son adresse, son numéro de téléphone et le lieu où il se trouvait.

« Il y a trois personnes complètement défoncées dans un appartement au coin de la 2e Rue Ouest et de South Union, et au moins une des trois est en train de faire une overdose. Il faut envoyer les urgences.

— Monsieur, quelle est l'adresse exacte de l'appartement ? »

Il ne savait pas. « C'est vraiment au coin de la 2e Ouest et de South Union. Un immeuble blanc cassé avec un toit plat.

— Monsieur, quel est votre nom ? Êtes-vous sur place, monsieur ?

— Je vous ai dit où c'était, dépêchez-vous de venir. »

Il tenta de raccrocher mais, comme c'était un appel d'urgence, il ne pouvait pas. Il sauta hors de la voiture, retourna à l'immeuble, nota l'adresse précise et en informa sa correspondante. Il ne se souvenait pas sur quelle sonnette ils avaient appuyé – quand était-ce d'ailleurs ? Combien de temps s'était-il passé ? Quinze minutes ou trois heures ? Le soleil se levait à l'est, incroyable dégradé de rouge et de mordoré dans le ciel, dominant le quartier plongé dans le silence. Il jeta le combiné sur le petit carré de pelouse devant l'immeuble.

La pilule n'allait pas faire effet tout de suite, mais il fallait qu'il reprenne sa voiture, qu'il se casse d'ici, et vite. Non, non ! Il ne pouvait pas partir avant d'être certain que les urgences arrivaient. Il fit démarrer la voiture. Le volume de la radio le surprit : ils avaient vraiment écouté la musique si fort à l'aller ? Il la baissa. C'était une chanson de Lady Gaga de l'année précédente, « Born This Way », celle qui ressemblait à un vieux tube de Madonna. Parano à cause des drogues et faisant des associations d'idées absurdes, il se mit à flipper : c'était un signe de Ricky, qui était obsédé par Madonna !

Il se résolut à faire le tour du pâté de maisons, afin de se garer un peu plus loin. Il mit la climatisation à fond : il était en nage. Il fourra sa main droite dans son pantalon, et se masturba lentement afin d'avoir quelque chose sur quoi se concentrer, pour éviter de devenir fou. Il craignait qu'à n'importe quel instant, quelqu'un, un coureur ou un voisin baladant son chien, ne le remarque avec sa drôle de dégaine et ses lunettes noires, mais rien de tel ne se produisit ; lorsqu'il regarda l'horloge de la voiture, il réalisa qu'il n'était que 6 h 30 du matin. Mercredi ? Jeudi ? Dès qu'il était parti pour Palm Springs une semaine plus tôt, dès qu'il s'était installé dans le petit studio qu'il louait chaque hiver pour une bouchée de pain à un vieil ami new-yorkais qui avait déménagé sur la côte Ouest depuis longtemps et passait son hiver à Porto Rico, dès qu'il avait trouvé un plan de meth, dès que sa pipe en verre s'était enflammée, il avait perdu toute notion du temps. Depuis, sa vie tournait autour de son ordinateur portable, des films pornos, des gens qui venaient le voir et jetaient des regards en coin derrière les stores de la fenêtre qui dominait la piscine ensoleillée de l'immeuble, d'où ils croyaient entendre des rires et des discussions bien qu'elle fût déserte. Est-ce que des gens leur jouaient des tours ? se demandaient Hector et ses visiteurs, alors que la nuit et le jour s'enchaînaient à toute allure comme dans une vidéo accélérée.

Maintenant, dans la voiture, il entendait des sirènes. Ah non, en fait, oui, c'étaient vraiment des sirènes. Il était soulagé et atterré, car il pensait souvent entendre des sirènes imaginaires, il attendait toujours que ces sirènes dégagent de chez lui, s'arrêtent, laissent enfin place au silence ou que la descente de police qu'il attendait depuis tant d'années ait enfin lieu. (Pourquoi pas ? Une partie de lui voulait que cela arrive, pour être enfin délivré de sa souffrance.) Et là, c'était certain, les sirènes approchaient. Il les entendait déchirer le ciel, puis s'arrêter au coin de la rue. Accroché au volant, il fit demi-tour, et aperçut les ambulances s'arrêter devant l'immeuble. Il traça sa route. Il ressentit une vague l'envahir qui n'était pas loin de la pure psychose. Ils auraient peut-être des ennuis avec la justice – combien de dope avait-il laissé dans l'appartement ? – mais au moins personne ne mourrait.

Il conduisit sans but, tellement anxieux qu'il faisait quasiment du sur-place. Ses yeux semblaient vouloir sortir de ses orbites, derrière les lunettes noires, et il était persuadé de voir des sujets mouvants – des enfants, des animaux – dans son champ de vision. Il était dans un quartier indéfini de L.A. fait d'ignobles pavillons des années 1960, d'immeubles sablonneux, de vieux palmiers efflanqués, le tout sous un soleil éclatant et éreintant. Que faire ? Pouvait-il retourner ainsi à Palm Springs ?

Puis, tout à coup, un souvenir l'assaillit, violemment, cet instant où le garçon avait prononcé le nom à voix haute – Ysabel Mendes ! – et il dit intelligiblement : « Oh, mon Dieu », et il dut s'arrêter à nouveau. Il resta assis dans sa voiture à l'arrêt. Pourquoi le garçon avait-il dit ça ? Il repartit dans ses associations d'idées terrifiantes : Ava et Issy. Avait-il appris, à l'époque en 1994 ou 1995, qu'Issy avait eu un enfant avant de mourir ? Ava ou quelqu'un parmi les activistes lui aurait-il dit ? Il ne s'en souvenait plus. À cette époque, il avait déjà coupé les ponts avec tous les activistes du début, et passait le plus clair de son temps à Washington, pour des réunions avec ses collègues scientifiques de l'élite et les autorités fédérales, ou à de gigantesques fêtes coûteuses pour les jet-setters homosexuels, à baiser tous les culs qu'il pouvait afin d'oublier Ricky.

Il avait honte d'admettre que, lorsque Ava lui avait indiqué la date des funérailles d'Issy, il avait trouvé l'idée d'y aller bien trop douloureuse, et il n'avait pas annulé sa journée de travail à Washington. Il s'était contenté d'envoyer des fleurs.

Le garçon ressemblait à Issy, il s'en rendait compte maintenant. Le nez – pas aussi plat que celui d'Issy, mais quand même. Et sa putain de tignasse ! Mais sa peau était plus claire. Les yeux, et la morphologie. Oh, non. Non, non, non, non, non, non. Hector fondit en larmes. Non, non, non, Dieu, non, pas ça. Il dénicha une autre pilule de Klonopin et en avala un demi-cachet, puis il fit démarrer la voiture, décrocha vers une route plus large, à plusieurs voies. Devant un grand immeuble moderne jaune, il aperçut le crucifix qui l'ornait, et l'heure du jour, 6 h 52 du matin, ainsi que quelques femmes qui y entraient. Il se gara en face et se dirigea vers l'église. CATHÉDRALE NOTRE-DAME-DES-ANGES, indiquait un panneau. Hector n'avait plus rien à perdre. Il entra dans l'église, qui devait faire la taille d'un stade. Il croisa une femme et il s'attendait à ce qu'elle grimace car il puait, mais elle se contenta de lui sourire. Il comprit vite pourquoi : une messe se préparait, pour un mariage avec de nombreux invités, mais ils étaient massés aux dix premiers rangs, à des centaines de mètres, lui sembla-t-il.

Le reste de cet endroit gigantesque était peuplé de sans-abri, certains avec une montagne de bagages à leur côté. Hector s'assit à l'un des derniers rangs. Jeune, il avait fréquenté de nombreuses églises à San Juan et New York, en compagnie de sa mère, de sa grand-mère, de ses tantes et cousins ; mais la seule église de cette taille était St Patrick, à New York, que lui et les autres activistes avaient envahie un dimanche afin de protester contre la position du diocèse vis-à-vis du sida et leur haine des homosexuels.

« J'espère que personne ne voit rien à redire à ce que je sois là, putain », clama-t-il à voix haute, comme pour demander la permission. Personne ne se retourna vers lui pour autant, ce qui l'agaça. Est-ce qu'ils l'ignoraient délibérément ? Il sentait le Klonopin faire effet – ses yeux semblaient vouloir sortir moins violemment de leurs orbites. Il eut un petit rire discret. « Va te faire foutre, Ricky » – il pensait l'avoir dit à voix haute, fort, même, mais il n'en était plus sûr, tout comme il ne savait pas si les légions de personnages représentés sur les tapisseries au-dessus de sa tête bougeaient, l'observaient, parlaient de lui.

« Le truc avec toi, Ricky, continua-t-il à se dire, marmonnant à voix haute par moments, c'est que tu ne voulais pas vivre. C'est pour ça que je te dis d'aller te faire foutre, même si cela peut paraître violent. Parce que tu t'es toujours moqué du fait que nous étions deux, que tu n'étais pas tout seul dans l'affaire. Tu m'as embarqué là-dedans pendant des années, de 1989, quand j'ai appris pour ta maladie, jusqu'à 1992. Tu ne voulais pas te faire dépister, tu ne voulais pas te faire soigner jusqu'à ce que les toubibs te forcent, et c'était déjà trop tard, et toi putain de… Et ma vie dans tout ça ? J'ai dû abandonner tout mon boulot, ne plus aller à Washington parce que tu ne savais pas t'occuper de toi tout seul et ensuite, j'ai dû te regarder mourir, comme si je n'avais pas de choses plus intéressantes à faire cette année-là. »

Il avait dû parler assez haut, au moins à un moment, car un clochard situé quatre rangs devant lui se retourna et lui lança : « Ta gueule, mec. »

Il se tut donc, ferma les yeux pendant une minute, une main fourrée dans le pantalon. Puis son monologue reprit. « Tu n'étais pas très instruit. Et ton père qui t'a renié. Mais c'est pas pour autant que je devais te regarder mourir, sale con. Tu te fichais totalement de la science. Pas ton truc. Tu étais un pauvre con de minet, en fait. » Hector rigola. « Un putain de coiffeur à la con. J'ai fini avec un putain de coiffeur à la con. »

Il se mit à pleurer. Des larmes de désir. « Mais ton visage me manque, Ricky. Il me manque tellement. Chaque jour. Et ton cul aussi. »

« Mec, putain ? » Le clochard à quatre rangs devant lui se retourna à nouveau. « On est dans une église, bordel. »

Hector ne savait même pas pourquoi le type s'adressait à lui. Il tenta de le regarder droit dans les yeux, à travers les larmes. Le type ressemblait à un Charlton Heston dépenaillé, décharné et brûlé par le soleil. « Désolé. »

Le visage de l'homme s'illumina, rigolard. Il lui fit un signe de la croix en guise de bénédiction moqueuse. « Mon Fils, je te pardonne. Et sort ta main de ton fute, mec. On croirait un putain de pervers. »

255

Hector sortit la main de son pantalon. Le Klonopin le ramenait sur terre avec la force d'une main de velours géante. Il ferait mieux de s'allonger quelques minutes, le temps de faire une petite sieste avant de retourner à la voiture. C'est ce qu'il fit, se sentant incroyablement calme et protégé, incapable de s'arrêter de babiller tandis qu'il s'endormait.

Au réveil, il était nez à nez avec le visage doux et rond d'une Latina, probablement hondurienne ou salvadorienne, qui était debout devant lui et lui secouait doucement l'épaule.

« Monsieur, il faut partir de l'église, maintenant. Il est presque six heures, on ferme.

— Il est sept heures du matin, protesta-t-il.

— Non, monsieur, il est six heures de l'après-midi. Il ne reste plus que vous ici. Il faut partir maintenant. »

Six heures de l'après-midi ! Bordel. Hector tituba en dehors de la cathédrale, puis sur le trottoir. Sa voiture avait disparu. « Oh, putain, non. » Il s'était garé sur un emplacement interdit, et elle avait fini à la fourrière ? Il n'en savait rien. Et son portefeuille, il l'avait laissé dans la voiture, ou à l'appartement de la fille ? Il ne s'en souvenait plus. Il n'avait ni carte de crédit ni argent sur lui, et il s'en foutait. Il aperçut les bancs situés devant la cathédrale et décida de traverser pour s'endormir sur l'un d'eux. Combien de temps se passa-t-il avant que la même grosse Latina vienne le réveiller à nouveau ?

« Monsieur, vous n'avez pas le droit de dormir devant la cathédrale.

— Pourquoi, c'est un espace public, non ?

— Vous voulez que j'appelle un foyer d'accueil pour sans-abri, monsieur ? » Elle sortit un téléphone de son sac.

Hector rigola. « Non, je ne suis pas sans abri. Je viens de New York. » Il ne voyait pas de raison de lui expliquer plus que cela, et il se rallongea et s'endormit. Et combien de temps s'écoula encore avant que cette putain de grosse Latina ne vienne le réveiller à nouveau, mais cette fois avec deux types, à l'allure de Honduriens, avec les cheveux coupés en brosse ?

« Monsieur, vous voulez venir au foyer de la cathédrale pour la nuit, vous restaurer et prendre une douche ? » proposa l'un des types.

Hector retrouva ses esprits pendant quelques secondes. Il n'était pas actuellement en position de résoudre son problème, sans voiture ni argent, et de retourner à Palm Springs.

« Oui, pourquoi pas ? » répondit-il au type qui l'aida à se relever. Il entra dans un minivan qui roula quelques minutes sur l'autoroute avant de s'arrêter dans une petite rue, devant un immeuble en ciment. À l'intérieur, dans la grande pièce, une énorme croix ancienne accrochée au mur dominait une cinquantaine d'hommes, tous noirs ou latinos, allongés sur des matelas, parfois massés dans un coin de la pièce ou sur de vieux canapés, occupés à regarder la télévision ou à jouer aux cartes. L'endroit empestait. Lorsqu'il y pénétra, en débardeur, dans son jean blanc souillé et trop serré, ils le dévisagèrent avec hostilité. *Pédé*, par-ci, *Maricón*, par-là. Hector était encore tellement défoncé qu'il s'en fichait pas mal.

« Ta gueule », lança-t-il sur un ton fatigué à l'un des types les plus proches de lui qui l'avait gratifié d'un *maricón*. L'un des travailleurs sociaux l'emmena jusqu'aux douches, où il se dévêtit de ses habits sales et resta sous le jet d'eau de longues minutes, soulagé d'enfin pouvoir se laver malgré la crasse de cette pièce cimentée. Il réalisa qu'il avait laissé tout son stock de Klonopin dans la voiture et fut parcouru d'un premier frisson d'angoisse à l'idée que l'effet allait bientôt s'atténuer. Ne sentait-il pas, alors qu'il était sous la chaleur du jet d'eau, les premiers fourmillements de la dépression et de l'anxiété qui pointaient à l'horizon ?

Le travailleur social revint avec une serviette, un vieux tee-shirt et un jean usagés, des vêtements tellement grands qu'il devait tenir le pantalon lorsqu'il marchait. Une sensation terrible et collante d'abjection – un sentiment qu'il pouvait d'habitude dissiper et moduler après chaque longue période de toxicomanie, avec un mélange de Klonopin et de sommeil – s'insinua en lui. L'employé lui confia également un matelas et un oreiller décharné, sur lequel il se coucha en position fœtale, se demandant s'il allait attraper des puces. Cinq minutes plus tard, le même homme lui ramena un sandwich de pain de mie au fromage sur une assiette en carton. Lorsqu'il en prit une bouchée, il se rendit compte qu'il était affamé et que la dernière fois qu'il avait avalé quelque chose, c'était une boisson protéinée vingt-quatre heures plus tôt. Il finit le sandwich en quatre bouchées et s'allongea à nouveau, disant sa prière comme à l'habitude, puis s'écroula – « *Por favor, Dios, ayúdame a dormir esta noche.* »

À son réveil – onze heures plus tard, selon la grosse horloge industrielle noire et blanche qui était fixée sur le mur de ciment –, le type allongé sur le matelas mitoyen lui dit : « Putain, mec, tu as passé la nuit à pleurer et hurler et à te retourner dans ton sommeil comme un taré de première, tu nous as tous cassé les couilles. »

Où était-il ? D'où venait cette odeur ? Petit à petit, son esprit reconstruisit les derniers jours. La voiture disparue. L'appartement vide à Palm Springs. Il était dans un putain de foyer de SDF à Los Angeles ? C'était quoi, ces fringues ? Il voulait pleurer, mais pas devant ce type à côté de lui. Il pensa à se donner la mort, se dit que tout était allé vraiment trop loin cette fois pour espérer recoller les morceaux. Mais comment ? Il n'avait ni drogues ni médicaments pour cela. Devait-il se jeter sous la première voiture venue ?

Puis tout cet épisode « Ysabel Mendes ! » lui revint. Oh, mon Dieu, pas ça, pas encore. Non, non, non. Dieu, s'il te plaît, non. Ce putain de môme.

Il resta allongé sur le côté, terrassé par la descente. Son esprit lui disait qu'il ne pouvait faire que trois choses. En premier, se tuer, mais cela demandait de la dope ou des médicaments, choses qu'il n'avait pas – il faudrait déjà qu'il quitte le foyer, erre dans les rues et trouve une solution. En deuxième, il pouvait se contenter de rester là. Ils n'avaient aucune identité pour lui, personne ne viendrait jamais l'y chercher. Il avait intérêt à disparaître un moment de New York, et de tout ce qui s'était passé là-bas, mais aussi de Palm Springs, de la demi-douzaine d'amis qui l'attendaient dans l'appartement après le texto du gamin. Il pouvait rester là, devenir clochard et profiter de l'aide sociale la plus minimale – matelas, douche, sandwich –, en faisant la paix avec les autres sans-abri, et même peut-être profiter des parties de cartes et de la télévision.

Mais il restait un troisième choix, motivé par une certaine idée de la reconnaissance : avec tous les gens qu'il avait aidés pendant des années, il méritait bien à son tour d'être secouru. Il réfléchit à cette solution qui lui sembla si improbable pendant de longues minutes. Cela le motiva assez pour qu'enfin il s'assoie dans le lit – et, oh, quel effort c'était –, puis se lève en tenant son jean trop large, et se dirige vers l'un des travailleurs sociaux qui regardait un match de catch avec certains des clochards.

« Vous pouvez passer un coup de fil pour moi ? » demanda-t-il au travailleur social.

L'homme – qui n'était pas celui d'hier soir, n'est-ce pas ? Il n'en était plus sûr – lui jeta un regard désintéressé. « Vous voulez que quelqu'un vienne vous chercher ? »

Hector acquiesça ; c'était la plus simple des réponses. Lentement, comme de mauvais cœur, le travailleur social sortit un téléphone portable de sa poche. « Quel numéro ? »

Hector ne s'en souvenait plus. « Il faut appeler les renseignements, d'abord. Elle est dans l'annuaire.

— Sérieux ? » Hector était désormais certain que ce n'était pas celui d'hier soir, un type plutôt bienveillant. Celui-ci avait l'air d'être un sacré con. « Ça coûte limite 2 dollars la minute, ton truc. »

Hector réalisa alors combien cela allait être plus difficile de suivre cette troisième solution que de se tuer ou de rester ici sans rien dire et pourrir sur place. Cela valait-il vraiment le coup ?

« Je sais, monsieur, désolé, se força-t-il à dire. Mais j'ai vraiment besoin de cette personne et j'ai oublié son numéro. »

Le travailleur haussa les yeux au ciel et composa les renseignements. Il demanda à Hector : « Quel nom ?

— Le nom, c'est Heyman, lui épela-t-il. Prénom, Ava. » Il épela à nouveau. « À New York, dans l'État de New York.

— Tu veux appeler New York ? » repartit le type, de plus en plus agacé.

— C'est de là que je viens. » Il se mit à pleurer. « C'est de là que je viens. »

Tous les gars massés devant la télévision le dévisagèrent. « C'est quoi, ce bordel ? Pourquoi tu pleures *marica* ? Ça va aller, t'inquiète pas.

— C'est bon, c'est bon, du calme », capitula le travailleur social. Il attendit quelques secondes. « Bonjour, j'ai quelqu'un qui souhaiterait vous parler, annonça-t-il finalement dans le combiné, avant de le tendre à Hector.

— Ava ? dit Hector, s'éloignant du boucan de la télévision.

— Qui est-ce ? » demanda-t-elle. Oh, mon Dieu, pensa Hector, il n'avait pas entendu cette voix rauque depuis si longtemps. Il était à deux doigts de raccrocher directement. Mais il ne pouvait pas, se raisonna-t-il. Il ne dit rien.

« Qui est-ce ? répéta Ava. Emmy ?

— Ava, c'est Hector. »

Silence. Puis : « Hector ? Villanueva ?

— Ouais. »

Un autre silence. « Cela fait longtemps que je n'ai pas eu de tes nouvelles.

— J'ai besoin que tu m'aides, Ava. » C'était tout ce qu'il put prononcer avant d'éclater à nouveau en sanglots. Il s'assit sur une chaise et continua à sangloter dans le combiné.

« Hector ? Qu'est-ce qu'il y a ? Tu es où ?

— À Los Angeles, dit-il à travers ses larmes.

— À Los Angeles ? Tu es défoncé ?

— Je l'étais, oui.

— Qui était le type au téléphone ?

— Un travailleur social dans un foyer de sans-abri.

— Un foyer de sans-abri ? » Ava soupira longuement. « Hector, qu'est-ce qu'il se passe ?

— Tu peux m'aider à rentrer chez moi ? » Il pleurait encore.

Un long silence à l'autre bout de la ligne. Ava soupira encore. « Bien sûr que je vais t'aider à rentrer ici.

— Merci, Ava. Merci beaucoup.

— Laisse-moi prendre un stylo et… repasse-moi l'autre type, d'accord ? »

Le travailleur social était déjà derrière Hector. Il posa la main sur l'épaule d'Hector. « Rends-moi le téléphone, mec, je vais me débrouiller. »

Hector le lui tendit et enfonça son visage dans ses mains pour pleurer. Le traitement combiné n'avait pas fonctionné, pensa-t-il. En fait, cela n'avait pas marché jusque 1994, 1995 – saquinavir, indinavir, ritonavir, les noms de médicaments qui comptaient tant pour eux, ceux qui avaient changé radicalement leur guérison. Et Ricky ? Jusqu'à ce qu'il perde totalement l'usage de la parole, il était toujours aussi obsédé par cette connasse de Madonna ! Tout cela se mélangeait dans la tête d'Hector. Il avait dû amener à Ricky le numéro de septembre de *Vogue*, avec Claudia Schiffer en couverture – une édition énorme qui pesait lourd dans le sac déjà bien rempli d'Hector en cette journée étouffante de fin d'été –, car un autre coiffeur, avec lequel Ricky entretenait une rivalité amère et jamais exprimée, avait eu à s'occuper de la couleur de cheveux de Claudia, et Ricky voulait absolument voir ce que cela donnait.

« Ooooh, merci, merci », s'était exclamé Ricky depuis son lit d'hôpital, en saisissant le magazine. « Donne-moi ça. » Il avait détaillé la couverture pendant de longues secondes, puis soupiré et levé les yeux au ciel. « C'est horrible », avait-il lâché. « *Horrible*. La couleur est tellement terne. Aucune profondeur. »

Hector avait éclaté de rire. « Ça te soulage ? »

Ricky avait levé les yeux vers lui, un faible sourire aux lèvres. « Absolument, avait-il minaudé.

— Je suis content que cela te plaise », avait dit Hector. Et il le pensait. Ce n'était pas la malice, avait pensé Hector, qui faisait plaisir à Ricky, mais l'idée de se vautrer dans des centaines et des centaines de pages remplies de coiffures, de maquillage et de vête-ments. Ricky avait cette capacité qui étonnait Hector à analyser en une minute les looks, à déceler la moindre imperfection dans la coupe d'un habit ou dans un sourcil trop maquillé, remarquant la présence d'une perruque grâce à un indice invisible à l'œil du commun des mortels. Ricky se gargarisait de cette aptitude, dont il n'avait pas pu faire preuve depuis plusieurs mois.

« Hé, avait râlé Ricky, alors qu'Hector retirait doucement le livre de ses mains. Qu'est-ce que tu fais ?

— J'ai envie de m'allonger à côté de toi, avait dit Hector en tirant les rideaux autour du lit, enlevant ses bottes, rabaissant la tête du lit avec la télécommande.

— C'est *mon* lit, avait fait semblant de protester Ricky. C'est un lit très, très coûteux, tu sais.

— Heureusement que tu es assez ruiné, mon chou, pour que la sécu t'en paye un », avait fait remarquer Hector. Il s'était glissé dans le lit, sous le drap, passant son bras autour de Ricky. Il avait enfoncé sa bouche dans le cou de Ricky ; au plus profond de sa cage thoracique, il sentait les larmes vibrer et il avait inspiré pour les contenir. « Je ne te comprends pas, Ricky, avait-il murmuré.

— Ne me serre pas trop fort, ça fait mal.

— Je suis désolé.

— Je suis devenu coopératif, maintenant, avait dit Ricky.

261

— Je sais », avait dit Hector. Il connaissait les chiffres trop bien, malheureusement. Ricky avait perdu près de dix-huit mois de traitement préventif sous Bactrim, vivant dans un déni morbide. Cela l'avait enterré vivant. Le petit ami qui ne voulait pas entendre parler de science et de médication ! On parlait d'eux comme d'une vraie tragédie, au sein du mouvement. Hector avait fait glisser sa main à l'arrière du caleçon de Ricky, caressant doucement la fesse droite de son compagnon.

« Là, ça fait mal ? » avait-il demandé.

Ricky avait gigoté, heureux. « Nooooon. Au contraire. Tu vas me masser les fesses ?

— Oui, avec plaisir.

— Oh, super. Là, à l'hôpital ?

— C'est un massage thérapeutique !

— Bien évidemment.

— Je t'aime, avait dit Hector.

— Je t'aime aussi, *papi*.

— Je déteste quand tu m'appelles comme ça. »

Ricky avait ri. « Cela fait neuf ans que je t'appelle comme ça, je ne vais pas changer maintenant.

— C'est raciste. »

Ricky avait éclaté encore plus de rire. « Oh, tais-toi, tu adores être le *papi*. »

Hector avait ri à son tour. « Putain, ce que tu es dingo. »

Il ne leur était plus resté que huit semaines après cette nuit-là. Assis dans la salle du foyer en ciment, Hector calcula cette durée avec précision. Le travailleur social qui avait parlé à Ava au téléphone se dirigea vers lui.

« Une femme qui s'appelle Drew va venir vous chercher. C'est une amie de votre amie. »

Hector acquiesça. Il n'avait aucune idée de qui cela pouvait bien être. Il resta assis au même endroit, se remémorant des souvenirs, ce qu'il n'avait jamais fait depuis des années. Depuis vingt ans ! Comme 1992 se confondait avec 1993... Putain d'année, 1993. À l'époque, il avait créé un groupe dissident avec Chris Condello et quelques autres, et ils avaient attiré toutes les critiques du groupe principal, on les avait accusés de traîtrise. Puis, tous ces voyages à

Washington. Ils avaient passé la moitié de 1993 et de 1994 aussi à Washington, pour assister à des réunions de FDA, l'agence qui gérait la mise en vente des médicaments, et le Département de santé d'État, le HHS. Ce boulot lui avait permis de garder la tête hors de l'eau. Les inhibiteurs de protéase – suivre le développement des inhibiteurs de protéase, en 1994 puis 1995. Les deux années qui avaient suivi, il avait levé le pied : il pouvait fêter cela, son travail était fini ! Des amis qu'il n'avait quasiment plus vus depuis des années ressortaient en public, semblaient tout à fait sains, et devaient se battre contre leurs dettes, tout cet humour noir qui entourait les malades qui avaient flambé comme si leur dernier jour arrivait, et qui devaient désormais payer les factures ! Toutes ces compagnies d'assurances qui avaient racheté les assurances vie de ses amis et qui enchaînaient les appels téléphoniques sinistres, demandant, essentiellement, de la façon la plus détournée : « Mais pourquoi êtes-vous encore vivant ? » Les nouveaux médicaments avaient ruiné leurs combines macabres ! Mais ils continuaient à appeler. Hector traquait les visages, les voix, les attitudes et même les culs qui lui rappelaient Ricky. Tant de nouvelles drogues synthé-tiques et toujours le même rythme assourdissant, à chaque endroit où il se rendait.

Une femme entra dans le foyer – jolie, blanche, fine, aisée, jean noir serré, ballerines, chemisier bohème blanc, cheveux bruns noués en queue-de-cheval, sac en cuir, grandes lunettes noires, iPhone en main. Les sifflets ne se firent pas attendre. Elle sembla hésiter avant d'avancer un peu plus dans la pièce.

« Voilà la femme qui vient vous chercher », lui dit le travailleur social.

Hein ? pensa Hector. Qui cela pouvait bien être ? Il ignora les quolibets des autres types du foyer, et s'approcha d'elle, mortifié.

Elle retira ses lunettes noires. « Vous êtes Hector, c'est ça ? » Elle semblait aimable, mais hésitante, méfiante. Il acquiesça. « Moi, c'est Drew. » Elle lui tendit la main et il la serra : « Je suis une amie d'Ava et de sa fille, Milly. Vous vous souvenez, du Christodora ? Je vis ici, à L.A. »

On revenait encore à ce gamin ! pensa-t-il. Une amie de la mère adoptive du gamin. « Merci d'être venue me chercher », arriva-t-il à dire.

263

La femme lança un regard circulaire autour d'elle. « Vous êtes prêt à partir ? »

Hector se tourna vers le type de l'accueil.

« Personne ne vous retient ici.

— Merci pour tout, lui dit Hector.

— Bonne chance, mec », répondit-il en tendant à Hector un sac plastique qu'il gardait sur son bureau. Il y avait les habits sales qu'il avait retirés lorsqu'il avait pris sa douche. « Essaye de marcher droit. »

Dehors, le soleil le prit à la gorge. Il apposa ses mains au-dessus des yeux. « Je dois avoir une autre paire de lunettes de soleil, si vous voulez », proposa la femme. Elle farfouilla dans son sac et en sortit une autre – grandes et foncées, des lunettes de femme. Hector les prit et les enfila, en la remerciant pour cette attention. La femme gloussa : « Très mignon. »

Il lui sourit vaguement. Ils montèrent dans sa Prius et elle alluma la climatisation. « Je n'en mets jamais d'habitude, mais Ava m'a tout raconté sur vous. »

Oh, bon Dieu, pensa Hector. Il n'osait imaginer ce que cela voulait dire. « Merci.

— Je peux vous poser une question ? »

Hector acquiesça.

« Vous êtes accro à la meth, c'est ça ? »

Comme cela lui faisait étrange d'être ainsi qualifié par une étrangère, et de se dire que c'était ainsi que ses anciens collègues parlaient de lui. Mais il confirma d'un signe de tête.

« Je vais vous aider à régler la situation ici et à revenir à New York, de toute façon. Mais vous voulez arrêter ?

— Je veux mourir. »

Elle soupira. « Oui, moi aussi, à une époque. Je suis tombée dans la drogue. Mais est-ce que vous voudriez m'accompagner à une réunion des AA tout de suite ?

— Je ne bois pas.

— Il y a énormément d'héroïnomanes aussi. Et des accros à la meth. »

Accro à la meth, encore ! C'était donc comme ça qu'elle le voyait – comme elle disait cela d'un ton détaché ! Mais… elle avait raison. Hector fut parcouru d'un frisson de honte et de dégoût, comme s'il n'aurait pas dû sombrer ainsi dans la meth. Peut-être aurait-il dû affronter la perte de l'être aimé comme certains autres l'avaient fait, avec une certaine amertume, un sentiment de défaite et de fatigue teinté de dignité, en restant à son poste, toujours citoyen responsable, petite main de la communauté. Cette idée le fatiguait et l'ennuyait, mais il sentait également qu'il avait sûrement épuisé ce rôle de drogué. Hector Villanueva, qui avait travaillé avec Bill Clinton et David Kessler à la FDA : un accro à la meth ! Il avait croisé cette femme pour la première fois de sa vie il y avait trois minutes, et elle pensait à lui en ces termes avant tout.

« OK, allons à une réunion », consentit Hector. Sa vie était en lambeaux, pensa-t-il. Alors où aller autrement ?

« Il y en a une dans une heure à West Hollywood. Vous voulez manger quelque chose avant ? »

Elle roula jusqu'à une rôtisserie fast-food, sur Santa Monica Boulevard. Il y avait beaucoup de jeunes gays à l'intérieur, tous en débardeurs moulants, en short et avec un sac de gym en toile. Hector savait qu'il ressemblait à un clochard dans ses vêtements usés et trop larges et ses bottes de motard, mais il s'en fichait. En tout cas, il s'en était persuadé. La femme commanda une salade et un thé glacé sans sucre.

« Je vais vous prendre quelque chose, lui dit-elle. Vous devez avoir faim.

Il était toujours aussi affamé. Il n'avait pas dû faire un vrai repas depuis cinq jours. « Je vous rembourserai tout cela. »

Elle lui passa la main sur le bras. « Ne vous inquiétez pas, prenez ce que vous voulez. »

Il commanda un demi-poulet avec deux accompagnements. Ils s'assirent ensemble. Il était encore en descente ; il avait du mal à garder les yeux ouverts. Il se sentait détruit de l'intérieur et si détaché de ce monde brillant, bruyant et éclatant qui l'entourait. La femme lui lança un sourire doux et fatigué.

« Vous connaissez le fils de Milly, celui qui habitait au Christodora ? lui demanda-t-elle. Mateo ? »

Oh, non, pensa-t-il. Pourquoi ? Il confirma : « Oui, le petit Latino.

— Exactement. Ils l'ont adopté. Bon, désolée d'être si peu en forme, mais il y a quelques années, il est tombé dans l'héroïne. Et il est venu dans la région il y a quelques mois pour suivre une cure de désintoxication que je lui avais trouvée. Et tout se passait très bien, il vivait avec mon ami et moi, mais il y a quelques jours, il a disparu en volant nos cartes de crédit, a retiré de l'argent, et depuis trois jours, aucune nouvelle. Donc, désolée d'être ainsi fatiguée, ces trois derniers jours ont été très éprouvants. »

Tandis que la femme racontait l'histoire de Mateo, un frisson glaçant de dégoût enserrait la gorge d'Hector. Il avait participé à la chute du gamin.

« Désolé d'apprendre ça, arriva-t-il à dire. Merci, vraiment merci d'être venue me chercher.

— Pas de souci. Je connais ça. Cela fait vingt ans que je suis sobre, mais j'ai déjà été à votre place.

— Vous preniez quelle drogue ?

— Classique, juste alcool et coke. Rien de dingue. Mais… enfin, j'étais très jeune à l'époque, dans les vingt-cinq ans. Et je ne supportais pas la vie. J'étais flippée et angoissée et je ne savais pas quoi faire de mon existence. » Elle le dévisagea avec douceur. « Ava m'a raconté tout le travail incroyable que vous avez fait pendant des années. Merci, car j'ai beaucoup d'amis qui sont encore en vie aujourd'hui grâce aux médicaments que vous avez aidé à créer. »

Ses mots le mettaient très mal à l'aise, car il les trouvait trop forts. « Je n'ai pas fait grand-chose.

— Je sais ce que vous avez fait. Ava me l'a raconté. »

Hector regarda fixement son plat, qu'il avait largement entamé, car son estomac semblait l'avaler plus rapidement encore qu'il ne pouvait amener la nourriture à sa bouche.

« Vous auriez un Valium ou quelque chose du genre ? » demanda-t-il.

Elle hocha la tête. « Non.

— Je suis en descente.

— Venez à la réunion avec moi pendant une heure, et si vous ne vous sentez pas mieux après ou que vous voulez toujours mourir, je vous emmènerai aux urgences ? »

Il approuva.

Quelques tables à pique-nique dans un parc constituaient en fait le cadre de la réunion, à Plummer Park. Hector s'assit à côté de la femme, Drew, et observa la trentaine de personnes qui s'installèrent avec eux – un mélange d'hommes et de femmes, certains hommes étant de véritables folles, un ou deux transsexuels, mais des transsexuels intégrés qui étaient habillés un peu comme Drew. La moitié des gens avaient des chiens avec eux. Tout le monde se saluait, s'embrassait, semblait tellement léger. Drew lui présenta quelques personnes, dont un *bear* de soixante ans à grosse barbe, habillé de cuir, qui avait suivi les tout premiers traitements contre le sida dix ans auparavant.

Hector avait du mal à tout absorber aussi vite, et ne se sentait pas bien. Comment avait-il pu échouer ici ? Chaque fois qu'il croisait le regard de quelqu'un, on lui servait le même sourire compréhensif et rassurant qui le forçait à détourner le regard. Il écouta quelques bribes des témoignages des participants – lorsque cela fut le tour du *bear*, Vinny, il leur expliqua qu'il priait et méditait beaucoup, et que cela l'aidait durant cette période aux côtés de sa mère de quatre-vingt-cinq ans qui souffrait d'Alzheimer à Pasadena.

Mais Hector ne parvenait pas vraiment à se concentrer. De la grande brume qui recouvrait ces derniers jours, des pièces de puzzle angoissantes refaisaient surface dans sa conscience : il avait laissé Brisa, son chien, son amour et son seul compagnon, à New York, avec un *junkie* à qui il avait fait confiance car il lui avait promis qu'il ne prenait plus de meth, juste de la kétamine. Hector était fier de pouvoir dire qu'il n'avait jamais laissé la drogue l'empêcher de nourrir, sortir ou s'occuper de Brisa – il l'avait déjà emmenée chez le vétérinaire alors qu'il était en descente, abruti par le Klonopin –, mais il n'était pas certain d'avoir bien fait de la laisser à cet enculé de Scooter Rosen, qui avait déjà failli mourir à deux reprises d'overdose de GHB. Et il y avait cette voiture de location ! Il n'avait même pas pensé à parler à cette femme – Dreena ou Deana ? Comment s'appelait-elle ? – de la voiture qu'il avait garée devant la cathédrale Notre-Dame-des-Anges.

Et le gamin. Cette pensée perça la glu qui recouvrait son cerveau. Abandonner le gamin et la fille et le minet de Palm Springs dans cet appartement, tout le monde complètement déchiré après avoir pris au moins quatre drogues différentes. La scène semblait se rejouer devant ses yeux, tandis qu'il écoutait les membres des

AA babiller, comme une vision cauchemardesque qui réapparaît. Il savait que les urgences étaient arrivées, mais…

Il avait le regard perdu dans le vide, au loin des chiens s'amusaient dans le parc à chiens, et lorsqu'il revint sur terre, il réalisa que tout le monde le regardait avec une mine horriblement gentille et inquisitrice. Il n'avait pas dû entendre qu'on s'adressait à lui.

La riche femme qui l'avait amené ici lui posa doucement la main sur le bras. « Est-ce que tu brûles de dire quelque chose ? » lui demanda-t-elle sur un ton ironique.

Il rougit comme une pivoine. Ces connards attendaient qu'il leur dise quelque chose ? Il hocha la tête. Tout le monde continua à lui jeter ces mêmes regards pendant un long moment, comme s'ils ne le croyaient pas, avant que quelqu'un d'autre ne lève la main et que l'attention se porte autre part.

Puis – ah, enfin, mon Dieu – la réunion s'acheva, et tout le monde applaudit. Ils se levèrent en se tenant la main, et dirent leur putain de prière à la con. La femme riche glissa sa main dans la sienne. Bien sûr, il connaissait cette prière, apprise lors d'autres cures de désintoxication. *Dieu, accorde-moi la sérénité d'accepter les choses que je ne peux changer, le courage de changer les choses que je peux changer, et la sagesse d'y voir la différence.* Putain, qu'est-ce que cela voulait dire, franchement ? Il se souvenait que, lors de son dernier passage en cure de désintoxication, il ne pouvait plus changer la triste réalité, celle qui voulait que Ricky et presque tous les autres étaient morts, et pas lui. Avait-il eu le courage de changer le fait qu'il était devenu accro à la meth ? Pas vraiment. Il n'avait personnellement pas trouvé d'intérêt à changer. Il avait de quoi payer son loyer et se nourrir, sa chienne Brisa, ses amis avec qui se défoncer jour et nuit. Il pouvait encore aller à Fire Island ou prendre de temps à autre un avion pour se rendre quelque part. Et, de son point de vue, les médicaments avaient été développés et commercialisés, il avait fait le boulot. Plus personne ne pouvait désormais mourir du sida. Il en avait fait assez.

Une fois la réunion terminée, la femme riche et le *bear* Vinny vinrent le voir. « C'est quoi ton histoire, à toi ? interrogea Vinny. Tu vis où ? »

Il lança un regard froid à Vinny. « New York, lâcha-t-il.

— Hector était à L.A. ces quelques jours », précisa la femme riche.

Vinny fixa intensément Hector de ses beaux yeux bleu clair, un regard plein d'empathie et de curiosité. Hector avait envie de s'enterrer dans un trou. « Tu viens boire un café avec nous ? proposaVinny.

— Comment tu te sens ? » lui demanda la femme.

Il chercha ses mots, bouche ouverte. Il pouvait encore s'enfuir. Il pouvait... quoi ? S'en aller sans plus de politesse, et essayer de retrouver la voiture de location. Mais il savait qu'il ne le ferait pas. Il se suiciderait bien avant – le courage de se tuer, à ce moment précis, était plus fort que son courage de régler les problèmes qu'il avait initiés.

« Je dois vous parler en privé un instant », dit-il à la femme riche.

Vinny et elle se regardèrent. « Juste moi ? s'étonna-t-elle.

— Juste un instant. » Il posa une main sur le bras de Vinny. « Désolé, juste un instant. »

Vinny et la femme riche se regardèrent à nouveau. « Pas de souci, dit Vinny. On n'est pas loin. Dis-moi si tu veux venir avec nous après. » Vinny retourna vers le groupe à petite distance, ce groupe qui était tout sourires, embrassade et discussion.

« Qu'est-ce qu'il se passe ? s'inquiéta la riche femme. Tu veux que je t'amène aux urgences ? »

En avait-il envie ? « Je ne sais pas. Je ne sais pas où aller. »

Elle fronça les sourcils, comme pour l'encourager. « On ferait mieux d'aller aux urgences, j'ai peur de te laisser tout seul.

— Je dois vous dire quelque chose, avant.

— Quoi ?

— Vous voyez, le gamin ? Le fils de votre ami qui a fugué ?

— Mateo ?

— Oui. » Oh, bon Dieu, pensa-t-il, il ne pouvait plus faire marche arrière.

Le visage de la femme s'assombrit. « Qu'est-ce qu'il a ? demanda-t-elle.

— J'étais avec lui, l'autre soir. On faisait la... fête. Enfin, on s'est défoncés ensemble. »

Elle le dévisagea, interloquée. « Quoi ? Vous... vous êtes amis ?

— Mmmh, marmonna-t-il, tout tremblant. On se défonçait ensemble à New York, chez moi.

— Oh, mon Dieu ! », s'exclama-t-elle. Elle fit un pas en arrière, lentement, la main sur la bouche. « C'est toi qui l'as fait tomber dans l'héroïne ? Dans le quartier ?

— Non ! répondit-il, outré.

— Tu es venu ici pour le rejoindre ?

— Non plus ! Je ne savais même pas qu'il était là. Il m'a envoyé un message pour me dire de venir le retrouver.

— Quoi ? Le retrouver où ?

— Chez… chez une fille.

— Quand ?

— Ça devait être il y a… deux jours.

— Il a disparu à ce moment-là. Mais, où, où ? Où est la maison de la fille ? »

Elle était en état de panique.

« Je ne sais pas, je ne sais pas ! Près d'une église.

— Quelle église ? » Sa voix était devenue plus aiguë, et les autres les regardaient. Dans un coin de son champ de vision, Hector aperçut Vinny, le *bear*, qui revenait vers eux.

« La grande église moderne. »

Elle leva les bras au ciel, comme pour dire : *Voilà qui va nous aider*. « Et il allait bien ? » Vinny s'approcha d'elle, et la prit par le bras.

« On était tous défoncés. J'ai appelé les urgences.

— Et elles sont venues ? Que s'est-il passé ? »

Il avait l'impression qu'elle allait le frapper. Il recula d'un ou deux pas. « J'ai vu l'ambulance s'arrêter, et je suis parti. »

Elle se couvrit à nouveau la bouche. « Oh, mon Dieu ! cria-t-elle, en s'éloignant encore plus de lui, effarée.

— Chuuuut, ça va aller », l'apaisa Vinny en la serrant dans ses bras. Hector se recroquevilla sur place, comme si la honte qu'il avait réprimée depuis tant d'années envahissait tout son corps, jusqu'au visage.

« Expliquez-moi ce qu'il se passe », intima Vinny en regardant Hector et la femme.

La femme riche essaya de reprendre son souffle, et prit Vinny par les coudes : « Le fils d'une amie, qui vivait chez moi, parvint-elle à dire. Je dois donner des coups de fil pour savoir ce qu'il lui est arrivé. » Elle était déjà en train de fouiller dans son gros sac de luxe, en sortit son iPhone, un petit carnet et un stylo. Elle se tourna brutalement vers Hector : « Comment tu as pu ne rien me dire quand je t'ai parlé de Mateo tout à l'heure ? »

Elle alla jusqu'aux tables où s'était tenue la réunion tout à l'heure. Hector avait l'impression que son visage était en feu, à cause de la honte qui l'avait envahi. Il éclata en sanglots.

Vinny lui mit un bras sur l'épaule. « Je pense qu'il vaut mieux que je t'amène aux urgences. C'est quoi, ton nom ? »

Hector réussit à lui donner son nom de famille.

Vinny le dévisagea, l'air étonné. « C'est toi Hector Villanueva ? »

Hector, interloqué, le fixa.

« J'ai été activiste aussi, expliqua Vinny. À San Francisco. On s'est rencontrés à une conférence, il y a vingt ou trente ans. À New York.

— Vraiment ? » C'était bien la dernière chose dont il avait envie maintenant. Les fantômes, toujours les fantômes !

« Écoute, continua Vinny. Je suis passé par là moi aussi. C'est un trauma, c'est tout. Ne te déteste pas pour ça, cela ne vaut pas le coup. On a déjà assez souffert comme ça. »

Hector lui lança un regard glaçant. « Chéri, j'ai déjà assez vécu. Je suis prêt à faire mes bagages pour de bon. »

Vinny serra ses doigts sur l'épaule d'Hector, et le fit pivoter sur place pour le conduire vers la femme riche. « Suis une cure de désintoxication et deviens sobre, conseilla-t-il. Tout le reste viendra naturellement ensuite.

— Je ne veux pas retourner la voir.

— D'accord, attends ici, je vais lui parler. »

Hector leur tourna le dos. Devait-il s'enfuir ? Il n'en avait pas l'énergie. Et ils appelleraient la police en disant qu'un homme suicidaire était dans la nature. Quelques secondes plus tard, Vinny revint pour lui présenter un Asiatique présent à la réunion, un quadra du nom de Foster qui portait un tee-shirt Black Flag. Foster épargna au moins à Hector son sourire préfabriqué et lui donna une petite tape dans le dos en guise de salut.

« Viens, dit Vinny. On va t'emmener aux urgences à Cedar. »

Il les accompagna jusqu'au parking. Et... qu'est-ce que c'était, putain ? Deux flics de la LAPD fonçaient vers eux, sur la pelouse. *Ils viennent m'arrêter*, pensa immédiatement Hector, puis il se dit : *Non, ils ne sont pas là pour moi*, et : *Si, c'est pour moi*. C'était le cas. L'un d'eux lui demanda s'il était bien Hector Villanueva. Il hocha la tête, pour confirmer.

« Vous êtes en état d'arrestation, pour détention de drogues, déclara l'un d'eux en le menottant. Et vous devrez aussi répondre de la mort de Carrie Janacek. » Ils l'emmenèrent jusqu'à leur voiture de police, Vinny et Foster dans leur sillage.

« Je ne connais personne de ce nom, protesta-t-il, mais son estomac se noua.

— C'est la fille à qui vous avez donné de la drogue il y a deux jours, à Westlake, lui apprit l'un des flics. Après votre départ, elle a fait une overdose. »

Le sol sembla brutalement s'ouvrir sous ses pieds. Durant toutes ces années de drogue, personne n'était mort à l'endroit où il se trouvait. Il se souvenait à peine de cette fille, sauf des derniers instants lorsqu'ils avaient baisé tous les quatre sur le canapé.

« Et le gamin va bien ? questionna Hector.

— Lequel ? » demanda la fliquette.

Oh, c'est vrai, se souvint-il. Le minet de Palm Springs était là aussi. « Le... Latino.

— Il va là où vous allez, comme l'autre, dit le flic. MCJ. »

— C'est quoi ?

— La prison. »

Ils parvinrent enfin à la voiture, l'installèrent sans violence à l'arrière. Il jeta un regard à Vinny et Foster.

« Je le dirai à Drew, assura Vinny. On va te faire sortir. Essaie de te reposer, Hector, d'accord ? »

La voiture démarra. Hector ferma les yeux, et s'allongea sur la banquette.

« Assis, monsieur, lui intima la fliquette à l'avant. Il faut qu'on puisse vous surveiller. »

Il se redressa. Il se fichait bien de ce qui allait lui arriver. La seule chose dont il avait envie, c'était de se coucher en position fœtale dès que possible, de s'endormir et de surtout ne jamais se réveiller.

Heures sombres
(1992)

Hector retourna à son appartement, désormais veuf. Il retira son costume et sa cravate dans le salon, puis tituba jusqu'à la chambre, empoigna une chemise en flanelle de Ricky rangée dans la commode, l'entoura autour de son cou pour sentir longuement son parfum, se cala sous le duvet, se roula en boule et fondit en larmes. Le pire moment de la journée avait été tout ce temps passé aux côtés des parents de Ricky. De ne les avoir jamais rencontrés jusqu'à ce début d'année où ils étaient venus voir Ricky à New York pour la première fois car ils savaient que la fin était proche, de ne pas avoir connu ces républicains catholiques de Reading en Pennsylvanie qui, lui avait dit Ricky, étaient responsables de certains aspects de sa personnalité – Jim et Cathy –, de ne pas les avoir particulièrement appréciés car il savait ce que signifiait ce silence gêné à l'autre bout de la ligne lorsque Ricky, si bravement, d'un ton si nonchalant et naturel, évoquait son ami gay et sa lutte contre l'épidémie.

Puis, être tout à coup à côté d'eux pendant des heures, des jours. Et ce moment durant les funérailles où Cathy avait éclaté en sanglots – lorsqu'elle s'était mise à pleurer sans bruit et s'était tournée, imperceptiblement, timidement, vers son mari, qui n'avait rien remarqué ou avait prétendu froidement ne rien voir. Hector n'avait pu le supporter. Il avait passé son bras autour de l'épaule de cette petite femme falote, cette provinciale qui n'avait jamais voyagé, ne s'était jamais cultivée, mais qui avait tout de même créé Ricky pour lui, comment ne pas la remercier, comment affirmer ne rien lui devoir ? Il avait donc passé son bras autour d'elle, et elle s'y était écroulée, s'était blottie sur son torse comme si c'était le lieu doux et compréhensif qu'elle avait cherché en vain ces seize derniers mois, et s'y était écroulée, inondant de larmes son costume, tandis qu'il l'avait enserrée de son autre bras pour la rassurer, pleurant à ses côtés, empli d'une rage folle envers Jim qui avait continué à prétendre, stoïque, qu'il n'avait rien remarqué.

Après l'enterrement, tous trois ainsi que les proches de la famille et de Ricky étaient allés déjeuner dans un restaurant de Midtown. Hector avait été si heureux lorsqu'un des amis ou des proches de la famille avait fait une mauvaise blague à propos de Ricky et son amour prolo inconsidéré pour les sucreries, et avait insisté pour que tout le monde, en sa mémoire, commande un gâteau au chocolat et à la guimauve. Ensuite, Hector avait raccompagné Cathy et Jim et les proches à leur hôtel, puis avait pris le métro pour retourner à son appartement de Bleecker Street. Il y vivait virtuellement seul depuis quasiment un an, car Ricky était hospitalisé à St Vincent.

Finalement, il se décida à arrêter de pleurer et de se lamenter, car son état de tristesse et d'agitation était insupportable. Il prit un Valium, avala une lampée de vin blanc d'une bouteille qui devait être ouverte depuis des mois dans le réfrigérateur. Le vin avait tourné, amer, mais il s'assit à la table de cuisine avec le reste de la bouteille, s'alluma une cigarette et attendit que le Valium fasse son effet. Lorsqu'il se sentit vaporeux, il prit la bouteille et retourna avec à la chambre, fit le tour de la pièce afin de ramasser le maximum d'effets ayant appartenu à Ricky – un vieux tee-shirt sans manches acheté à un concert de Whitney Houston, une paire de chaussettes de sport blanches, une photo de Fire Island, un jockstrap rouge, un livre d'astrologie, une poupée décalée qu'il adorait – et les ramena dans son lit avec lui. Il s'endormit ainsi, les bras pleins.

Sept heures plus tard, le téléphone posé sur la table de chevet se mit à sonner et le réveilla à moitié. Au bout d'une heure de plus, il s'éveilla totalement, et décrocha, encore dans les vapes.

« Hector ? » C'était la voix d'une femme. Il grogna pour confirmer son identité. « C'est Issy. »

Ysabel. Il ne l'avait pas vue depuis… quatre ou cinq mois. Un voile de honte l'enveloppa, malgré son état semi-comateux. « Qu'est-ce qu'il y a ? marmonna-t-il.

— Comment tu vas ? » Elle semblait lointaine, timide, minuscule.
« Je viens juste de me réveiller.

— Je voulais juste m'excuser de ne pas être venue aujourd'hui.
Je ne me sens pas bien.

— Je sais, Ava me l'a dit. Ne culpabilise pas pour ça.

— Ça s'est bien passé ?

— Oui, ça a été, merci. Demande à Ava. Moi j'ai pris un Valium
en rentrant, et j'en sors à peine.

— Oh, d'accord, dit-elle, l'air légèrement outré. Je suis désolée,
je ne voulais pas te réveiller.

— Pas de souci. » Hector se redressa dans le lit réalisant que, à
moitié défoncé, il s'était entouré de tous les objets de Ricky avant
de s'écrouler. Le cadre photo de Ricky était tombé du lit et il le
ramassa. « Comment ça va, Issy ? Tu n'es pas encore à l'hôpital, si ?

— Non. Je suis stabilisée. Je suis avec Ava. À Judith House.

— Je passerai te voir cette semaine, ça te va ?

— Non, répondit-elle immédiatement. Je ne suis pas en super
forme pour le moment. Je te dirai quand, d'accord ?

— D'accord, merci d'avoir appelé, Issy. »

Il raccrocha. Même dans les vapes, il se sentait mal d'avoir le
sentiment d'avoir manqué à sa tâche ces six derniers mois avec
Issy. Cela ne serait plus jamais pareil après ce qui s'était passé. Ce
genre de chose, pensa-t-il dans une sorte de brouillard épais, arrivait lorsque les gens, une communauté même, approchaient la
mort, lorsqu'ils prenaient conscience que leurs rêves collectifs ne
se concrétiseraient jamais, que s'ils couraient plus vite, d'autres
derrière eux s'écroulaient, qu'ils trahissaient cohérence et morale
de groupe. Ils communiquaient désormais de façon inappropriée,
dans l'affrontement, car la plupart du temps, ils ne parvenaient
même plus à communiquer du tout. L'instinct de survie poussait à
l'isolement.

Il réussit à escalader cet autel à la mémoire de Ricky et à se traîner
jusqu'aux toilettes, pour uriner, avant de retourner se coucher.
Quelle heure était-il ? Minuit, une heure ? Il s'en fichait. Avait-il
faim ? Vaguement. Il se rendormit, mais le téléphone sonna à nouveau.

« Hector, c'est Chris. » Chris Condello, le beau gosse aux cheveux délavés du mouvement, le partenaire scientifique d'Hector.

Hector n'était plus retourné à une réunion du mouvement ces six derniers mois mais il devait avouer que Chris, malgré son côté grande gueule, avait été irréprochable durant toute la maladie de Ricky. Il était venu le voir à St Vincent et avait pris de ses nouvelles auprès d'Hector régulièrement. Il était venu aux funérailles.

« Ça va, Hec ?

— Je dormais.

— Je suis dans ton quartier. Je peux passer ?

— Il est quelle heure ?

— Une heure moins le quart. J'étais chez Uncle Charlie.

— Tu es bourré ?

— Bourré et sous coke. Je peux passer ? Je voudrais te parler d'un truc ?

— Bien sûr, viens », dit Hector. Cela lui importait peu.

Cinq minutes plus tard, il fit entrer Chris dans l'immeuble et l'attendit sur son palier tout en se grattant les parties intimes, écoutant Chris monter les marches des trois étages quatre à quatre, dans ses Doc Martens. Chris arriva, ivre et défoncé. Chris était arrivé vers lui, ivre et défoncé, ses cheveux noir jais ébouriffés dans au moins trois directions différentes.

« Sexy, mec, de m'accueillir comme ça en caleçon, dit Chris.

— Ça me rassure que tu me trouves encore sexy. »

Chris prit Hector dans ses bras, enfonçant son visage rouge de vodka et de cocaïne dans son cou. « Ça va, après tout ça, Hector ?

— Je me suis envoyé un Valium. Il te reste un peu de coke ? »

Chris prit son portefeuille, en sortit une petite dose de poudre blanche, en saupoudra sa clé d'appartement et tendit un beau petit tas à la narine gauche d'Hector, puis une à la droite. Hector les sniffa avec gourmandise, et se délecta du choc chimique imposé à son système nerveux. Chris se prit à son tour deux sniffs, puis reposa la dose sur la table. Ils se regardèrent, les yeux allumés, en train de sentir le goût de la cocaïne descendre le long de leur gorge, puis s'embrassèrent.

Chris recula d'un pas. « Tu n'imagines pas à quel point j'ai toujours voulu que tu me baises sans capote, annonça-t-il.

— Oh, alors tu es *bien* séropo. C'est ce que tu veux me dire ? »

Il sortit sa queue du caleçon et força Chris à se mettre à genoux devant lui.

« Bien sûr, oui. Pas toi ?

— Non. »

Chris leva les yeux vers lui. « Sérieux, tu es négatif ? Je pensais…

— Non. Tu sais, tu n'es pas le premier à croire le contraire. »

Chris réfléchit à cette réflexion aussi longtemps que son état cocaïné le lui permettait. « Génial, tu peux quand même me baiser sans capote, alors. » Il posa ses lèvres sur la queue d'Hector, mais Hector le repoussa.

« J'ai une question d'abord. C'est pour ça que tu es toujours aussi con lors des réunions ? Tu penses que tu peux traiter comme de la merde ces gens qui viennent chercher de l'aide parce que tu es dans le même bateau qu'eux ? »

Chris éclata de rire, estomaqué. « Je vais là pour être efficace. Je ne suis pas comme toi, d'accord ? Ils savent que je suis comme eux.

— Je ne pense pas, pas tous. Pourquoi tu ne me l'as jamais dit ?

— Hector ! Bien sûr que je te l'ai déjà dit. Quand tu m'as appris la maladie de Ricky.

— Non. Tu ne me l'as jamais dit. »

Toujours à genoux, Chris fit un signe d'agacement, comme impatient. « Je pense te l'avoir déjà dit, Hector, mais si ce n'est pas le cas, je suis désolé. Je pensais que tu savais. »

Comme c'était comique et abject de voir ainsi Chris, à genoux, de la salive aux lèvres, en train de le regarder et le supplier de le baiser. Ce n'était pas le Chris que les gens vénéraient, celui dont le *New York Times* parlait si fréquemment. « Contente-toi de me sucer la bite, espèce de connard », dit Hector, traitant Chris de la façon qu'il désirait. Il lui fourra la queue dans sa bouche.

Chris la retira un instant : « Ensuite, tu me baiseras sans capote ? »

Hector la fit à nouveau rentrer violemment. « On verra. »

Durant les quarante minutes qui suivirent, ils prirent beaucoup de coke. Chris finit nu sur le lit d'Hector, allongé sur l'estomac, la tête enfoncée dans un oreiller, les jambes largement écartées, suppliant et gémissant. Hector appliqua du lubrifiant sur le cul de Chris et sur sa queue, mais il ne bandait pas assez fort pour le pénétrer. En fait, la vue des fesses de Chris, moins belles et plus grasses que celles de feu Ricky, recouvertes d'un duvet brun ridicule par rapport à ses cheveux décolorés, déprimait Hector, même en pleine montée de coke.

« Je n'y arrive pas, dit-il, se dégageant de Chris et se mettant en position fœtale, le visage dans un oreiller.

— Prends ton temps, dit Chris.

— Non, tu ne comprends pas, ça me fait totalement flipper. » Il se leva du lit pour y revenir avec une boîte de Valium, et en suça un.

Chris le regarda, les yeux écarquillés. « Qu'est-ce que tu fais, ça va te casser ta montée ?

— Si tu veux te défoncer avec quelqu'un et te faire baiser sans capote, vas-y, mais ça ne sera pas avec moi. »

Chris le fixa, bouchée bée, et éclata de rire. « D'accord, je vois. Donne-moi un Valium aussi.

— Mais casse-toi, putain ! Je n'ai pas envie de te baiser, tu comprends ?

— Hé, mec », prononça Chris lentement. Il interposa ses deux mains entre eux, comme pour lui dire d'arrêter. « File-moi un Valium. Je vais entamer ma descente avec toi. » Chris fit un geste en direction de la bouteille de Valium.

Hector le repoussa : « Je ne vais pas gâcher mon Valium avec toi. »

Chris n'en revenait pas. « J'irai t'en racheter. » Il refit le même geste pour saisir la bouteille, mais Hector alla plus vite que lui, et sortit une pilule, puis la lui tendit. Chris la mit dans sa bouche, se leva, nu, pour aller aux toilettes, où Hector le vit essuyer avec du papier toilette le lubrifiant tartiné sur son cul, puis se rendit à la cuisine, et revint dans la chambre avec deux verres d'eau.

« Bois », ordonna-t-il. Hector avala l'eau.

« Maintenant, viens ici. » Chris l'attira dans le lit, l'allongea, tira le drap sur eux, et le prit dans les bras. « On ne baise pas, d'accord ? Juste un câlin. Deux amis qui se font un câlin. »

Hector posa sa main sur le bras de Chris qui traversait son torse. Il était tout tremblant, le cœur battant à cent à l'heure à cause de la coke. Il resta ainsi allongé, le regard dans le vide, terrorisé, jusqu'à ce que la douce brume du Valium se mette, lentement, à couler dans ses veines. Une fois l'effet atteint, il réalisa que, maintenant qu'il n'était plus en état de panique, la coke le faisait bander dur. Il se retourna sur le côté dans le lit, força Chris à faire de même, et le baisa en silence, sa bouche enfoncée dans la nuque de Chris pendant tout ce temps. Il éjacula à l'intérieur de Chris, exactement ce que cette petite salope voulait, puis il resta en lui et fondit à nouveau en larmes.

Une fois complètement redescendu, alors qu'il se demandait comment bien se débarrasser de Chris puis se rendormir, Chris dit : « Maintenant que tu as fait ton affaire, je peux proposer quelque chose ? »

Hector marmonna qu'il pouvait.

« Rich et Maira et moi voulons quitter le mouvement depuis longtemps et former un nouveau groupe de traitement. Comme cela, on pourra vraiment avancer avec les autorités fédérales et ne plus avoir à être freinés par les éléments incontrôlables du mouvement, et leurs règles idiotes ou les conflits personnels. »

Encore à moitié abruti, Hector sentit l'agacement monter. Il avait à peine mis un pied aux réunions ces six derniers mois, trop occupé à regarder Ricky mourir. Il s'était dit qu'il avait fait son temps, qu'il avait fait sa part du travail, et que peut-être il allait abandonner cette partie de sa vie pour retourner à Porto Rico et travailler dans la santé publique là-bas. Il n'en pouvait plus de l'amertume et de la mesquinerie qui minaient le mouvement, ainsi que de cette tristesse et ce sentiment de deuil qui se cachaient derrière, la déception profonde de ne pas avoir réussi à sauver tout le monde, la chasse aux sorcières que cela impliquait.

« Je crois que j'en ai ma claque de ce milieu », souffla-t-il à Chris.

Chris se retourna, se releva sur le coude, et fit face à Hector, qui avait toujours les yeux mi-clos, la tête enfoncée dans l'oreiller. Chris dégageait une odeur étrange, remarqua Hector – un mélange de parfum et de crasse. Pas forcément mauvais, mais bizarre.

« Je pense que si tu te concentres sur ce projet pendant un ou deux ans, cela te fera du bien, dit Chris. On a déjà beaucoup de promesses de dons de la part de différents groupes privés. Et on a besoin de quelqu'un pour communiquer face au mouvement principal, et tu sais comme moi que tu es le seul type parmi nous quatre à être assez populaire pour le faire. Tu es le seul que les gens aiment vraiment.

— C'est vrai, grommela Hector.

— Clinton va probablement passer au mois de janvier. Il faut que chaque heure de chaque jour de toutes les années à venir portent sur les tests d'inhibiteurs de protéase.

— Protéase, éructa Hector. Putain de protéase. Je déteste ce mot.

— Hec », le coupa Chris. Il caressa les cheveux d'Hector qui balayaient son front. « Je suis tellement désolé, chéri. »

Hector leva les yeux vers Chris. « Si seulement tu savais expliquer toutes ces conneries aux gens. »

Chris sourit, gêné. « C'est pour cela qu'on a besoin de toi, Hector. On est tous des fieffés connards, sauf toi.

— Je te donnerai ma réponse dans quelques jours. »

Chris caressa à nouveau les cheveux d'Hector. « Je vais te laisser dormir, maintenant. »

Chris prit une douche, se rhabilla, reprit un sniff de coke et disparut en faisant claquer ses Doc dans la cage d'escalier, pour déambuler dans les rues calmes de Greenwich Village, lors de cette douce nuit d'octobre à 5 h 30 du matin, alors que le ciel pourpre annonçait le lever du jour. Il descendit la rue, les poings enfoncés dans les poches de sa veste en jean. Il était défoncé, se rendit-il compte, et au lieu de rentrer chez lui, il accéléra vers East Village, jusqu'à un bar pourri lambda situé entre les Avenues C et D, où il pensait pouvoir trouver de la drogue et quelqu'un pour le baiser à nouveau. À des instants comme ceux-là, il sentait au plus profond de lui-même, quasiment à un niveau cellulaire, son corps souffrir de façon masochiste d'ainsi éreinter son système immunitaire, un plaisir pervers et si plaisant, celui de repousser ses limites. Combien d'efforts, combien de toxicité et de décadence son corps pourrait-il supporter avant de le lâcher enfin ? Tous ces types qui s'étaient mis au yoga et aux jus macrobiotiques, à ces conneries de visualisation positive – n'était-ce pas plus triste, finalement, lorsqu'ils tombaient à leur tour malades ? Comme cela, au moins, lui n'aurait rien à regretter. Il prit une cigarette et la fuma avec avidité tandis qu'il marchait.

Pourtant, il n'avait qu'à penser à un terme comme *pathogénèse* ou *prophylaxie* ou *cytokine* – ou, encore plus merveilleux, *inhibiteur de protéase*, car le mot faisait miroiter la promesse d'une future rédemption, tout comme *ddI* quelques années auparavant – pour que son cerveau s'active immédiatement. Les mots complexes, qui l'intronisaient dans un cercle de conversation peuplé de médecins et autres membres de l'élite sociale, l'émoustillaient, lui donnaient le sentiment réconfortant qu'il pourrait se frayer un chemin dans le labyrinthe microscopique de sa maladie. Et, bien sûr, cette connaissance scientifique lui conférait une aura, imposait le respect aux autres membres du milieu médical et une certaine admiration chez les autres. Tout cela dopait Chris et lui donnait de l'énergie pour vivre. Ensuite, il se demandait pourquoi il voulait vivre dans une telle déchéance, en se comportant comme s'il voulait mourir, à se soûler d'alcool, à enchaîner cigarettes et cocaïne. Il avait tranché en « faisant des pauses », pour se récompenser de ses longues périodes de travail – à préparer une réunion puis à y participer, par exemple –, en lâchant prise, mais il avait du mal à comprendre le plaisir viscéral et la satisfaction crasse qu'il éprouvait lors de ses périodes de toxicomanie, à quel point cela était cathartique de pousser son corps à bout, jusqu'à ce qu'il ne puisse plus bouger de son lit pendant trois jours. Lorsqu'il pouvait enfin retrouver une vie normale, se lever, prendre une douche, manger et travailler, il avait étrangement l'impression qu'il avait redonné sens à sa vie.

Tout en avançant, il passa devant un immeuble de brique rouge, sur la 7e Rue Est, entre la 1re Avenue et l'Avenue A – une construction discrètement ornée d'une plaque près de la porte qui indiquait JUDITH HOUSE. Une femme était assise à la fenêtre du deuxième étage. Elle n'avait pas bien dormi dans cette chambre qu'elle partageait avec une autre femme. Elle regarda vers la rue et l'aperçut, gloussant intérieurement car elle savait pertinemment dans quel genre d'endroit il se rendait à cette heure-là, à fumer nerveusement, les mains enfoncées dans les poches de sa veste. *Oh, mais c'est Chris !* Il lui rappela tous les autres garçons du mouvement, et combien elle avait été peu présente ces derniers mois, évitant réunions et manifestations. Cela avait été son choix, mais ce n'était pas pour autant qu'ils ne lui manquaient pas.

Elle laissait quelques filles du mouvement – les lesbiennes et quelques hétéros, tout de même – venir lui rendre visite. Esther Hurwitz, dont le caractère péremptoire lui faisait peur au début, mais qui était devenue l'une de ses meilleures amies, passait la voir chaque jour, souvent avec du jus de blé ou de citron ou de plante – elle ne se souvenait jamais de la composition exacte – qu'elle lui préparait chez elle à quelques rues de là. Esther s'asseyait à ses côtés dans la grande salle du rez-de-chaussée ou, lorsque les autres pensionnaires faisaient trop de bruit ou se disputaient, elles allaient faire un tour du quartier, et Esther confiait à Issy tous les tiraillements et les disputes internes au mouvement, depuis la dernière réunion ou la création d'un sous-groupe. La constante, c'était que les gens – les garçons, surtout, mais également quelques femmes – essayaient de « sous-évaluer » ou « marginaliser » Esther car ils étaient agacés par son message de changement radical et de justice sociale qui allait bien au-delà de l'épidémie en elle-même.

« Oh, Esther », était tout ce qu'Issy pouvait lui dire. Pourtant, elle appréciait beaucoup ces discussions. Cela lui remontait le moral et elle était tenue au courant des avancées. La majeure partie de la lutte des femmes était de bouger le gouvernement afin de changer la définition officielle du sida et d'y intégrer des symptômes propres aux femmes – comme l'inflammation pelvienne ou l'interruption des règles dont souffrait Issy. Issy s'était d'ailleurs beaucoup battue pour cela, se surprenant elle-même à réussir à emmagasiner tant d'informations et à les communiquer aux nouvelles arrivantes.

Mais, six mois plus tôt, elle était devenue plus malade que jamais – et lorsqu'elle avait à peine surmonté ce premier obstacle, elle reçut l'*autre* nouvelle. Ensuite, elle n'avait plus eu le cœur de reprendre tout cet activisme, et c'était si compliqué de croiser *une certaine personne* aux réunions. Le nouveau stade de sa maladie lui avait permis d'intégrer Judith House. Là, elle aidait Ava dans ses dossiers de demande de subvention et pour tout ce qui était administratif.

« Quand est-ce que tu reviens aux réunions ? voulait savoir Esther. Tu es en assez bonne santé, maintenant, et on a besoin de toi. »

Issy haussait les épaules, arrachait quelques feuilles d'arbres sur le chemin. « Ça me fait bizarre de revenir maintenant.

— Personne ne va te juger parce que tu attends un enfant. Tu es suivie médicalement… tu ne vas pas le refiler au bébé. Tout le monde en est conscient, aux réunions. »

Issy se sentait coincée. « Je ne veux pas y retourner tout de suite, Esther ! » Elle se sentait bloquée, comme montrée du doigt. « Il y a trois ans, je suis venue à une réunion parce que je pensais que j'allais mourir, et je ne savais pas où aller autrement. Je n'étais pas venue pour entamer une carrière d'activiste. » Tout cela, ce n'était que des excuses, Issy le savait ; elle avait arrêté de fréquenter les réunions, car elle ne voulait pas que les garçons, surtout *lui*, sachent qu'elle était enceinte ; Esther et les autres filles qui étaient au courant lui avaient promis de ne pas le dire aux autres.

Esther lui répondait en souriant, l'air malin : « Mais tu es devenue une activiste là-bas. Et tu es très douée pour ça. Tu as fait tes preuves auprès des garçons. »

Esther passait son bras sous celui de Issy, et Issy souriait, malgré elle. Esther avait raison. Les trois dernières années avaient été passionnantes. Est-ce qu'Issy aurait un jour imaginé tenir un microphone à Washington Square Park et lancer devant une foule de mille personnes : « Je suis une Latina de New York City, et je vis avec ma séropositivité et le sida, et je suis une citoyenne, et je veux mes droits ! » Et que tout le monde l'applaudirait vivement et qu'elle serait ensuite dans les journaux quotidiens et télévisés ? Aurait-elle pu penser que lorsque son père la verrait à la télévision et l'appellerait, furieux, en lui demandant d'arrêter de lui faire honte, elle trouverait le courage malgré sa peine de lui dire d'aller en enfer ? Pensait-elle qu'elle ferait partie des comités se rendant à Washington afin de raconter son histoire aux officiels du gouvernement fédéral et qu'elle leur demanderait qu'un fonds spécial soit créé pour les femmes victimes du sida ?

Est-ce que tout cela est vraiment réel ? avait-elle pensé alors qu'elle était assise dans un bureau du Département fédéral de santé face à un député républicain quadragénaire joufflu dirigeant un comité qui continuait à refuser de financer la recherche contre le sida et son traitement. Elle avait organisé cette rencontre avec deux politiques du Gay Men's Health Crisis, un mouvement de lutte contre le sida souvent jugé comme trop modéré, mais le GMHC lui avait dit qu'elle était l'une des rares Latinas touchées par la maladie à New York et qu'elle pourrait ainsi mieux discuter de ces problèmes avec les équipes du Congrès. Ils avaient vraiment besoin qu'elle les accompagne, alors comment refuser ? Et voilà, elle était face à cet homme, qui faisait au moins semblant de l'écouter, ses grosses mains croisées sur les genoux, et ses yeux concentrés sur elle, à la dévisager minutieusement, tout en bougeant machinalement la jambe. Elle le regardait droit dans les yeux en lui expliquant la dysplasie cervicale.

Lorsqu'elle eut fini, il avait levé les mains, soupiré et dit : « Je suis impressionné par le travail que vous faites. Je sais que je pourrais avoir des ennuis si je disais cela devant certaines personnes, mais je pense que vous accomplissez le travail du Seigneur. » Il lui avait fait un clin d'œil complice.

Cela avait fait rougir Issy, qui ne savait plus où se mettre. « Merci, avait-elle dit.

— Mais avez-vous réalisé que nous sortons tout juste d'une guerre *et* que c'est la récession *et* que nous avons déjà passé le Ryan White Care Act au Congrès afin d'aider les victimes américaines du sida ? »

Issy avait senti son cœur battre à toute allure et elle avait repris son souffle, tout en pensant à ses amis du mouvement, à New York. « Excusez-moi, nous ne sommes pas des victimes, avait-elle lâché, froidement. Nous sommes des gens qui devons vivre avec notre séropositivité et le sida, et nous avons besoin de plus d'argent pour mener à bien nos recherches… surtout pour les femmes. »

Le député avait hoché vigoureusement du chef. « J'entends bien. J'entends bien. Je rencontre tellement de groupes, je n'utilise pas toujours la bonne terminologie, je suis désolé. Je dis juste que nous sommes dans une logique de maîtrise des budgets actuellement, que c'est une année électorale, et que nous ne pouvons répondre aux demandes de tous les groupes d'intérêt du pays, car il y en a énormément, et de très divers. Votre groupe a reçu de grosses sommes ces dix dernières années. »

Le cœur d'Issy avait bondi : « Mon *groupe*? Nous ne sommes pas un *groupe*. Nous sommes des citoyens, nous sommes des Américains. Et nous n'avons pas reçu énormément d'argent. Votre président n'a même jamais prononcé le mot sida jusqu'à 1987. » Elle avait eu beau répéter ce mantra – que plus de vingt mille personnes étaient mortes de la maladie avant qu'il n'ait prononcé ce terme – à plusieurs occasions, cela la rendait toujours aussi outrée et en colère que lorsqu'on lui avait appris ce fait, soulignant à quel point elle importait peu pour son propre pays.

Le député avait levé à nouveau doucement la main, comme pour dire *stop*. « C'était sous Reagan, ça. Les choses se sont passées très différemment sous l'administration Bush. Il a signé la loi Ryan White. Soyez honnête.

— Monsieur, était intervenu le jeune gay coupé en brosse du GMHC qui l'avait accompagnée pour ce rendez-vous, je crois que Mlle Mendes voudrait vous parler d'augmenter les financements de la recherche pour les *femmes* qui ont le sida.

— C'est ça, avait confirmé Issy, embarrassée que l'employé du GHMC ait dû recadrer le débat à sa place. Vous devez mettre en place un programme spécial qui s'assure que les médicaments sont bien testés sur les femmes. »

Le député lui avait répondu par un sourire à la fois chaleureux et las : « Nous avons besoin de *beaucoup* de programmes spéciaux, mademoiselle Mendes. Et nous sommes en période de récession. »

Issy avait hoché la tête de rage. « Vous savez, avait-elle dit en baissant la voix pour avoir plus de poids dans la conversation, j'aimerais que vous ayez mon vagin pour qu'un jour vous connaissiez la douleur d'une inflammation pelvienne. J'aimerais que vous puissiez ressentir cette atroce sensation, les pertes blanches et l'*odeur*. L'*odeur* ! Et alors vous sauriez que c'est un *symptôme* du sida, et vous apprendriez que soigner ce symptôme n'est absolument pas couvert par les mutuelles car il est réservé aux femmes et que le gouvernement ne le considère pas comme un *symptôme* réel. Ensuite, je crois que vous reconsidéreriez l'importance de cette maladie. »

Issy avait continué à le fixer dans les yeux, tandis que l'homme semblait toujours aussi concentré et concerné. « Mademoiselle Mendes, je suis sincèrement désolé d'apprendre vos soucis de santé. Et (il s'était alors tourné vers une assistante blonde en talons compensés qui était restée impassible dans son tailleur beige, son foulard dans les cheveux) nous allons aborder ces questions lors du prochain comité. N'est-ce pas, Shonna ?

— C'est dans l'ordre du jour ! » avait rebondi la jeune femme à la beauté de Teflon, avec le même soupçon d'impatience que son patron.

Tout le monde était resté silencieux pendant un moment. Issy avait déjà connu ce genre de pauses lors de précédentes visites – ce moment insupportable où elle avait tout dit, tout donné, lorsque le désespoir et leurs besoins avaient été exprimés, que cette expression avait été poliment prise en compte et documentée, et qu'il n'y avait donc plus rien à dire. D'autres supplicateurs, avec leurs soucis bien à eux, attendaient à l'accueil derrière elle. C'était si... Issy cherchait le bon terme. C'était comme faire la queue pour se confesser, à attendre que le prêtre vous dise quelque chose d'incroyable qui vous remettrait sur le droit chemin, sauf que cela n'était jamais le cas. Il vous disait juste de marmonner quelque vieille prière et de passer votre tour.

« Je ne voulais pas vous choquer, avait-elle lâché. Je voulais juste que vous me compreniez. »

Le député avait hoché la tête d'un air indulgent. « Ce n'est pas tombé dans l'oreille d'un sourd. Nous avons très bien entendu ce que vous aviez à nous dire. »

Dehors, dans les couloirs, l'employé du GMHC l'avait prise par le bras. « Issy, tu as été incroyable ! C'est exactement ce qu'il avait besoin d'entendre.

— Mais il a raison, s'était-elle surprise à dire, avec un sentiment à la fois de soulagement étrange et de désespoir encore plus intense, nous pensons que nous sommes le centre du monde, mais pour le gouvernement, nous ne sommes qu'une infime part de leurs administrés. Un grain de sable.

— C'est *plus* qu'un grain de sable », avait insisté le jeune du GMHC.

Et pourtant, de façon incroyable, ils avaient remporté leur bataille. À la fin de l'année 1991, le gouvernement avait lancé le financement d'une très large campagne d'observation des femmes séropositives, afin de lister les problèmes spécifiques aux femmes. De nombreux membres du mouvement avaient considéré que c'était grâce à Issy, qui avait été assez courageuse pour ainsi ouvrir son cœur et exposer sa situation personnelle à Washington, et elle avait reçu une ovation bouleversante lors de la réunion hebdomadaire, tout le monde chantant : « Issy ! Issy ! » Hector et Esther, de chaque côté d'elle, lui avaient tenu les bras en l'air, comme si elle était Rocky Balboa. Elle rayonnait d'un sens du devoir inédit et s'était pour la première fois de sa vie sentie acceptée et intégrée. Il y avait encore du boulot à faire – le gouvernement ne prenait pas encore compte les problèmes spécifiques aux femmes dans sa définition officielle du sida – mais ils avaient décroché une victoire. *Elle* avait décroché une victoire.

Et puis, bien sûr, il y avait eu tous ces bons souvenirs et les amis qu'elle s'était faits pendant toutes ces années. Aurait-elle pu imaginer qu'elle participerait à de gigantesques festivals d'été de drag queens dans ce parc, Tompkins Square, où elle avait encouragé à tue-tête les garçons du mouvement lorsqu'ils étaient montés sur scène en perruque, robe extravagante et maquillage outrancier, pour faire du french-cancan tout en faisant semblant de chanter « Rip Her to Shreds » ? Aurait-elle pu penser, après la mort de Tavi, qu'elle s'amuserait autant avec des garçons homosexuels à nouveau ? Elle avait eu raison d'aller à cette réunion trois ans plus tôt. Elle avait vécu trois belles années depuis.

Mais… il y avait la maladie. Les règles qui sautaient, la fatigue et l'état grippal dont elle ne se déparait jamais, et les infections chroniques, et les antibiotiques, et les compléments alimentaires – et, pire encore, l'attente terrible que cela s'aggrave. Et le rejet de sa famille. Et la solitude. Être entouré de beaux mecs qui baisaient tous ensemble comme des lapins, et ne pas en profiter une fois. Même les autres femmes baisaient ensemble tout le temps. Elle avait décidé qu'elle aurait mieux fait d'être lesbienne. Si cela avait été le cas, une femme aurait pu tomber amoureuse d'elle, fonder un foyer avec elle, et ne pas se soucier qu'elle n'était pas une bombe sexuelle ou qu'elle avait le sida – les femmes étaient plus simples, avait-elle réalisé, surtout les lesbiennes.

Il y avait bien cette camionneuse, une *morena* du nom de Tiffany qui ressemblait à un petit voyou de quatorze ans, avec une casquette de base-ball vissée sur la tête, qui lui avait proposé un rendez-vous. Elle était venue la voir à la fin d'une réunion et lui avait dit : « Allons chez Nanny's boire une bière et parler de notre histoire.

— On a une histoire ? avait répliqué Issy en rigolant.

— Si tu en as envie, oui, avait dit Tiffany en se frottant le menton. Tu as l'air d'en avoir besoin, chérie. »

Issy avait explosé d'un rire nerveux. « Tiffany, je ne suis pas très fille, tu comprends ? Mais je te trouve adorable. »

Tiffany avait alors fait une moue misérable, avait haussé les épaules et s'était éloignée en remettant sa casquette de traviole. Peut-être aurait-elle dû donner sa chance à Tiffany ? Peut-être que

« cela » ne serait pas arrivé, ainsi, car elle se serait sentie moins seule ?

Dans le lit qui jouxtait le sien à Judith House, Shirley, sa colloc, était en train de se réveiller.

« Ça fait longtemps que tu es debout, ma belle ? » demanda Shirley. Issy fit un lent signe de tête pour acquiescer. Shirley semblait détachée de tout mais, Issy l'avait remarqué, elle était très intéressée par sa grossesse car elle n'arrêtait pas de compter les jours à venir avant l'accouchement d'Issy. « Il va y avoir trois bébés dans cette pièce, bientôt.

— Oui, je sais, vers Noël », ajoutait Issy. Elle regarda par la fenêtre et aperçut un camé qui se calait dans une cabine téléphonique. Le connaissait-elle ? Au bout de six mois à vivre ici, elle commençait à reconnaître tous les toxicomanes du quartier, soit par leur visage, soit par l'endroit où ils piquaient du nez. Elle était quasiment sûre que celui-ci était Ronny qui lui avait dit, lors d'un de ses rares moments de conscience, qu'il travaillait auparavant dans une carrière au nord de l'État.

Shirley se redressa dans son lit. « Il faut que je fasse le petit déjeuner, aujourd'hui. Bordel ! Et je dois éplucher les pommes de terre.

— Je vais t'aider.

— Non, repose-toi, chérie.

— Non, non, cela me fera du bien de marcher. Je n'arrive plus à dormir de toute façon. Prends la salle de bains, j'irai après toi.

— Oh, merci, chérie. » Shirley se leva avec moult protestations et grognements, habillée d'un tee-shirt Yankees qui lui tombait jusqu'aux genoux. Shirley était grande, mais elle était maigre comme un clou. On pouvait faire le tour de ses biceps avec son index et son pouce. Mais Shirley insistait sur le fait qu'elle avait toujours été maigre, que ce n'était pas juste à cause du virus. Elle avait fait de l'athlétisme au lycée, dans le Bronx, au début des années 1960. Elle ne faisait pas de l'épidémie un engagement politique. Elle passait le plus clair de sa journée à aller aux réunions des Narcotiques Anonymes, et le reste du temps à jouer aux cartes dans le parc avec une bande de retraités. Elle aimait aussi cuisiner pour les gens du foyer, et elle était fière de ses râpés de pomme de terre.

« Je te retrouve à la cuisine, ma belle », dit Shirley. Elle prit une serviette et sa trousse de toilette, et alla au bout du couloir. Issy posa ses mains croisées sur son ventre. Une journée de plus à Judith House, pensa-t-elle. On était dimanche – le jour où Ava ne venait pas. Les filles auraient une journée tranquille. Peut-être iraient-elles se promener, acheter quelques magazines et bibelots dans les magasins à 99 cents.

Issy devrait bientôt prendre son AZT. Il fallait qu'elle le prenne au milieu du petit déjeuner pour en « enterrer » les effets le plus possible. Après ce repas, elle se sentirait nauséeuse et sa tête tournerait, et elle devrait rester allongée une bonne heure. Dans son lit, elle pensa à ces étranges permutations et implications de la vie : si elle n'avait jamais été à une réunion du mouvement, si elle n'avait pas rencontré Ava et Hector et Chris et le reste de l'équipe, elle n'aurait jamais appris ce que les chercheurs suspectaient – ce qui, de fait, était devenu un essai scientifique à grande échelle afin de confirmer une suspicion –, qu'une femme enceinte traitée à l'AZT pouvait ainsi éliminer tout risque de passer sa séropositivité à son fœtus. Cela avait été observé durant les deux années précédentes, de manière anecdotique, dans des hôpitaux de New York ou ailleurs. Elle n'aurait probablement pas pris d'AZT autrement, c'était tellement terrible et, à cette époque, médecins et activistes pensaient qu'à long terme cela ne bloquait pas le virus.

Mais, pensa-t-elle à nouveau, si elle n'était pas allée à la réunion une première fois, elle ne serait pas enceinte non plus. Enfin, peut-être que si, mais elle ne serait pas enceinte de… oh, mon Dieu, se dit-elle. Avait-elle été folle d'avoir cet enfant ?

Ava la soutenait. C'était dur pour Ava, mais au moins elle restait fidèle à sa conviction qu'une femme faisait ce qu'elle voulait avec sa grossesse, même si elle était séropositive.

« Mais de qui est le bébé, Issy ? lui avait demandé Ava.

— Je ne sais pas, avait menti Issy. Je… Je n'ai pas trop fait attention avec les garçons ces derniers temps. » Si seulement cela avait été le cas, riait-elle intérieurement, au moins elle se serait bien amusée.

« Tu as un moyen de les recontacter ? avait insisté Ava.

— Je ne connais ni leur nom, ni leur numéro de téléphone. Juste des imbéciles que j'ai rencontrés dans des clubs du Queens. »

Ava l'avait regardée, interloquée. « Tu leur as dit que tu étais séropositive ? »

Issy avait confirmé, poursuivant dans sa fable. « Ils s'en fichaient. Ils jouaient aux machos. »

Ava avait hoché la tête, s'était frotté les yeux, qui semblaient en permanence fatigués à cause des médicaments qu'elle prenait. « Quelle histoire… »

Issy avait arrêté d'aller aux réunions à partir du moment où cela se voyait qu'elle était enceinte et qu'elle n'avait pas juste pris un peu de poids. Ava et les quelques autres filles du foyer qui faisaient partie du mouvement lui avaient toutes promis de ne rien dire aux autres. Issy ne voulait pas aller là-bas et affronter le regard de désapprobation des gens. Chaque fois que quelqu'un regardait son petit ventre, elle savait ce qu'ils pensaient – en tout cas, elle en était persuadée. *Je n'en reviens pas, elle va avoir un enfant.* Issy avait donc préféré se réfugier dans une solitude partielle qu'elle avait déjà connue avant d'aller aux réunions. Mais il lui restait encore Judith House, après tout.

Ce n'était évidemment pas la seule raison pour laquelle elle avait arrêté de fréquenter le mouvement. Et c'était fort bien qu'Hector pense qu'elle ne venait plus à cause de sa maladie, ce qui était malheureusement vrai également. Elle déclinait, physiquement parlant. Et elle savait que Ricky était malade, aussi, et qu'Hector se préoccupait de lui. Il valait mieux ne pas lui rajouter des soucis. Elle autorisait Esther à venir la voir, car elle vivait à côté et elle avait dit à Esther la même chose qu'à Ava : elle se sentait si seule et abandonnée que, lorsqu'elle était retournée vivre chez sa famille, dans le Queens, elle était sortie plusieurs soirs et avait couché avec des inconnus, trois ou quatre au total.

Elle voulait cet enfant. Elle ne loupait jamais une dose de son AZT et elle aurait cet enfant qui serait séronégatif. Elle pensait qu'il lui restait encore une chance de survivre, qu'elle pourrait tenir jusqu'aux nouveaux médicaments plus efficaces qui étaient en cours de développement – que tout le travail du mouvement permettrait à la recherche de vraiment démarrer. Et tout irait encore plus vite lorsque Clinton serait président ! Ensuite, ils auraient des alliés à Washington, pas des ennemis. Mais elle ne voulait pas prendre de risques. Tout le monde dans le mouvement disait qu'ils légueraient un héritage, même s'ils mouraient bientôt – tout cela avait du sens, car ils laisseraient quelque chose derrière eux. C'était ainsi que les malades du mouvement qui savaient qu'ils n'avaient plus beaucoup de temps à vivre réussissaient à se faire une raison. Et elle en faisait partie. Mais elle laissait plus qu'un héritage intellectuel. Elle n'allait pas disparaître à trente-trois ou trente-cinq ans sans rien laisser derrière elle. Elle savait que son enfant lui survivrait. Et Ava s'en occuperait, elle le lui avait promis.

Elle ne voulait pas le dire à Hector. Il ne fallait pas qu'il sache. Ce n'était pas juste de lui faire porter ce fardeau alors qu'il devait s'occuper de Ricky. Et d'ailleurs, pensait Issy, c'était comme cela que c'était arrivé – en prenant soin de Ricky ! Un jeudi, Hector lui avait annoncé qu'il devait aller le chercher à l'hôpital pour le ramener chez eux le soir, et Issy avait dit qu'elle passerait avec une boîte de vitamines et quelques couvertures qui provenaient de la maison de ses parents dans le Queens. Elle voulait s'assurer que Ricky pourrait s'installer confortablement et qu'il disposerait de tout ce dont il avait besoin à l'appartement.

Mais une fois sur place, elle avait trouvé Hector seul – pas de Ricky. Hector buvait de la tequila sur le canapé, tout en regardant *Beverly Hills.*

« Que se passe-t-il ? avait-elle demandé. Où est Ricky ?

— Il a un staphilo dans la cuisse, et ils ont dû le garder plus longtemps pour le mettre sous antibios », avait dit Hector. Il parlait plus fort que d'habitude, et ses yeux étaient rougis. Issy avait remarqué qu'il avait renversé de la tequila sur le tapis.

« Oh, mon Dieu ! s'était-elle exclamée en posant le colis sur la table de la cuisine. Pauvre Ricky. Il doit en avoir tellement assez d'être là-bas.

— Nan, avait répondu Hector d'un ton traînant. Il a un infirmier gay avec qui il peut parler astrologie ou de ce genre de conneries toute la journée. Des signes, et de l'influence de la lune et de ce qui est ascendant. Il s'y sent bien. »

Hector était ivre. C'était évident pour Issy. « Oh, Hector », avait-elle émis en rigolant. Elle s'était approchée de lui et l'avait pris dans ses bras. « Je suis vraiment triste que vous deviez traverser toutes ces épreuves. »

Il l'avait prise dans les bras à son tour. « Ce n'est pas la première fois. Et toi, comment tu te sens ?

— Ça va », avait-elle dit tout en sentant son haleine pleine de tequila, ses larges mains posées au-dessus de ses fesses. Elle voulait rester ainsi. Elle n'avait pas été câlinée comme ça depuis si longtemps. Mais elle se retira doucement. « Bonne journée, aujourd'hui. Juste un peu fatiguée.

— Comment va ta famille ? » Il lui avait fait signe de s'asseoir en face de lui sur le canapé, et elle s'était laissée tomber, heureuse de pouvoir se reposer un instant. Il lui avait posé la question en espagnol, une langue qu'ils utilisaient parfois lorsqu'ils n'étaient que tous les deux.

« C'est stressant de vivre là-bas, avait-elle expliqué en espagnol. Ils veulent bien que j'aille aux réunions, mais pas que j'en parle en public. Je te l'ai déjà dit, mais mon père pense que je fais honte à la famille.

— *Bochinche !* » avait maugréé Hector. Les mauvais ragots.

« Oui, avait rigolé Issy, *Bochinche*. La gentille fille qui fout la honte à sa famille.

— Tu devrais aller chez Ava.

— Bientôt sûrement. » Elle serait contente de trouver le soutien que ce genre de foyer amenait. En même temps, s'installer là-bas signifiait qu'elle était assez malade pour avoir le droit d'y entrer. C'était comme un arrêt de mort. Elle ne voulait pas connaître cette sensation – elle savait que ce n'était pas juste pour les autres filles qui vivaient là – mais c'était plus fort qu'elle.

Hector et elle s'étaient dévisagés en silence un peu trop longtemps, et elle avait dévié le regard. Dans ce silence soudain, elle s'était sentie comme spectrale – *el espectro*. C'était ce qu'elle appelait dans sa tête le puits profond dans lequel elle tombait lorsqu'elle était seule, lorsqu'elle n'était pas bercée par les cris et les pleurs réconfortants des réunions et des manifestations, ou dans le vacarme des clubs. *El espectro*, c'était lorsque, dans le silence, tu comprenais que tu allais bientôt mourir, ou que tout le monde autour de toi allait y passer. Aucune action contre une administration ou aucune nouvelle affiche choc ou même des centaines d'amis répétant le même slogan en même temps ne pouvaient véritablement faire disparaître ce spectre.

« Ça craint vraiment », avait-elle dit tout en dessinant des formes invisibles avec son doigt sur son jean, essayant de ne pas regarder Hector.

Il s'était levé pour aller dans la cuisine, et lui avait ramené un verre. « Bois avec moi », avait-il proposé en lui servant de la tequila.

Issy avait plaisanté : « Mais ça va complètement me bourrer la gueule !

— Pas tant que ça, tu verras.

— On ne prend pas du citron et du sel ?

— Tu as envie de redescendre pour acheter du citron ?

— Non !

— Alors bois ça comme ça ! »

Issy avait avalé la première lampée. La tequila avait brûlé son œsophage et son estomac, la remplissant de chaleur. Elle buvait peu : c'était mauvais pour son foie. « Putain, que c'est bon. »

Hector avait eu un petit sourire amer. « Je sais. »

Tout en buvant, chacun à un bout du canapé, ils avaient regardé la télévision sans rien dire – un scénario idiot où la fille jouée par Shannon Doherty était témoin d'un braquage à son restaurant favori et revivait la scène en flash-back.

« Haha, elle a des rêves humides ! *Pobre Blanca*, s'était moqué Hector.

— Oui, elle a vu un crime à Beverly Hills ! Comment va-t-elle s'en remettre ? »

Plus Issy buvait, plus elle était convaincue qu'elle brisait des chaînes invisibles. Elle et Hector auraient pu être des enfants de la même petite île, occupés à courir sur la plage. Cela aurait pu se passer tellement différemment ! Ce qu'ils étaient en train de vivre n'était peut-être pas réel, peut-être n'était-ce qu'un mauvais cauchemar. Plus elle buvait, plus elle reconnaissait qu'elle était amoureuse d'Hector depuis trois ans, qu'il avait joué un rôle central dans les rares fantasmes qu'elle s'accordait encore. Puis, soudain, elle avait répété : « Oh, Hector, oh, Hector », encore et encore, puis elle s'était retrouvée dans ses bras à goûter ses lèvres à la tequila.

Hector avait éclaté de rire. « T'es folle, Issy !

— Je sais, avait-elle gloussé en caressant le corps d'Hector. Tu as été tellement gentil avec moi. Je t'aime vraiment.

— Moi aussi, je t'aime, Issy. Mais je…

— Je sais. Je m'en fiche. Tu peux me garder dans tes bras ? Cela fait tellement longtemps.

— Bien sûr, Issy. » Elle avait senti ses mains dans sa chevelure.

Puis, cela avait commencé. *Il se fout de moi, quel coup de merde*, lui soufflait une petite voix dans son crâne. Mais elle s'en fichait. Elle était animée d'une telle gratitude qu'elle se fichait bien de son erreur et s'abandonnait entièrement à un fantasme devenu réalité. Elle le regarda droit dans les yeux. Il lui rendit son regard, allongé sur le dos, à la fois effrayé et interloqué.

« Laisse-moi faire », avait-elle dit. Et, en effet, elle devait prendre les devants. Mais lorsqu'elle avait retiré son pantalon et constaté qu'il bandait à moitié, elle avait senti une vague triomphale submerger tout le pathétique de la situation. Elle s'était mise à genoux, lui avait fait une fellation, fière des gémissements qu'il émettait, ses mains enfoncées dans sa chevelure. Lorsqu'elle avait senti qu'il n'était pas loin de jouir, elle avait fait glisser sa culotte trempée, se mettant nue.

« Il nous faut une capote », avait-elle dit.

Mais Hector l'avait attirée vers lui. « Tu ne vas pas me le passer. »

Elle avait senti un nouvel éclair de gratitude et de tendresse la transpercer. Depuis cinq ans, elle vivait avec la sensation de porter une pancarte en permanence : « ATTENTION. PRODUIT DANGEREUX. VAGIN INFECTÉ. » Elle avait souvent l'impression que les passants dans la rue lisaient sa maladie dans ses yeux, et elle ne voyait que répulsion ou pitié en retour. Elle savait que c'était difficile pour une femme d'infecter un homme. Ce n'était pas facile à expliquer à un homme, et elle avait eu des relations sexuelles à quelques reprises depuis son diagnostic – des occasions dont elle n'était pas très fière, à la suite d'une nuit de solitude dans un bar – et elle avait eu honte de ne rien dire aux hommes, même si elle avait chaque fois insisté pour mettre un préservatif. C'était un tel soulagement pour elle d'être avec quelqu'un qui comprenait l'essence de la maladie, qui la connaissait elle et ne la rejetait pas.

Issy s'était assise sur Hector. « Oh, mon Dieu », s'était-elle exclamée. Elle se souvenait à peine de la sensation de l'acte. Cela lui avait rappelé cette nuit à l'arrière de la voiture, devant le club. Comme c'était étrange qu'elle ait rencontré Hector ce soir-là et que maintenant…

Elle l'avait regardé. Il la fixait des yeux, comme ahuri.

« Ça va ? C'est bon ? avait-elle demandé.

— Oui, c'est bon. Juste que… » Ses yeux s'étaient mouillés et sa voix s'était brisée. « Je ne comprends juste pas ce qui se passe. J'ai l'impression que je ne maîtrise rien autour de moi. »

Issy avait le souffle court. Son désir avait monté lentement pendant un moment, à la grande surprise d'Hector. « On arrête alors, avait-elle proposé en s'accoudant sur le canapé pour se dégager de sa queue.

— Non, non. » Il l'avait forcée à se rasseoir sur lui. « Reste là. » Il avait approché son visage du sien, front contre front, les mains calées dans sa nuque. « Reste comme ça. »

Issy s'activait sur sa queue, à un tel rythme que cela lui donnait mal au cœur. Elle l'utilisait, pour une seule chose. Oui, elle lui avait forcé la main. Et c'était tellement bon, comme gratter une croûte, de plus en plus profondément. Alors qu'elle accélérait, elle avait l'impression d'essayer d'expulser quelque chose – et plus elle le faisait, plus cela ressemblait à de la colère. De la rage. Elle s'était tellement murée dans le silence et la honte depuis trois ans. Ce qu'elle ressentait là, c'était de la rage envers sa famille, envers son quartier, envers la ville tout entière. Elle s'était fait entuber dans les grandes largeurs ! Elle ne méritait pas cela ! Et puis il y avait Hector. Comment avait-il osé ne pas l'aimer de la manière dont il avait aimé Ricky ! Et il y avait Hector, là, devant elle, la bouche grande ouverte, le souffle court, les yeux mi-clos, avec Ricky dans sa chambre d'hôpital. Elle le voulait au stade de pur objet, de godemiché, à ce moment précis, mais elle ne pouvait évacuer sa douleur. C'était une drôle de baise pour Issy et, afin de contenir son intensité, elle s'était reconcentrée sur Hector.

« Ça va toujours ? Tu aimes ça ?

— Ouais. Ouais, vraiment. »

Issy avait continué ainsi, concentrée sur le visage d'Hector, jusqu'à ce qu'elle ressente les contractions lui indiquant qu'il allait bientôt éjaculer. Hector avait essayé de se retirer, mais Issy avait tout fait pour qu'il reste en elle. Il avait joui à l'intérieur, avec grand bruit et contorsions – on aurait dit un gamin de huit ans paniqué, s'était-elle amusée en le regardant –, puis elle s'était concentrée sur elle seule afin de jouir, en enfonçant ses ongles dans le cou d'Hector. Une fois son orgasme achevé, elle s'était sentie incroyablement libérée, comme si elle venait de vomir cinq années de misère et de frustration. Elle s'était glissée à côté de lui et s'était affalée sur le canapé. Toute la force de son ivresse était remontée, et la pièce s'était mise à tourner. Elle avait pensé à la sensation de son ventre poilu contre son dos, ses jambes poilues contre les siennes, son souffle contre sa nuque. Il avait passé un bras autour d'elle, et elle l'avait collé à lui. La pièce tournait, encore et encore, et elle avait fermé les yeux. Elle s'était écroulée dans le noir et endormie.

Au réveil, elle était seule sur le canapé. Des rayons de soleil filtraient à travers la fenêtre et elle entendait des voitures dans la rue. Elle avait à peine levé la tête que tout s'était remis à tourner à nouveau. Elle était encore totalement ivre, elle le sentait. Elle était arrivée à se lever, les yeux rivés sur la bouteille vide de tequila. Les trente dernières minutes de la soirée lui étaient revenues à l'esprit. Elle avait manqué s'étouffer, s'était rhabillée, puis s'était dirigée vers la chambre. Hector s'y était traîné à un moment de la nuit et s'y était endormi en position fœtale, encore habillé. Son corps se soulevait doucement au rythme de sa respiration. Issy savait qu'elle devait prendre une douche et s'en aller, mais elle tenait à peine debout. Elle s'était traînée jusqu'au lit pour s'allonger à côté d'Hector qui roula sur lui-même de l'autre côté du lit lorsqu'il sentit son corps se coller au sien.

Vancouver
(1996)

Une coupe de champagne dans la main, Hector se détourna de la conversation – il parlait avec un activiste du coin, afin de savoir où dîner si tard à Davie Village – lorsqu'une voix nerveuse et tremblante derrière lui surgit au beau milieu du brouhaha du cocktail dans la petite salle de réception. Il était épaule contre épaule avec Chris, dont la main tremblante tenait une coupe d'eau pétillante, le col de la chemise trempé de sueur, le visage diaphane et la lèvre supérieure humide.

« Ça va ? lui murmura Hector.

— J'ai besoin d'aller aux chiottes, lui répondit Chris sur le même ton. Putain, putain, putain de saloperies de médocs, ils sont tellement *dégueulasses*. »

Hector massa brièvement le cou de Chris. « Il faut tenir, chéri, tu sais bien qu'elle va arriver. Tu ne vas pas chier sur la reine. »

Chris s'octroya un sourire. « On se souviendra de son couronnement, comme ça. » Puis il prit un accent britannique forcé et ridicule. « Lorsque j'ai chié sur le trône de la reine !

— Mais je t'en prie, elle viendra sûrement t'aider. Tu penses que tu es la seule *queen* souillée qu'ait vue Liz Taylor ces dix dernières années ? »

Cette voix aiguë appartenait à un fonctionnaire de l'amfAR[1], un responsable de la communication canon dont Hector ne parvenait

---

1. American Foundation for AIDS Research.

jamais à se souvenir du long nom italien. « Elle sera là dans environ cinq minutes, en compagnie de JoAnn Barbour, l'adjointe de Kessler, annonça-t-il à l'assemblée.

— Kessler ne vient pas avec elle ? » La question émanait de Maira Goode, située à la gauche de Chris, la seule femme de leur petit groupe. C'était un petit bout de femme aux cuisses musclées qui dataient de l'époque où elle faisait partie de l'équipe de crosse du lycée, bien ancrée dans le sol lorsqu'elle parlait en public, ses cheveux noirs bouclés ramenés en chignon. Maira ne s'était jamais aventurée, dans la vie, à n'exposer autre chose que des faits, rien que des faits. C'était ainsi qu'elle avait réussi à se désengager du mouvement sans laisser derrière elle amertume et récriminations diverses. Même Hector, qui était bien plus adulé que Chris, n'avait pas réussi à éviter cela, sûrement car personne ne s'était attendu à une telle trahison. Lorsque leur groupe devait retrouver les gens du mouvement, Maira prenait la parole, Hector était juste derrière elle, et Chris préférait rester chez lui.

« Kessler s'occupe d'un autre groupe en ce moment, prévint le fonctionnaire de l'amfAR.

— Pharmaco ? » marmonna Chris en direction d'Hector.

Barbour, une quinquagénaire aux cheveux blonds cendrés et en pantalon large gris taupe, badge de la conférence autour du cou, entra dans la pièce juste à temps pour capter la conversation. « Franchement, Liz n'était pas très contente non plus », plaisanta-t-elle sans un sourire.

La salle éclata de rire. Même Maira laissa échapper un petit gloussement. Hector, lui, profita de ce moment idéal, cette nanoseconde où l'irrévérence brisait l'atmosphère pompeuse, alors que tout le monde réalisait progressivement qu'après plus d'une décennie de réunions telles que celle-ci, qui se tenaient chaque été depuis Atlanta en 1985, cela allait être celle qui serait considérée comme la plus importante. Hector n'arrivait pas à dépasser la gêne qu'il éprouvait après toutes ces années de recherche à se coltiner des données : bien sûr, quelqu'un avait dû louper quelque chose ; bien sûr, cela ne se déroulerait pas comme prévu. Et pourtant, il s'était déjà dit une centaine de fois qu'il y avait les données, d'accord, mais qu'il fallait aussi compter avec les résultats, tout ce qui s'était passé pour ses amis ces six derniers mois, devant ses yeux. Il y avait Chris, qui était à deux doigts de se chier dessus, mais dont les analyses informatiques montraient qu'il allait sûrement vivre jusqu'au xxɪᵉ siècle. C'était toujours la même scène, autour d'Hector. Lui qui pensait que 1992, année de la mort de Ricky, serait l'année la plus surréaliste de sa vie, il allait peut-être avoir tort : 1996 allait sûrement la dépasser.

« Ne vous arrêtez pas à cela, et continuez à discuter ensemble », dit le fonctionnaire.

Un murmure s'éleva dans la petite pièce bondée. Hector croisa le regard de JoAnn ; elle lui sourit en retour et s'approcha.

« C'est donc toi, l'invitée de la reine ? » plaisanta-t-il.

Elle désigna son pantalon à pinces. « Je ne suis pas certaine d'être assez élégante pour elle.

— Contrairement à Kessler ? Honnêtement, aucun de vous n'atteint le niveau du Rock Hudson des années 1960.

— Pas faux », accorda JoAnn, les yeux baissés. Hector visualisa quelques secondes la vie de cette assistante de la FDA, célibataire et sans enfant. Il l'imagina en train de lire des documents tout en réchauffant un plat congelé au micro-ondes, et se servant un trop grand verre de vin sur le comptoir de la cuisine, dans son loft après être sortie du boulot à vingt-deux heures.

Elle lui retourna son regard : « Vous devriez vraiment être fiers de vous, les gars, dit-elle, *sotto voce*. Vraiment. Il y a de quoi. »

Hector haussa les épaules ; c'était à son tour d'être intimidé.

« Vous nous êtes tombés dessus lorsqu'il le fallait, ajouta-t-elle. Chaque fois. Pour l'AZT, et le DDC. Et pour le d4T. »

Sa remarque sembla agacer Hector. « N'en parle pas au passé. » Il essayait de paraître détaché et ironique. « Ce n'est pas encore fini.

— Ce n'est pas ce que je dis. » Sa voix était toujours basse, comme prudente. « Je dis juste… » Elle marqua une pause. « Vous savez bien que cette fois, c'est différent. »

Il ne trouva pas tout de suite les mots pour lui répondre. « Oui, c'est spécial », finit-il par lâcher.

Mais elle remarqua quelque chose dans son regard : « Qu'est-ce qu'il y a ? » lui demanda-t-elle. Et elle se surprit à lui saisir la main. « Tu *dois* l'accepter. Je sais que parfois ça a été vraiment *très* dur. Mais là, c'est bon.

— Je sais, oui, rétorqua-t-il du tac au tac, effaré par le débit de sa propre voix. Je dis juste que le moment de se relâcher n'est pas encore arrivé.

— C'est faux, insista JoAnn. C'est le moment de se relâcher un instant. On pourra retourner au front à notre retour à New York et Washington. Mais tu ferais mieux de te détendre un peu maintenant et de profiter du moment présent. » Entendant des claquements de talons dans le couloir, à l'extérieur, elle tourna la tête. « Oh, mon Dieu, mon Dieu, mon Dieu, la voilà, marmonnat-elle, tout en faisant un signe de la main afin que le public se colle au mur, près de la table où était disposé le champagne.

— Tu es détendue, toi, là ? se moqua Hector en souriant.

— Je flippe, mais juste un peu ! » rigola-t-elle en reculant à petits pas vers le mur.

Le fonctionnaire de l'amfAR se retourna vers l'audience et mima à grands gestes un *chuuuut!* comme pour calmer un orchestre trop bruyant. Puis, il sortit subrepticement de la pièce pour en revenir quelques secondes plus tard avec deux autres fonctionnaires et... *la reine.* Qui venait de dénoncer, devant plus de trois mille personnes et la presse du monde entier, l'abandon du programme de recherche contre le sida par le gouvernement canadien. Elle ressemblait à un amoncellement géant de cheveux noirs et de sourcils épais sur un tout petit corps, se dit Hector. Il était fasciné par ses yeux. Il n'en revenait pas d'être dans la même petite pièce bondée de monde avec *ces yeux.* Il l'applaudit en chœur avec le reste du public, échangeant des regards interloqués avec Chris et Maira.

« Eh bien, *bonjour!* cria-t-elle au-dessus du vacarme des applaudissements. Bonjour, et merci, et surtout félicitations. » Le fonctionnaire se fraya un chemin depuis l'arrière du public afin de lui tendre une flûte d'eau pétillante, qu'elle saisit sans lui jeter le moindre regard. Elle passait en revue les visages connus de son audience. « Où est ma nouvelle amie de la FDA ? »

Hector chuchota à JoAnn : « Vas-y ! Elle parle de toi. »

JoAnn se faufila à son tour au premier rang et, le visage cramoisi, se glissa aux côtés de la reine, qui la dévisagea avec une minutie calculée puis, après un silence savamment pesé, déclara : « Vous êtes très élégante en tailleur-pantalon, docteur Kessler. »

Le public éclata de rire. C'était un tacle parfaitement pensé contre Kessler qui, pour une raison non identifiée, n'avait pas réussi à se hisser au rang de la reine en termes de popularité au sein des groupes d'activistes et de chercheurs.

« Je ne vais pas vous embêter plus de temps qu'il n'en faut, continua la reine, dont la diction (parfaitement articulée, envoûtante et sucrée, alternant des rythmes délicieux et citant divers noms scientifiques) coulait dans les oreilles d'Hector comme un nectar liquoreux. Mais j'ai voulu profiter de l'occasion pour rencontrer certaines personnes que je n'ai pas encore vues grâce à l'amfAR et qui ont été très importantes tout au long de ce projet… » Elle jouait de sa voix comme d'un instrument, montant crescendo jusqu'à *portant,* avant de rebaisser le ton. « Afin… »

Elle s'arrêta, comme si elle ne savait comment finir sa phrase. « Afin… » Elle regarda les visages devant elle, puis leva sa main largement couverte de bijoux, comme pour appeler à l'aide.

Un rictus de panique traversa le visage de JoAnn. « Eh bien, dit-elle, afin de nous fournir en informations si précieuses que nous avons pu traiter ici à Vancouver. Et fêtons cela ensemble. »

La main gauche de la reine retomba, comme soulagée. « Exactement. Je n'aurais pas mieux dit moi-même. » Pause. « Et je n'ai rien dit. » Une fois encore, la pièce explosa de rire.

« Aaaah, continua-t-elle, tout sourires, la tête hochant légèrement, comme si elle cherchait sur quoi enchaîner. Ce dont je suis certaine, c'est que nombre d'entre vous ici aujourd'hui… et pas uniquement les membres de l'administration fédérale ou les employés des laboratoires pharmaceutiques, mais les jeunes gens new-yorkais, de… » Elle marqua une nouvelle hésitation, comme frustrée. « Enfin, du groupe Drug…

— Du Drug Movement Coalition, précisa JoAnn.

— Voilà, ces personnes-là, appuya la reine. Le Drug Movement Coalition. Ces cinq ou six personnes, je voulais dire… où sont-elles ? Signalez-vous », ajouta-t-elle avec de l'émotion dans la voix.

Hector, Chris et Maira levèrent timidement la main et acceptèrent les applaudissements du public. Chris, remarqua Hector, avait encore pâli un peu plus.

« Ces gens vous ont obligés à marcher sur des œufs pendant tout le processus, et ils n'étaient même pas à Washington ! » Ses yeux étaient emplis d'admiration et de respect. « Et ils n'étaient même pas médecins, et ils ne se gênaient pas pour nous dire : *Non, non arrêtez ça ! Arrêtez* de tester ces médicaments l'un après l'autre, vous anéantissez leur efficacité, vous *devez* prendre ces médicaments *ensemble* pour qu'ils fonctionnent. C'est aussi *simple* que ça. »

La pièce plongea dans un silence gêné. C'était le problème avec la reine, selon certains, aussi adorable fût-elle. Parfois, la reine parlait de choses qu'elle ne connaissait pas, et s'aventurait en territoire inconnu. Là, bien sûr, elle extrapolait, Hector en était conscient – tout le monde en était conscient. Leur groupe n'avait pas été spécialement le premier à savoir ou à insister sur le fait que ces nouveaux médicaments devaient être utilisés en combinaison différente, plutôt que l'un après l'autre ; ils avaient juste joué un rôle important dans la promotion de l'information auprès des autres activistes et des patients, puis avaient proposé aux autorités fédérales une étude qui permettait de combiner les traitements sans se soucier de critères astreignants, afin qu'autant de malades possibles puissent participer. Et ils avaient également demandé des études plus poussées sur certains médicaments avant qu'ils ne soient commercialisés auprès du grand public. (Sur ce point, ils n'avaient rencontré qu'un demi-succès.)

Mais la reine avait raison sur un point au moins : le niveau de contamination virale des patients n'avait pas baissé et les lymphocytes T n'avaient pas remonté jusqu'à ce que les nouveaux médicaments – dont les inhibiteurs de protéase, ces traitements aux noms terrifiants qui avaient surgi au-devant de la scène depuis les six derniers mois, tels que le ritonavir, le saquinavir ou la nevirapine – soient administrés ensemble. Hector sentit son rythme cardiaque s'affoler et le sang battre à ses tempes lorsqu'il réfléchit à comment, pendant huit années – *huit putain d'années, qu'est-ce qu'ils avaient été stupides pendant tout ce temps !* –, ils s'étaient contentés de ne donner qu'un seul de ces médicaments efficaces, laissant ainsi le virus développer sa résistance au traitement, ruinant l'utilisation d'un traitement dans le futur. Tant de malades ne pouvaient plus être soignés désormais car ils avaient pris ce médicament seul dans le passé et avaient donc développé une résistance à son efficacité. Qui serait encore en vie à la fin de l'année ? Le goût de la victoire devenait bien plus amer lorsqu'il pensait à ceux qui ne survivraient pas et verraient les autres s'en sortir. Il pensa à toutes ces années – 87, 88, 89, 90, 91, 92 – où il avait vu tant d'amis souffrir en prenant leur AZT et le ddI, à se ruiner le peu de santé qu'il leur restait tout en soldant leurs chances d'être un jour soignables dans le futur ! Avec le recul, il tirait son chapeau à Ricky qui savait, en son for intérieur, que l'AZT était toxique et était inutile lorsqu'il était administré seul. Ceux qui avaient pu attendre en profitaient désormais. Ceux qui avaient réussi à survivre jusqu'ici. Et Ricky n'en faisait pas partie.

Il émergea des pensées qui l'avaient absorbé, revenant aux paroles de la reine.

« … il reste encore beaucoup de travail à faire, disait-elle. Tout n'est pas résolu, bien loin de là. Nous devons, *nous devons…* insista-t-elle en frappant sa paume de main du poing, nous devons travailler afin que tous les malades du monde entier puissent se procurer le traitement nécessaire. Car nous savons bien que, pour le moment, leur coût reste exorbitant. En attendant… » Elle leva son verre, « … en attendant, je veux porter un toast en votre honneur, car vous êtes formidables. Cette année a été bonne. »

Chris se tourna vers Hector, le verre tendu en l'air. « Tu savais que l'année avait été bonne, toi ? »

Hector grimaça. « C'est ce qu'on m'a dit. »

Le fonctionnaire de l'amFAR conduit la reine à travers la pièce, la présentant à chacun. Lorsqu'elle arriva au niveau de Hector, Chris et Maira, ses sourcils touffus s'arquèrent.

« Bravo à *vous*, clama-t-elle avec un air entendu et satisfait. Bravo à vous d'avoir bouleversé leurs habitudes ! » caqueta-t-elle joyeuse. Puis, son regard se fixa sur Hector. Elle posa sa main dûment bijoutée sur sa joue.

« Mais on dirait Lorenzo Lamas, décréta-t-elle en le regardant tendrement. Merci pour tout ce que vous avez fait. »

Elle reprit son chemin. Hector, Chris et Maria lâchèrent un soupir.

« C'était le type de *Falcon Crest* ? souffla Chris.

— Je crois que c'était son père, dit Maira.

— Ah oui, il était *canon*, concéda Hector en mettant un visage sur ce nom. Ils ont baisé ensemble ? »

Chris fit un petit mouvement de la tête en direction de la reine. « C'était une invitation claire à la rejoindre à sa chambre d'hôtel ce soir. » Mais en le disant, son visage rougit à nouveau et des perles de sueur apparurent sur sa lèvre supérieure. « Bon, je dois foncer aux toilettes, lâcha-t-il en s'éloignant.

— Tu veux que je vienne avec toi, au cas où ? » proposa Maira. Hector savait pourquoi elle lui demandait cela. Elle repensait sûrement à l'incident de la semaine précédente, dans leur petit bureau de Soho, lorsque Chris n'avait pas eu le temps de rejoindre les toilettes et qu'elle l'avait retrouvé, en pleurs, au beau milieu du couloir, avant de se précipiter à nouveau vers un rouleau de papier toilette. Ces nouveaux médicaments avaient des effets secondaires bien plus forts que ceux annoncés, malheureusement.

Chris hocha la tête nerveusement et disparut.

« Attends un instant », lança Maira à Hector, courant derrière lui et disparaissant par la porte quelques secondes après. Elle revint aussi vite. « C'est bon, il y est arrivé. Je voulais juste m'en assurer. »

Hector sourit. « On va dîner ?

— Où ? »

Ils allèrent voir un activiste du coin et décidèrent d'aller manger à huit dans un restaurant thaïlandais de Davie Village. Chris et Maira restèrent sur place, mais Hector était épuisé : il voulait faire une sieste avant d'aller dîner. Surtout, il voulait être seul quelques heures dans sa chambre d'hôtel ; il ne comprenait pas d'où venait sa rage incontrôlée qui manquait d'exploser à chaque instant aujourd'hui, cette envie irrépressible de hurler à chacun *d'aller se faire foutre et de fermer leur gueule*. Il avait réussi à contenir ce démon toute la journée, mais il sentait que, s'il ne s'isolait pendant une heure ou deux, il pourrait bien le regretter.

Il se fraya un chemin à travers le vaste palais des congrès vers la sortie, les yeux rivés au sol afin d'éviter de croiser quelqu'un qu'il connaissait.

« Hector ! » lança une voix derrière lui. En se retournant, il découvrit David, un Portoricain de Chicago qui faisait partie du mouvement, se pressant vers lui. David lui passa un bras autour de l'épaule.

« Journée de dingue, hein ? Tu as vu Liz ?

304

— On a eu droit à une petite réception en sa présence, répondit Hector. Sacrée nana. » Mais il trouva que ces mots, au moment où il les prononçait, sonnaient creux, comme s'il suivait bêtement la foule dans son adoration pour la reine.

David exultait. « Elle a défoncé Chrétien !

— C'est vrai.

— Tu as quelque chose de prévu ce soir ?

— On va dîner thaï à Davie Village. Tu veux venir avec nous ? »

David accepta. Ils marchèrent l'un à côté de l'autre, en silence, pendant un moment. Hector se sentait obligé de faire la conversation, mais il ne parvenait pas à trouver l'énergie nécessaire.

« Tu penses venir à la conférence de Chicago le mois prochain ? lui demanda David. J'adorerais.

— Je crois que je vais quitter ce milieu », dit Hector. Il se surprit lui-même. Venait-il de prononcer ces mots ? Puis il ajouta : « Avant que tout ce bordel n'explose en vol. »

David s'arrêta. « Qu'est-ce que tu veux dire ? »

Hector grogna d'un air légèrement hautain. « Tout ce cirque ! Aucun traitement ne verra le jour. Regarde la résistance du virus. Regarde le taux de rechute. Tous ces médocs vont exploser en vol dans quelques mois, et on repensera à aujourd'hui en se disant qu'on avait tout faux de célébrer cette fausse victoire. »

David le fixa, interloqué, puis eut un petit rire gêné. « T'es en train de te foutre de moi ou quoi ?

— Du tout.

— Mais ce n'est pas ce que les études montrent. On approche du cœur de la solution. On découvre d'autres traitements. Soigner définitivement, peut-être pas. Mais tuer le virus, oui. »

Hector se radoucit. Que venait-il de lui arriver ? À son tour il entoura de son bras l'épaule de David, tout en continuant de marcher. « Maintenant, tu comprends pourquoi il faut que je change d'air.

— Tu es au bout du rouleau ! » résuma David. Il semblait soulagé par le changement de ton d'Hector. Il pouvait bien comprendre sa lassitude. « Tout le monde est au bout du rouleau. Ça doit bien faire huit ans, maintenant. Prends des vacances, va te reposer au soleil. Va voir ta famille. Mais tu sais bien que tu ne peux pas nous quitter. »

Hector éclata de rire. « Tu lis dans mes pensées ou c'est une menace ?

— Une menace, bien sûr ! sourit David. Tu sais bien que j'ai besoin de toi. »

Hector lui lança un regard en coin. « Et toi, comment ça va ? Tu passes ta vie aux chiottes ?

— Pas autant que je le craignais.

— Chris en chie, littéralement.

— Je sais, oui. »

Au-dehors, ils continuèrent chacun leur chemin, après avoir prévu de se retrouver à dîner. Hector retourna à sa chambre d'hôtel, prit un cachet de mélatonine, se mit en sous-vêtements et essaya de dormir, en vain. Il repensa combien il avait été désagréable pendant toute la durée de la conférence, se remémora sa négativité au beau milieu de tout cet espoir et cette joie, puis en conclut que c'était sûrement à cause de Ricky. Ces dernières années, il avait vu tant de couples vivre dans l'agonie permanente, à attendre que l'un ou l'autre meure, à réaliser qu'ils avaient une deuxième chance, à se réveiller au contact de la dure réalité d'une vie qui ne voulait pas les abandonner, finalement – des dettes, des factures, des emprunts, des emplois à trouver. Ils étaient maudits à tel point qu'ils devaient se coltiner une vie chaotique à laquelle ils ne croyaient plus, endurer les huissiers, les dossiers administratifs, l'incertitude quotidienne et, à la fin de leur rude journée, ils se retrouvaient dans le même lit, lovaient leurs corps l'un contre l'autre, peu importait l'épaisseur de leur taille ou la maigreur de leurs fesses ; ils fouilleraient peut-être même l'intérieur de leur corps une fois encore. Ils continueraient, ils en prendraient encore *plus*, même s'ils n'appréciaient guère, vivant dans le stress et la peur de cette vie à reconstruire ensemble, absorbant des dizaines de médicaments nauséeux et subissant le harcèlement des compagnies d'assurances, car ils avaient été si chanceux d'avoir gagné à la grande loterie du sida, à atteindre la ligne d'arrivée avant le décompte final.

« Tu devrais être ici, Ricky », prononça-t-il à voix haute, la tête enfoncée dans l'oreiller. Il rêvait que son lit soit entouré des babioles ridicules de Ricky. C'était ainsi qu'il avait réussi à dormir l'année suivant la mort de Ricky, à pleurer nuit et jour, sous médicament, au beau milieu du bordel de Ricky. Puis il y avait eu l'excitation de l'élection des Clinton. Il pouvait remercier Chris de l'avoir fait entrer dans la Drug Movement Coalition ; tout à coup, les mauvais garçons à blouson noir de New York s'étaient retrouvés au beau milieu des fonctionnaires fédéraux qui avaient besoin de leur expertise et de leur connaissance du terrain, et les faisaient venir à Washington par avion ou train deux fois par mois, les logeaient dans de beaux hôtels et organisaient avec eux des réunions téléphoniques.

Si ces fonctionnaires avaient voulu s'accaparer les causeurs de troubles afin de les neutraliser, cela avait fonctionné à merveille. Lui et Chris avaient profité avec grand plaisir du traitement royal que la bureaucratie leur offrait, même s'ils avaient payé le prix fort en se voyant rejetés par la plupart de leurs anciens camarades. Mais on oubliait vite ce mauvais côté des choses lorsqu'il s'agissait d'aller en réunion avec la garde rapprochée des Clinton, lorsque David Mixner vous présentait Hillary lors d'un cocktail – Hillary, qui *savait* qui vous étiez, qui vous « remerciait pour tout ce travail incroyable et extraordinaire » que vous faisiez –, lorsque vous rêviez d'un gros poste dans l'administration ou au sein d'un géant de l'industrie pharmaceutique dans le futur, *après* la révolution des inhibeurs de protéase. Déjà, Hector pouvait voir que certains activistes du mouvement – les plus complaisants, ceux qui laissaient toujours le bénéfice du doute aux autorités fédérales et aux géants des médicaments – se dirigeaient doucement dans cette direction, acceptant de confortables postes de consultants dans ce monde nouveau et festoyant de la maladie chronique mais soignable, finalement pas plus stigmatisée ou menaçante ou étrange que l'hypertension ou le diabète.

Allongé sur son lit d'hôtel, Hector songeait que les années 1993, 1994 et 1995 – toutes ces années d'avancée de la recherche où il avait été bien considéré – avaient réussi à anesthésier son ressentiment. Il en avait eu besoin. Mais maintenant, cela laissait place à un sentiment de vide et à une colère si forte qui s'ouvrait sous ses pieds. Il gratta son torse musclé et nu, sous les draps. Il avait passé beaucoup de temps à faire de la musculation pendant toutes ces années, afin d'évacuer sa rage et sa frustration dans les machines. Son torse était large et puissant, il ne voulait qu'une chose : que le bras qui le caressait à ce moment précis fût celui de Ricky, pas le sien. Mais ce petit allumeur blond et resplendissant, ce rayon de soleil dans la vie d'Hector, n'avait pas pris le bon wagon, tout comme Issy ou Korie ou tant d'autres. Ces drames étaient arrivés lors des pires années sida, habitées par la mort et la maladie, lors du premier mandat de Clinton, une période où la tristesse de la perte se mélangeait confusément avec l'espoir de jours meilleurs.

Hector aurait aimé pouvoir pleurer, mais il ne le pouvait pas. Il prit dans les bras un polochon presque de taille humaine et répéta : « Si seulement tu étais là, Ricky. » Il resta ainsi, étrange mélange de vide et de silence ému, pendant de longues minutes, à visualiser la main légendaire et emperlousée sur son visage. Il aurait tant aimé que Ricky voie ça ! Photo souvenir ! *Ça*, cela aurait été une victoire pour Ricky – pas toutes ces recherches, ces conclusions de rapports médicaux, ces courbes virales en baisse, ces décomptes éreintants de CD4, non, juste la main à 30 000 dollars de la diva sur la joue d'Hector. C'est vrai, pensa Hector, chacun mesure le succès à sa façon.

La mélatonine l'avait un peu abasourdi et, même s'il se sentait cotonneux, il décida de se lever, de s'habiller et de se remettre du gel dans les cheveux avant de rejoindre Maira, Chris et les autres dans le hall de l'hôtel, et de sauter dans un taxi pour aller à Davie Village. Ils étaient finalement treize à dîner – en provenance de New York, Washington, certains de Vancouver, ainsi que David et Ed de Chicago, et même Paisan, un Thaïlandais. L'ambiance était conviviale, à trinquer à la bière ou au *ginger ale*, leur estomac luttant avec la nourriture épicée, discutant tous d'Internet et d'AOL. Hector était légèrement ivre et, à un moment, il passa le bras autour de Chris et Maira, situés chacun à côté de lui, un large sourire aux lèvres.

« Alors, on se détend, finalement ? demanda Maira.

— Je m'autorise un très court moment d'autosatisfaction », répliqua-t-il.

Elle se pencha vers lui, et lui déposa un baiser sur la joue – un rare signe de tendresse pour Maira, d'habitude plus réservée. « Il t'en a fallu, du temps », dit-elle.

Ils prenaient un avion tôt le lendemain matin. Dès qu'Hector rentra dans sa chambre, il brancha son ordinateur portable sur la ligne téléphonique, entendit le son caractéristique de connexion du modem, craquelant et sifflant. La discussion à propos d'AOL lors du dîner l'avait fait frissonner intérieurement ; c'était devenu son plaisir secret, son baume nocturne, son Shangri-la digital depuis huit mois. Hector – non, pardon, BoMecPrtoRicain57 – se retrouva sur le groupe de discussion auquel il pensait depuis la fin de la conférence : « VancouverH4Hspeed ».

> **CouverTTBM** : Ça boume, Prto ?
> **BoMecPrtoRicain57** : Et toi ?
> **CouverTTBM** : Tu fais un truc ce soir ?
> **BoMecPrtoRicain57** : Je rentre de dîner. Voyage d'affaires.
> Suis au Hyatt.
> **CouverTTBM** : Super. Tu te sens seul ?
> **BoMecPrtoRicain57** : Photos ?

Une minute ou deux plus tard, il recevait un e-mail. Une image en couleur d'un blondinet d'une vingtaine d'années, au corps de danseur, allongé nu sur le ventre, lançant un regard par-dessus l'épaule, avec un beau cul dans lequel Hector n'était pas du tout contre le fait d'y passer quelques heures. Bien sûr, dit-il, il se sentait seul. Trente minutes plus tard, la réception l'appela afin de faire monter son invité, qui se présenta devant lui avec un tee-shirt Björk aux manches déchirées, en bermuda, tongs et sac à dos à une épaule.

« Salut, moi, c'est Nick, dit-il en se glissant dans la pièce et en déposant son sac sur une chaise.

— Hector. »

Nick ne perdit pas de temps, retirant son débardeur et s'age-nouillant devant la braguette d'Hector, qu'il défit prestement. « Tu viens d'où ?

— New York. Je suis là pour un grand congrès.

— Lequel ? interrogea Nick en caressant les parties intimes d'Hector.

— Le grand congrès sur le sida.

— Ah », fit Nick comme s'il s'en fichait.

D'accord, pensa Hector tandis que Nick s'affairait à sa tâche. *Il se concentre sur une seule chose à la fois. Pas de souci.* Hector com-mença à balancer le même flot d'insanités, messages encourageants qu'il servait à la litanie de garçons qui s'agenouillaient devant lui ainsi, trop heureux d'œuvrer au plaisir de BoMecPrtoRicain. Hector passa sa main entre les cuisses du garçon pour le doigter, ce qui eut le don de provoquer chez lui quelques gémissements graves…

CouverTTBM le regarda droit dans les yeux pendant une minute. « Tu veux fumer ?

— Je ne fume pas. Et c'est une chambre non-fumeur, d'ailleurs.

— Non, pas des cigarettes. » Nick alla à quatre pattes jusqu'à son sac à dos, en sortit une petite boîte en velours rouge qu'il amena jusqu'au lit, l'ouvrit et en sortit une pipe en verre ébréchée avec une sphère transparente au bout.

« Tu vas fumer du crack ? » s'exclama Hector. Il était déjà sorti avec un mec qui avait sorti une pipe à crack, ce qui avait eu le don de le dégoûter, et il avait pris ses cliques et ses claques dans l'instant.

« Nan, répondit Nick en sortant de sa poche de bermuda une dose de poudre transparente. Je prends pas de crack. C'est de la crystal.

— Hein ? » aboya Hector, qui n'avait jamais entendu ce mot.

Nick le regarda à nouveau, soupira comme s'il n'avait pas envie de partir dans de longues explications. « De la crystal meth. Vous avez pas ça à New York ? »

Bien sûr que si. Hector en avait pris quelques fois en club, étonné et un peu effrayé par le sentiment brûlant que la poudre laissait dans son nez et sa gorge, réveillé mais inquiet par la mâchoire serrée causée par la montée de la dope, l'idéal pour danser jusqu'à sept heures du matin, mais pas génial pour arriver à dormir ensuite, à moins de prendre un Klonopin.

« Tu fumes ça ? » s'étonna Hector, sentant qu'il venait tout à coup de perdre son autorité de BoMecPrtoRicain.

Nick lui sourit affectueusement. « Viens par ici, dit-il en tapotant le lit. C'est bien mieux et plus agréable comme ça. Comme fumer de l'herbe.

— Comment c'est possible ?

— Tu vas voir.

— L'effet dure longtemps ? J'ai un vol tôt demain matin. »

Nick hocha la tête. « T'inquiète pas. » Il inséra doucement quelques petits granulés blancs dans la pipe en verre, sortit un briquet de sa poche, puis alluma la flamme bleutée dans la pénombre.

« Viens plus près », invita-t-il Hector.

Hector se rapprocha, curieux, et Nick lui glissa la pipe entre les lèvres. « Ne bouge plus, dit Nick. Attends que la fumée sorte de la pipe, puis inspire, *lentement*, pas comme un bang. »

Hector suivit ses instructions à la lettre. Tout en inspirant, il sentait chaque poil de son corps se redresser et des microcourants électriques lui parcourir le pénis et les tétons, le scrotum et le rectum. Son ventre se noua en de délicieuses volutes, et la chambre sembla s'allumer doucement.

« Maintenant, viens ici, continua Nick en attirant Hector contre lui. Souffle-moi la fumée puis reprends la pipe. Inspire et souffle la fumée vers moi, et ne t'arrête pas. »

Hector lui obéit à nouveau. C'était très reposant d'obéir à des ordres ; alors qu'ils s'échangeaient ainsi la fumée, les bras d'Hector enlacèrent Nick. *Voilà*, pensa Hector en son for intérieur. *Voilà c'était ça.* C'était son souvenir de Ricky, dans ses bras, ce moment de perfection absolue, ou ce qu'en avait fait cette obsession mémorielle. Comme c'était étrange de ressentir la même chose exactement, quatre ans après !

Nick ralluma la pipe plusieurs fois, refit ce petit manège à trois ou quatre reprises. Lorsqu'il la reposa, Hector le dévisagea, l'air heureux et détendu. « Oh, mec, lâcha-t-il, le souffle court, une main s'activant mécaniquement sur sa queue rabougrie. Putain, c'est génial.

— Je t'avais dit que c'était mieux que les rails.

— Merci, dit Hector en poussant Nick sur le lit, dans le luxueux océan d'oreillers. Merci énormément. »

Nick gloussa. « C'est juste de la crystal, hein. »

Mais Hector voulait dire à CouverTTBM que c'était bien plus que cela. Il voulait lui dire : *Tu viens de me faire découvrir comment je vais réussir à supporter le restant de mon existence.*

TROISIÈME PARTIE

Adulte
1992-2021

De nouveau ensemble
(2012)

Quatre mois après que Mateo fut allé brièvement en prison à Los Angeles, puis en programme de réinsertion pour les néotoxicomanes, Milly se trouvait au Terminal 6 à JFK, à attendre son avion pour Los Angeles, un exemplaire de l'édition du vendredi du *New York Times* à côté d'elle. On était au mois de novembre, juste après la réélection d'Obama, ce qui avait constitué une source relativement agréable de réconfort pour elle. À presque quarante-quatre ans, avec une queue-de-cheval lâche, elle sirotait un café dans une tasse rouge et blanche Illy, vérifiant de temps à autre son iPhone, vêtue d'un manteau ajusté, d'un jean serré et de bottes en daim. La plupart des gens considéraient qu'elle était une belle femme – mince, le visage un peu plus durci par le temps que lorsqu'elle avait vingt-quatre ans, mais toujours la même jolie cascade de cheveux bouclés bruns clairs grâce à la coloration qui permettait de cacher les quelques dizaines de mèches blanches rebelles qui poussaient un peu partout.

Parfois, lorsque les amis et collègues conversaient longuement avec Milly, ils notaient chez elle un tic, même lorsqu'elle était parfaitement polie, chaleureuse et agréable. Ses yeux semblaient devenir vitreux, comme si elle s'apprêtait à pleurer, puis elle regardait au loin, se cachait le visage dans ses cheveux ou plongeait dans son iPhone, se contentant de répondre par un « Mmmmh, oui, mmmmmh » péremptoire, afin de passer plus rapidement à autre chose, et de mettre un terme à la conversation. Comme si, sous ses apparences posées, elle voulait dire : *Laissez-moi tranquille, laissez-moi seule*, même si elle n'avait aucune raison précise à ce moment-là de vouloir être seule. Elle continuait à enseigner l'art en secondaire, et pendant le week-end, elle s'enfermait dans son petit atelier où elle s'attelait distraitement à ses œuvres en cours, comme on peut marteler sur un piano sans y prêter la moindre attention. À vrai dire, elle ne s'était pas sérieusement concentrée sur sa création depuis environ deux ans – à peu près depuis le moment où elle avait découvert la toxicomanie de Mateo.

Quant à son compagnon, Jared, lorsqu'elle ne se contenait plus – en son for intérieur seulement, car elle ne l'aurait jamais admis en présence de quiconque –, elle ressentait une fureur aveuglante à son encontre, lui, son mari depuis près de quinze ans, et son partenaire depuis plus de vingt ans. Cette colère l'étonnait elle-même, et elle ne parvenait d'ailleurs pas à se l'expliquer totalement. Une sensation similaire à celle qui l'envahissait à l'époque qui avait précédé leur brève rupture, une vague de panique hystérique qui lui faisait penser que derrière son affection, ses attentions et sa pondération, il la privait de quelque chose d'essentiel et d'important qu'elle n'arrivait pas à identifier.

Leur relation était devenue plus distante. Ils n'avaient eu aucun rapport sexuel depuis quatre mois, ce qui n'était guère étonnant vu le traumatisme dans lequel Mateo les avait plongés lors de sa dernière sortie de route. Drew leur donnait des nouvelles depuis Los Angeles tandis qu'ils menaient leur existence à New York, dans une ambiance de syndrome d'abandon qu'ils n'auraient jamais imaginé en élevant Mateo : leur fils à l'autre bout du pays, non pas à la faculté à CalArts ou UCLA, mais dans une maison de détention pour toxicomanes. Plusieurs fois par jour, Milly pensait à cet état des choses et se sentait trahie et déchirée, coupable. Quand avaient-ils commis une erreur ? L'avait-elle trop aimé, trop couvé, lui avait-elle laissé passer trop de choses en les mettant sur le compte de l'agressivité adolescente car il n'était pas son fils biologique, parce qu'elle comprenait son mal-être ? Ces interrogations tournoyaient dans la tête de Milly constamment, la faisant lentement dériver loin de ce qui l'avait définie depuis tant d'années – sa peinture, son enseignement, ses amis et son mariage. Puis elle se souvenait de l'incident de la sculpture et frissonnait tout à coup en se demandant si, au fond, Jared n'avait pas eu raison.

316

Milly s'empara du *Times*, essayant tant bien que mal de se concentrer sur sa une, puis le reposa en soupirant. Pour être tout à fait honnête, même lors des mois précédents, durant la période relativement calme qui avait suivi la première cure de désintoxication de Mateo à Los Angeles, alors qu'il vivait au calme chez Drew et que tout semblait enfin sur les rails, depuis qu'il n'était plus là en somme, Milly et Jared n'avaient déjà plus de relations sexuelles. Assise au beau milieu du terminal de Jet Blue, elle dut se concentrer afin de se souvenir de ce samedi matin où ils avaient eu un rapport durant lequel elle avait pensé à autre chose – ce qu'elle avait à faire dans la journée, les différents horaires de ses obligations à venir, comme aller voir sa mère et acheter un nouvel aspirateur plus efficace – tandis que Jared la baisait. Elle avait émis quelques petits gémissements syndicaux pour lui faire croire qu'elle jouissait, ou qu'elle ressentait au moins du plaisir, mais en vérité elle prenait sur elle, soulagée qu'il éjacule. Une fois son affaire finie, il resta en elle, le souffle court, et la garda dans ses bras sans mot dire, tandis que Milly était submergée par un sentiment de petite mort.

« Je t'aime tellement Mille-Pattes », finit par lâcher Jared.

Elle lui passa la main dans les cheveux. « Moi aussi, je t'aime », répondit-elle. Ce qui ne fit qu'accentuer son sentiment de vide. Non qu'elle ne le pensât pas, elle était certaine de cela. C'était juste qu'elle n'éprouvait aucune chaleur en le disant.

« Tu as psy aujourd'hui ? interrogea-t-il.

— Mmm-mmh.

— Je vais aller à l'atelier, puis je ferai quelques paniers avec Asa. Mais on se fait une balade le long de la rivière ensuite ? Burgers et bière ?

— Mmm », dit-elle, se demandant si le ton employé était aussi morne que son for intérieur.

La thérapie lui avait permis de mieux comprendre d'où provenait cette colère froide qui l'animait la plupart du temps lorsqu'elle pensait à Jared. Elle avait déterminé que c'était à cause de Mateo, car ils n'avaient jamais été d'accord à son sujet. Jared avait accepté d'adopter Mateo car Milly le voulait. Et cela même si Jared s'était révélé être un très bon père et que durant ce qu'ils considéraient avoir été de « bonnes années », Jared et le garçon avaient développé une relation de proximité, roulant à vélo sur la route Metro-North jusqu'au musée Dia à Beacon, longeant la rivière Hudson, parfois en compagnie d'Asa et de ses deux filles.

Ces dernières années, des années véritablement infernales – surtout, étonnamment d'ailleurs, une fois que Mateo avait eu dix-huit ans –, Jared s'était détaché de lui. Il aurait été injuste de dire qu'il n'avait pas été bouleversé lorsqu'ils avaient appris la dernière rechute de Mateo ou son hospitalisation, mais cela avait meurtri Milly bien plus que Jared. Au grand étonnement de Milly, alors que Mateo touchait le fond, Jared s'était réfugié dans son activité artistique, bien plus que les années précédentes, passant de plus en plus de temps à son atelier, ou avec des gens du milieu de l'art, organisant sa première exposition personnelle dans une petite galerie en vue de Williamsburg.

La première cure de désintoxication dans le Connecticut n'avait pas fonctionné pour Mateo. Il y était resté, bon gré mal gré, trois semaines au total, mais lorsqu'il était rentré à la maison, juste à temps pour débuter un nouveau semestre de cours à Pratt, il avait semblé ne rien faire pour rester loin de la drogue. Sur une idée de Drew, Milly lui avait demandé s'il allait à ses réunions des Narcotiques Anonymes, et il avait répondu : « Les médecins de Silver Hill m'ont dit que ce n'était pas l'unique façon de ne pas replonger.

— Et tu comptes ne pas replonger comment, alors ?

— En me concentrant sur mes études », avait-il rétorqué.

Et un soir, alors qu'elle traversait le quartier à pied, elle tomba sur lui en train de boire des bières et de fumer des cigarettes en terrasse du Sidewalk Café, en compagnie de Fenimore et Keiko qui lui proposèrent de se joindre à eux, mais elle préféra refuser. Lorsque Mateo revint à la maison, assez ivre pour se prendre les pieds dans le tapis en se rendant dans sa chambre, elle lui rappela : « Je croyais que tu ne devais pas replonger et rester *sobre*.

— Hé, mon pote, j'ai pas de souci avec l'alcool », répliqua-t-il en se moquant de son ton sentencieux, avant de claquer la porte derrière lui et de mettre du hip-hop à plein volume.

S'étaient-ils rendu compte du moment où il était retombé dans l'héroïne ? Milly estimait que cela devait être au mois de septembre précédent, en 2011, lorsque ses allées et venues chez eux s'étaient faites plus irrégulières. Plus d'une fois, durant cette période, Milly s'était réveillée au beau milieu de la nuit, au son de la porte d'entrée qui s'ouvrait, puis des pas incertains de Mateo dans la pénombre des toilettes, avant de rejoindre sa chambre.

Lors de l'une de ces nuits, juste après quatre heures du matin, elle fut réveillée à cause d'un grand fracas dans la cuisine. Jared, comme toujours, continua à ronfler.

« Réveille-toi, lui dit-elle en le secouant par l'épaule. Il y a quelqu'un dans la cuisine. »

Jared releva la tête, les yeux encore gonflés de sommeil. « Tu es sûre ?

— Je viens d'entendre un grand bruit. »

Ils se rendirent à la cuisine, Milly dans un tee-shirt long recouvrant sa culotte, et Jared en caleçon. Ils allumèrent la lumière, et découvrirent Mateo à genoux, en jean et sweat à capuche, en train de sortir les pièces de 25 cents d'une réserve de petite monnaie qu'ils gardaient dans un vase en céramique bleue, écrasé par terre.

« Qu'est-ce que tu fais ? » s'exclama Milly.

Mateo leva les yeux vers elle. « Je pensais pas vous réveiller. »

Jared se pencha vers lui et le prit par le bras. « Je ne vois même plus tes pupilles, Mateo. Bon Dieu. Au bout de même pas six semaines. » Il releva brusquement Mateo, puis fouilla dans les poches de son jean. « Allez, mon pote, redonne-nous les clés d'ici, et va-t'en. Je n'ai pas envie de revivre ça. »

Milly sentit une boule se former dans sa gorge. « Attends ! s'écria-t-elle en prenant Mateo par son autre bras. Mateo, sois honnête avec nous, tu as repris de la drogue ?

— Mais, Milly, regarde-le ! cria Jared. Il est défoncé !

— J'ai rien pris, se défendit Mateo d'un ton pâteux. Je voulais de la monnaie pour m'acheter un jus de fruits.

— Mais tu n'as pas l'air bien, s'inquiéta Milly. Tu as travaillé toute la nuit ou quoi ?

— Milly, laisse tomber, l'interrompit Jared, tirant Mateo dans le couloir sombre, jusqu'à sa chambre. Prends tes affaires, rends-nous les clés et casse-toi. Ça suffit maintenant. »

Mateo se traîna jusqu'à la chambre, tiré par Jared. Tout à coup, il se dégagea et saisit une sculpture en acier d'un mètre de haut créée par Jared, une sorte de créature-loup aux contours coupants, et la lança sur la table basse en verre. Mateo eut un mouvement de recul, puis se figea devant le désastre, tremblant. « Putain, ne me touche plus jamais ! hurla-t-il à Jared, les yeux exorbités. Espèce d'enculé de bourge à la con. »

Jared fit un pas en arrière en direction de Milly, furieux et effrayé. « Milly, appelle la police depuis le téléphone de la cuisine, souffla-t-il d'un ton froid. Mateo, pose tes clés par terre et va-t'en.

— Ça n'a pas marché comme vous vouliez avec moi, hein, les gars ? se moqua Mateo, toujours tremblant.

— Mateo, le supplia Milly, calme-toi, reprends ton souffle et laisse-moi appeler une ambulance, d'accord ? »

Mais Jared lui arracha le téléphone des mains. « Non, on appelle la police, Milly. C'est fini, maintenant. Va-t'en Mateo. »

Mateo sortit les clés de la poche de son sweat-shirt à capuche, et les lança à Jared, qui les réceptionna à hauteur de genou. Il quitta précipitamment l'appartement, la poche arrière gonflée par la petite monnaie qu'il avait volée, claquant la porte derrière lui.

Milly resta debout, immobile, dans la cuisine, les mains devant la bouche, chancelante, tandis qu'à ses côtés se tenait Jared, le souffle court. Ils ne dirent rien pendant près d'une minute. Puis Jared se tourna vers elle : « C'est fini, Milly. Il a dix-neuf ans. On ne peut plus rien pour lui.

— Jared… commença Milly.

— C'est fini ! » cria Jared, levant la main devant Milly pour lui intimer d'arrêter tout de suite de protester. Il retourna dans le salon, retira avec précaution sa sculpture intacte au beau milieu de la vitre brisée, puis la reposa sur une table à l'autre bout de la pièce. Ensuite, il fila dans la chambre et ferma la porte derrière lui. Milly s'assit à la table de cuisine, le regard dans le vide.

Drew était intervenue dès le lendemain, en réponse au coup de fil désespéré de Milly. « Il y a un endroit très bien, et pas cher, du côté de Pasadena. Cela s'appelle Gooden, c'est réservé aux hommes et ils font un super boulot, en profondeur, avait-elle dit à Milly.

— Mais il a déjà suivi une cure de désintox, répondit Milly.

— Le fait de redémarrer loin de New York, tout ce changement de contexte, cela peut lui faire du bien. Je connais plein de types qui sont passés par là, et ça a changé leur vie. Franchement, Mille-Pattes, ce ne sera pas le premier à faire plus d'une seule cure de désintox.

— Je ne sais pas s'il acceptera d'y retourner. »

Ce fut donc Drew qui contacta Mateo directement – « entre drogués, on se comprend », avait-elle plaisanté auprès de Milly et de Mateo – et le persuada de venir côte Ouest, grâce à un billet d'avion que Milly s'empressa de payer. Milly s'occupa de préparer les affaires de Mateo, ses vêtements, ses sous-vêtements et son iPod ainsi que ses bandes dessinées préférées de Frank Miller, puis, en cachette de Jared, retrouva Mateo à l'aéroport pour lui dire au revoir. À son plus grand soulagement, il ne manqua pas le rendez-vous – son joli visage bouffi et éreinté, vêtu du même sweat-shirt à capuche en tenue camouflage couvert de taches. Il évita soigneusement de croiser son regard. Son allure eut le don de lui serrer le cœur et de la faire chavirer.

« J'ai essayé de penser à tout ce dont tu aurais besoin, dit-elle en lui tendant le sac.

— Merci. »

S'il te plaît, fais que cela fonctionne cette fois-ci, voulait-elle dire. Mais elle savait qu'elle n'en avait pas le droit.

« Je suis de tout cœur avec toi, se contenta-t-elle de dire.

— Merci », répéta-t-il d'un air gêné, avant de tourner les talons et de s'éloigner, laissant derrière lui Milly seule dans le terminal de l'aéroport. Elle était perdue, elle avait envie de courir vers lui, de le retenir, de revenir en arrière, de tout régler elle-même.

Tout cela s'était déroulé quatre mois auparavant. Dans les semaines qui avaient suivi, son cœur se cautérisait chaque fois que Drew lui donnait des nouvelles de Mateo, qui semblait bien s'adapter à Gooden, suivait le processus de soin, la thérapie de groupe et même les exercices personnels d'introspection. Elle s'inquiéta un peu lorsque Drew lui apprit que Mateo avait accepté la proposition de Drew et Christian de venir habiter avec eux ensuite afin de pouvoir suivre les séances des AA à Los Angeles. Et si Mateo les menait en bateau tout comme il l'avait fait avec elle et Jared ? Mais d'après les appels et messages de Drew, cela ne semblait pas être le cas.

Il est en train de se trouver, avait écrit Drew au bout d'un mois de cohabitation avec Mateo. Il avait même décroché un travail à temps partiel dans un café.

Je peux enfin me sentir soulagée ?! avait répondu par message Milly, avec un smiley en guise de point. Et elle avait pensé : *Tu vas voir, il va t'étonner, Jared !*

Puis elle écouta un message que Drew, paniquée, avait laissé sur son répondeur, et elle apprit que le pire était arrivé.

Drew alla la chercher à l'aéroport. Elles ne s'étaient pas vues depuis plus d'un an, bien avant même que Drew ait fait venir Mateo en Californie. Milly s'installa dans la Prius de Drew, et elles se serrèrent longuement dans les bras l'une de l'autre sans mot dire.

« Tu as bonne mine », dit-elle à Drew, détaillant machinalement sa robe printanière, son bras couvert de bracelets perlés, ainsi que son grand sac en cuir souple. Elle trouvait toujours que Drew avait bonne mine, chaque fois qu'elle la voyait, et elle repensa ensuite à Drew en train de marcher à vive allure autour du lac attenant à sa maison, en compagnie de son chien, ce que Drew faisait chaque matin avant d'aller à sa réunion des AA.

« Toi aussi, Mille-Pattes », repartit Drew sur un ton doux et réconfortant, omettant de rajouter *malgré tout*.

Tandis que Drew conduisait, elles discutèrent de tout et de rien jusqu'à arriver à la maison de Silver Lake. Drew prépara un déjeuner rapide – une grande salade, dans un énorme saladier jaune vif, avec de la verdure, des carottes grillées, du farro et des graines – avant que Christian ne les rejoigne dans la véranda.

« Millicent, ma chérie, dit Christian en la prenant dans les bras et en l'embrassant. Ce gamin nous en aura fait voir, hein ? »

Milly se sentit soulagé que Christian aborde ainsi le sujet. « Je ne pense pas que Jared soit très heureux que je sois venue ici… enfin, voir Mateo. Pas vous deux, bien sûr. Comment est-ce que je peux vous remercier pour tout ce que vous avez fait, cette arrestation et tout le reste ? Je n'ai quasiment pas bougé de chez moi pendant les quatre jours qui ont suivi. »

Drew et Christian se regardèrent. « On pense qu'il a peut-être fini par comprendre, avança Christian. Positivement. Comme si son addiction lui avait fait tellement de mal que, maintenant, il est conscient de son impuissance face à elle.

— Il est consterné… non, je *pense* qu'il est consterné… par ce qui s'est passé », ajouta Drew.

Milly acquiesça d'un lent hochement de la tête. Lorsqu'elle avait appris le drame, la nouvelle l'avait estomaquée, puis elle était devenue furieuse envers l'ancien collègue de sa mère, Hector, qu'elle considérait désormais comme la pire personne ayant jamais croisé sa famille, surtout depuis qu'elle savait que lui et Mateo se défonçaient déjà ensemble à New York, à quelques rues seulement du Christodora.

Et il y avait eu apparemment deux autres personnes présentes, dont une jeune femme qui était morte soit d'overdose, soit d'arrêt cardiaque – ou des deux. Milly avait eu du mal à croire cette terrible mésaventure lorsqu'on la lui avait rapportée. Mais après que Drew lui eut détaillé la fugue de Mateo avec les cartes de crédit et ce drame avec la jeune fille mourante qui l'avait conduit en prison, Milly avait commencé à se demander si Jared n'avait pas raison : on ne pouvait plus rien faire pour Mateo.

Milly finit par prendre sa fourchette et avaler quelques bouchées de salade. « Qu'est-ce qu'il se passe avec Hector Villanueva, alors ? demanda-t-elle en grimaçant lorsqu'elle prononça son nom.

— Il est toujours en prison, aux dernières nouvelles, lui apprit Drew. Des membres de l'AA vont le voir. Personne n'a payé sa caution. Et à raison. Il vaut mieux pour lui qu'il reste derrière les barreaux et décroche de la drogue avant d'être envoyé dans un programme de désintoxication, ce qu'ils feront sans aucun doute. Les charges qui pèsent sur lui ne sont pas très graves.

— Personnellement, il peut rester en taule à vie, ça ne me dérange pas, rétorqua Milly. C'est un oiseau de mauvais augure. »

Drew et Christian se lancèrent à nouveau un regard. Puis Christian haussa les épaules. « C'est un drogué. Comme Mateo. Ils ont besoin d'aide. »

Milly resta silencieuse. Elle se sentait coupable de ne pas analyser la situation avec autant de sang-froid que Drew et Christian. Mais elle n'aimait pas non plus qu'on dise de son fils qu'il était un drogué, même si c'était le cas.

Elle finit par lâcher ce qui lui pesait sur le cœur depuis son départ pour Los Angeles : « Jared n'a pas voulu m'accompagner. Il m'a dit que si je voulais y aller, c'était mon choix, mais qu'il était en plein boulot et qu'il ne voulait pas perdre son temps à cela. »

Drew et Christian échangèrent un long regard, du genre : qu'est-ce qu'on peut répondre ? Drew posa sa main sur le bras de Milly.

« Chérie. Je suis si contente que tu sois venue ici. Et je sais que tu veux voir Mateo car tu l'aimes, et que ne pas le voir te rend si triste. Mais tu dois aussi être consciente que tu ne peux rien – *rien* – faire pour forcer Mateo à décrocher s'il n'en a pas envie.

— Et, aussi, que ce n'est pas ta faute, ajouta Christian.

— C'est vrai, souligna Drew. Si tout cela est dû à un quelconque traumatisme, cela date d'avant l'adoption. Toi et Jared ne lui avez amené qu'amour et sécurité. Et, franchement, rajouta Drew d'une voix un peu plus aiguë, à partir d'un moment, avec la drogue, il faut arrêter de se questionner sur les causes de l'addiction et plutôt avancer.

— Exactement», confirma Christian.

Milly hochait la tête, murée dans le silence. Ils restèrent ainsi quelques secondes, sans mot dire, mangeant machinalement.

«Milly? finit par dire Drew sur un ton doux. Je peux te demander quelque chose?»

Milly acquiesça.

«Tu as réussi à peindre ces derniers temps, avec tout cela?

— Oh, oui, répondit-elle. Enfin, je vais à mon atelier. J'ai quelques toiles en préparation.»

C'était le cas, à première vue. Son atelier abritait bien deux ou trois toiles en cours. Mais elle ne les trouvait pas très intéressantes. Des peintures épaisses, vilaines et sombres dont elle n'arrivait pas à déterminer l'origine. Mais de temps à autre, surtout le week-end, elle allait se réfugier dans le calme de son atelier de Chinatown pour écouter Beck ou Radiohead ou Moby sur les haut-parleurs de son iPod tandis qu'elle travaillait. Elle avait l'impression qu'elle s'accrochait ainsi à quelque chose de vierge, de vaste et d'ouvert.

Puis, après avoir peint quelques heures, une fois qu'un sentiment diffus de panique et d'angoisse l'envahissait au fur et à mesure que la nuit s'abattait sur la ville, elle sortait une cigarette d'un paquet qu'elle gardait dans une armoire de l'atelier, puis elle ouvrait la large baie vitrée de cet ancien bâtiment industriel qui donnait sur le pont de Manhattan. Elle s'asseyait à la fenêtre et fumait, jetant ses cendres cinq étages plus bas, sentant sa tête tournoyer à chaque bouffée, dévisageant la ville et rêvant de voler, comme elle l'avait si souvent fait dans ses rêves. C'était depuis bien longtemps sa pensée préférée; la facilité et la légèreté qui lui permettraient de faire le tour de la ville en la survolant, cela la rendait si heureuse. Si seulement elle pouvait, chaque matin en sortant du Christodora, mettre en route un petit réacteur, décoller doucement jusqu'à survoler les toits d'East Village puis filer – les bras écartés, les pieds flottant dans l'air, comme si elle nageait – vers le nord-ouest, au-dessus de Manhattan, à slalomer doucement entre les gratte-ciel de Midtown, afin d'atteindre Columbus Circle, là où était son école. Mieux encore ; si seulement elle pouvait, lors de ses nuits blanches où elle subissait les ronflements de Jared, son odeur et ses spasmes, enfiler un survêtement pour ne pas avoir froid et décoller depuis sa fenêtre et faire un tour de la ville au creux de la nuit. Juste une demi-heure, pas plus, lorsqu'elle ne trouvait pas le sommeil. Cette idée la faisait frissonner.

« … appeler Mateo plus tard ? »

Milly sortit de sa rêverie. « Pardon ? »

Drew lui parlait. « On va appeler Mateo plus tard et lui proposer d'aller le voir dimanche ? »

Milly acquiesça et retourna à sa salade.

Le lendemain, après qu'elle et Drew eurent fait une marche sportive autour du lac, Drew la rejoignit à la véranda, où Milly lisait un livre de Tina Fey, *Bossypants*. Elle s'assit à côté d'elle, soupira, puis posa une main sur le genou de Milly.

« Qu'est-ce qu'il y a ? s'inquiéta Milly.

— J'ai parlé à Mateo. Je ne sais pas s'il est prêt pour nous voir dimanche.

— Mais tu m'as dit que tu étais déjà allé le voir à deux reprises, réagit Milly avant d'ajouter, la voix tremblante : Oh. Tu veux dire qu'il n'est pas prêt à *me* voir. »

Drew soupira à nouveau. « Cela n'avait pas eu l'air de le déranger lorsque je lui en avais parlé il y a deux semaines. »

Milly posa le livre et croisa les bras. Elle sentait le Démon de la Mélancolie s'emparer d'elle.

« Écoute, continua Drew. Je lui ai dit que tu étais ici, et je lui ai demandé de réfléchir et de me dire demain. Il a sûrement juste besoin d'une nuit pour lui porter conseil. » Drew marqua une pause. « Il se sent humilié, Mille-Pattes. Tu lui offres un billet d'avion, tu lui paies une cure très coûteuse et il fout tout en l'air, tout ça pour finir dans un centre de rétention au beau milieu d'anciens criminels.

— Attends, la coupa Milly, qui n'en revenait pas. Il y a des *criminels* là-bas ?

— C'est un très bon programme. Sans but lucratif. Je connais plein de gens qui sont passés par là. Et c'est le seul endroit où il peut aller car personne n'ira lui payer une cure de luxe une troisième fois. »

C'était la vérité ; lorsque Jared avait appris que Mateo était en prison, il avait immédiatement annoncé qu'il ne donnerait plus jamais un seul dollar à Mateo.

Drew se leva. « Donne-lui un peu de temps, veux-tu ? »

Elle retourna à son bureau, au bout du couloir, mais lorsque Milly tenta de replonger dans la lecture de son livre, elle n'arrivait plus à se concentrer. Au bout de quelques minutes, elle se leva pour aller taper à la porte de Drew. Elle se retourna.

« Je peux te demander quelque chose... commença Milly.

— Vas-y.

— Tu te souviens encore de tes années d'addiction ? Quand tu as essayé d'arrêter, de cette nuit où tu es venue chez moi, et, l'année suivante, quand tu es entrée en cure ? »

Drew lui lança un large sourire.

« Je m'en souviens parfaitement.

— Tu te souviens de quoi ?

— C'était comme... » Drew cherchait ses mots. « Comme naître à nouveau. »

Une image traversa l'esprit de Milly : Drew et son pendentif égyptien ! Qu'elle avait abandonné au bout d'une ou deux années, au grand soulagement de Milly.

« Mais pas de façon religieuse, précisa Drew. Chaque jour de ces premiers mois était si *compliqué*. Mais tout était plus vivant. Les couleurs, les contacts avec les gens, les émotions, les pensées, des choses que je remarquais autour de moi. De petites épiphanies du quotidien. Si vif. Je ne voudrais pas revivre ça. Mais je crois que cela a été la plus belle année de ma vie. »

Milly réfléchit à cette réponse pendant un long moment. « Tu crois que Mateo vit cela enfin ?

— J'espère. Mais peut-être que, toi aussi, tu devrais essayer d'avoir une année de ce genre-là. »

West Adams

(2012)

Mateo est à genoux, occupé à nettoyer le sol de la salle d'eau du premier étage. C'est sa tâche, chaque matin après le petit déjeuner, en tout cas pour cette semaine. C'est de loin le travail le plus ingrat du centre. À la cuisine, au moins, on socialise, on chahute avec les autres pensionnaires, on peut faire parler sa créativité en découpant les légumes, écouter du hip-hop ringard à la radio que diffuse un vieux radiocassette dans la pièce. Faire les poussières ou passer l'aspirateur, c'est moins pénible, car tu bosses debout, pense Mateo. Mais là, tu es à quatre pattes parce qu'il faut asperger et nettoyer le sol où une vingtaine de gars ont posé leurs pieds tandis qu'ils coulaient un bronze ces dernières vingt-quatre heures, essuyer la douche où ils ont dû se pignoler tout en profitant de ce rare moment de solitude dans un centre où la sphère du privé n'existe pas. Ici, à genoux, il est impossible de faire semblant d'ignorer que ce sont tes choix qui t'ont amené là, que tu es un condamné qui vit au beau milieu d'autres condamnés qui ont eu la même chance que toi d'avoir un problème de drogue ou d'alcool, ce qui leur a permis d'éviter la prison.

Étonnamment, Mateo s'en fiche. Pendant qu'il travaille, les autres gars chantent «Lotus Flower Bomb», une ballade vaguement rap d'un type qui se fait appeler Wale, et Mateo relève la tête pour les imiter, s'amusant à chantonner tout en nettoyant. Une fois le nettoyage achevé, il se relève et admire le travail depuis le pas de la porte, avant de ranger le spray nettoyant et l'essuie-tout dans une petite armoire. Ensuite, il retourne à sa chambre qu'il partage avec trois autres détenus, attrape une serviette, et va prendre sa douche. Il a sept minutes avant de devoir aller en bas. Programme du jour : acupuncture, quelques petites aiguilles dans l'oreille, afin de réduire son angoisse et ses sensations de manque, dans un dispensaire du quartier.

Chaque matin, il se réveille dans cette chambre au beau milieu de trois types qui ronflent et marmonnent pendant leur sommeil, et lorsqu'il ouvre les yeux, il pense toujours en premier : *Putain, comment j'ai atterri ici ?* Et, chaque matin, c'est plus fort que lui, tout revient à la surface : cet instant où six urgentistes se sont précipités vers lui dans le couloir de l'immeuble, son regard vaseux lorsqu'il les a observés avancer, son corps nu, paralysé par les effets combinés de l'héroïne, de la crystal meth, de la kétamine et de la MDMA. C'était bien lui, pourtant, le regard hébété par la drogue, lui que les infirmiers ont recouvert de ces couvertures de survie argentées, lui qui a été placé sur un brancard pour être examiné. Cacophonie tout autour de lui. Les autres infirmiers ouvrent la porte à toute allure, et s'engouffrent dans l'appartement d'où, se souvient-il vaguement, sortent de la musique et des gémissements et cris d'une vidéo porno.

Les infirmiers s'agglutinent autour d'*elle*. Carrie. (Une femme du centre associatif de yoga lui a appris comment contrôler sa respiration, après qu'il lui eut confié que, chaque fois qu'il pensait à Carrie – et c'était souvent plusieurs fois par jour, et ce dès le réveil –, il voulait se mutiler ou se tuer. Depuis, il se raccroche à cet exercice de respiration comme un désespéré.)

Voilà de quoi se souvient Mateo. Guère plus. Il se souvient vaguement être allongé sur un lit à moitié isolé par un rideau, des gens crient et le maintiennent dans cette position. C'est la dernière chose dont il se souvient jusqu'à son arrivée dans une chambre d'hôpital. Puis il y a la période passée dans une unité de désintoxication, à se lever quelques fois par jour pour manger une nourriture immonde en compagnie d'une bande de cinglés, assis à moitié comateux face à un assistant social qui lui parle des options qu'il lui reste, puis la nuit, une réunion d'AA improvisée où chacun marmonne ses idées noires.

Tout cela avait fini par l'envoyer dans un centre de désintoxication pour un mois, un endroit qui acceptait la couverture sociale universelle MediCal qu'on lui avait apparemment allouée. Il n'avait quasiment aucun souvenir de ce mois passé là-bas. Rien de très précis, jusqu'à ce qu'il soit renvoyé du centre et qu'un minivan ne l'amène ici, dans cette ancienne usine de quatorze chambres en état relativement déplorable, Triumph House. L'établissement était situé dans un quartier délabré et pauvre peuplé de vieilles bâtisses décrépies, West Adams.

À partir de ce moment-là, il s'est mis à distinguer chaque jour de l'autre, à reconnaître les types qui vivaient avec lui – la plupart du temps, des Noirs ou des Mexicains qui sortaient de prison suite à un méfait lié à leur addiction, souvent pour vente de drogue, et parfois pour agression ou vol à main armé. Il y a un type qu'il adore, par contre, un vieux Blanc décharné qui s'appelle Bobby G. Il vient juste de sortir de taule, après avoir écopé de vingt-deux années derrière les barreaux pour meurtre, sous l'emprise du crack. Lui et Bobby jouent au poker chaque soir après dîner, pour quelques centimes, en compagnie de Santi, un gros Mexicain très imposant, ancien vendeur de drogue à peine plus âgé que Mateo qui appelle sa mère « ma chérie » au téléphone, ce qui lui vaut quelques sarcasmes désagréables au sein de l'établissement.

Ce qui est étrange, c'est qu'à bien des égards Mateo n'a jamais été aussi heureux qu'aujourd'hui. Pour la première fois de sa vie, il se sent au bon endroit avec les bonnes personnes. Alors qu'il nettoyait la cuisine, un soir, en compagnie de Bobby G., il lui a demandé : « Toutes ces années en taule, ça t'a fait quoi ? »

Bobby G. s'est contenté de se retourner vers lui et de le dévisager... d'un air agacé, a pensé Mateo. « Tu as quel âge ? lui a retourné Bobby G.

— Vingt ans.

— Putain, t'as pas idée quelle chance t'as de ne pas être en taule », a répondu Bobby G.

Mateo a éclaté de rire. « Ici aussi, c'est une putain de prison !

— C'est une putain de rien du tout, ouais. C'est une putain de balade de santé, plutôt. Regarde-moi. Je peux à peine à marcher, mon corps est décharné. J'arriverai jamais à retrouver ces vingt-deux ans passés derrière les barreaux. J'y suis entré à quarante ans, ressorti à soixante-deux. »

Bobby G. a ensuite sorti la poubelle, laissant Mateo seul dans la cuisine, bercé par le morceau de Wiz Khalifa à la radio.

Aujourd'hui, alors que Mateo et les autres gars sont dans le mini-van pour aller à leur séance d'acupuncture, Mateo retombe dessus : le tagueur qui travaille sur son mur, un vieil édifice abandonné jouxtant un terrain vague. Il bosse dessus depuis la semaine dernière, et Mateo n'a encore jamais vu quelque chose de semblable. Son travail est si beau, si fort, si abstrait, uniquement en nuances de verts et bleu pâle, sans les grosses lignes noires épaisses qui soulignent d'habitude les graffitis. On a l'impression qu'il efface lui-même sa création tandis qu'il peint, comme s'il ne voulait laisser derrière lui que des couleurs fantomatiques. Chaque fois qu'il prend le minivan, Mateo remarque que le tagueur avance dans sa création. Il aperçoit sa frêle silhouette surmontée d'une casquette de base-ball, affairée, de dos, face à son mur. Mateo est de plus en plus fasciné par le mur, se demandant plusieurs fois par jour si le tagueur y travaille, trop impatient d'être à la semaine prochaine, lorsqu'il pourra aller et venir comme bon lui semble.

Tandis que la camionnette tourne dans une rue adjacente, Mateo ressent tout à coup la vague de tristesse la plus importante depuis longtemps – et, à son grand étonnement, il arrive à en identifier la cause. C'est parce qu'il n'a pas peint depuis longtemps. À part les quelques dessins qu'il a pu faire, de temps à autre, en cure de désintoxication puis dans le centre de rétention afin de tuer le temps, il n'a rien achevé depuis plus d'une année, bien avant même de venir à L.A. Se souvient-il de sa dernière toile ? Oh, bon Dieu, c'est vrai. Un empâtement de peinture noire – les feuilles, ce triste amas de feuilles mortes au coin de la toile, l'exacte représentation de son dernier automne à New York, traversé par une odeur de mort étouffante.

À son retour au centre, il se sent léger comme l'air grâce à sa session d'acupuncture. Sur le tableau noir, un message lui indique qu'il doit rappeler Drew. Il ressent ce mélange de honte et de responsabilité, comme chaque fois qu'il pense à elle ou qu'il lui parle. Car, bien sûr, Drew représente le lien vers elle – Millimaman. Il se répète sa Prière de la Sérénité, apprise aux AA – il en est le premier étonné, mais il la répète souvent dès qu'il se sent oppressé par quelque chose – puis appelle Drew.

« Ça va mon chéri ? demande-t-elle.

— Ouais, ça va. » Il n'en revient toujours pas que Drew soit si adorable avec lui, après ce qu'il lui a fait subir, à elle et à Christian. « Et toi ?

— Super bien. Donc… » Elle marque un temps d'arrêt. « Tu sais, ta mère reste jusqu'à lundi. Tu crois qu'on pourrait venir te voir dimanche ? Je ne veux pas te forcer, mais tu m'avais dit que tu réfléchirais à la question, il y a quelques jours, quand tu pensais ne pas encore être prêt. »

Mateo savait que cette discussion finirait par arriver. Mais il ne voit pas comment il pourrait une fois encore repousser Millimaman, alors qu'elle a fait ce long trajet pour venir le voir.

« D'accord. Vous pouvez venir dimanche. »

Et merde, pense-t-il immédiatement. Il imagine déjà la scène – le masque de douleur de Millimaman. C'est à peu près tout ce dont il se souvient de cette dernière année pourrie à New York. Il avait arrêté de venir à la maison ; elle ne savait jamais où il pouvait bien être. Et il ne fréquentait quasiment plus Pratt. Il échouait là où il pouvait trouver de la dope et en prendre, parfois chez ce dingo d'Hector, à quelques rues seulement du Christodora, parfois dans les taudis de divers « amis », à Williamsburg, Bushwick ou Bed-Stuy, et parfois même dans des établissements de nuits interlopes. Il évitait de devoir se retrouver face à Jared et Millimaman autant que possible. Mais environ une fois par semaine, il devait repasser par la maison pour se laver et changer d'habits, ou juste parce qu'il était en manque et se fichait du reste. Chaque fois – littéralement, *chaque* fois – il croisait son visage recouvert d'un masque de douleur, de tristesse et de peur, semblable à l'un de ces fantômes aux yeux creusés de Munch.

À l'époque, il s'en souvient parfaitement, lui et Millimaman n'avaient rien à se dire. Leurs rencontres se résumaient à ses marmonnements à lui, puis ses bafouilles à elle, une vision rapide de son visage, une fois encore défait alors qu'elle comprenait que oui, à nouveau, il était retombé, avant qu'elle ne retourne dans sa chambre. De l'autre côté de la porte, il pouvait entendre les murmures entre elle et Jared-Papa, alors qu'ils essayaient de comprendre ce qu'ils pouvaient faire de lui. Puis est survenue la grande scène finale de la sculpture, et le dernier regard implorant de Millimaman avant qu'il ne monte dans l'avion.

Mateo se fichait pas mal de ce que Jared-Papa pensait de lui. Mateo n'était pas idiot ; il avait toujours ressenti la distance de Jared à son encontre et il savait bien que, lorsqu'il serait adulte, il sortirait de la vie de Jared. Mateo savait également qu'il avait eu une réaction de fou en jetant la sculpture, que c'était par pure panique et sensation de manque, mais il n'était pas mécontent d'avoir ainsi pu exprimer aussi franchement ce qu'il pensait de son art métallique ringard et machiste. Il était conscient que ce sentiment de revanche n'était pas bon pour sa thérapie, mais il n'arrivait pas à s'en défaire.

Quant à Millimaman... il ne pouvait pas s'en débarrasser aussi facilement. Ce sentiment de honte qui l'avait submergé lorsqu'il avait su qu'on lui avait raconté tout le drame, les urgences, la prison et Carrie...

Oui, il y avait Carrie, aussi ! Ce jour-là, il était allé la chercher, il l'avait attiré dans un piège, il avait tellement envie de prendre de la dope et d'avoir quelqu'un à ses côtés pour cela. Son parrain AA lui avait conseillé de prier en sa mémoire et, autrement, de « remiser la honte qu'il éprouvait envers Carrie » ; il avait réfléchi à comment s'excuser auprès de la famille et des amis de Carrie et, par la pensée, auprès d'elle ; mais il était encore trop tôt pour s'atteler à cela.

C'est grâce à cela uniquement que Mateo se retient de se tirer une balle dans la tête lorsqu'il pense à Carrie, car pour lui, il l'a tuée.

Il a toujours beaucoup de mal à ne pas perdre pied lorsqu'il pense à Carrie. Puis de Carrie, il pense à Millimaman – Bon Dieu. Et voilà qu'elle sera là ce dimanche.

Quarante-huit heures plus tard, sa période de trente jours de conditionnelle est finie ; il n'est plus obligé de rester au centre, sauf pour certaines activités de groupe. Il peut aller et venir comme bon lui semble, mis à part lors des réunions obligatoires, et il faut qu'il trouve un travail à l'extérieur ; c'est le contrat. Il quitte donc le centre après ses céréales du petit déjeuner, à neuf heures du matin, avec l'idée de prendre le bus pour Silver Lake, participer à une réunion des Narcotic Anonymous, puis retourner à Intelligentsia, le café où il travaillait, et essayer de négocier pour qu'ils le reprennent. À ce moment-là, Mateo passe devant le tagueur. Toujours le dos tourné face au terrain vague, il travaille à sa peinture exquise, un mélange onirique de drapeaux bleu pâle et vert.

Mateo s'arrête et l'observe travailler, perché sur une échelle de trois mètres de haut, utilisant des bombes et des pinceaux. Son boulot a sûrement dû être validé par les autorités car il ne pourrait pas mener un projet aussi complexe autrement. Quel âge peut bien avoir ce petit homme ? Mateo n'en a aucune idée. Il n'a jamais vu son visage.

Mateo sait qu'il devrait continuer son chemin, mais il ne peut s'empêcher de regarder le tagueur à l'œuvre – si méthodique, si concentré. Cela doit être son septième ou huitième jour de boulot. Une vague de douleur naît à l'intérieur de lui, et irradie tout son corps. Les larmes lui montent aux yeux. Qu'est-ce que j'ai fait ? Qu'est-ce que j'ai fait ? Qu'est-ce que j'ai fait ? se demande-t-il, paniqué. Et, tout aussi soudainement, il recouvre ses esprits, cligne des yeux et essuie ses larmes, puis reprend sa marche. D'un côté, il ne veut pas déranger le tagueur, mais…

« Excusez-moi, lui lance Mateo, la voix encore chargée de sanglots, je ne veux pas vous embêter, mais je voulais juste vous dire que votre boulot est magnifique.

— Merci », répond-il, sans se détourner du mur. Mais quelque chose dans sa voix étonne Mateo. Le tagueur finit par se retourner et regarder Mateo, puis pose ses ustensiles et descend de l'échelle. « Un instant. »

Essuyant la sueur de son front à la peau noire foncée avec la manche de son vieux tee-shirt Wu-Tang, il se plante devant Mateo. Il comprend que c'est une fille. Une Noire à l'allure garçonne, de petite taille, avec un piercing au nez et un bandana calé sous sa casquette de base-ball.

« Salut, mec, dit-elle en lui tendant une main moite, qu'il saisit immédiatement.

— Salut, répond-il.

— Je sais, sourit-elle. Tu pensais que j'étais un mec, c'est ça ? J'ai l'habitude. Pas de souci, je m'en fous. »

Mateo est décontenancé. « Non, non, enfin, je m'en fiche aussi… je suis juste venu te dire que ce mur, c'est canon. C'est… »

Il cherche ses mots. « C'est vraiment magnifique. On croirait un rêve.

— Merci, mec. Ouais, un rêve. Je veux qu'on s'arrête devant, et qu'on se laisse happer par le décor, qu'on s'abandonne pendant quelques secondes. Juste en marchant ou en passant devant en caisse.

— Tout ça au pochoir ?

— Ouais, juste des pochoirs. Des pochoirs, et bon, des dizaines et des dizaines de putain de nuances de bleu, de vert et de jaune. Et je fais pas mal de mélanges moi-même.

— Ça déchire vraiment », répète Mateo. Puis il reste planté là. *Ça va pas mec, ou quoi ?*

Elle le regarde, amusée. « T'es un des nouveaux de Triumph House ? » finit-elle par demander.

Il se sent tout à coup submergé par la gêne. « Comment tu sais ? »

Elle hausse les épaules. « Vu que t'es nouveau dans le quartier. Cet endroit est super. Ils financent à moitié la peinture du mur. »

Mateo hoche la tête. Il veut absolument lui dire quelque chose. « Je suis artiste aussi. »

Son visage s'illumine. « Ah ouais ? Quel genre ?

— Peinture. Je suis des cours à Pratt, à Brooklyn.

— Putain, mec ! Ça déconne pas. Moi je vais à CalArts. »

Il sourit. « Enfin, j'allais à Pratt. Depuis, j'ai un peu merdé. »

Elle sourit à son tour. Elle a un sourire incroyablement doux. « Eh mec, tu sais, on fait tous des conneries. T'y retourneras bien-tôt.

— Peut-être. »

Elle prend une bouteille d'eau et en avale la moitié.

« Je vais te laisser bosser », dit Mateo.

Elle lui tend à nouveau la main. « Moi, c'est Charlice.

— Mateo. À bientôt dans le coin. » Il tourne les talons.

« Hé, mec. Si t'as du temps libre, viens me donner un coup de main un de ces jours. »

Il lui répond en souriant : « J'y penserai.

— Quand tu veux. » Puis Charlice remonte sur son échelle.

Mateo saute dans le bus pour Silver Lake. Il se sent léger et en ébullition après avoir admiré cette peinture aussi longtemps ; lors-qu'il ferme les yeux, il revoit cet océan de papier bleu explosant

334

sur le mur. Il essaie de garder ces couleurs en mémoire alors qu'il entre à Intelligentsia et prend son courage à deux mains pour aller retrouver son ancienne patronne, une jolie blonde athlétique du nom de Kayla, afin de voir si elle peut lui retrouver du boulot.

« Mateo, tu as cessé de venir comme ça, un beau jour, et tu n'as jamais donné de nouvelles », lui rappelle Kayla sur un ton neutre.

Il s'est préparé à ce moment-là. Lui et les autres gars du centre ont mené de nombreuses sessions de groupe afin de pouvoir affronter les gens qu'ils ont trahis ou blessés.

« Je sais. Et j'en suis désolé. Mais j'ai suivi une cure de désintoxication et je vis dans un centre où j'ai deux mois pour décrocher et devenir sobre. Il faut que j'aie un travail à temps partiel pour pouvoir y rester. Je peux travailler à n'importe quel service, sauf le dernier, car il y a un couvre-feu au centre.

— Oh, Mateo », dit Kayla avec un petit rire triste ; il n'en comprend pas vraiment la raison. Puis elle soupire, regarde l'organigramme accroché au mur. « Tu peux venir bosser avec Kevyon le matin pour ouvrir le café, du lundi au jeudi ? Tu arriveras à être là à six heures trente du matin ?

« Bien sûr », acquiesce-t-il avant même de réfléchir. Est-ce que les bus fonctionnent aussi tôt ? Il verra bien, se dit-il. Le bon côté, comprend-il, c'est qu'il aura fini sa journée à midi. Il pourra aller à une réunion des NA ensuite, puis revenir aider cette petite lesbienne, Charlice.

« Tu peux commencer dès lundi, lui apprend Kayla.

— Merci, Kayla.

— Mateo, surtout, ne déconne pas à nouveau, d'accord ? »

Ses mots résonnent dans sa tête durant tout le trajet jusqu'à la réunion qui a lieu de l'autre côté du lac, puis durant son retour en bus à West Adams. Et cette terrible sensation revient en lui, et il se met à gratter ses bras. Le centre ne l'autorise pas à avoir de téléphone portable durant son premier mois de conditionnelle – car il est beaucoup trop facile de trouver de la drogue ainsi durant les premiers jours de sobriété – et il ne peut donc pas appeler son parrain. Cette sensation est celle de la montée surpuissante et chaude qui fait hoqueter tout son corps et anesthésie son cerveau, juste au moment – ce nanomoment – où l'aiguille se glisse sous sa peau et qu'il aspire le sang dans la seringue. Ce dernier instant avant de tomber dans le vide depuis le toit d'un immeuble, totalement extatique. C'est étrange car avant de décrocher, avant l'incident avec Carrie, il aimait revivre ce souvenir – c'était son baume intime, son plaisir secret. Mais maintenant, lorsque cette pensée s'immisce dans son cerveau, cela le remplit de terreur et de panique, une horreur brute qui rappelle l'emprise physiologique que la drogue a sur lui. Il se met à inspirer longuement et à répéter la Prière de la Sérénité calmement, en rythme avec sa respiration.

Il continue ainsi durant tout le trajet du retour pour West Adams, et à son arrivée, la sensation a quasiment disparu. Elle est revenue à cause de la remarque de Kayla, qui a eu le don de lui rappeler tous ces gens qu'il a trahis. Et lorsqu'il repart dans ce territoire, il en est à se demander pourquoi il avait eu l'insolence de penser qu'il avait le droit de mener une vie heureuse. Comment osait-il regarder les gens en face ? Une putain de seringue dans le bras, voilà ce qu'il méritait.

À son retour dans le quartier, Charlice est encore là à travailler. Il va vers elle. « Hé, lui lance-t-il.

— Salut », répond-elle sans le regarder. Elle a bien avancé ces dernières heures, d'un bon mètre au moins sur la droite du mur. Son boulot est tellement dense, se dit Mateo ; elle avance si lentement ; les couches de papier déchiré, ou de feuilles, ou de quelque forme que ce soit, deviennent de plus en plus épaisses et entremêlées.

« Comment s'est passée ta journée ? s'enquit-elle.

— J'ai récupéré mon boulot d'avant.

— Super. Tu veux me filer un coup de main ? Donne-moi cette bombe qui est rangée avec les verts, la Satin Italian Olive.

Il trouve la bonne bombe de Krylon et la passe à Charlice. « Satin Italian Olive, commente-t-il. Pas mal.

— T'as vu, hein ? Et tu peux aussi prendre celle de Peekaboo Blue si tu veux et accentuer le trait de ces têtards, juste au niveau de ton genou. »

C'est donc comme ça qu'elle appelle ses formes. Des têtards. Pour Mateo, cela ne ressemble en rien à des têtards. Mais il n'a jamais fait de tags de sa vie. Ni « écrit », comme le disent les tagueurs. Il a grandi avec un pinceau en main. Il le lui avoue.

« Pas de souci. Cette bombe a la bonne densité. Secoue-la, approche-la à une vingtaine de centimètres du mur et accentue les contours. »

Il s'exécute, agitant la bombe, sentant la bille à l'intérieur remuer dans tous les sens. Il appuie sur le bec et une giclée de bleu clair atterrit au centre du dessin, accentuant son contour.

« T'es un bleu, mec ! s'esclaffe Charlice. Ruine pas tout, hein. »

Mateo sait ce qu'est un bleu, chez les tagueurs. Un putain de débutant.

Il revient le lendemain et y passe toute la journée du vendredi, puis de samedi. Il se sent si léger, si heureux. Puis, c'est dimanche matin. Il est agité alors qu'il mange ses céréales dans la cuisine avec les autres gars. Il les attend. Il a dit à Drew qu'il préférait les retrouver à Beverly Center, mais Millimaman voulait vraiment voir où il vivait. Il s'est posté dehors, devant le porche d'entrée, guettant la Prius de Drew. Enfin, vers onze heures, elles sont là. Deux jeunes femmes blanches, minces et riches qui semblent tellement déplacées dans ce quartier. Elles remontent l'allée, Drew avec un sac de chez Trader Joe à son bras. À distance, il voit que Millimaman lui sourit, mais il ressent déjà sa retenue et sa tristesse derrière son sourire, il peut le lire dans ses yeux. Son cœur bat la chamade et, fébrile, il se répète la Prière de la Sérénité. *S'il te plaît, s'il te plaît, s'il te plaît,* prie-t-il, *fais que j'y arrive. Que je m'en sorte.* Il se relève et avance vers elle, un sourire forcé aux lèvres.

« On est venues avec des cadeaux, annonce, enjouée, Drew.

— Salut ! répond Mateo, sur le même ton. Merci beaucoup ! »

Et les voilà juste devant lui. Pour la première fois depuis des mois, il regarde Millimaman dans les yeux, mais ce qu'il y voit – la douleur, la peur, ancrées si profondément en elle, bien plus que la dernière fois où il l'a vue – l'oblige à poser son regard ailleurs, vers où, d'ailleurs ? N'importe où. Tiens, sur Drew.

« Saluuut, répète-t-il, en reculant d'un pas. Bonjour, maman. » Il l'embrasse. Bon Dieu, qu'elle a l'air si fragile et petite, un véritable sac d'os.

« Bonjour, chéri ! » Elle l'embrasse à son tour et ne le lâche plus. Drew lui lance un regard derrière le dos de Milly, comme pour lui dire : *S'il te plaît, mon chou, sois gentil avec elle.*

Millimaman desserre enfin son étreinte. « Laisse-moi te regarder. Tu as l'air en forme, approuve-t-elle comme si ses pires peurs avaient été contredites. Tu as l'air bien. Ils te nourrissent bien ici, ça va ?

— Mais oui, mais oui ! » la rassure-t-il. Il est tout sourires et il lui sert gestes rassurants et petits éclats de rire un peu forcés. « Je fais même la cuisine. Ça fait partie de mes obligations.

— Tu fais la cuisine ? répète Millimaman. Eh bien, j'aimerais goûter ça.

— Hé, tu sais, je fais des super burritos.

— Mmmmh, dit Drew. Ça doit être bon. »

À ce moment, constate-t-il, son rythme cardiaque s'est un peu calmé. Peut-être que le pire est déjà passé. L'instant d'après, ils sont à l'intérieur du centre et il leur fait visiter le rez-de-chaussée – la salle de télévision, à l'avant, puis la cuisine, la véranda à l'arrière, les pièces où ils se réunissent. Il présente Drew et Millimaman aux différents types qu'ils croisent, et comme il le pressentait, l'ambiance est chaleureuse et cordiale.

« Cette vieille bâtisse est charmante, non, Mills ? » dit Drew. Mateo savait que cela viendrait, rigole-t-il intérieurement. Drew et Milly ont toujours eu la manie de qualifier toutes les choses anciennes « vintage » et « charmantes », et de vouloir les nettoyer, les retaper et les restaurer.

Après la visite du propriétaire et avoir rangé le sac de victuailles qu'elles lui ont ramené sous son lit car il sait bien que tout disparaîtrait en un quart d'heure s'il le laissait dans la cuisine, ils montent tous dans la Prius afin de se rendre au Pacific Designer Center, un grand ensemble en verre bleu dessiné par Cesar Pelli. Ils vont voir l'exposition d'une artiste, Amanda Ross-Ho. C'est Drew qui a eu l'idée d'aller voir ensemble une exposition, et comme il leur a dit qu'il avait lu de bons papiers à ce sujet, ils ont décidé de s'y rendre. Drew et Millimaman sont à l'avant, Mateo à l'arrière, et ils prennent la route vers le nord, direction La Cienega. Drew a mis KPCC sur la radio et, à cet instant précis, parle à Millimaman d'un de leurs très vieux amis qui a quitté L.A. pour New York récemment ; Mateo se dit que maintenant que la pression est retombée, il devrait pouvoir survivre à cet après-midi.

Une fois arrivé au Design Center, il réalise que c'est quasiment la première fois depuis des années qu'il se trouve au beau milieu de gens du milieu de l'art, presque tous blancs, dont Drew et Millimaman, plutôt que d'anciens criminels. L'inflexion de leur voix – murmures, ton sérieux, vocabulaire du domaine de l'écrit – lui semble à la fois bizarre et étrangère. Mais ce qui est encore plus dur, et il ne l'avait pas imaginé, c'est de se retrouver au beau milieu d'une coûteuse exposition et de se rappeler toute cette machinerie du monde de l'art, un univers qui lui avait tendu les bras mais qu'il avait préféré fuir en lançant derrière lui une bombe pour le détruire. Il ne cesse de se répéter que, oui, c'est vrai, Amanda Ross-Ho a près de quarante ans et qu'il n'en a que vingt, mais tout de même, cette exposition fait naître en lui une douleur qui le consume – une brûlure qu'il n'arrive pas à identifier –, et ses poings se crispent au fond des poches de son jean. Ce qui est frustrant, c'est qu'il est quasiment impossible de voir ce que l'artiste a réellement voulu faire avec sa succession d'installations, de pastiches et de collages d'éléments du quotidien ; la moitié ressemble à ce qu'un schizophrène produirait fiévreusement tout seul dans son coin pendant des jours et des jours. Peut-être est-ce la volonté de l'artiste.

Drew, qui marche à quelques pas de lui tandis que Millimaman est à l'autre bout de la pièce, semble ressentir la même chose. « J'aime bien l'agencement, mais cela ne me fait rien, bizarrement, tu vois ce que je veux dire ? »

Mateo fait un petit signe de la tête.

« Où est la beauté dans tout ça ?

— Je pense qu'elle se fiche de la beauté. Tout est réfléchi.

— Mmmmh, commente Drew. Tout est réfléchi. » Elle et Mateo se regardent un instant. Drew grimace puis pose sa main sur son cou : « Réfléchis pas trop non plus, veux-tu ? »

Mateo est pris au dépourvu. « Comment tu peux être aussi gentille avec moi ? » grommelle-t-il en regardant par terre.

Elle l'entoure de son bras. « Parce que je te connais depuis que tu es tout petit et que je t'aime. Et parce que je suis passée par les mêmes épreuves que toi, Mateo. » Son regard devient plus intense. « J'étais une petite toxico ingérable aussi, quand j'avais ton âge, tu sais. »

Ils éclatent tous deux de rire, attirant l'attention de Millimaman à travers la pièce. « Tu sais qui t'aime aussi, Mateo ? » ajoute Drew.

Mateo sait de qui parle Drew. Il baisse la voix. « Je ne sais pas pourquoi elle m'a adopté. Pourquoi elle n'a pas plutôt eu un enfant à elle ?

— Qu'est-ce que cela change ? rétorque Drew, sur le même ton. Reste loin de la drogue, et tu finiras par trouver les réponses à tes questions. »

Mateo garde les yeux baissés, en jouant avec ses baskets. Drew a toujours eu ce genre de phrase à la maître Yoda. Elle lui caresse à nouveau le cou, puis traverse la pièce vers Millimaman, que Mateo observe discrètement. Elle est debout devant la seule œuvre qu'il aime vraiment, une longue fresque constituée de formes blanches découpées, divisée en neuf carrés accrochés au sol par des bouteilles noires. C'est à la fois monumental et complexe et, même si ce n'est pas particulièrement beau, cela attire l'œil pendant un long moment. Et il semble que Millimaman est du même avis, car elle passe du temps devant.

À ainsi l'observer de loin – les bras croisés, titubant légèrement sur ses talons hauts –, Mateo ne peut s'empêcher de trouver combien elle semble frêle. Quel âge a-t-elle désormais ? Près de quarante-cinq ans ? À quoi pense-t-elle ? À sa propre création ? Pour la première fois, lui semble-t-il, il se demande si ou à quel point tout son bordel a pu affecter la production artistique de Millimaman. L'a-t-elle mise de côté ? Il reste encore une autre pensée, parmi cette pile de réflexions qui ne cessent de s'empiler, qu'il n'est pas prêt à affronter.

Ils finissent tous au café du musée, à manger un panini. Une fois la dernière bouchée avalée, Drew demande à Milly et Mateo si elle peut les laisser afin d'aller voir les salles consacrées au design intérieur ; elle voudrait refaire une pièce de sa maison, et elle y trouvera sûrement des idées. Mateo sent son cœur s'emballer ; il redoutait ce moment. Mais que peuvent-ils lui répondre ? Drew prend son sac et file au loin, promettant de revenir dans vingt à vingt-cinq minutes. Mateo et Millimaman la regardent s'éloigner.

« Sa maison est si belle, n'est-ce pas ? finit par commenter Millimaman.

— Clair.

— C'est fou les maisons qu'ont les gens ici, non ? Tu peux avoir un jardin à l'avant et à l'arrière, ainsi qu'un porche ou une véranda. Pour le prix d'un studio à New York ! Je me suis toujours demandé comment Drew pouvait vivre ici après toutes ses années à New York. Tous les gens que je connais ont fini par revenir. Mais c'est vrai qu'au réveil, ce matin, lorsque j'ai senti l'odeur des bougainvilliers dans le jardin, je me suis posé des questions.

« Ouais, il y a de chouettes odeurs ici, c'est vrai. » Il sent qu'elle ne sait pas quoi dire, car elle est nerveuse. C'est une musique familière, les élucubrations de Millimaman pour se calmer, ses débats avec elle-même.

Elle soupire, grignote la croûte de son sandwich, qu'elle repose. Elle sourit à Mateo, fait le tour du café du regard, puis lui lance un nouveau sourire. Il lui répond d'un sourire gêné, fixant son entrejambe pour ne pas avoir à affronter son regard.

« Papa est désolé de ne pas avoir pu venir, finit par dire Milly. Il travaille à fond pour préparer son exposition. »

Mateo hausse les épaules. Il aurait préféré qu'elle ne parle pas de lui. « Il a sa vie », dit-il. Il se sent bêtement passif-agressif, même si ce qu'il pense au plus profond de lui-même, c'est : *Je ne vais pas exiger que vous veniez à l'autre bout du pays pour me voir en centre de désintox.*

« Non, non, pas du tout, ce n'est pas ça, reprend-elle fébrilement. Il voulait venir. Juste que… il a l'impression que tout le temps libre qu'il a en dehors des cours doit être utilisé pour préparer son exposition. Il m'a dit que…

— Franchement, il n'y a pas de souci », l'interrompt Mateo. Immédiatement, il s'en veut. Mais, putain, elle ne peut pas passer à autre chose ?

Trop tard. Son visage s'obscurcit d'une façon qu'il ne connaît que trop bien, comme s'il lui avait planté un couteau dans le dos. Elle mord son index légèrement.

« Ce que je voulais dire… » Bon Dieu, il sent le sol se dérober sous ses pieds. Putain ! Il faut qu'il appelle son parrain. Qu'est-ce qu'il lui dirait ? Qu'est-ce qu'il faut faire ? Il inspire longuement. « Je voulais dire que je comprends, dit-il d'un ton plus calme. Il n'est pas obligé de venir. Je vais vraiment, vraiment bien. Je me sens bien, et je suis sur de bons rails. »

Mais il est déjà trop tard. Elle fond en larmes. Sans un bruit, mais il aperçoit ses pleurs. Puis elle grimace de honte tout en les essuyant de son index.

« Mateo, j'essaie de faire au mieux. Quand… quand j'ai commencé à venir te voir, à l'orphelinat… j'ai appris à t'aimer et je… enfin, nous… on voulait te donner les chances d'avoir une belle vie. Je ne sais pas où on a échoué, honnêtement, je ne sais pas. On a dû… on a dû se tromper. On a fait au mieux. On… » Elle s'arrête, puis, plus calmement : « Je suis tombée amoureuse de ce petit garçon de cinq ans. »

Oh, bon Dieu, se dit-il. Elle va remonter jusque-*là* ? Putain. Oh, putain. Il sait qu'il doit avoir l'air ahuri d'un lapin pris dans les phares d'une voiture. Il prie pour trouver les mots justes.

« Je ne pense pas que vous ayez fait des erreurs. Je vous suis reconnaissant. Je ne pense pas que vous soyez la cause de mon addiction. Mais il faut que je te dise quelque chose. » Et voilà… oh, putain, il sent les larmes monter, mais il les ravale car il ne veut pas perdre pied. « Je veux être un adulte, maintenant, et trouver qui je suis vraiment. J'ai perdu assez de temps avec la drogue, et je veux m'assumer. »

Le visage de Milly s'illumine. « Bien sûr. Évidemment ! C'est ce que j'espérais. Et on ne te demande pas de revenir vivre chez nous à New York. On comprendra parfaitement si tu veux prendre un appartement à Brooklyn ou vivre avec des amis ou…

— Non, non, tu ne comprends pas. Je ne pense pas vouloir revenir à New York. Je crois que je veux rester ici. »

Et le plus étonnant, c'est qu'il ne l'avait jamais réalisé avant de le dire. Mais tout à coup, cela semble si évident – New York. Les rues d'East Village et du Lower East Side, chaque coin de rue qui lui rappelle la drogue. Et elle. Elle elle elle. La photo du 04/14/1984, toujours cachée derrière son lit au Christodora, à l'endroit où il l'a laissée, mais à qui il pense tous les jours ou presque. D'où elle venait, et où elle est morte. Il veut avoir l'impression de venir de nulle part. Il n'est ni Mateo Mendes ni Mateo Heyman-Traum, juste Mateo, vingt ans, artiste, adulte. Cela lui semble tellement évident, maintenant. Il ne veut pas retourner à New York.

Milly reste immobile face à lui, le visage pâle, la bouche littéralement en « O » tandis qu'elle absorbe cette information. Elle
semble chercher ses mots. « Et Pratt ? finit-elle par demander.

— Je ne veux pas y retourner non plus. » Et lorsque Mateo prononce ces mots, il comprend que c'est le cas. Il trouvera un
établissement ici, et peut-être même arrêtera-t-il ses études. Il verra
bien. Mais il ne veut pas retourner à Pratt. C'est une évidence, une
fois encore.

Millimaman ne dit rien. Elle passe la langue sur les lèvres, lentement, se redresse dans son siège et croise les bras. Elle remet une
mèche derrière son oreille, examine ses bras. Elle le regarde une
seule fois – un bref regard dont il n'arrive pas à déterminer l'intention : rage, choc ou défi –, puis laisse ses yeux se perdre dans le
vide. Il a l'impression de replonger, dans ce trou noir, dans la tristesse et la trahison. Mais. Mais bon. Il y a autre chose. Une partie
de lui ressent qu'il est au-dessus de cela, comme s'il savait qu'il en
émergerait. Il se sent… très léger. Presque irréel.

Elle relève les yeux et lui lance un regard assez dur : « Ne
t'inquiète pas, Mateo, je repars demain. »

Il se souvient de la supplication de Drew de bien se comporter
avec Milly. « Je suis vraiment très touché que tu sois venu me voir »,
prononce-t-il.

Elle ne dit rien. Ils restent ainsi immobiles, devant leurs sandwichs entamés. Une partie de Mateo lui dit de se lever et partir.
Mais l'autre lui conseille de respirer calmement, que cela va passer car, pour une fois, enfin, il n'a rien fait de mal. Bientôt, il sera
de retour à West Adams, entouré de types avec qui il se sent bien,
pas loin des feuilles bleue et verte qui ornent le mur adjacent.
Continue
à visualiser les feuilles bleue et verte, se convainc-t-il. Continue à
imaginer Charlice sur son échelle, avec toi à ses pieds.

Drew revient enfin, les bras chargés de catalogues et de bro-
chures. « Héééé », lance-t-elle l'air enjoué, en s'asseyant à côté
d'eux. Elle leur détaille tout ce qu'elle a vu, mais cela ne gêne pas
Mateo. Il sait que Drew est assez intelligente pour avoir senti à
l'instant même où elle les a aperçus dans cette posture que la
meilleure chose à faire était de laisser retomber la pression en leur
racontant son aventure dans le monde du design intérieur.

« Bon, on y va, peut-être ? conclut Drew.

— D'accord », répond Millimaman en prenant les plateaux.

Sur le chemin du retour à West Adams, l'ambiance est au calme ; la radio couvre le silence. Alors qu'ils avancent devant le terrain vague, Mateo regarde le mur peint. Au moment où Drew entre à Triumph House, des gars jouent aux cartes sur le perron.

« Je vais devoir y aller, il faut que je prépare le dîner », dit Mateo. C'est faux. C'était hier soir. Il pourrait encore rester une heure avec Drew et Millimaman, mais il n'est pas certain d'en avoir le courage. « Merci d'être venues me voir, et de m'avoir sorti. » Il se penche en avant pour embrasser Drew sur la joue.

« Ciao mon chou. Je t'appelle cette semaine. »

Il fait de même avec Millimaman. « Merci encore d'être venue ici. » *Dis bonjour à papa*, voilà ce qu'il devrait ajouter, il le sait, mais il n'y arrive pas.

« Au revoir », répond Milly d'un ton indifférent.

Il sort de la voiture. Il remonte à vive allure le chemin qui mène au foyer, faisant un signe de la main à ses camarades. Il ne se retourne pas vers la Prius. Il écoute d'une oreille le bruit du moteur de la voiture s'éloigner dans la rue. Bobby G. est assis sur l'escalier du perron, occupé à lire un vieux livre de poche de James Patterson, sûrement tiré de la « bibliothèque » du foyer.

« Monsieur Mateo. Comment s'est passée ta journée avec ces jeunes femmes ? »

Mateo s'assied à ses côtés et plonge sa tête dans ses mains. « Parfois, je me déteste », dit-il.

Bobby G. lui met une main sur l'épaule. « Bienvenue dans mon monde, mon pote ! s'esclaffe-t-il. Le club très privé de ceux qui essaient de ne pas trop se détester ! On est tous des membres VIP, ici ! »

Révélations
(2017)

Asa Heath, le vieux complice de Jared Traum depuis l'école primaire de St Bernard au début des années quatre-vingt, dévala la 7ᵉ Rue Est à toute allure, du haut de ses quarante-sept ans. Il était en nage, préoccupé et en retard pour son rendez-vous avec Jared dans un nouveau bar à la mode, encore concentré sur sa journée de travail. Il venait de fermer sa tablette en s'installant dans le métro, pourtant, les yeux fermés, il apercevait encore des algorithmes. Mais il sortit de sa torpeur devant une petite maisonnée de brique rouge s'ouvrant sur une entrée étroite, celle du Blue & Gold Tavern.

« Le Blue & Gold existe encore ! » s'exclama-t-il, à voix haute. Cela faisait longtemps qu'il habitait l'Upper East Side et il était toujours ravi de découvrir, lorsqu'il se rendait dans d'autres quartiers, que des vestiges de son passé d'étudiant avaient survécu. Une époque où ils étaient encore emplis d'espoirs un peu fous comme, par exemple, la réélection pour un second mandat du maire David Dinkins. Et là, le Blue & Gold ! C'était dans ce bar où lui, Jared, Milly et leurs autres amis – cette jolie foldingue de Drew qui avait déménagé à L.A. et était devenue une écrivaine à succès – avaient passé tant de nuit à picoler et abreuver le juke-box de pièces de 25 cents pour écouter du Guns N' Roses.

« Trente ans ! » s'exclama à nouveau Asa à voix haute. Il parlait souvent à voix haute lorsqu'il marchait seul. C'était, pensait-il, une des rares choses que l'on pouvait encore faire à New York sans que cela choque personne. Ce souvenir lui rappela ce vieux New York incertain et analogique où l'on promettait à ses amis de leur

345

laisser un message sur le répondeur de leur travail pour leur indiquer où se retrouver le vendredi soir, et où il fallait appeler d'une cabine téléphonique ledit répondeur pour avoir l'adresse.

Depuis cette époque, les magasins, les restaurants, bars et cafés s'étaient mis à ressembler à ce qu'ils étaient un siècle auparavant. Bien sûr, ces établissements brillaient de gadgets technologiques dernier cri indispensables à leur succès, mais plus le futur les envahissait, plus on s'efforçait à ce que les endroits rappellent le passé.

Ce soir-là, Asa se retrouva donc à entrer dans l'un de ces établissements censés rappeler un passé glorieux, une réplique de *speakeasy* datant des années de Prohibition située à quelques pas de ce bon vieux Blue & Gold, qui lui aurait tout à fait convenu. Un miroir vintage parfaitement vieilli ornait toute la longueur du bar couvert par des carrelages noir et blanc faussement d'époque. Au bout du comptoir était assis Jared, la chevelure blonde bouclée légèrement grisonnante, les mains calleuses et imposantes. Il était encore mince, grâce au régime *vegan* que tout le monde semblait désormais suivre, ainsi qu'aux trois matinées par semaine dans une salle de gym en béton brut afin de soulever des haltères avec un coach payé 200 dollars l'heure. Tout le monde disait à Jared qu'il avait bien meilleure mine à quarante-huit ans qu'à quarante.

Les deux hommes s'embrassèrent de façon virile. Asa commanda une pinte.

« Comment ça va ? » demanda-t-il.

Jared lui répondit par un sourire rusé. « Pas mal du tout.

— Ah ouais ?

— D'ailleurs, dit Jared en caressant du pouce la monture de ses lunettes, elle va peut-être nous rejoindre tout à l'heure.

— Super ! »

Jared sourit et donna un petit coup d'épaule complice à son ami. Asa était ce *genre* d'ami, celui qui est le témoin, durant des décennies, des hauts et des bas des autres et ne donne son avis que lorsqu'il pense qu'un malheur est inévitable. Asa n'avait jamais eu à le faire avec Jared. Surtout pas lorsque Milly et lui avaient adopté Mateo, même si Asa, célibataire à l'époque, avait eu peur que ce nouvel arrivant ne mette en péril leurs virées nocturnes. Mais Asa avait appris à apprécier Mateo. Deux années plus tard, la fille avec qui il sortait lui avait demandé s'il voulait des enfants ; il avait repensé à un après-midi à Tompkins Square Park où il avait joué au football avec Jared et Mateo puis à une pizza partagée au Two Boots ensuite – un après-midi qui avait représenté pour lui la perfection d'une journée « entre mecs » – et il avait répondu à son amie : « Avec plaisir, oui. » Ils avaient eu ensemble deux filles.

Asa avait cependant bien compris que, pour Jared, accepter l'adoption de Mateo alors qu'il voulait son enfant à lui constituait une concession envers Milly, une preuve de son amour pour elle. Et une fois qu'ils l'avaient adopté, waouh. Ils n'avaient pas imaginé à quel point cela serait difficile. Il y avait bien eu une période d'environ cinq ans, quand Mateo avait entre dix et quinze ans, où tous les trois avaient semblé trouver une dynamique de famille. Ils avaient passé ensemble de belles années, à l'époque, Jared, Asa et leurs familles – chaque été à Montauk, et en Europe à une ou deux reprises. Mais, aux alentours de quinze ans, Mateo, tellement fier et arrogant, avait « changé », comme Milly et Jared disaient. Quelques années plus tard, il était tombé dans la drogue. Et c'était à partir de cette époque qu'Asa avait vu de plus en plus Jared seul, juste pour un verre ou un vernissage.

Ce fut pendant ces années que leur mariage se disloqua, selon ce que confia Jared à Asa. Avec l'addiction de Mateo, au début, lorsqu'il décrocha de Pratt, Milly et Jared étaient sur la même longueur d'onde : bien sûr qu'il réagit ainsi, tout ce qu'il réprime depuis l'enfance, la colère d'avoir été abandonné, la rancœur, cela remonte à la surface.

Mais le ressentiment de Jared pointait déjà : « Je me demande si le zombie va rentrer à la maison, cette nuit, confia Jared à Asa un soir.

— Quoi ?

— Quand Mateo s'est installé chez nous, je trouvais qu'il ressemblait à un zombie, car il était tellement frêle. Bien sûr, je ne l'ai jamais dit à Milly. Si renfermé. Un gamin zombie revenant du pays des morts. Et un jour, je ne sais pas, vers neuf ou dix ans, il a commencé à vivre. Un chouette gamin, enthousiaste, qui apprenait à exprimer son affection, à fond dans l'art. Quand il est tombé dans la drogue, je me suis dit : tiens, le zombie est de retour. Il avait le regard vide, il n'était plus là. »

Asa fut la première personne à qui Jared avait raconté l'incident avec la sculpture, omettant cependant de rapporter que Mateo l'avait traité d'«enculé de bourge à la con». Si Mateo avait voulu porter un coup fatal à un artiste quadragénaire qui n'avait pas encore atteint le statut auquel il aspirait depuis vingt ans, il avait réussi son coup, et Jared était bien trop fier pour répéter ces paroles.

«Il est devenu agressif, voilà ce qu'avait commenté Asa après avoir entendu son ami lui rapporter l'altercation. Comme les mecs défoncés qui mendient dans le métro.»

Jared acquiesça. «C'est pour cela qu'on a dû le foutre dehors.»

Lorsque Mateo partit en Californie et que Milly reçut de bonnes nouvelles de la part de Drew, une courte période de bonheur renouvelé s'ouvrit pour elle et Jared, d'après ce qu'en sut Asa. Jared et Milly en conclurent que Mateo avait juste besoin de s'éloigner de New York, lieu du délit, pendant quelque temps. Une certaine normalité se réinstalla entre eux. Ils dînaient dans le quartier après le boulot, parlaient de leurs étudiants et de leurs créations, se baladaient ensemble à Tompkins Square Park, se lovaient pour regarder un film au lit, s'endormaient au beau milieu. Milly pouvait dormir sans être rongée par l'angoisse d'entendre débarquer Mateo au beau milieu de la nuit et tituber comme un fantôme.

«Je sais que ça peut paraître dur, confia Jared à Asa un soir alors qu'ils allaient au cinéma, mais c'est tellement agréable de se retrouver seul à la maison avec Mills, sans avoir à se soucier de Mateo.

— C'est un adulte maintenant, commenta Asa.

— Oui, c'est un adulte», répéta Jared, comme s'il essayait de se convaincre lui-même.

Mais à L.A., la fiction de l'adulte ne résista pas longtemps. Lorsque Milly apprit à Jared qu'il avait été arrêté et que la fille était morte d'overdose, Jared ne réagit quasiment pas et resta silencieux. Son désarroi et la panique qui animait Milly le convainquirent de ne même pas glisser un *je te l'avais dit*. En son for intérieur, cependant, tout cela ne fit que confirmer sa certitude que Mateo était une cause perdue. S'il réfléchissait à la situation plus de temps qu'il ne voulait se l'autoriser, il plongeait tête la première dans les vies de tous ces New-Yorkais, depuis des générations, qui avaient dû affronter une vie bien plus difficile et compliquée que la sienne, et il se sentait à la fois honteux, misérable et désemparé. Il préférait s'arrêter à la conclusion que Mateo était, comme il l'avait dit, une cause perdue – et, cela tombait bien, il n'était plus légalement responsable de Mateo. Leur boulot était fini.

Mais Milly. « Elle ne veut pas laisser tomber, se plaignit Jared. Même maintenant. Elle est à L.A. pour voir ce putain de gosse. Elle est carrément maso, on dirait qu'elle aime tout ce drame. » Le départ de Milly l'estomaquait. Pourquoi aller à l'autre bout du pays pour rendre visite à quelqu'un qui ne voulait pas vous voir, alors que Jared avait exprimé sa volonté de passer plus de temps seul avec elle ? Pour la première fois depuis leur mariage, des doutes étaient nés au plus profond de lui.

« Ce serait chouette de voir Milly heureuse », glissa Asa.

Jared partit d'un rire méprisant. « Milly ne se laisse pas la possibilité d'être heureuse. Elle en a peur. Son bonheur pourrait faire retomber sa mère dans la folie et lui ruiner sa fête de fin d'année. Elle a besoin d'un désastre pour se sentir normale. »

Quant à Milly, elle ne s'était pas sentie bien depuis que Mateo lui avait plus ou moins exprimé le fait qu'il voulait qu'elle le laisse tranquille, puis qu'elle était partie dans la Prius de Drew alors qu'il retournait au centre de rétention. Drew avait roulé pendant plusieurs longues minutes avant de lui demander : « Vous avez parlé de quoi au café, tous les deux ? »

Milly continua à regarder au loin. « Il m'a dit qu'il ne voulait pas revenir à New York. »

Drew garda le silence. « Tu sais, finit-elle par dire, il essaie juste de se forger une identité à lui, loin de ses parents, comme tous les enfants de son âge.

— Je crois qu'il veut que je disparaisse de sa vie, » ajouta Milly.

De retour à la maison, alors qu'elle éteignait le moteur, Drew hésita quelques secondes avant de sortir de la voiture : « Mille-Pattes, dit-elle doucement, je peux te dire quelque chose ? Toi et Jared, vous avez été super avec Mateo. Quoi que vous pensiez à cause des deux dernières années, cela reste le cas. Vous avez aidé ta mère à tenir une promesse qu'elle avait faite à sa génitrice, et vous l'avez sorti d'un orphelinat, lui avez offert une éducation géniale, une vie incroyable et donné beaucoup d'amour. Mais il a vingt ans. Tu sais ce qu'il faut faire, maintenant ? »

Milly grimaça légèrement. « Il faut faire quoi, alors ?

— C'est au tour de Milly. »

Milly éclata de rire. « Et qu'est-ce qu'est censée faire cette brave Milly ?

— C'est à elle de le découvrir. »

Milly tenta de ne pas perdre cette idée de vue en revenant à New York, elle et son cœur brisé. Elle se répétait sans cesse : *le boulot et Jared, le boulot et Jared.* Côté travail, ce n'était pas si compliqué. Elle aimait ses étudiants et, le week-end, elle était contente d'aller à son atelier pour s'abandonner dans ses peintures et ses toiles pendant plusieurs heures, jusqu'à ce qu'au bout de six semaines, vers les vacances de 2012, elle eût créé assez de nouvelles œuvres pour convaincre quelques nouveaux galeristes du Lower East Side de venir les découvrir à l'atelier. Ses toiles étaient des études en blanc et gris – combien de nuances de blanc et de gris pouvait-elle utiliser sur une toile tout en créant l'illusion d'un monochrome à quelques pas de distance ? Lorsqu'elle prenait une pause, elle s'allumait une cigarette et s'asseyait dans l'entrebâillement de la grande baie vitrée et observait le pont de Manhattan en se demandant ce que Mateo pouvait faire à ce moment précis. Que faisait-il de ses journées ? Survivrait-il à la nuit ? Reviendrait-il un jour à la maison ?

Côté Jared, par contre, à son plus grand désarroi, cela ne se passait pas très bien. Une partie d'elle-même – son côté « j'établis des listes de choses à faire » – la poussait à vouloir réinstiller de la magie dans leur union, et elle obéissait à cette volonté en envoyant, par exemple, un message à Jared à midi pour lui proposer de se retrouver après le travail pour aller voir un film. Mais, avant même qu'il n'ait eu le temps de lui répondre, une montée de rage envers lui la submergeait. Des années auparavant, de tels sentiments, pour peu qu'ils aient eu une quelconque logique, signifiaient peut-être : *Il me bloque dans ma pratique artistique* ; mais désormais, c'était plutôt : *Il se fiche totalement de revoir un jour Mateo ou non. Il s'en fout complètement !* Et Milly, au beau milieu de ce paroxysme de sentiments contraires, envoyait un nouveau message à Jared : « Désolé, je dois annuler, en fait. J'avais zappé une réunion. On se voit ce soir à la maison. » Puis elle allait seule au cinéma.

« Elle est tellement distante chez nous, confia Jared à Asa en buvant sa bière. Elle n'ose même plus me regarder droit dans les yeux. On n'a pas fait l'amour depuis plus d'un mois. Enfin, rien de ce qui s'en approche.

— Vous devriez suivre une thérapie de couple. »

Jared trouva la force d'en parler à Milly.

« Je suis déjà une thérapie ! protesta-t-elle. J'ai passé ma vie à suivre des thérapies. »

— Il faut qu'on y aille ensemble. Mills, je t'en prie. On s'éloigne l'un de l'autre. Il faut qu'on parle de ce qui s'est passé avec Mateo. Tu le sais bien. »

Elle ne supportait pas d'entendre le nom de Mateo. Lorsqu'elle était seule à la maison, elle allait dans la chambre de Mateo et s'allongeait sur son lit pour y observer ses posters de rappeurs, des types qu'elle ne connaissait pas, si ce n'était un certain « Tyler, The Creator » dont le nom était indiqué au bas de l'affiche. Le jeune chanteur, avec ses grimaces outrancières et sa casquette de travers, la terrifiait. Elle pouvait regarder son image fixement et, au fil du temps, le maudire pour les mésaventures de Mateo, même si elle n'avait jamais entendu la moindre de ses chansons. Elle aurait pu aller voir sur Internet, mais cette idée la terrifiait encore plus.

Elle et Jared finirent par suivre une thérapie de couple chez Richard Gallegos, le même médecin que Mateo était allé voir au lycée. C'était l'idée de Milly. Elle savait que refuser la thérapie de couple équivalait à dire qu'elle faisait une croix sur son mariage, et en choisissant le thérapeute, elle faisait preuve d'initiative. Jared était d'accord avec Milly sur le fait que Gallegos connaissait au moins le contexte de leur relation. Milly, de son côté, voulait consulter quelqu'un qui mettrait un visage sur le prénom de « Mateo » et comprendrait de qui ils parlaient.

Ainsi, un mardi soir, ils se rendirent à pied au cabinet aux tons beiges de Richard Gallegos. Ils lui expliquèrent qu'ils étaient désormais tout seuls tous les deux au bout de quinze ans, et qu'ils avaient perdu « le fil » – de leur mariage, de leur union, de ce qui avait pu exister avant les années Mateo.

Pendant les premières semaines, tout sembla bien aller. Puis, un mercredi soir où Jared et Asa se retrouvèrent pour boire un verre, Jared débarqua avec une mine défaite et abattue.

« Qu'est-ce qu'il y a ? » demanda Asa tout en commandant leurs pintes habituelles.

Jared ferma les yeux, hocha la tête, puis la nicha au creux de son coude posé sur le comptoir. « J'ai failli t'envoyer un message pour te dire que je ne pouvais pas te voir. Mais je me suis dit qu'il valait mieux que j'en parle. J'étais à deux doigts d'arrêter les gens dans la rue.

— Qu'est-ce qu'il y a, bordel ? s'alarma Asa en posant sa main sur le dos de son ami. Raconte, putain. »

L'incident datait du soir précédent, lors de leur consultation. Jared avait réussi à dire ce qui lui pesait.

Enfin, ce soir-là, enfin, enfin, Jared avait trouvé le courage pour dire ce qu'il voulait lui dire depuis des semaines – non, en fait, des années. Quelque chose que la froideur intransigeante de Milly avait toujours su contenir, même avant que Mateo ne débarque dans leur vie. Et quelque chose que les quinze années de cohabitation houleuse avec Mateo avait enterré.

« Milly, dit Jared, en prenant sa main dans la sienne devant Richard Gallegos, comme si le thérapeute allait célébrer leur union, avant qu'il ne soit trop tard... Je veux vraiment, vraiment, avoir un enfant avec toi. »

Avant que Milly ne puisse répliquer : *Nous avons eu un enfant... nous avons un enfant*, il ajouta, pour être bien clair : « Je veux que tu *aies* un enfant de moi. Je veux te *faire* un enfant. » Il évita de rajouter « notre propre enfant ». Il avait déjà appris la leçon des années auparavant en utilisant ces mots.

Un lourd silence s'abattit sur la pièce beige. Milly lui jeta un regard vide, puis détourna les yeux, clignant à de nombreuses reprises. Richard Gallegos ne dit rien.

« Tu vas me répondre ? » finit par demander Jared à Milly. Il était déjà submergé par le regret d'avoir poser la question.

« C'est trop tard, lâcha enfin Milly. Je pense... je pense que c'est trop tard.

— Ce n'est pas trop tard, rétorqua Jared. Regarde les gens que l'on connaît. Tu sais bien que c'est encore possible. Surtout avec les avancées médicales. On n'a jamais vraiment essayé. »

Mais Milly s'effondra en larmes devant ses supplications.

Richard Gallegos continua à rester silencieux pendant quelques secondes de plus – de manière un peu perverse, pensa Jared. Au bout d'un long laps de temps, il lança : « Milly, que ressentez-vous ? Pourquoi pleurez-vous ? »

Milly se redressa brusquement et lança un regard appuyé – un seul – vers Jared, plein de désespoir et de regret. Puis elle essuya ses larmes.

« Et là, j'ai compris, avoua Jared à Asa. Comme un uppercut dans la gueule, c'était évident. Alors je lui ai dit : "Milly, tu as déjà été enceinte ?" Et elle a hoché la tête. Et je n'ai même pas réussi à continuer.

— Elle a fait une fausse couche ? »

Jared grimaça, l'air amer. « Non, pas de fausse couche. » Il regardait Asa droit dans les yeux. « Elle n'a pas fait de putain de fausse couche.

— Ah, merde. Elle s'est fait avorter ? »

Les yeux plongés dans sa bière, Jared avait l'air perdu.

« Oh, merde, putain, mec. Quand ça ?

— *Avant* que l'on n'adopte Mateo. Elle m'a dit qu'elle ne voulait pas d'enfant qui souffrirait d'une maladie mentale. » Son visage tremblait. Asa passa la main dans le dos de Jared, dont les yeux clignaient à toute allure, avant qu'il ne doive essuyer des larmes du dos de la main. « Je n'en reviens pas qu'elle ait fait ça, s'indigna Jared, la voix plus aiguë qu'à l'habitude. C'était notre bébé et elle l'a tué. Elle ne me l'a même pas dit.

— Oh, putain, mec, putain, souffla doucement Asa. Je suis vraiment désolé. » Il ne savait pas quoi dire. Il pensa à ses propres filles, si elles n'avaient pas… existé. Les étranges petites comptines que Caroline fredonnait toute la journée, ce qui avait le don de le faire chavirer, et la petite moue d'Alice lorsqu'elle faisait face à la moindre expression de cruauté, comme lorsqu'une dame tirait un peu trop fort sur la laisse de son chien. Asa était persuadé qu'Alice deviendrait un jour avocate pour la défense des droits de l'homme, ou président de la République. Le sol se dérobait sous lui. « Je suis tellement désolé, mec.

— Elle s'est fait avorter, et ensuite elle m'a forcé à adopter Mateo. Tu y crois, toi ? On aurait pu avoir notre propre enfant. »

Après l'aveu de Milly, leur couple partit en chute libre. Jared éructait sa colère et son ressentiment lors des séances de thérapie, chaque semaine, tandis que Milly l'écoutait en silence, encaissant les reproches en se grattant les bras, paraissant accepter cette violence comme le prix à payer. Les autres jours, ils menaient chacun leur existence, en s'évitant. Milly dormait dans la chambre de Mateo et passait de plus en plus de temps avec sa mère et son père. Après les cours, elle allait chez eux dans l'Upper East Side, cette maison où elle avait grandi, et préparait à dîner pour Ava et Sam.

« Où est Jared, ce soir ? » interrogeait Ava. C'était sa façon à elle de dire : *Pourquoi tu n'es pas avec ton mari ce soir ?*

« À son atelier, répondait Milly.

— Il sort parfois de son atelier ? plaisantait alors Sam.

— Pourquoi tu ne l'appelles pas pour lui demander, papa ? » Puis elle regrettait le ton agressif utilisé, surtout lorsque ses parents échangeaient un regard entendu du genre : *Bon, bon, bon.*

En vérité, elle ne savait pas vraiment où était Jared. Elle avait dit à ses parents qu'ils suivaient une thérapie de couple, qu'ils avaient rencontré des difficultés après tous les soucis de Mateo, mais ne leur avait pas évoqué son aveu concernant l'avortement, ce qui avait déclenché tout ce processus. Si elle le leur avait raconté, cela aurait constitué un affront envers sa mère – une femme maniaco-dépressive qui avait enfanté une fille dépressive. Bien sûr, Milly se le répétait sans cesse, Ava ne l'avait pas ainsi conçue délibérément. Ava ne présentait d'ailleurs aucun de ces symptômes avant de tomber enceinte de Milly, à l'âge de vingt-huit ans. Mais peu importait. Milly savait que sa mère prendrait cela très mal. Elle préféra ne rien dire et bénit ce havre de paix peuplé de livres et de peintures que constituait la maison familiale pendant cette période difficile.

À la même époque, Jared et Asa firent les galeries de Chelsea un samedi après-midi. « Je crois que je vais en parler lors de la séance de jeudi, annonça Jared. Je veux divorcer. »

Asa se détourna tout à coup de la sculpture qu'il observait pour regarder son ami. « Vraiment ? » Asa était réellement surpris. Depuis l'aveu de Milly six semaines plus tôt, tout avait été flou. Asa doutait que son ami puisse ainsi quitter la femme dont il était follement amoureux depuis près de trente ans.

Jared hocha la tête en silence. Une heure plus tard, autour d'une bière et d'un burger au poulet, alors que les deux amis discutaient des expositions qu'ils venaient de voir, Jared s'affaissa dans sa chaise et reposa son sandwich, le regard dans le vide.

« Ça va ? » s'enquit Asa.

Jared leva les yeux. « Comment est-ce que je pourrais rester avec quelqu'un qui a fait ça ?

— Tu es en train de te poser des questions, c'est ça ? » Jared ne répondit pas. « Écoute, pourquoi tu ne lui dis pas que tu as besoin de passer un peu de temps seul au lieu de prendre une décision aussi radicale ? »

Jared fixa son ami. « C'est sûrement une bonne idée, oui », lâcha-t-il.

Lors de la séance du jeudi, Milly arriva grippée et Jared, qui avait pitié d'elle, faillit faire marche arrière. Mais il avait décidé que le moment était venu et qu'il devait se forcer, ou alors il n'y arriverait jamais. Jared laissa Richard Gallegos poser les premières questions de routine, qui consistaient à leur demander d'où ils venaient et dans quel état d'esprit ils étaient. Chaque semaine, Jared devenait un peu plus agacé par ce rituel. Ce soir-là, il dut prendre une longue inspiration pour s'empêcher de dire à Gallegos d'aller se foutre ses questions à 250 dollars là où il pensait.

« Je ne vais pas bien, dit Milly d'une voix neutre, en se mouchant. Je viens de finir mes cours, car mes étudiants ont leurs examens de fin de trimestre. » Elle regarda Jared puis posa sa main sur la sienne pour la secouer doucement. « Tu m'as manqué aujourd'hui », souffla-t-elle.

Jared essaya de sourire gentiment, mais il ne dut sûrement pas faire illusion. Pressentait-elle ce qui allait arriver ?

« J'ai l'estomac noué, ce soir, dit-il.

— Pourquoi ? » intervint Gallegos. Les yeux de Milly, brillants, se posèrent sur lui.

« Après la séance de la semaine dernière, j'ai décidé, commença Jared, en faisant face au regard de Milly, que je devais m'éloigner pendant un temps. J'ai besoin de me retrouver. »

Lentement, Milly se redressa dans le canapé, la bouche ouverte. Elle fronça à plusieurs reprises les sourcils, comme si elle voulait prendre la parole, mais ne dit rien. Puis, enfin : « Ce n'était pas l'idée. En venant ici, on devait trouver une solution.

— À l'époque, je ne savais pas ce que je sais maintenant.

— Ah, d'accord ! Donc tu me punis pour ça.

— Te punir ? hurla Jared. Te punir ? Putain, tu as tué mon enfant à cause de tes angoisses à la con et tu ne m'en as même jamais parlé. Ce n'est pas *égoïste*, ça ?

— Oh, mon Dieu, gémit Milly en éclatant en sanglots. Oh, mon Dieu !

— Du calme, du calme, les interrompit Richard Gallegos. Du calme. Faisons une minute de silence, d'accord ? »

L'air mauvais, Jared reprit son souffle. Milly continua à pleurer en hochant la tête. Jared la dévisagea un moment, le visage en larmes, et tout à coup une vague de rage – bien plus intense que tout ce qu'il avait jamais ressenti, une sensation qui l'effraya – coula en lui, depuis les épaules. *J'ai vécu vingt-cinq ans avec quelqu'un qui ne m'a jamais réellement aimé.* Un accès de panique, de folie, parcourait son corps tout entier. Il parvint à se contenir pour se lever et saisir son manteau.

« Je ne reste pas, lança-t-il. Je ne veux pas jouer à cette comédie.

— Jared, pouvez-vous juste vous rasseoir et faire une minute de silence ? demanda Gallegos.

— Il n'essaie même pas », sanglota Milly.

C'en était trop. « Je te hais, Milly », lâcha Jared.

L'instant d'après, il était dans la rue, le cœur battant la chamade, le monde vacillant sous ses pas. Il marcha pendant huit blocs sur la 1re Avenue, comme aveuglé, sans destination précise, puis tourna et marcha à nouveau sur huit blocs. Il resta devant chez Lucy's, un bar, pendant un long moment, tenté de boire mécaniquement plusieurs whiskys, jusqu'à ce qu'il soit totalement soûl et provoque une bagarre de rue, car tout ce qu'il voulait à ce moment précis, c'était défoncer la gueule d'un homme en couple qui passerait devant lui. Il resta dehors, à scruter à travers la vitre sale de l'établissement sur quel tabouret il pourrait s'asseoir.

Tandis qu'il détaillait les sièges, son cœur se calma lentement. Le monde cessa de vaciller. Il prit une très longue inspiration. Il passa les paumes de la main sur son front en nage, puis les doigts sur le nez et dans ses boucles blondes grisonnantes. Puis, calmement, il prit le train L, se rendit à son atelier, ouvrit la fenêtre, brancha son iPhone et lança un album de Radiohead. Avec une résolution froide et posée, il modela au chalumeau une colonne métallique de deux mètres de haut jusqu'à deux heures du matin. Il éteignit ensuite la lumière, retira ses chaussures et sa ceinture, et se blottit sous une couverture, sur un canapé dans le coin de l'atelier. *Je suis tout seul, maintenant*, se répéta-t-il encore et encore. *Tout seul.*

Jared ne revint jamais sur sa décision. Dans le cercle d'amis qui gravitaient autour de lui et Milly, on se délecta de la précision parfaite avec laquelle Jared l'avait quittée, à quel point il semblait exploiter sa fureur froide et son désespoir dans son propre travail. En l'espace d'un an, il décrocha une exposition dans une galerie d'Orchard Street, dont le *New York Times* loua « le matérialisme brut et post-industriel ». Suite à cela, ses œuvres se mirent à décoller et il put abandonner son poste de professeur au bout de six mois. Lors des quatre années qui suivirent, il devint cette rareté dans un monde de l'art contemporain qui ne jure que par la jeunesse et le renouveau : un artiste de longue date qui devient un chouchou des collectionneurs après l'âge de cinquante ans.

Asa, lui, était fier de connaître un ami d'enfance qui était un artiste si renommé qu'il passait le plus clair de son temps à superviser la création de folles sculptures massives en métal dans des espaces publics ou pour les parcs de riches investisseurs. Cette nuit-là, alors qu'il avançait devant le Blue & Gold et se rendait à contre-cœur à l'adresse que Jared lui avait indiquée sur sa tablette quelques heures plus tôt, Asa se demandait bien qui était la mystérieuse invitée dont Jared avait annoncé la présence un peu plus tard dans la soirée.

C'est dans ce faux *speakeasy*, après qu'Asa et Jared eurent enchaîné les verres pendant une bonne heure, qu'Asa la rencontra enfin : une élégante trentenaire à la peau cuivrée, à la chevelure bouclée volumineuse et aux larges boucles d'oreilles. Elle portait une longue robe gris métallique qu'Asa ne pouvait définir, en son for intérieur, que par le terme « japonaise ».

Lorsqu'elle entra dans le bar, Jared lui tournait le dos. Elle mit son doigt sur ses lèvres en direction d'Asa, et elle se glissa doucement derrière Jared pour lui déposer un léger baiser dans le cou.

Jared pivota. « Hé ! » s'exclama-t-il. Il lui déposa un petit smack sur les lèvres. « Tu as réussi à te libérer ! » Puis il présenta Asa à Tonya Gomez, assistante commissaire d'exposition au Whitney Museum. Jared l'avait rencontrée lors d'un vernissage, trois semaines plus tôt.

Tonya se jucha sur un tabouret, entre Jared et Asa. « C'est la troisième fois cette semaine que j'ai l'impression d'être dans un vieux film de gangsters, dit-elle.

— C'est clair, s'amusa Asa. C'est la mode des *speakeasies*.

— Ah bon ? Je ne comprends pas pourquoi on… enfin, pourquoi l'Amérique est si obsédée par cet archétype. Tu ne trouves pas ? C'est constant !

— Il faut croire qu'on aime notre propre mythologie », répondit Asa.

Tonya posa sa main sur le bras d'Asa, en signe de connivence : « Je sais bien. »

Asa lança un regard à Jared qui avait légèrement pivoté sur son siège, souriant tranquillement à son propre reflet dans le long miroir *vintage* du bar.

Après avoir quitté Milly, Jared avait sous-loué un appartement à Carroll Gardens, à Brooklyn, pendant un an. L'appartement du Christodora lui appartenait – à sa famille, et il était payé depuis bien longtemps. Mais forcer Milly à le quitter immédiatement l'aurait empêché d'envisager sereinement l'avenir immédiat. Par l'intermédiaire d'un avocat – il avait vite compris qu'il n'arriverait même pas à lui envoyer un e-mail, et encore moins apercevoir un e-mail de sa part dans sa boîte de réception –, il l'informa qu'elle pouvait rester là-bas autant de temps qu'elle le voulait, tant qu'elle payait les charges mensuelles. Il savait qu'un jour ou l'autre il lui faudrait réclamer l'appartement, soit pour y vivre soit pour le vendre – d'ailleurs, il ferait mieux d'aller voir un avocat spécialisé dans les divorces et se bouger un peu – mais, pour le moment, il ressentait le besoin d'être loin du Christodora, de ses pièces, de ses livres, de ses peintures et de ses ustensiles de cuisine – sans parler des rues d'Alphabet City, des cafés, des chiens et des drogués qui lui rappelaient sa vie de ses vingt dernières années. Son thérapeute – un nouveau, pas Gallegos, qu'il n'était jamais retourné voir par la suite – passait le plus clair de son temps à essayer de le convaincre que ces deux décennies n'avaient pas été un gâchis et une imposture complets.

Milly, elle, était restée seule dans le cabinet de Gallegos, sans mot dire, après que Jared lui eut crié sa détestation, et ne claque la porte.

« Restons calmes un moment », avait murmuré Gallegos.

Milly ramena ses genoux contre sa poitrine. Détournant son regard de Gallegos, elle posa sa tête sur le rebord du canapé et ferma les yeux. Enfin, elle dit : « Je savais que cela allait finir comme ça. Que tout le monde partirait.

— Pouvez-vous rester silencieuse pendant une minute, Milly ? » lui conseilla Gallegos.

Elle lui lança un sourire carnassier. « Je suis restée silencieuse pendant toute ma vie. Cela n'améliore pas les choses.

— Oui, mais vous savez que c'est la dépression qui vous fait dire cela, Milly, n'est-ce pas ? Les choses changent, elles évoluent. Vous avez déjà été heureuse, et vous le serez encore. »

Elle laissa éclater un rire inhabituel. « Je suis fatiguée de devoir faire tant d'efforts pour être heureuse ! »

Assise dans la salle à manger du Christodora ce soir-là, une grille de mots croisés vide devant elle, Milly attendit que Jared rentre à la maison. Il reviendrait sûrement pour dormir. Mais à deux heures du matin, il n'était toujours pas là. Au matin, elle reçut un message de lui : « Je vais habiter ailleurs un moment. Je passerai à l'appartement prendre quelques affaires pendant les heures de bureau. » En d'autres mots, comprit Milly : *Quand tu ne seras pas là.*

Tout cela était inévitable. Elle était déchirée entre le sentiment que Jared aurait dû lui pardonner et la vérité : cela faisait des années qu'elle savait que ce moment arriverait. Même le départ de Mateo, elle l'avait prévu. *Tu ne peux pas adopter un enfant pour remplir un vide intérieur*, se disait-elle. *Il faut le faire de façon détachée, mue par un instinct désintéressé, pour aider. Tu ne peux pas demander à un gamin sans mère de remplir ton besoin maternel parce que tu as peur d'avoir ton propre enfant.* Et pourtant, se disait aussi Milly, cela a fonctionné pendant un moment, non ?

Elle vécut les jours suivants comme dans un cauchemar, n'avouant ce qui s'était passé qu'à Gallegos et à Drew. Chaque soir, elle rentrait chez elle dans ce grand appartement vide du Christodora, elle s'asseyait à la fenêtre et observait les arbres décharnés du parc en pensant : *Voilà, c'est arrivé. Et cela ne me surprend même pas.*

Aucun sens
(1993)

La matronne, entre deux âges, qui descendit du train en provenance du Queens eut du mal à s'orienter en sortant dans la nuit froide de novembre au niveau de la 14ᵉ Rue. Elle n'était pas habituée à Downtown Manhattan, et elle dut interroger un passant pour connaître la direction de St Vincent. Elle resta immobile quelques secondes devant l'entrée principale, glacée et désespérée, avant de plonger la main dans son carnet pour en extraire son rosaire. Elle le sortit, l'embrassa et pria la Vierge Marie pour avoir assez de force, de volonté et de compassion, puis elle entra dans le bâtiment. À l'accueil, rassurée par le large crucifix accroché au mur, elle demanda où se trouvait la chambre d'Ysabel Mendes.

En marchant dans le couloir, elle jeta un coup d'œil dans les chambres peuplées de jeunes hommes efflanqués, au visage creusé, souvent en compagnie de proches qui leur tenaient la main. Elle entendit une bribe de chanson qui passait souvent à la radio dans la banque où elle travaillait, « Dreamlover ». Alors qu'elle approchait de la chambre qu'elle cherchait, elle tomba sur une femme assise devant la porte, une pile de dossiers sur les genoux.

La femme leva les yeux sur elle et se redressa : « Madame Mendes ? »

Gladys Mendes acquiesça, détailla le visage de cette femme qu'elle n'avait jamais croisée et en conclut qu'elle avait l'air honnête. « Vous êtes Ava ?

— Oui, répondit Ava. Je vous ai eue au téléphone. Je suis si heureuse que vous ayez pu venir. Je pense que cela va faire extrêmement plaisir à Issy. »

Les yeux de Gladys s'emplirent de larmes. « Je n'ai pas dit à son père que je venais. Mais je ne pouvais pas la laisser comme ça. Je m'en serais voulu le reste de ma vie.

— C'est très bien d'avoir pu venir. Pouvons-nous discuter une minute avant que vous n'entriez dans la pièce ? »

Gladys s'assit, et lança à Ava un regard implorant.

« Cela ne s'annonce pas bien, expliqua Ava en passant sa main sous le bras de la femme. C'est la deuxième fois cette année que Issy souffre d'une pneumonie et, cette fois, les médicaments n'ont servi à rien. Elle a été amenée en soins intensifs il y a quatre jours, et cet après-midi, elle a eu un choc septique majeur. Elle prend énormément d'antidouleurs et on l'a placée sous assistance respiratoire pour diminuer la douleur. Elle n'est pas toujours consciente mais elle a demandé à vous voir à plusieurs reprises. »

Gladys, les larmes aux yeux, se sentit dévastée face à cette terminologie complexe et ces nouvelles terribles. « Elle va mourir ?

— Les médecins pensent qu'elle devrait mourir ce soir. Mais autant que cela soit le moins difficile possible. Je suis désolée, madame Mendes. »

Gladys se redressa. « Il y a un prêtre ici ? »

Ava inspira longuement. « Issy ne veut pas de prêtre.

— Mais il le faut, s'alarma Gladys, la voix tremblante. Elle ne peut pas mourir sans avoir vu un prêtre.

— Elle est dans la pièce avec Shirley, sa meilleure amie au foyer. Elle voulait que Shirley et moi soyons à ses côtés pour la fin. D'autres filles du foyer et quelques amies sont venues la voir pour lui dire au revoir. Madame Mendes, il faut respecter ses volontés. »

Gladys était révoltée. « Je dois lui parler. Elle ne peut pas faire ça. »

Elle commença à se lever, mais Ava la repoussa doucement pour qu'elle s'assoie de nouveau. « Vous ne pouvez pas entrer dans la pièce et la chambouler ainsi, madame Mendes. Elle est à la toute fin de sa vie, et la meilleure chose à faire est d'aller la voir, lui tenir la main et lui dire que vous et votre famille l'aimez et qu'elle peut partir en paix. Promettez-moi de faire cela. »

Gladys était en pleurs maintenant, hochant frénétiquement la tête tout en triturant son rosaire. « Elle ne s'est pas mariée, elle n'a pas eu d'enfants et maintenant, elle va mourir sans prêtre. Sa vie n'a eu aucun sens. »

En l'écoutant ainsi parler, Ava se souvint de la promesse qu'Issy lui avait arrachée quand elle avait fait d'elle le tuteur temporaire de Mateo : Ava ne devait pas parler à la famille d'Issy de l'existence de Mateo, et elle lui trouverait une maison vraiment extraordinaire pour lui – des gens éduqués, ouverts d'esprit. Ava répondit d'un ton ferme : « Sa vie avait un sens, bien au contraire. Ces cinq dernières années, elle a beaucoup œuvré pour combattre cette maladie. Elle a été très courageuse d'ainsi raconter son épreuve en public. Et elle a fait partie de notre grande famille, au foyer, où elle était très appréciée et aimée. Elle ne va *certainement* pas mourir après une vie dépourvue de sens. *Vous ne pouvez pas* aller la voir et lui faire ces reproches. Si vous comptez faire cela, il vaut mieux partir. »

Cela prit Gladys au dépourvu, et le flot de larmes s'accéléra. Elle fut choquée de réaliser tout à coup que d'autres personnes – dont cette Ava, apparemment – s'étaient occupées de sa fille ces dernières années et que sa fille les considérait comme sa famille. Son propre lien maternel qui lui permettait d'intervenir dans la vie de sa fille devait désormais composer avec un intermédiaire. Elle avait brisé cette relation lorsqu'elle s'était soumise à la décision de son mari qui jugeait qu'Issy était devenue une trop grande source d'ennuis et qu'elle ne serait donc plus la bienvenue à la maison. Elle avait toujours obéi aux ordres de son mari, et à cause de cela, elle s'était contentée de courtes discussions téléphoniques avec Issy – des appels qui finissaient souvent mal, par des salves de reproches des deux parties. Gladys aimait sa fille et priait chaque jour pour sa santé, mais elle n'avait jamais compris pourquoi Issy avait senti le besoin de mettre ainsi en scène sa maladie en public, devant la police et les caméras télévisées – surtout qu'elle savait bien que cela énervait son père !

Pour Gladys, que cette femme lui rappelle qu'elle n'était plus l'autorité qui prévalait dans la vie de Issy la rabaissait et l'humiliait. Elle regretta sa crise quelques instants auparavant, même si l'idée du prêtre la taraudait encore.

« Je ne veux pas l'énerver. Je veux juste lui dire que je l'aime.

— C'est la meilleure chose à faire », approuva Ava.

Gladys recouvra ses esprits et entra dans la pièce remplie de fleurs et dont le mur face au lit était orné d'une grande photo d'Issy en train de crier dans un mégaphone, entourée d'autres femmes. Sa fille, sa *gordita* éternelle, sa petite fille qui aimait tant ses *tostones* à l'ail, n'était plus que l'ombre d'elle-même, recroquevillée en un tiers de sa silhouette habituelle, ses longs cheveux noirs tirés sur le visage, un ventilateur au niveau du nez, les yeux révulsés et mi-clos, sa frêle main dans celle d'une grande femme noire fine au long nez aquilin qui était assise à côté de son lit et lui tamponnait doucement le front d'un linge mouillé.

« *Dios mío* », souffla Gladys. La femme noire se tourna vers elle.

« Vous êtes la maman d'Issy ? »

Gladys hocha la tête, incapable de décoller son regard de sa fille, qui semblait ne pas l'avoir encore remarquée.

« Moi, c'est Shirley. Je suis sa coloc, au foyer. C'est comme une sœur pour moi. » Elle se retourna vers Issy. « Pas vrai, Issy chérie ? On est sœurs, n'est-ce pas ? »

L'ombre d'un sourire se dessina sur le visage d'Issy, qui bougea légèrement la tête.

« Regarde qui est venu, chérie. C'est ta maman. » Shirley se tourna vers Gladys. « Venez vous asseoir ici. »

Gladys s'approcha et s'assit dans le champ de vision d'Issy, puis lui prit la main. « *Hola, cariño*, murmura-t-elle. *Es Mami. Te amo, cariño. Mi nena hermosa.* »

Gladys ne pouvait lire ce que le regard de sa fille voulait exprimer. Il était si lointain, comme ailleurs. Issy ne sourit pas, même légèrement, comme elle l'avait fait avec cette Shirley. Mais elle pressa la main de sa mère, tout doucement, et souffla : « *Mami.* »

À cet instant, trois années de remords accumulés remontèrent d'un coup, faisant dévaler les larmes sur les joues de Gladys. Comment avaient-ils pu ainsi rejeter Issy, comment avaient-ils pu ainsi se laisser envahir par la honte ? Comme elle avait été faible de ne pas avoir osé affronter son mari ! Combien de temps avaient-ils ainsi perdu ? Mais Gladys retint ces pensées et se contenta de pleurer en continuant de tenir la main de sa fille dans la sienne, répétant en boucle : « *Mija, te quiero mucho, mucho.*

— Vous avez raison, dit Shirley. Issy a fait des choses magnifiques. Grâce à elle, la définition du sida a été modifiée. »

Gladys n'avait aucune idée de ce que cela signifiait, mais cela semblait important. Elle glissa à Issy : « *Estoy orgullosa de ti, Issy.* »

Issy sourit faiblement, les yeux brillants. Elle prononça quelques mots.

Shirley se pencha vers elle. « Qu'est-ce qu'il y a, chérie ? Qu'est-ce que tu veux dire ? »

Issy semblait paniquée, le souffle plus court qu'auparavant. Elle voulut dire autre chose.

Shirley quitta précipitamment la pièce, revint avec Ava qui prit la main d'Issy et se pencha vers elle.

« Qu'est-ce qu'il y a, ma belle ? »

Issy arriva à prononcer correctement le mot : « Hector. »

Les yeux d'Ava s'écarquillèrent. « Tu veux voir Hector ? Tu m'as dit que tu ne voulais que des filles, chérie.

— Je veux Hector, articula-t-elle dans un chuchotement.

— Qui est Hector ? demanda Gladys.

« Son ami, dit Ava. Il l'a fait entrer dans ce groupe d'activistes. » Puis, à Issy : « Tu veux que j'appelle Hector et qu'il vienne te voir, Issy ? »

Issy hocha légèrement la tête en guise d'approbation, le regard implorant.

Ava sortit son vieux Filofax de son sac, trouva le numéro d'Hector, et le composa sur le téléphone de la chambre d'hôpital. Elle fouilla à nouveau pour saisir un stylo et nota quelque chose. « C'est son répondeur. Il est à Washington, en ce moment, et il indique un numéro pour le joindre. » Elle inscrivit le numéro dans son carnet, puis le composa.

« Hector ? C'est Ava. » Elle marqua une pause. « Je suis à St Vincent, avec Issy et sa mère. » Pause. Puis, sobrement : « Oui. » Nouveau silence. « Je sais. Mais elle t'a demandé, elle a prononcé ton nom. » Une autre pause, assise à côté du lit dans la chaise qu'occupait Shirley, prenant à nouveau la main d'Issy et la lui caressant du pouce. « Non, je ne pense pas. » Silence. « Oui bien sûr. »

Ava approcha le combiné de l'oreille d'Issy. « Il veut te parler, Issy. Vas-y, Hector. »

Les femmes présentes dans la chambre pouvaient entendre, au loin, la voix d'Hector : *Issy ? C'est Hector. Je t'aime, Issy. Je ne t'oublierai jamais, jamais. Tu m'entends ? Je t'aime tellement. Je suis tellement content de t'avoir rencontrée, chica.*

Des larmes emplirent les yeux d'Issy, et l'une d'elles roula sur sa joue. Elle émit un bruit guttural et grave, comme un appel à l'aide. « Hector, dit-elle, Hector. » D'autres larmes se formèrent et elle serra la main d'Ava aussi fort qu'elle le pouvait.

« Qu'est-ce que tu veux lui dire, chérie ? demanda Ava. Tu veux lui dire que tu l'aimes, c'est ça ? »

Issy émit un autre son guttural, et elle lâcha la main pour prendre le combiné.

Mais Ava la repoussa très doucement. « Elle veut te dire qu'elle t'aime, Hector, dit-elle dans le téléphone. « C'est ce que tu veux dire à Hector, n'est-ce pas, Issy ? »

Issy leva la tête légèrement et regarda Ava, Shirley et sa mère, incapable de parler.

Ava finit l'appel avec Hector. Puis les trois femmes se relayèrent auprès d'Issy jusqu'à 1 h 46 du matin, le lundi d'avant Thanksgiving, au moment où Issy émit un bruit qu'Ava ne connaissait malheureusement que trop bien, ce terrible râle guttural, et elle resta immobile, allongée, les yeux et la bouche ouverts et immobiles.

« Elle est partie, dit Ava. Notre chère Issy est partie. »

Les trois femmes prièrent et pleurèrent et lui dirent au revoir jusqu'à 2 h 05, lorsque Ava se leva pour aller chercher une infirmière. Avant de partir, elle donna à Shirley de l'argent pour rentrer en taxi à Judith House, où un petit bébé de onze mois du nom de Mateo, la chevelure noire de jais comme celle de sa mère, dormait à poings fermés.

Prodigue
(2021)

La torsion dans le ventre de Mateo s'éveille de manière subtile, tandis que l'avion survole probablement la Pennsylvanie ou l'est du New Jersey, puis s'intensifie à son premier regard posé sur l'horizon qui scintille dans le noir, plus inaccessible et plus chargé qu'il ne l'était dans sa jeunesse. Cette parabole familière, les sommets du centre-ville, et la descente qui traverse Chelsea, les Villages, Soho, Chinatown, Tribeca, puis l'ascension dentelée à l'extrémité de l'île – encore un pic, apparu ces dix dernières années, comme si ce stupéfiant sommet existait déjà avant une journée d'enfance dont il garde un vague souvenir – quand il avait huit ou neuf ans, à l'époque des cornets de frites sur l'avenue A, et de ses premiers amis de l'East Village. Mais aujourd'hui, ce sommet est celui d'une tour – et non de deux – dont l'extrémité piquante est une antenne radio – et non pas une paire de surfaces planes. Aucune drogue ne pourra jamais lui procurer un effet si fort et si fulgurant que New York, sur lequel le premier regard qu'il porte, en l'avalant tout entier depuis le ciel, le submerge d'ondes vertigineuses où se mêlent l'euphorie, la nostalgie et l'affolement. Et contrairement à une drogue, c'est réel, tout est réel. Tout ce qui s'est passé en bas est réel, réel, réel.

Sur sa petite tablette, il envoie un message à Gary, son parrain des AA : *Je regarde NY depuis l'avion, un peu flippant.* Dans combien de temps répondra-t-il ? Que va-t-il lui dire ? « Ça va aller. » « Respire et prie. » « Trouve-toi une réunion au plus vite. » Ou : « Tu l'as déjà fait, ce n'est pas la première fois. »

C'est vrai, Mateo est déjà venu ici quelques fois, ces dernières années. Moins que prévu, si l'on tient compte de toutes les invitations professionnelles qu'il a reçues. Et jamais plus de quelques jours, une semaine, où il restait à Brooklyn, loin de son vieux quartier. Mais aujourd'hui : il débarquait pour au moins six mois ! Et au beau milieu de sa vieille cité, carrément. Ce retour à la case départ est presque trop dur, pour lui.

Puis, il envoie un message à Dani : *J'atterris bientôt. T'es à la maison ?* Elle était arrivée un mois avant lui, pour quelques boulots de design, et avait emménagé dans le loft qu'ils sous-louaient à Chinatown, dont elle avait fait pour eux un vrai petit nid douillet.

Il s'installe confortablement et respire, en se demandant qui sera le premier à lui taper sur l'épaule. Mais très vite, il atterrit à LaGuardia, très vite il va chercher son gros sac, très vite il se retrouve dans un taxi fonçant vers le Queens à travers le centre-ville, puis très vite – oh, la vache – il descend la 2e Avenue, un jeudi soir, et son esprit est envahi par un patchwork de souvenirs qui jaillissent comme des coups de poignard à la vue des devantures des boutiques qui sont toujours les mêmes et devant les merveilles de celles qui ont changé. On dirait que tout le monde se déplace à vélo, maintenant. On dirait Copenhague, ou une ville du genre. Les nouveaux bus vont et viennent dans leurs couloirs. Ils ont l'air tellement modernes. La plupart des voitures sont électriques et minuscules. Qu'est-ce qui a changé ? Qu'est-ce qui demeure ? Les gamins dans la rue sont-ils toujours les mêmes ? Il aperçoit, non pas sur un mur mais sur deux, une publicité pour de l'alcool ou pour des fringues, qui le renvoie à une version bas de gamme et bâclée de leur style, à lui et Charlice – enfin, Charlie… ah ah, il oublie toujours ce petit changement, il la voit – oh, putain, non… il le voit… Charlie – faire les gros yeux pour marquer son désaccord. En vérité, de toute façon, *elle a toujours été un peu « il » pour moi. Ça ne devrait pas être trop difficile,* pensa Mateo. Mais c'est comme à L.A., il voit des gens qui leur ont piqué leur style, à lui et à Char. Ça l'emmerde et en même temps, secrètement, il en est fier.

Un message de Gary apparaît sur la tablette : « Prie pour être protégé. Ensuite, trouve-toi une réunion et lève la main, imbécile. » Mateo rit. Quel connard, ce Gary. Ce vieux gars à moitié chauve, qui vit depuis trente et un ans devant les rediffusions de ses sitcoms des années 1980, combien de fois l'a-t-il pris entre quatre yeux pour le remettre sur les rails, ces dix dernières années ? Pas mal de fois, à vrai dire. Parce que, assez souvent, les angoisses et les cauchemars de Mateo au sujet de Carrie n'étaient pas loin de devenir aussi les siens. *Tu ne l'as pas tuée délibérément*, lui disait Gary. *Vous étiez juste deux junkies, et parfois certains restent sur le carreau. C'est comme ça que ça se passe. Sois bon et généreux. Rends-toi utile.* Ainsi, il avait passé des heures dans des ateliers d'art avec des ados paumés de Los Angeles qui lui rappelaient l'enfant perdu de New York qu'il avait toujours été. Il les avait aidés à s'inscrire auprès d'associations et d'écoles, en se demandant à quel moment – quand ? – il avait commencé à ramper pour s'extraire des ténèbres et prendre le chemin de la rédemption.

Le taxi roule sur Houston Street. Aujourd'hui, après des décennies de travaux, l'avenue ressemble presque à un putain de boulevard parisien, avec tout ce luxe, son terre-plein central jalonné de verdure bien taillée, bordée de part et d'autre de plus de tours de verre qu'on ne pourrait en compter. Un message de Dani apparaît : « T'es en route ? Un repas t'attend ici. »

« Suis sur Houston en taxi », répond-il. *Oh, merde, se dit-il. Ces rues ! Ce n'était pas cet immeuble ? Ça ne ressemblait pas un peu à cet immeuble ? Non, attends… cet immeuble, c'était à Orchard, c'est ça ?* L'immeuble où Oscar et lui s'étaient fait signe de la tête, ce soir de Noël, quand il avait neigé. Appuyés l'un contre l'autre dans leurs doudounes noires, sous leurs casquettes, à peine capables de lever la tête pour regarder ce merveilleux tourbillon de poudreuse. Et le sentiment que le ciel s'étirait à l'infini, qu'il s'élevait à rebours de la neige.

Son ventre se serre – sa première crampe anticipatoire de junkie depuis bien longtemps. *Eh merde, se dit-il. Gary a raison.* Il a vraiment besoin de se rendre à une réunion. Peut-être plus tard dans la soirée.

Le taxi s'arrête devant un éclat de verre teinté de bleu sur East Broadway. Tous ces putain de bouts de verre décolorés, qui se retrouvent plantés là, partout, au milieu des vieux murs en pierre crade du quartier… c'est surréaliste ! Il y a un, deux, trois, quatre, vieux bâtiments en brique avec leurs escaliers de secours, et tout à coup, un grand tesson de verre, dont les appartements qui font face à la rue sont totalement transparents, comme si on regardait quelqu'un vivre dans un bocal. Soit ils sont comme ça, soit ils sont opaques, illuminés d'une lueur lactée ou en onyx chatoyant. Ces nouveaux appartements n'ont plus ni stores ni rideaux, remarque Mateo. Ils sont tous équipés de la même putain de technologie qui donne aux fenêtres leurs reflets blancs, noirs ou vert de jade.

À la sortie de l'ascenseur, Dani est là pour l'accueillir, devant la porte entrouverte. Le cœur de Mateo éclate. Il ne l'a pas vue depuis onze jours, depuis qu'elle a quitté L.A., et comme chaque fois qu'il la voit après une séparation de ce type, il est incapable de contrôler son désir. Il lâche ses sacs dans l'entrée et la dévore en la repoussant dans l'appartement.

« Oh, putain ! » s'exclame-t-elle en éclatant de rire. Ignorant l'appartement qu'il n'a jamais vu, ignorant le scintillement extérieur de l'infinité des fenêtres, il trouve la chambre. Pour commencer, ils se déshabillent l'un l'autre.

« Oh, Dieu, merci, Dieu, merci, Dieu, merci », répète-t-il sans arrêt, en s'activant au-dessus de Dani, qui l'étreint avec ses bras et ses jambes, la tête penchée en arrière. Et il est sincère. Sa gratitude de pouvoir à nouveau s'enliser dans son corps lui donne des vertiges, et presque envie de pleurer.

Puis c'est fini et ils restent allongés là, serrés l'un contre l'autre. Les lèvres de Mateo vagabondent dans son cou, sur ses seins, vers le bas de son ventre, le long de sa jambe, puis remonte vers son estomac, à l'endroit précis où il la tient, avant d'enfouir ses lèvres dans sa toison.

« Tu m'as tellement manqué, Nini, marmonne-t-il. Je t'aime tellement.

— Tu m'as manqué, et je t'aime tellement aussi, Tété. »

Ils s'endorment tous deux pendant vingt minutes. Mateo se réveille avant elle. Il reste allongé en la serrant contre lui, et réfléchit à ce qui va suivre. La première chose à faire serait de dégager ses sacs de l'entrée et de refermer la porte. La seconde serait de jeter un œil sur les peintures qu'il avait aperçues du coin de l'œil sur le mur, pendant qu'il défonçait Dani dans la chambre. Ouais, se dit-il, c'est bien ce que je pensais : un petit collage de Kara Walker et deux ou trois photos de Morissey par McGinley. Il prend une douche. Lorsqu'il revient dans la chambre, Dani est réveillée.

« Ça t'ennuie si Char passe ? demande-t-elle. Il ne savait pas si tu serais partant ou pas, ce soir.

— Et toi ? Ça t'ennuie s'il passe ? » renvoie Mateo. *Tiens,* remarque-t-il, *j'ai dit* il *sans hésitation. On progresse !* « On peut commander des trucs à manger.

— D'accord. Envoie-lui un message pour lui dire. Moi, je commande le repas. Tu veux manger malaisien ? Il y a un super resto juste en bas. Je peux leur envoyer un message.

— Ouais, parfait. » Dans le salon, il fouille dans son sac, à la recherche d'un jean et d'un tee-shirt, en se demandant s'il aura le temps de rejoindre la réunion de minuit, à l'autre bout de Houston Street.

« Alors, que penses-tu de cet appartement ? interroge Dani depuis la chambre.

— Il est exactement tel que tu me l'avais décrit. Très branchouille friqué esthétiquement correct. » Et c'est le cas : un espace essentiellement blanc où un énorme canapé gris faisait face à l'infinité des fenêtres, et beaucoup de gros morceaux de bois sombre, sans oublier l'indispensable table de cuisine tout droit sortie de la ferme, pour ajouter un contraste vieillot.

« Avec un Kara Walker et quelques Ryan McGinley en bonus, ajoute Dani en riant.

— Ouais, dit Mateo en revenant vers la chambre avant de s'écrouler à ses côtés. Très esthétiquement correct. Mais ce sera parfait pour le mois prochain. » Il l'embrasse. « Merci de l'avoir trouvé, alors que je devenais dingue à Londres. »

Elle lui frictionne les cheveux. « Tu es content d'être là ? Ça te fait bizarre ?

— Le taxi est passé par East Village, tout à l'heure. J'ai eu un flash quand on a traversé la 9e Rue.

— Pourquoi ?

— C'est la rue du Christodora.

— T'es passé devant ?

— Non, on a pris la 2e Avenue. C'est sur l'Avenue B. Mais je sentais sa présence quand on a pris la 9e Rue. »

Dani se tait. « Mais j'ai pas grandi ici, donc je sais pas vraiment ce que ça veut dire.

— Ça veut dire que je sentais sa latitude. Ou sa longitude. Bref, on s'en fout.

— Oh », dit Dani. Avant d'ajouter : « Milly vit toujours là-bas ?

— Je crois, oui. Je pense que Jared lui a laissé l'appartement en ayant un peu pitié d'elle, quand il l'a quittée. Pour que tout ça ne finisse pas devant le tribunal. C'est plus ou moins ce que m'a raconté Drew.

— Un peu comme quand elle t'a annoncé la mort de ta grand-mère ? »

Mateo grimace légèrement. Il en avait parlé à Dani, il y a quelque temps, lui confiant qu'il se sentait un peu minable de ne pas avoir pris de nouvelles de Milly, et n'avoir pas plus pris la peine de prendre l'avion jusqu'à New York pour assister aux funérailles et à la shiva d'Ava. Il en avait ressenti le besoin, conscient d'avoir perdu cette femme invincible qui s'était montrée douce avec lui, lorsqu'il était enfant et qu'elle avait du temps à lui consacrer. Mais l'idée d'avoir à le faire – et de revoir Milly, rongée par le chagrin – lui était insupportable. Honteusement, il avait rangé cette pensée dans un coin de sa tête.

« Ce n'était pas vraiment ma grand-mère. »

Elle rit, tout en lui donnant tort. « Tu l'appelais ta *bubbe*, Mateo. »

Il pose une main sur son front, puis se retourne, ne trouvant rien à répondre. Il déteste parler des Heyman-Traum. Les remords et les regrets crépitent au fond de son estomac. Une sensation très désagréable, qui menace de perturber sa confiance et le cap très linéaire qu'il s'était fixé.

Dani remarque sa contrariété. « D'accord, dit-elle en retirant sa main de son front. Je suis désolé d'avoir insisté. »

Il soupire, frotte ses pouces contre ses poignets. « C'est juste que ça me rend triste et mal à l'aise de penser à eux.

— Je sais, mon chou. Je sais. Mais tant qu'à être dans la zone triste et mal lunée, il y a une dernière chose dont j'aimerais te faire part, pour ne plus avoir à revenir dessus. Tu sais que Jared a une expo ici dans quelques semaines ? »

La main de Mateo revient vers ses sourcils. « Ah ouais, putain. Je sais. Et alors quoi ? T'es en train de me dire qu'il vaudrait mieux que je parte ? »

Le visage de Dani se masque d'innocence et d'ignorance feinte. « Je ne dis rien. Est-ce que j'ai dit quelque chose ?

— Pourquoi t'en parles, alors ? »

Elle lui frictionne à nouveau les cheveux. « Je voulais juste m'assurer que tu étais au courant, parce que quelqu'un d'autre va sûrement t'en parler. » Elle se lève et se dirige vers la douche. « Tu sais que je n'ai aucun avis sur ta relation avec Jared et Milly. »

Mateo rit brusquement. « On n'a pas de relation. »

Dani se retourne lentement devant la porte et le regarde d'un air insistant. Puis ils rient tous les deux.

« Ouais, c'est ça, tu n'as pas d'avis », ricane Mateo au moment où elle referme la porte.

Vingt minutes plus tard, il ouvre la porte à Char, qui est arrivé deux semaines plus tôt. Char a passé la journée sur le chantier. Il a l'air fatigué. Son visage et son tee-shirt portent des traces de peinture. Excepté l'allure négligée, un petit coup de vieux et quelques grammes de nichons en moins, Char ressemble toujours au petit bébé gouine qu'il a rencontré il y a dix ans, alors qu'il travaillait sur une fresque à L.A.

Mateo et Char se serrent la main puis s'embrassent. « Bienvenue, mec, dit Char.

— Merci. C'est cool d'être là. »

Char lui répond bizarrement. « T'es sérieux ?

« Sérieux, assure-t-il. C'est mortel, hyper excitant. On fait de l'art public à New York ! De l'art underground ! Littéralement, de l'art underground ! C'est trop cool !

— Prépare-toi à en chier, cette semaine. T'imagines pas comme c'est dur d'être perché sur un échafaudage pour peindre une arche de carrelage blanc au-dessus de ta tête.

— Michel-Ange a fait un truc dans ce genre-là. Et il n'y avait pas six étudiants des beaux-arts avec lui pour lui filer un coup de main. »

Char dévisage Mateo d'un air dubitatif. « Mec, évidemment que Michel-Ange avait des assistants. Le pape, le roi ou je ne sais qui lui ont sûrement filé des esclaves ou un truc du genre. »

Dani sort de la chambre. Ses cheveux sont encore mouillés. Elle embrasse Char pour lui dire bonsoir.

« Nini, il avait des assistants, Michel-Ange ? » interroge Mateo.

Elle lève les yeux de sa tablette, sur laquelle elle commande le repas. « Il était bien obligé. Pas vrai ?

— Il avait sûrement des putain d'esclaves, insiste Char. Tout le monde en avait, à l'époque.

— Les étudiants des beaux-arts sont les nouveaux esclaves », commente Mateo.

Plus tard, après le repas et le millier de photos et de vidéos du projet que Char avait à lui montrer sur sa tablette, Mateo le raccompagne sur le trottoir. Ils retirent deux vélos à une station.

« On se voit demain à Underpark à neuf heures, dit Mateo.

— Tu vas à la réunion, là ? » demande Char. En réponse, Mateo acquiesce. « Ça te fait quoi, d'être ici ?

— Je suis là depuis quatre heures, et j'ai toujours pas de seringue dans le bras. »

Char rit jaune. « Allez, mec… arrête de raconter ce genre de conneries. Vas-y, à ta putain de réunion. » Il s'éloigne en direction du pont de Williamsburg.

Mateo pédale dans l'autre sens, vers l'ouest, puis sur Houston. C'est un doux dimanche soir de mai, il est presque minuit et les rues sont calmes. Les fleurs des poiriers dégagent une légère odeur de chlore qui imprègne l'air. Et putain, il y a du verre partout. Une partie de ce verre s'est opacifiée pour la nuit, mais quelques fenêtres ont conservé leur transparence, et il peut, en cette banale soirée dominicale, très clairement observer quelques-unes des plus riches personnes au monde, affalées devant leur écran plasma où s'animent images et lumières. Mais entre les flèches de verre et les recoins, il y a les vieux frontons, les escaliers de secours, les corniches et les citernes à chapeaux de sorcières qu'il aperçoit encore dans ses rêves.

Sur West Houston, près du fleuve, il approche de la porte où le mot « MINUIT » est inscrit au pochoir à la peinture blanche. À une centaine de mètres, il trouve une station pour y déposer son vélo. Puis il revient sur ses pas, jette un œil en direction de cinq mecs qui papotent sur le trottoir, et passe la porte pour remonter les marches étroites d'un escalier raide. La dernière fois qu'il est venu, c'était pour une exposition, il y a quatre ans, et cet endroit lui avait sauvé la vie. Il s'avance dans une pièce éclairée à la bougie, où un mec avec un boulon planté dans le nez est déjà en train de raconter sa vie au reste du groupe. Il s'assied sur la première chaise vide qu'il aperçoit, à côté d'une fille aux cheveux châtain clair, pas plus de vingt-cinq ans, et dont les lèvres forment un charmant rictus moqueur. Elle jette un œil dans sa direction, regarde au loin, puis ses yeux reviennent vers lui. Leurs regards se croisent et Mateo sourit.

Alors que les récits commencent, la fille lève la main. « Sophie, toxicomane.

— Salut Sophie, dit l'assemblée.

— J'ai vingt-neuf jours, aujourd'hui. » La salle applaudit. Puis elle raconte son histoire, ses parents qui veulent qu'elle revienne vivre à Santa Barbara, alors qu'elle veut rester à New York, où elle arrive à peine à payer son loyer depuis qu'elle a perdu son boulot, d'ailleurs, si quelqu'un a un plan, après la réunion…

« Merci, Sophie. »

Mateo n'a vraiment pas envie de lever la main pour intervenir. Il a le regard vaseux et se sent un peu à côté de la plaque à la suite de son vol. Mais il sait qu'il a tout intérêt à prendre la parole. Il lève donc sa main, qui tombe dans le champ de vision du type avec les boulons dans le nez.

« Mateo, toxic », dit-il. Depuis dix ans, il n'a jamais prononcé le o final.

— Salut Mateo.

— Alors, euh… qu'est-ce que je voulais dire, déjà… », réfléchit-il à voix haute. Quelques personnes ricanent, dont Sophie.

« J'ai envie de dire… continue-t-il, que je suis très heureux d'être ici. Je viens d'arriver de Los Angeles et j'avais besoin de venir ici. Même ma copine et mon camarade de boulot étaient d'accord à ce sujet, et ils m'ont foutu dehors après le dîner. » Nouveaux ricanements.

« Je me souviens d'avoir pris la parole dans des réunions, pour raconter des conneries. Je partais pendant les discussions pour aller m'acheter de la dope, ou je passais la réunion à me demander avec quelle nana j'allais aller en acheter. » Des rires, encore, et peut-être aussi un petit mouvement de chaises dans la salle.

« Donc, euh… je suis vraiment content de ne plus avoir envie de remettre le nez dans ces conneries, et d'être capable d'avoir de la volonté quand j'en ai besoin. J'ai des nerfs sensibles dans les bras, des réflexes, des trucs qui essaient de prendre le contrôle sur moi. Mais euh… tout ce que je veux dire, c'est que ça fait du bien d'être ici, en sécurité, parce que c'est très difficile pour moi, d'être à New York. Ne vous méprenez pas, j'adore cette ville à mort, mais c'est là où ma vie a pris une tournure bizarre et assez triste, il y a dix ans. J'ai laissé pas mal de terre brûlée derrière moi. Et quand je marche dans la rue, ici… », et là, il en est le premier surpris, sa voix vire au rauque et il sent des larmes s'échapper de ses yeux, ainsi que la main de Sophie, venue se poser sur son dos.

Il reprend sa respiration et avale sa salive. « Quand je marche dans la rue, ici, y a quelque chose qui me prend aux tripes, c'est genre viscéral, comme, euh, une mémoire cellulaire. Il y a dix, onze, douze ans, j'étais un putain d'ado, je savais même pas ce que je faisais ou pourquoi j'étais tellement vénère. Même aujourd'hui, malgré les dix années d'abstinence le mois prochain, les cures de désintox et tout le tralala, rien que d'en parler, de voir *The Steps* et tout ça… il suffit que je marche dans la rue et à la première odeur venue, des particules dans l'air me renvoient à mes souvenirs. Cette putain d'atmosphère de la rue, sa manière d'être, ses frontons, ses porches. À ce moment-là, tout mon corps devient comme de la guimauve, et ça me fait carrément flipper. Et ce n'est pas uniquement le souvenir de la seringue, c'est… »

Le mec avec le boulon dans le nez lève lentement la paume de sa main vers Mateo, en guise d'avertissement.

« Bon d'accord, poursuit Mateo. Je suis désolé, je ne voulais provoquer personne. Ce que je voulais dire c'est euh… l'usage de… » Il marque une pause. « C'est les gens. C'est ça, le putain de point faible. Je n'ai pas travaillé mes points faibles, je ne me suis fixé aucune règle de base, rien de tout ça. »

Une partie de la salle acquiesce. Il sent qu'ils reviennent de son côté, après sa légère gaffe. « Mais attendez… Mes mots dépassent ma pensée, là. Je suis ici et je suis sobre. Putain, je suis à New York et je suis clean. Ça, c'est vraiment un miracle. Et je travaille sur un projet génial avec des gens extras, et ça m'excite à mort. J'espère que je pourrai repasser vous voir, parce que les semaines à venir vont être assez dingos. »

Après la réunion, après la Prière de Sérénité récitée collective-ment en tenant la main de ses voisins, Sophie s'approche de lui. « Tu es venu travailler à l'Underpark, c'est ça ? Avec Charlie Gauthier ? »

Mateo acquiesce. Il est étonné, mais pas vraiment surpris. La nouvelle a circulé dans tout le petit milieu de l'art, ces six der-niers mois.

« C'est pour ça qu'on est là.

— C'est trop cool. J'ai été l'assistante de Ruby Levin.

— Ah ouais ? » Ruby Levin dirige le Creative Production Fund, une association qui intervient souvent sur les gros projets d'art public de la ville. En vingt ans, elle est devenue la bonne fée de l'art populaire et, bien entendu, elle joue un rôle primordial dans le projet artistique de l'Underpark.

« Tu fais quoi, maintenant ? demande Mateo.

— Pas grand-chose », répond Sophie en repoussant ses ternes cheveux blonds. Je participe aux réunions, je cherche un boulot. Ruby m'a virée parce que j'étais trop alcoolique. » Elle rit, mais son visage rougit de honte.

« Et connaissant Ruby, elle t'a probablement donné cinq chances, pas vrai ?

— Ouais, pouffe Sophie. Elle m'a dit au moins cinq fois d'aller voir les AA avant de me virer. »

Ils rigolent ensemble, et Mateo ressent la petite étincelle. Il s'aper-çoit que c'est devenu un petit problème récurrent. La jolie fille à la ramasse, la groupie d'artiste, la nouvelle venue chez les AA... et soudain il sent de confus élans d'empathie et de désir pour elle. La belle nana qui lui renvoie son propre reflet, et qui n'a rien de com-mun avec Dani et Char, dans leur solide aptitude à éviter de merder dans les grandes largeurs. Il a compris qu'il valait mieux laisser les autres échanger des textos avec ce genre de filles. Il pourra toujours leur apporter un vrai soutien en les croisant aux réunions. Il n'a pas besoin d'en savoir plus sur elle. Ça lui est arrivé, une fois, il y a longtemps. Et vu où ça l'a conduit...

« Je crois qu'elle a fini par faire ce qu'elle avait à faire, en t'envoyant ici. Pas vrai ? » ajoute Mateo.

Sophie hausse les épaules d'un air penaud. « J'imagine que oui. »

Il lui tend son poing pour checker et elle l'accepte. « Ça va aller, la rassure-t-il. Je sais ce que c'est, de se sentir comme un loser minable. Ce genre de sentiment finit par s'en aller. »

« Vraiment ? »

Oh, mon Dieu, se dit-il. *Elle me brise le cœur, avec son regard.* « Il diminuera considérablement. Si tu continues de venir ici. »

Il quitte l'immeuble par l'escalier traître et étroit, en échangeant saluts et checks avec quelques visages familiers croisés dans les réunions de L.A. Son instinct lui recommande de sauter sur un vélo et de tracer jusque chez Dani. Mais peu après minuit, juste avant Houston, ces rues calmes à moitié sombres lui tendent les bras. En est-il capable ? Est-il capable d'arpenter ces rues et d'affronter ses souvenirs ? En se détestant d'être ce toxico sans volonté, il achète une cartouche de clopes dans une bodega, s'en allume une, évite un quartier sous Houston et tourne à gauche sur Prince. Il ne croise pas le moindre quidam. Finalement, Prince débouche sur le Bowery et il se retrouve face au YMCA de Chinatown, où on l'avait inscrit pour prendre des cours de natation le samedi matin. Elle s'asseyait avec son café et son magazine dans le petit salon, derrière la baie vitrée donnant sur la piscine, tandis qu'il accompagnait Mateo aux vestiaires des hommes pour l'aider à enfiler son maillot de bain et ses lunettes de plongée. Il l'envoyait sous la douche et lui indiquait le maître nageur et le groupe d'enfants qu'il devait rejoindre, avec les flotteurs gonflables qui leur entouraient les bras. De temps en temps, Mateo levait la tête et les regardait à travers la baie vitrée. Ils l'observaient, le pouce levé, et Mateo leur répondait en levant le sien, rassuré de sentir qu'on faisait attention à lui.

Le lendemain matin, Mateo est sur le chantier à neuf heures, vêtu d'un vieux tee-shirt miteux et d'un jean, prêt à se mettre au travail. Char est déjà là, entourée d'une dizaine d'assistants à l'allure négligée. C'est la première fois que Mateo revient sur le chantier depuis une première visite rapide, il y a six mois. Il est ébahi devant l'avancée du projet. C'est un immense sous-sol froid et humide, un ancien dépôt de rames de métro qu'un énorme consortium de néo-investisseurs blindés compte transformer en parc souterrain équipé d'un système éclairage haute technologie qui s'abreuve à l'extérieur de la lumière du jour pour l'irriguer et la diffuser en sous-sol. Le cadre intérieur est presque terminé. Le plafond se compose de milliers de mètres carrés de matière réfléchissante ondulante argentée.

Le projet dont il s'occupe avec Char, le plus important qu'on leur ait jamais confié, est de peindre le plafond du hall d'entrée en une scintillante profusion de reflets verts, jaunes et bleus, de manière qu'une fois les arbres plantés, leurs cimes fournies viennent se perdre dans les couleurs de la fresque. Depuis deux jours, Char dirige les assistants pour l'application d'une couche primaire qui constituera le support de leurs peintures. Ils ont laissé tomber les bombes depuis bien longtemps et interdisent à qui que ce soit de coller l'étiquette « graffiti » sur leur travail. Cependant, la principale caractéristique de Mateo et de Char, la raison de leur succès auprès des intellos depuis sept ans, c'est d'avoir « révolutionné » le street-art, d'avoir transformé – même s'il s'agissait déjà d'art – ce qui avait toujours ressemblé à du graffiti en quelque chose qui donnait aux murs et aux surfaces une réelle existence, à un tel point que les gens se demandaient s'ils n'étaient pas victimes d'hallucinations, par exemple lorsqu'un vieux mur de briques se mettait à dégouliner de goudron noir jusque sur le trottoir, ou quand la cuvette en béton d'un skate-park semblait avoir été moulée dans une mousse aussi fine que de la dentelle.

L'idée de départ, celle d'un street-art qui ressemblerait à des choses qu'on ne voit que dans les rêves, était, évidemment, celle de Char. C'était quasiment certain, depuis la toute première œuvre que Mateo l'avait vu signer (enfin « vue », quoi…), sur le mur de West Adams, il y a dix ans, si Mateo a bonne mémoire. Mais Mateo est convaincu d'avoir apporté quelque chose à cette collaboration, à ce style dont il partage aujourd'hui tous deux la paternité.

« Pas la peine d'en faire des tonnes », répétait-il à Char lorsqu'ils avaient commencé à travailler ensemble pour de bon. C'était en 2013, 2014, après que Mateo eut quitté le centre de réinsertion pour poser ses valises dans un trou à rats du centre de L.A. et apprendre, pour la première fois, à vivre sans tout foutre en l'air sans raison tous les trois mois.

« Moins de formes, disait-il à Char, moins de formes, comme si on y touchait à peine, genre quand tu regardes la surface, la première chose que tu te dis, c'est qu'il y a un truc qui cloche, tu te demandes ce qui lui arrive, à ce putain de mur, comme s'il était en train de fondre, de frire ou de se transformer, tu vois. » Il aimait ce genre d'accroche discrète, pleine de roublardise, et Char, au bout d'un certain temps, avait fini par y adhérer aussi, et voilà comment ils avaient resserré les liens. On accordait de plus en plus d'attention à leur travail, mais ils se considéraient toujours comme deux farceurs, toujours très fins dans leur manière d'attaquer la surface et de pousser les gens à y regarder à deux fois.

Char s'active autour de Mateo. Il s'essuie les mains avec un chiffon. « T'es prêt à t'y mettre ? » lance-t-il en affichant un large sourire.

Soudain, Mateo est au sommet de l'excitation et du bonheur. L'espace est tellement bizarre, tellement lumineux. « Putain, tu m'étonnes que je suis prêt, s'exclame-t-il, et ils se prennent dans les bras l'un de l'autre. En avant pour un bon coup de pinceau. »

Tout le monde les regarde s'embrasser, y compris Ruby Levin.

« Woohoo ! finit-elle par crier. C'est parti, les gars ! On y va ! On apporte un peu d'art à l'Underpark ! »

Ce qui déclenche un tonnerre d'applaudissements et de nouveaux cris de joie. Peu après, Mateo, Char et Ruby et les assistants se trouvent devant la portion de mur et font défiler des images sur leur tablette. Deux assistants réchauffent les peintures sur des plaques chauffantes reliées à un générateur. Ils utilisent des peintures spéciales qui doivent être réchauffées jusqu'à une température très précise, ni trop ni trop peu, juste assez pour adhérer moléculairement à la première couche et avec la surface réfléchissante de haute technologie qui recouvre les murs à l'intérieur du parc.

« Tu veux commencer à tracer en B7 ? » demande Char à Mateo. Il parle de la section B7 de la grille superposée sur les images de sa tablette.

« La première couche est sèche ? questionne Mateo.

— On l'a testée ce matin. Ils l'ont séchée cette nuit.

— OK, alors allons-y. On installe l'échafaudage. »

Et c'est parti. Une fois l'échafaudage monté, il grimpe tout en haut avec une pile de pochoirs et un fusain. Il travaille avec un pochoir représentant le motif abstrait d'une feuille, le tout premier qu'il ait réalisé avec Char.

« Joli, dit Char en escaladant l'échafaudage voisin. Tu vas travailler vers moi sur un motif en spirale ?

— C'est toi qui aimes les spirales, pas moi, répond-il. Je vais descendre en C6 avec une espèce de diagonale sinueuse.

— Aaaaah… une diagonale sinueuse…, reprend Char pour le titiller. Concept ambitieux, Mendes. » Mateo lui envoie un baiser du bout de son majeur bien tendu, puis retourne au travail. Il est très heureux, perdu aux milieux des motifs, exactement là où il aime être.

Une heure plus tard, il descend s'étirer, pisser, fumer une clope, et attraper un bagel sur la table installée par le Creative Production Fund. Tout en bavardant avec Char, Ruby et quelques stagiaires, il remarque une jolie brune, à peine trente ans, un peu à l'écart, et qui lui sourit. Il lui fait un petit signe de la tête, et lorsqu'il quitte Char et Ruby pour remettre un peu de fromage sur son bagel, la fille s'approche de lui.

« Mateo ? demande-t-elle.

— Ouais, ça va ?

— Salut, je m'appelle Tanzina Parcero. Je suis journaliste critique d'art pour les pages Art du *Times*.

— Ah, d'accord. OK, eh ben, salut Tanzina, dit-il en lui tendant la main. Enchanté.

— C'est super excitant, non ? reprend-elle en pointant du doigt le mur et l'échafaudage.

— Euh… Ouais, carrément. » Il est un peu ébloui par ses cheveux d'un noir brillant et par ses grands yeux. Elle appartient à cette catégorie de nanas aux cheveux châtains brillants, dans laquelle il range également Dani. « On a commencé ce matin et je suis super excité.

— Ouais, j'imagine. Les gens sont très intrigués par ce qui se passe ici. Est-ce que je peux te parler une minute ? C'est pour une petite brève consacrée au projet. » Elle a déjà sorti sa tablette de son sac.

« Euh… ouais, bien sûr. »

Ruby s'approche. « Salut, Tanzina ! lance-t-elle gaiement.

— Salut, Ruby ! » Elles s'embrassent. « Ça ne t'ennuie pas si je bavarde un instant avec Mateo ? Je dois faire un post pour le journal.

— Eh bien…, réplique lentement Ruby. C'est vraiment à Mateo et Char de voir s'ils veulent s'exprimer sur le projet à ce stade. Ils viennent de commencer ce matin.

— Char ! » crie Mateo. Sur l'échafaudage, Char se retourne et descend. « Ça te dit de discuter avec Tanzina ? Elle est journaliste pour les pages arts du *Times*. »

Mateo remarque une petite étincelle dans les yeux de Char, et se dit qu'il doit être aussi attiré que lui par Tanzina. Char hausse les épaules. « Bien sûr. Merci d'être descendue nous voir.

« OK, super, dit Tanzina en appuyant sur le bouton d'enregistrement de sa tablette. Alors, donc, nous y voici : premier jour de travail. Comment le projet va-t-il évoluer ?

— Euh... » bredouillent Mateo et Char à l'unisson. Puis Char reprend : « Globalement, l'idée c'est de... euh... il y aura un bosquet composé d'érables argentés, dans ce coin, là-bas. Et euh... notre idée, c'est de donner naissance à un mur de... de feuilles de l'espace, c'est comme ça que je les appelle... »

Tanzina est ravie, elle rigole. « Des feuilles de l'espace ?

— Ouais, explique Char en riant. Des feuilles qu'on pourrait trouver sur Mars ou Neptune, si des arbres y poussaient. Elles ressembleraient à des feuilles, mais elles seraient quand même un peu bizarres, un peu mutantes. Voire même un peu flippantes.

— Char est un extraterrestre, plaisante Mateo. Il a des origines volcaniques. »

La discussion continue ainsi pendant un petit moment. Char et Mateo prennent plaisir à plaisanter et à développer leur vision du projet. Puis, sans changer de ton, Tanzina demande : « OK, super. Et Mateo, tu assisteras au vernissage de l'exposition de ton père chez Blum-36, la semaine prochaine ? »

Mateo, Ruby et Char sursautent en même temps. « Hein ? finit par lâcher Mateo. Mon père ? » Une impression très désagréable s'insinue en lui : les questions de Tanzina sur leur projet ne lui semblent qu'un prétexte pour en arriver là.

« Oui, la nouvelle exposition de ton père, Jared Traum, qui débute vendredi prochain chez Blum-36 ? » répète Tanzina. Mateo remarque un durcissement dans ses grands yeux noirs, alors qu'elle continue de sourire. Il se dit que c'était débile et naïf de sa part d'avoir pu imaginer, comme un désir pris pour une réalité, que personne ne ferait le rapprochement.

« Eh bien... ce n'est pas vraiment mon père.

— C'est ton père adoptif, non ? insiste Tanzina.

— Je crois que Mateo et Char préféreraient qu'on parle de leur projet, s'interpose Ruby d'un ton ferme. Ils viennent de commencer à travailler ce matin.

— On a encore beaucoup de boulot », ajoute Char. Il est clair qu'ils prennent désormais la défense de Mateo.

« Non, non, finit par dire Mateo, assez troublé. Tout va bien. » Il se tourne vers Tanzina, dont le regard intense semble très reconnaissant d'accepter d'aborder ce sujet. Elle approche sa tablette de lui.

« Oui, c'est mon père adoptif. Mais on n'est pas vraiment en contact. J'ai vécu à L.A. ces dix dernières années, et j'ai grandi là-bas comme un enfant sauvage. Il y a dix ou quinze ans, le Lower East Side n'était pas celui qu'on connaît aujourd'hui. C'était beaucoup plus dur. Pas aussi dur que dans les années 1980, mais la drogue tournait quand même pas mal et... »

Il perd le fil de sa pensée, puis le retrouve. « Je crois qu'ils n'en pouvaient plus de moi. Mes parents adoptifs. Je leur en ai fait vraiment voir de toutes les couleurs.

— Mmmh... émet Tanzina tout en écoutant ses propos d'un air grave. Tu penses que tu verras ta mère adoptive, pendant ton séjour ici ? Elle vit toujours ici, non ? » Elle approche encore sa foutue tablette de lui.

« Je trouve que ça devient beaucoup trop personnel », intervient Ruby. Cette fois, Mateo distingue clairement son agacement, un ton qui n'a rien à voir avec la gaieté coutumière et les manières diplomatiques qui sont habituellement les siennes. « Je pensais que tu écrivais juste un post sur le projet souterrain. »

Tanzina écarquille les yeux d'un air innocent. « Ça fait partie de l'article ! Une famille d'artistes new-yorkais.

— Oh, mon Dieu ! s'exclame Mateo sans pouvoir se retenir. Ça n'a rien à voir avec le sujet. »

Cette explosion provoque une agitation dans les yeux de Tanzina qui semble ravie, comme prise d'une légère ivresse. Oh, mon Dieu, là il est foutu. « Je veux dire, continue Mateo, que le sujet c'est que... c'est qu'on a encore beaucoup de travail. Alors je vais finir mon bagel et je vais retourner bosser. À plus. »

Il s'éloigne simplement en direction de la table. Lorsqu'il attrape le couteau pour étaler son fromage sur son demi-bagel aux graines de pavot, sa main tremble.

Une main se pose sur son épaule. C'est Char. « Hey. Te prends pas la tête, gros. C'était juste débile.

— J'ai été beaucoup trop naïf. » Du coin de l'œil, il observe Ruby, occupée à remettre Tanzina à sa place, poliment mais fermement. Tanzina tient sa tablette sur le côté. Apparemment, Ruby lui demande de couper l'enregistrement.

« J'aurais préparé un truc un peu plus intelligent que ça. "Je souhaite le meilleur à Jared Traum, je respecte vraiment son travail", ce genre de choses.

— On s'en tape, réplique Char. T'as rien à préparer. T'es venu bosser sur une œuvre.

— Je suis terrifié à l'idée de les voir, Char. Je ne leur ai pas parlé depuis au moins dix ans.

— Mec, c'est pas le moment d'y penser. T'es ici pour bosser. »

Mateo regarde Tanzina s'éloigner. Elle range sa tablette dans son sac, prête à regagner son bureau pour mettre en forme son papier.

« Quelle jolie petite fourbe, hein ? dit-il à Char en donnant un coup de menton en direction de Tanzina.

— À ton avis, pourquoi j'ai ramené ma fraise ? J'allais pas te laisser tout seul face à elle ! »

Mateo et Char ont les nerfs en pelote. Ruby se dirige vers eux en fronçant les sourcils.

« Je suis désolée. Je ne l'ai pas vue venir. Je ne me suis pas particulièrement méfiée, parce que, habituellement, c'est une journaliste plutôt consciencieuse.

— J'ai été naïf, dit Mateo.

— Non, non », rétorque-t-elle en posant une main sur son épaule. C'est pas ton boulot, c'est le mien. Est-ce que tu préférerais qu'ils restent à distance, à l'avenir ?

— Tu sais… souffle Mateo, avant de laisser tomber, gagné par l'exaspération. Je m'en fous. Je n'ai rien à cacher. Ma vie est ce qu'elle est. »

Personne ne bouge pendant une minute. « J'ai juste envie que vous puissiez prendre du plaisir à travailler sur ce projet, dit Ruby. C'est quelque chose de spécial. »

Les jours suivants, ils prennent effectivement du plaisir à travailler. Char commence à rajouter des couleurs avant même que Mateo ait terminé les pochoirs. Mateo visualise la manière dont le mur va exploser comme un doux feu d'artifice, derrière les érables argentés. Il se sent bien. Il s'offre tous les soirs de bons dîners à Brooklyn et dans le Queens, en compagnie de Dani et Char, et parfois d'une jolie petite rousse, fabricante de bijoux, que Char invite de plus en plus souvent. Mateo parvient à aller à quelques réunions chez les AA et les NA, par-ci par-là. Il tient bon la barre.

Puis, un jeudi matin, Mateo et Dani se réveillent devant une pluie battante inondant l'infinité des fenêtres de leur immeuble. Mateo appelle Char.

« Ruby a cherché à te joindre ? lance Char.

— Non, pourquoi ?

— Putain, mec, dit Char en rigolant nerveusement, sous l'effet de l'exaspération. La pluie est en train de dégouliner sur notre boulot, sur le chantier.

— Quoi ?

— Eh ouais, mec. Une putain de fuite sur notre projet.

— Nom de Dieu de bordel de merde ! » enrage Mateo. Dans le lit, Dani se relève et jette un œil dans sa direction, inquiète. « Je croyais que c'était pas censé se produire, grâce à tous ces trucs high-tech super étanches !

— Ouais, c'est ce que tout le monde disait, sauf que…

— Sauf que quoi ?

— Bon, il faut qu'on aille rustiner tout ça. »

Il enfile rapidement ses vêtements, attrape un parapluie, hèle un taxi et finit par débarquer sur le chantier à moitié trempé. Il pleut à verse. Char, Ruby et deux mecs de la Fondation Underpark sont en train de donner des ordres à des stagiaires et des techniciens occupés à couvrir la fresque avec des bâches transparentes et les sceller des centaines de fois avec de l'adhésif industriel.

« D'où vient la fuite ? demande Mateo aux types de l'Underpark.

— Le maître d'œuvre et les architectes passeront la journée ici, répond James, l'un des deux. Ne vous inquiétez pas, on contrôle la situation. Vous pourrez reprendre le travail dès qu'il arrêtera de pleuvoir. Rentrez chez vous, reposez-vous, on contrôle la situation. »

On contrôle la situation. Vingt minutes plus tard, Mateo, Char, Ruby et quelques stagiaires s'amusent de l'emploi de cette expression. Trempés, ils ont trouvé refuge dans un restaurant israélien du quartier, assez charmant, les murs de bardeaux blanchis à la chaux. Ils prennent un café en mangeant de la chakchouka. Puis, renonçant à toute éventualité de pouvoir travailler sous cette pluie battante, Mateo retourne à sa très chic infinité de fenêtres en location et prend une douche. Pauvre Dani, elle est sortie sous cette averse torrentielle pour aller faire son boulot de design, de la recherche sur les tapis. Mateo dispose de l'appartement pour lui tout seul. Il s'affale avec sa tablette, télécharge quelques morceaux de Odd Future, en souvenir du bon vieux temps, répond à des mails. Mais au bout d'un moment, la solitude et la pluie qui s'abat sur le Lower East Side commencent à s'insinuer dans ses os. Ces moments-là sont toujours les plus dangereux. Quand le bruit du présent s'efface et qu'il se retrouve seul, avec lui-même, désœuvré, contemplant l'abysse de son passé, rempli d'objets cassés et de gestes honteux.

Il essaie alors une chose à laquelle il n'avait jamais pensé. Au lieu de taper « Ysabel Mendes » et « sida » sur sa tablette, ce qui ne l'a pas aidé beaucoup, les dernières fois où il a essayé – tard le soir, la plupart du temps, lorsqu'il glisse dans les poubelles de son passé, tout comme ce soir –, il tape « Isabel Mendes » et « sida, » juste pour voir. Des souvenirs d'elle remontent parfois en rafales, rarement, dans ces moments de solitude et de vulnérabilité, semblables à celui-ci. Il a laissé cette photo d'elle au Christodora, glissée au fond de son lit d'enfant. Il se dit souvent qu'il aimerait la récupérer, ce qui implique un dialogue dont il ne pourrait pas lui-même être l'initiateur. Cela dit, il a passé tellement de temps à la regarder en grandissant… il n'a pas vraiment besoin de remettre la main dessus. La veste en cuir, la minijupe en jean, les cheveux bien coiffés, la tête penchée sur le côté, le coude appuyé sur l'épaule d'un pédé espagnol, ce rictus insolent sur le visage.

Et voilà. Oh, mon Dieu. Il retient son souffle. Il vient de tomber sur un lien vers le site « Les Guerriers du sida parlent » sous lequel il lit : « … et quelques mois plus tard, une autre femme est morte. Elle s'appelait Ysabel Mendes, elle a joué un rôle très important dans… »

Mateo jette un œil sur le rideau de pluie. Il clique sur le lien. Il s'agit de la transcription d'une interview vidéo de 2004, également visible sur la page, avec un type nommé Karl Cheling, une espèce de sosie gauchiste du Moïse interprété par Charlton Heston, avec un grand front, une barbe blanche et une queue-de-cheval. Il clique sur la vidéo et observe pendant de longues minutes le babillage de ce Karl Chelling, sur les années sida à New York, à la fin des années 1980 et au début des années 1990, et toutes les manifestations surprises, tous les coups de force qu'il a organisés avec ses potes à la mairie et au ministère de la Santé, à D.C., et dans d'autres bâtiments administratifs. Mateo relève la tête et se dit que c'est tout de même assez dingue que le sida n'existe plus de nos jours. Oui, enfin… il sait, il l'a lu, que certains malades d'Afrique n'ont pas encore accès aux thérapies, mais même là-bas on a réussi à soigner des gens, et des experts ont dit, il l'a lu, que la maladie serait éradiquée en 2030, comme ce fut le cas pour la polio. La maladie qui a tué sa mère, se dit Mateo. L'a anéantie.

Il revient à sa tablette. Derrière l'intervieweur, une voix de femme avec un accent new-yorkais vieillot très prononcé, proche de celui de sa *bubbe*, dit : « Et vous parlez évidemment d'activistes qui sont décédés avant l'émergence d'Internet, à la fin des années 1990. Leurs témoignages sont donc très rares, n'est-ce pas ?

— Oui, c'est exact », répond le type à la queue-de-cheval blanche. Il égrène une longue liste de personnalités et les actions qu'elles ont entreprises. « En particulier des femmes et des hommes de couleur, précise-t-il. Leurs noms n'ont pas été officiellement archivés, ils n'ont jamais été cités comme des héros dans les documentaires. Il y avait par exemple des femmes extraordinaires. Une femme noire, Katrina Haslip, qui a joué un rôle très important dans la définition juridique du sida, s'est battue pour y inclure des symptômes davantage constatés chez les femmes, juste avant de mourir, en 1992. Quelques mois plus tard, une autre femme est morte. Elle s'appelait Ysabel Mendes, elle a joué un rôle très important aux côtés de Katrina. Elle faisait partie du Comité latino et traduisait de nombreux textes en version espagnole. Elle a aussi travaillé aux côtés d'un très, très intelligent militant pour l'accès aux soins, Hector Villanueva, qui est toujours vivant et toujours très actif au sein d'Aides et Refuges. Une grande partie des membres d'Aides et Refuges représentent un lien entre le passé et le présent. Katrina et euh… Ysabel étaient très démonstratives, des activistes féroces, à une époque où l'on considérait que les femmes n'étaient pas vraiment concernées par le sida, où elles n'étaient pas vraiment considérées ni prises en compte dans les études, et où les tests de routine étaient encore rares et n'étaient pas considérés comme une urgence absolue.

— Et quels étaient les objectifs prioritaires, le programme, en 1993, 1994 ? » demandait l'intervieweur.

Hector écoute le reste de l'interview mais Ysabel Mendes n'est pas mentionnée. Puis, pour la énième fois, il lance une recherche « Hector Villanueva », « sida » et « drogues », et tous les vieux liens, les vieux articles, font alors leur apparition.

Mais les liens concernant Hector Villanueva semblent s'arrêter avant la première moitié des années 2000. Aucune mention de son arrestation à L.A. en 2012. Hector revient sur l'interview de Cheling et remarque qu'elle date d'il y a seulement deux ans. *Toujours vivant et toujours très actif au sein d'Aides et Refuges*, disait Cheling. Mateo lance une recherche « Hector Villanueva » et « Aides et Refuges », qui a tout l'air d'une association pour l'hébergement des malades du sida et les pauvres – impossible de dire précisément lesquels sont concernés en priorité. Il tombe sur la newsletter et lit : « … y compris Trayvon Spratt, Hector Villanueva, Eduardo Salazar et Melvin Robinson, résidents du tout nouveau foyer Aides et Refuges qui vient d'ouvrir à Brownsville. Parlons maintenant du bénévolat pour les arbres de Noël… »

La newsletter est datée d'il y a seulement quatre semaines.

Hector lève le nez de sa tablette et jette un œil sur le rideau de pluie qui inonde le Lower East Side.

Oh merde, se dit-il. *Tu fais vraiment le fond des poubelles, là.* Il sait qu'il ferait mieux d'appeler Gary, son parrain. Au moins lui envoyer un message : *Je suis retourné au fond du trou.* Mais il y renonce. Comme un zombie, il regarde l'adresse du foyer de Brownsville, et avant que ça ne devienne une véritable obsession, il attrape ses clés et un parapluie. Le voilà sur le trottoir, tenant son parapluie tel un bouclier, repoussant la pluie jusqu'à ce qu'il atteigne une station de métro à moitié inondée. Il balade son doigt sur la carte murale, à la recherche du trajet le plus rapide pour rejoindre Brownsville.

Une fois dans le train 3, il n'a rien d'autre à faire que de s'asseoir dans une voiture en compagnie de six ou sept autres passagers ruisselants, au milieu de quelques flaques d'eau qui inondent le sol. Il ne lui reste qu'à s'interroger sur ce truc idiot qu'il est en train de faire : marcher comme… ouais, on peut le dire… comme un zombie qui retourne tout droit vers le ventre de la bête. *Putain, Brownsville ? Mais où tu vas comme ça, bordel ?* se demande-t-il.

Lorsqu'il sort du train, sur le quai aérien de la gare de Rockaway Avenue, il pleut toujours violemment. Il ouvre son parapluie et se dirige, à travers et au milieu du torrent, vers ce qu'il estime être le dernier quartier non embourgeoisé de New York. Un dédale de tours de briques monumentales qui feraient passer les cités du Lower East Side pour un havre de paix ayant conservé tout son charme désuet. Il poursuit son chemin, tandis que l'adrénaline parcourt son corps tout entier comme jadis ses montées de came. Il est trempé jusqu'aux os par le rideau de pluie diagonal, à peine abrité par son parapluie. Il finit par trouver la résidence, gravit les trois marches en briques d'un triste perron et appuie sur la sonnette, collé à la porte pour s'abriter de la pluie sous un rebord.

Un petit homme mince et chauve – qui approche la cinquantaine et probablement d'obédience dominicaine – ouvre la porte. Il porte une casquette des Yankees et un vieux tee-shirt d'un concert de Lady Gaga qui date de 2014.

« C'est une résidence privée, déclare-t-il.

— Je sais, je sais. Je suis venu voir un résident. Hector Villanueva. »

Le visage du type s'éclaire, d'un air amusé. « Vous venez voir Hector, glousse-t-il. Personne ne vient jamais le voir. »

Le cœur de Mateo s'emballe légèrement. « Ah… eh bien… moi, oui. »

Le type fait entrer Mateo dans un petit salon aux murs ornés de photos de manifestations en noir et blanc. Trois autres types, deux Noirs un peu grassouillets et un vieux Blanc à l'allure très efféminée, sont en train de regarder l'un des blockbusters intergalactiques de l'an dernier sur la grosse tablette familiale accrochée au mur, au-dessus d'une console et d'un clavier.

« Asseyez-vous, dit le petit Dominicain. Vous voulez du café ? »

Mateo décline l'offre en secouant ses cheveux pour se débarrasser de la pluie.

« Je vais monter lui dire que vous êtes là. C'est quoi, votre nom ?

— Mateo. Mateo Mendes. »

Il monte péniblement les escaliers. Assis là, à moitié trempé, Mateo remarque que les types l'observent du coin de l'œil. L'un d'entre eux, le plus épais des deux Noirs, finit par lui demander : « Vous êtes le neveu d'Hector ?

— Hein ? s'ébahit Mateo. Euh, non. Un ami. Un vieil ami.

— Vous lui ressemblez ! s'exclame le Blanc.

— Ah bon ? »

Le moins épais des deux Noirs pointe son doigt vers le Blanc. « Tu dis toujours que les basanés se ressemblent tous.

— T'exagères », réplique le Blanc.

Puis un silence gêné s'installe. Mateo reste assis et regarde silencieusement la baston cosmique qui se déroule sur l'écran de la tablette. Il pense à Dani, Char, Ruby, au projet, tous à Manhattan, qui lui semble soudain très très loin, comme s'il n'allait jamais y revenir. Il n'est pas trop tard pour envoyer un message à Gary, se dit-il. Il sort sa tablette pour le faire, mais voilà le petit bonhomme qui redescend les escaliers.

« C'est quoi votre nom, déjà ? redemande-t-il à Mateo. J'ai oublié. »

Ce qui provoque les gloussements des trois autres. « T'as plus le sida mais t'as toujours le sida dans la tête, fanfaronne le plus costaud des deux Noirs.

— Allez vous faire foutre, les pédales », lâche le petit bonhomme, impassible. Il revient vers Mateo.

« Mateo. Mendes. Je n'ai pas vu Hector depuis à peu près dix ans. J'ai grandi dans son immeuble, à East Village. »

Le gros Noir pointe le Dominicain du doigt. « Elle pourra pas se souvenir de tout ça !

— Je vais venir te planter pendant que tu dors, toi », dit le petit bonhomme. Puis, à Mateo : « Attendez ici. »

Mateo et les trois autres retournent silencieusement à leur film. Le moins costaud des deux Noirs finit par se tourner vers Mateo, d'un air qui ressemble à une nouvelle suspicion.

« T'es venu vendre de la drogue à Hector ? Des pilules ?

— Quoi ? réagit Mateo, surpris. Mais non, carrément pas !

— Vaudrait mieux pas. On n'en peut plus de ses beuveries et de ses cuites, et de marcher sur la pointe des pieds, de lui monter sa bouffe dans sa chambre et compagnie... »

Le plus costaud se retourne. « Ouais, mais elle s'est un peu calmée, ces derniers temps.

— Elle s'est trouvé un plan marijuana, Dieu merci », dit le Blanc.

Ces dernières bribes d'informations procurent à Mateo un profond soulagement intérieur. À vrai dire, la résidence dégage une légère odeur d'herbe. Ce qui, en soi, n'est pas très grave. C'est plus ou moins légal de nos jours. Il ne serait pas surpris d'apprendre que la résidence possède sa propre plantation. Tout le monde en fait autant.

Le petit bonhomme revient. « Il veut que vous montiez, annonce-t-il en s'affalant sur le canapé aux côtés du Blanc. Premier étage au fond du couloir. La porte est ouverte.

— Merci. » Du coin de l'œil, il voit que les quatre autres le regardent se lever. Après avoir grimpé la moitié de l'escalier, il se dit qu'il pourrait tout aussi bien partir. Il en a encore la possibilité. Il sait que son parrain Gary n'aimerait pas ça du tout : impulsivement, sans consultation, partir à la recherche de celui qui fut son plus grand compagnon de dope. Mais sous ce petit moment de panique, une voix plus calme lui recommande de monter. Et c'est ce qu'il fait. Il arrive au premier étage, où l'odeur de beuh est encore plus persistante. Il remonte le couloir. Un vieux R'n'B, peut-être une chanson de Mary J. Blige, s'échappe de l'une des chambres, derrière une porte fermée. La dernière porte au fond du couloir, sur laquelle un grand drapeau de Puerto Rico a été punaisé. Il y jette un œil.

Le voilà, allongé sur son lit, les pieds nus. Il tourne le dos à Mateo. Il est en train de lire sur sa tablette, tandis que la pluie s'abat sur la vitre de sa fenêtre fermée. Le cœur de Mateo gronde, sa tête tourne. Il essaie de distinguer cette vieille odeur, qu'il a toujours trouvée franchement nauséabonde, bien qu'assez réconfortante, bizarrement. Il observe la chambre. Les murs sont couverts d'affiches et de photos représentant des bodybuilders à moitié nus, Porto Rico, et de vieilles journées de manifs, avec les banderoles, les flics, les menottes et les mégaphones. La chambre ressemble au souvenir que garde Mateo de son appartement lugubre au sous-sol : un vrai bordel. Des fringues, des magazines et des livres, partout, étalés sur un vieux tapis. Une odeur d'herbe plane dans toute la pièce.

Mateo frappe à la porte ouverte, doucement. Hector se retourne dans son lit et le regarde. Oh, mon Dieu, se dit Mateo. Son visage est tout usé, tellement plus ridé, plus émacié que la dernière fois qu'ils se sont croisés, ce cauchemar, dans l'appartement de L.A. Hector semble avoir réduit de moitié. Il flotte dans son grand jean et son vieux tee-shirt miteux sur lequel il est écrit, en grosses lettres noires sur fond blanc, ARRÊTEZ L'ÉGLISE. Mateo remarque deux béquilles, posées contre le lit. Quel âge a-t-il, maintenant ? Mateo calcule rapidement. Soixante-cinq ? Plus ?

Les deux hommes s'observent. Mateo sent monter ses larmes. Il les repousse en clignant des paupières. « Tu te souviens de moi ? finit-il par demander.

— *Negrito*, c'est ça ? » répond Hector. Oh, mon Dieu... cette voix. Elle fonce à toute allure sur Mateo, si vite, si vite. Cette dernière nuit cauchemardesque. Oh, merde. « Ouais, je me souviens de toi, gamin. Du Christodora.

— C'est ça. » Il enfonce sa main tremblante dans la poche de sa veste.

Avec une grande difficulté, Hector se redresse pour s'asseoir sur le lit, en balançant ses pieds en l'air. « Entre. »

Mateo s'exécute. Il fait quelques pas dans la petite chambre, aperçoit le lavabo et le miroir dans un coin. Il cligne des yeux à cause de la fumée d'herbe. Il croise le regard d'un chat siamois blotti dans un coin du lit. Le chat se lève. Il fixe Mateo.

« C'est Dulce, dit Hector en se penchant pour détourner son attention. C'est la seule personne qui vive ici. »

Mateo acquiesce.

« Tu peux fermer la porte. »

Mateo ferme la porte et reste à côté.

« Assieds-toi, dit Hector en désignant un vieux fauteuil près de la fenêtre. Mateo ne l'avait pas remarqué. Il est couvert de vêtements. « Pose ces fringues par terre. Je te donnerais bien un coup de main mais je mets du temps à me lever. Je viens de me faire opérer du dos.

— Pas de souci », dit Mateo en enlevant les vêtements du fauteuil, tandis que l'odeur – cuir, sueur, tabac froid, vieille eau de Cologne – lui revient de manière très familière, le renvoyant à ces jours et à ces nuits passés à piquer du nez dans l'appartement du sous-sol, à écouter les pas des étrangers qui se promenaient devant sa fenêtre.

Mateo finit par s'asseoir.

« Je voulais venir te voir », réussit-il à dire.

Hector se redresse dans le lit. « Pourquoi donc ? T'as des infos à me transmettre ? » Il regarde Mateo de travers, ce qui rend Mateo nerveux, jusqu'à ce qu'il pense que c'est peut-être parce qu'il est défoncé et que ses paupières doivent être bien lourdes.

« En fait, j'ai une information, » dit Mateo en guise de préambule.

Hector l'arrête d'un geste, en lui tendant la paume ouverte de sa main. « D'abord, je vais te dire un truc. Je ne savais pas, d'accord ? Jusqu'à la dernière minute, je n'ai rien su. »

Mateo n'y comprend rien et fronce les sourcils. « Tu savais pas quoi ? »

Hector baisse sa main. Il dévisage longuement Mateo en réfléchissant. Puis ses épaules s'affaissent. « Fais pas gaffe à ce que je dis, lâche-t-il finalement. J'ai la tête en bouillie. Qu'est-ce que tu voulais me demander ?

— Je voulais te parler de ma mère. Ysabel Mendes. Tu l'as connue, n'est-ce pas ? » Il est surpris de constater que sa voix devient rauque, qu'il va se mettre à pleurer, mais il avale sa salive et poursuit : « Tu l'as connue dans les mouvements contre le sida, n'est-ce pas ? J'ai trouvé ça sur Internet, aujourd'hui. Pourquoi tu ne me l'as jamais dit ? »

Hector ouvre grands les yeux. « *Negrito*, je ne savais pas que c'était ta mère. » Il a l'air nerveux, malgré les effets de l'herbe. « Je ne savais même pas qu'elle avait un enfant. Elle a arrêté de venir aux réunions. Et moi j'étais tout le temps à Washington. On a perdu contact avant sa mort. »

Mateo l'observe sans rien dire, digérant ses propos. « J'ai toujours entendu son nom, en grandissant. Je savais qu'elle était morte du sida et je savais qu'elle s'était battue dans les associations de lutte contre la maladie. Mais je n'ai jamais cherché à en savoir plus, jusque récemment. Je ne voulais pas savoir. Et puis je suis tombé sur ce truc, sur Internet. Un entretien avec le type qui s'occupe de cette résidence...

— Tu parles de Karl ?

— Ouais, c'est ça. Karl. Et dans cette interview, il disait... il disait que toi et ma mère aviez été proches, que vous aviez travaillé sur des trucs ensemble. Comme le Comité latino, par exemple. »

Hector s'allonge de nouveau dans son lit, ferme les yeux et soupire : « C'est vrai.

— Et juste comme ça, tu as coupé les ponts avec elle, sans la revoir alors qu'elle était mourante ? »

Hector ouvre les yeux et fixe Mateo, le visage plein de honte. Puis son regard s'éloigne, sans un mot.

Mateo pleure silencieusement. Il essuie ses larmes. « Hector. » Il réalise que ce doit être la première fois qu'il l'appelle par son prénom. « Tu pourrais faire quelque chose pour moi ? »

Hector ne le regarde plus, mais réussit à dire : « Qu'est-ce que tu veux ?

— Tu pourrais, juste... me parler de ma mère ? Me dire quels sont les souvenirs que tu gardes d'elle ? »

Hector reste les yeux baissés. Mateo se demande s'il n'est pas en train de s'endormir. Mais soudain, Hector se met à renifler, à émettre une sorte de grincement. Mateo s'aperçoit qu'il pleure, lui aussi. Son vieux visage froissé a l'air complètement bousillé.

Mateo le regarde, tétanisé. Il a peur que les types d'en bas n'entendent Hector et accourent et l'accusent d'avoir harcelé leur colocataire. Mateo finit par se lever pour aller s'asseoir sur le lit à côté d'Hector. Il pose doucement sa main sur son genou.

« Allons, dit Mateo. Allons, je suis désolé. Je ne voulais pas t'ennuyer. Je vais y aller, d'accord ? »

Alors que Mateo s'apprête à partir, Hector l'attrape et le force à se rasseoir. « Non, non... ne pars pas. » Il prend une profonde inspiration et se redresse. « Je vais te parler d'Issy. »

Les yeux de Mateo s'écarquillent. « Issy ? C'est comme ça que tu l'appelais ? »

Hector acquiesce. « C'est comme ça que tout le monde l'appelait. » Puis, Mateo assis à ses côtés sur le lit, le chat venant s'installer entre eux deux, Hector évoque une soirée de l'année... oh... Il croit se souvenir que c'était en 1988, 1989… un lundi soir ordinaire, dans une réunion du mouvement. Hector venait de faire un discours. Il s'accordait un moment de répit dans le couloir, lorsqu'une femme, une petite Dominicaine très chevelue, s'était pointée pour lui demander : « C'est bien ici, la réunion sur le sida ? » Hector avait répondu oui. Elle s'était effondrée en larmes pour lui dire qu'elle avait le sida et qu'elle pensait qu'elle allait mourir. Elle avait si peur, tellement peur, personne n'était au courant, sa famille ne voudrait plus jamais la voir s'ils savaient ça, et elle allait mourir, tout comme venait de mourir son ami Tavi. Et lui, Hector, s'était souvenu, oui, qu'il avait rencontré cette femme, la meilleure amie de Tavi, dans un club, sept ans plus tôt, quand on venait d'apprendre qu'une maladie était en train de se propager. Et cette femme, Issy, avait soudain paru très soulagée lorsqu'elle comprit que, oui, ils s'étaient déjà rencontrés par le passé. Ils étaient sortis très tard, ce soir-là, et s'étaient éclatés en dansant ensemble, et cette femme timide et un peu maladroite, Issy, ne savait rien de la maladie, mais elle avait commencé à suivre les réunions, semaine après semaine, et ils avaient formé un Comité latino, puis elle avait pris confiance en elle, elle ne pensait plus mourir de sitôt, voire même ne plus mourir du tout de cette maladie, parce qu'ils travaillaient tous à l'élaboration de nouveaux traitements – des recherches financées par le gouvernement, mais aussi des travaux expérimentaux – et qu'ils finiraient par remporter cette course contre la montre. Ils pensaient – enfin, beaucoup d'entre eux – qu'ils finiraient par gagner. Et il observait cette fille timide du Queens, hygiéniste dentaire, qui était en train de devenir une femme très éloquente, une spécialiste de la communication et de l'organisation, qui savait motiver les autres femmes latinas qui vivaient avec le sida. Elle finit par prendre une place primordiale dans le groupe, vers 1990, 1991, aux côtés d'autres femmes. Et puis le compagnon d'Hector est mort, et à sa mort, Hector a coupé les ponts avec tout le monde et s'est engagé auprès d'un groupe qui a fini par déménager à D.C., pendant trois ans. C'est à cette époque qu'Hector a reçu un coup de fil de l'hôpital, qui lui annonçait qu'Issy était mourante, qu'elle n'avait pas réussi à se défaire d'une nouvelle pneumonie. Hector lui avait dit adieu par téléphone, alors qu'elle n'avait même plus la force de parler.

« Tu n'es pas allé à l'enterrement ? s'étonne Mateo.

— Je ne pouvais pas quitter Washington. On avait trop de boulot, cette année-là. »

Mateo le regarde sans trop y croire. « Tu avais entendu parler de traitements qui auraient pu la sauver ? »

Hector lance un regard choqué à Mateo. « Oh non, mon ami… oh non. Tu ne sais pas de quoi tu parles, il faut que tu relises l'histoire. Tous ceux qui étaient dans la boucle, et qui le voulaient, ont obtenu ce qu'il y avait de mieux à New York. Mais avant 96, 97, tout le monde s'en foutait. Jusqu'à l'arrivée des ténors. »

Mateo n'y comprend plus grand-chose. Ça doit se lire sur son visage, parce que Hector lui donne ce conseil : « Il faut que tu relises l'histoire. On faisait tout pour lui trouver un remède qui puisse la soigner. Tous. Mais on ne pouvait pas s'occuper de tout le monde à la fois. »

Mateo l'écoute silencieusement, ne sachant plus quoi dire ni quoi demander. Hector frictionne le chat avec ses grandes mains pleines de taches brunes.

« Comment ça s'est passé pour toi, ces dix dernières années ? » finit par interroger Mateo.

Hector hausse les épaules et désigne la chambre d'un geste. « Je suis toujours là.

— Moi aussi. Je suis toujours là. »

Hector rit doucement. « Un peu plus que ça, quand même. Je t'ai vu dans le journal. Tu es un grand artiste, maintenant.

— Pas un grand, dit Mateo d'un air embarrassé. Un petit grand, disons.

— Un petit grand, répète Hector en riant. T'as réussi à tirer ton épingle du jeu. C'est bien. Comment va la dame du Christodora, celle qui t'a adopté ? »

La question prend Mateo au dépourvu. « Euh… bredouille-t-il. Je n'en sais rien. On s'est pas beaucoup parlé, ces dernières années. »

Le sourcil d'Hector s'élève. « Ah bon ? Pourquoi ? Elle était tout le temps à tes basques, quand tu étais un petit *negrito*. »

Cette partie de la discussion met visiblement Mateo mal à l'aise : « Je n'en sais rien, euh… on a juste eu besoin de moins se voir, c'est tout.

— On ? Tous les deux ? »

Mateo se redresse légèrement, sur la défensive. « Ben… moi. J'ai eu besoin d'un peu de solitude. »

Hector lui lance un regard dubitatif. « Et toi ? contourne Mateo pour changer de sujet. Ça s'est passé comment, pour toi ? »

Hector baisse à nouveau les yeux. « Qu'est-ce que je peux dire ? finit-il par lâcher. Je n'ai plus autant d'énergie qu'avant. Aujourd'hui, la plupart du temps, je dors. »

Ils se taisent. Mateo regarde Hector, qui observe le chat posé sur ses genoux. Il le caresse. Mateo s'aperçoit que la montée d'adrénaline qu'il a ressentie en montant s'est dissipée. Voilà où la folie d'Hector l'a mené. Dans une résidence partagée, loin de Brooklyn, avec une petite chambre et un chat. Et ce type connaissait sa mère, la femme qu'il n'avait jamais connue. Ce n'est pas rien, pour Mateo. Il envisage Hector différemment, désormais. Plus du tout comme avant, quand il ne se posait pas trop de questions sur le passé d'activiste de sa mère.

« Bon, dit Mateo. Merci d'avoir pris soin d'elle. Je veux dire, lorsqu'elle est venue te voir, la première fois, quand elle avait peur. » Il se lève et s'apprête à partir. « J'aurais aimé la connaître. Pendant toutes ces années, je n'ai eu qu'une photo d'elle. Elle datait de 1984, environ. Je ne l'ai plus en ma possession. » Il rit. « Elle est tellement lookée eighties, dessus. Ses cheveux sont énormes.

— Comme les tiens », commente Hector. Il laisse retomber ses mains à plat sur le lit. « Donne-moi mes béquilles. Je vais te présenter à Karl. »

Mateo lui tend les béquilles et l'aide à se relever pour qu'il les empoigne. « Pourquoi ? questionne Mateo.

— On a peut-être quelque chose à te montrer. »

Hector indique à Mateo de descendre les escaliers devant lui, lentement, pas trop loin de lui, de manière qu'il puisse s'accrocher à lui en cas de chute. Ils descendent ainsi deux petites séries de marches, jusqu'au hall d'entrée. Lentement, Mateo s'approche du petit salon, où les types le dévisagent impitoyablement à travers l'embrasure de la porte. En traversant la cuisine, Hector le conduit jusqu'à un petit bureau en bazar pourvu d'une seule fenêtre, où Karl, le type de la vidéo, le Moïse gauchiste à barbe blanche et queue-de-cheval, est assis devant sa tablette, en train de taper à la vitesse de l'éclair. Il boit un espresso en écoutant la radio du service public sur sa tablette. Comme toutes les autres pièces de la maison, son bureau semble être un sanctuaire de victimes du sida. Il y a des photos et de vieilles affiches partout. *On dirait que ces gens ont passé leur vie à se faire arrêter par les flics*, songe Mateo. Karl lève les yeux. « Salut Hector. » Son ton est légèrement professoral, et évoque également celui des hommes d'Église, pense Mateo. « C'est qui ?

— Tu veux savoir qui c'est ? » dit Hector, à bout de souffle. Mateo est surpris de voir son visage buriné esquisser un demi-sourire plein de joie. « C'est le fils d'Issy Mendes. »

Karl regarde Mateo droit dans les yeux. Il reste sonné quelques instants. Puis il ouvre la bouche. « Le fils d'Issy Mendes ? répète-t-il d'une voix traînante. Bon Dieu, c'est vrai, j'avais entendu dire je ne sais où qu'elle avait eu un enfant avant de… » Il se lève. « Et c'est toi ?

— C'est moi, monsieur. »

Stupéfait, Karl dévisage Mateo de bas en haut. « Nom de Dieu, j'arrive pas à y croire ! »

Il fait le tour de son bureau. « Approche, viens par là ! » Mateo s'avance vers Karl, qui l'embrasse chaleureusement. Karl fait un pas en arrière, regarde encore Mateo de bas en haut au moins deux ou trois fois et cherche le regard d'Hector. « Putain, c'est le grand garçon d'Issy Mendes ! Mon Dieu, j'espère qu'elle peut nous voir de là où elle est. Où t'étais passé, depuis tout ce temps ?

— Je vivais à Los Angeles.

— C'est un artiste, intervient Hector.

— T'as entendu parler du rôle qu'a joué ta mère ? demande Karl.

— Pas trop. J'ai trouvé un truc sur Internet. Une interview de vous. C'est comme ça que je vous ai trouvés. Et Hector m'a un peu parlé de ma mère.

— Oh, mon Dieu, dit soudain Karl, venant de comprendre de quoi il s'agit. Les vidéos d'Esther.

— C'est pour ça que je voulais te le présenter, renchérit Hector.

— C'est une femme, explique Karl. Elle faisait partie du mouvement, Esther Hurwitz. Elle a lancé ce site sur lequel tu m'as trouvé. Le site des Guerriers du sida. Elle a des milliers d'heures d'enregistrements, d'entretiens, de démos, qu'elle n'a pas encore eu le temps de mettre en ligne. Elle vient d'obtenir un don de Guggenheim pour le projet. C'était une très bonne amie de ta mère. Je vais l'appeler, d'accord ? » Il fait signe à Mateo et Hector de prendre place sur des chaises qui font face à son bureau, tandis qu'il pianote sur sa tablette. Mateo aide Hector à s'asseoir.

« Bonjour, Karl. » Teintée de cet accent presque disparu, une voix tout droit sortie du vieux New York d'antan s'échappe du haut-parleur de la tablette. « Qu'est-ce qu'il y a ?

— Esther, tonne Karl au-dessus de la tablette. Je suis en compagnie de quelqu'un que je veux absolument te présenter.

— Je m'apprêtais à sortir.

— Je ferai vite. Tu ne peux pas passer à côté d'un truc pareil. » Il tourne la tablette et l'incline sur son bureau pour la positionner face à Mateo et Hector. Mateo se retrouve face à une femme d'une soixantaine d'années, à la chevelure gris métallisé. Elle porte des lunettes à monture noire. Derrière elle, il aperçoit des étagères remplies de paperasse et de bouquins mal rangés. Karl fait le tour de son bureau pour se loger entre Hector et Mateo, afin qu'ils puissent la voir tous les trois. Esther finit par sourire en regardant Hector. « Oh, bonjour Hector. Comment ça va, chéri ?

— Bonjour, Esther, dit Hector en affichant un large sourire.

— Qui est ce beau jeune homme qui vous tient compagnie ? C'est ton nouveau petit ami ? »

Karl et Hector ricanent ensemble. « Non, fait Hector. C'est le fils d'Issy. »

Esther ne dit rien. Son regard semble inexpressif. « Quoi ? » Puis son visage s'éclaire soudain. « Issy Mendes ?

— Issy Mendes, répète Karl.

— Ma vieille amie, Issy Mendes ? » La femme dévisage Mateo sur l'écran. « Eh ben, mon Dieu... », dit-elle lentement, avant de se mettre à pleurer. Mateo ne comprend pas pourquoi sa présence fait couler tant de larmes chez tous ces gens.

« Oh, mon Dieu, tu es l'enfant qu'elle... oh, mon Dieu, j'en ai la chair de poule, avoue Esther en riant. Comment tu t'appelles ?

— Mateo. Mateo Mendes.

— Tu as le même nom qu'elle, dit Esther d'un air ravi.

— Je l'ai pris un peu tardivement. » Juste après avoir commencé à travailler avec Char, alors qu'il avait besoin d'un patronyme professionnel, il l'avait effectivement repris. On n'entendit plus jamais parler de « Mateo Heyman-Traum ».

« Mon Dieu ! s'exclame-t-elle en essuyant les larmes qui coulent sur ses joues. J'ai l'impression de la voir à travers ton visage. C'est bizarre, vous ne trouvez pas ? C'était il y a trente ans !

— Nous étions des enfants, dit Karl.

— Nous étions des enfants ! répète Esther. Nous ne sommes jamais sortis du monde que nous combattions hier. Nous vivons aujourd'hui dans un putain d'État policier. On peut à peine s'envoyer un SOS sans prendre le risque de se faire coffrer par les flics du FBI.

— Un SMS, Esther, la reprend Karl. Relis la notice.

— C'est ça, un SMS. SMS. » Elle revient à Mateo. « Tu ne sais pas comment ça se passait, à l'époque.

— Eh non.

— Tu ne dois pas avoir beaucoup de souvenirs de ta mère.

— Non.

— Eh bien, laisse-moi te dire deux ou trois choses. Waouh. C'était une gamine du Queens. Personne ne savait qu'elle était séropositive, la première fois qu'elle est venue à l'une de nos réunions. Mais elle a continué à venir. Et en une ou deux années… waouh, Mateo. Elle s'est complètement épanouie. C'était toute la force de notre mouvement, pas vrai ? Les gens arrivaient en croyant qu'ils allaient mourir et ils finissaient par découvrir à quel point ils étaient puissants. »

Karl acquiesce tranquillement. « C'est vrai.

— Et ta mère… poursuit Esther. Oh, attends ! Oh, mon Dieu, j'ai la cassette. »

Karl et Hector se mettent à rire. « C'est pour ça qu'on t'a appelée, Esther », signale Karl. L'écran de la tablette devient tout vert mais elle continue de parler. « L'hiver 1990, Mateo. Il y a eu une très importante manifestation organisée au Centre de contrôle des maladies d'Atlanta, pour obtenir du gouvernement l'élargissement de la définition du sida, pour que les femmes puissent y être incluses, car elles ne l'étaient pas. Parce qu'à l'époque, les symptômes de la maladie détectés par le Centre concernaient principalement des hommes. Les femmes n'étaient donc pas prises en compte, elles ne touchaient aucune allocation, personne ne leur accordait la moindre attention, ni l'aide dont elles avaient besoin. Et ce sont les femmes du groupe qui ont mené cette manifestation, et en particulier celles qui étaient séropositives. Alors regarde bien, d'accord ? »

Mateo se concentre sur l'écran vert. Son cœur bat vite. « Ça date de quand, déjà ?

— 1990, répond Esther. Il y a trente-deux ans. Tu es né en quelle année ?

— 1992.

— Eh bien… Tu vas apercevoir ta mère avant qu'elle ne tombe enceinte de toi, et avant qu'elle ne devienne vraiment malade. »

Soudain, Mateo se retrouve face aux images d'une vidéo tournée en VHS à l'aide d'une caméra tremblante effectuant de larges plans d'une manifestation qui débute, sous une pluie battante, devant les bâtiments lugubres du Centre de contrôle des maladies. Des centaines d'hommes et de femmes, dont certains se sont couvert le visage d'une peinture blanche fantomatique. La plupart ont revêtu des sacs-poubelle noirs en plastique pour se protéger de la pluie. Ils sont rassemblés devant l'entrée principale du Centre, faisant hurler leurs sifflets et criant : « Les femmes n'attrapent pas le sida, elles se contentent d'en mourir ! » La caméra filme les étages supérieurs du bâtiment, où des employés en chemises et cravates observent les manifestants avec une certaine inquiétude, puis revient sur une femme noire au visage rond, qui porte de petites dreadlocks de chaque côté de la tête. Elle tient un mégaphone.

« Je m'appelle Katrina Haslip. Je viens de New York et je suis malade du sida. » La foule rugit. La femme reprend son discours, évoque les problèmes de santé, les siens et ceux des autres femmes, que le gouvernement refuse de considérer comme des marqueurs de la maladie, ce qui pourrait l'aider à se soigner et à bénéficier d'une assurance maladie. Puis elle dit : « Et maintenant, je voudrais vous présenter quelqu'un qui va vous expliquer que les Blanches et Afro-Américaines ne sont pas les seules à attraper le sida. Les Latinas l'attrapent aussi. Et il vaut mieux ne pas trop chercher la merde à une Latina en colère ! »

La foule rit. Tandis que Katrina tend son mégaphone, la caméra pivote sur la gauche, et s'arrête sur une femme. Une petite femme, elle aussi couverte d'un sac-poubelle noir mouillé, son épaisse chevelure noire trempée par la pluie ramassée sous une casquette de base-ball noire dont la visière retournée est frappée d'un triangle rose.

« C'est elle, Mateo, précise Esther. C'est ta mère.

— C'est elle ? Vous êtes sûre ? » Il s'approche de l'écran, étudiant chaque détail de son visage, essayant d'y trouver des traits communs avec le sien.

« C'est elle », répète Esther.

« Merci, Katrina… ma sœur… dit la femme qui apparaît maintenant à l'écran, avec le même accent que Mateo a toujours eu l'habitude d'entendre dans le quartier du Lower East Side où il a grandi. « Je m'appelle Ysabel Mendes et j'ai trente-deux ans. Je suis une Latina, je viens de Corona, dans le Queens, et je suis séropositive, atteinte du sida. » La foule est en éruption. « On t'aime, Issy », s'écrient certains manifestants. Un large sourire éclaire son visage. « Youhou ! » crie-t-elle dans le mégaphone.

« Je suis ici, poursuit-elle, parce que le Centre de contrôle des maladies refuse de me considérer comme une malade. Même si on m'a diagnostiquée séropositive il y a quatre ans, et que le nombre de mes cellules tourne autour de 100 alors que la norme avoisine les 1 000. Même si j'ai souffert, ces dernières années, de plus de petites infections que vous ne pourrez jamais en compter, et – désolé si ça dégoûte les hommes ici présents – de plus d'infections vaginales en un an que la plupart des femmes n'en auront jamais dans leur vie tout entière. Voilà ! » Elle rit. « Ça y est, je l'ai dit ! »

La foule rit avec elle.

« Le Centre ne veut pas considérer mon cas, refuse de reconnaître que je suis malade du sida. C'est la même chose pour moi que pour toutes mes sœurs séropositives qui sont ici avec moi aujourd'hui. Si vous ne nous prenez pas en compte, nous ne pouvons pas toucher d'assurance maladie, nous ne pouvons pas faire d'analyses, nous n'avons pas accès aux soins… Nous n'avons aucune chance de sauver notre peau ! »

La foule rugit à nouveau. Elle a l'air tellement forte, se dit Mateo. Trempée par la pluie mais triomphante, le regard étincelant de colère. Ces yeux dans lesquels il plonge sans cesse son regard, cette voix qu'il analyse et décompose, essayant d'y trouver ses propres échos. Mais même en l'écoutant, il est bien forcé d'admettre que sa diction ressemble plus à celle de Jared et Milly, le couple qui l'a élevé, et non à celui de cette femme. Elle vient d'un autre monde.

« Je tenais à vous dire, docteur Currant, directeur du Centre de contrôle des maladies, à vous et à toute votre équipe… », poursuit-elle, « je tenais à vous dire que depuis 1988 nous essayons de modifier la définition du sida pour y inclure les femmes. Nous vous avons invités pour en discuter, mais vous nous avez ignorées. Voilà pourquoi aujourd'hui, même sous cette pluie battante, nous vous rendons visite ! Et nous ne partirons pas avant d'avoir été entendues ! »

Ses paroles sont submergées par les slogans de la foule : « Agissons ! Résistons ! Combattons le sida », mais elle a toujours son mégaphone à la main. Elle est folle de joie, un immense sourire, toutes dents dehors, éclaire son visage.

« Waouh ! » s'écrie-t-elle encore une fois, comme si elle était au sommet d'un grand huit.

Esther arrête la cassette vidéo sur cette image. « Voilà ce qu'était ta mère, Mateo, commente Esther en revenant sur l'écran. Une femme très courageuse, comme tu as pu le constater. Et tu veux que je te dise autre chose ?

— Quoi ?

— Elle a vécu jusqu'à l'élargissement de la définition du sida. Il a fallu attendre jusqu'en 1992, mais ils ont fini par le faire. Ils ont fini par céder devant toutes nos recherches, nos manifs, et reconnu que nous avions raison. C'était avant la mort de Katrina, en 1992. Mais ta mère a pu vivre une année de plus et bénéficier de son assurance maladie avant de mourir.

— Elle est morte quand ?

— Fin 1993. »

Fin 1993, se dit-il. Il avait onze mois. Il ne garde pas un seul souvenir de ses bras. « Vous étiez des amies très proches, vous et ma mère ? » demande-t-il à Esther.

Elle demeure un instant silencieuse. « Oui, Mateo. Très. Après avoir appris qu'elle était enceinte, elle a cessé de venir aux réunions. J'ai insisté pour qu'elle continue mais elle voulait que personne ne le sache. Elle avait peur d'être jugée sur le fait d'avoir un enfant alors qu'elle était séropositive. Je lui ai dit que c'était ridicule, que tout le monde savait que son traitement à l'AZT protégeait le bébé. Mais elle a refusé. Je ne pouvais pas la forcer. Je lui rendais donc visite au foyer pour femmes où elle vivait. Ce n'était pas très loin de chez moi, dans l'East Village. C'est une femme qui l'avait fondé, Ava Heyman. Une femme incroyable, décédée il y a quelques années.

— C'était ma *bubbe*, intervient Mateo. Je connaissais cet endroit. Judith House. »

Esther fronce les sourcils, d'un air un peu perdu. « Oh, mon Dieu », dit-elle doucement. « Mon Dieu, c'est vrai. Je m'en souviens maintenant. Ava m'avait dit que… » Elle ne finit pas sa phrase.

« Que sa fille ? complète Mateo.

— C'est ça ! Que sa fille était devenue la mère adoptive de l'enfant d'Issy. » Puis sa voix retombe et ralentit. « Oh, mon Dieu, Milly Heyman et ses grands yeux noirs. Je me… » Puis elle se tait. « Bon, peu importe. On en parlera une autre fois. Mais, Mateo ! » Elle sanglote à nouveau. « J'ai l'impression de faire un voyage dans le temps, dit-elle en riant, ce qui fait également rire Hector et Karl – et même Mateo. Mateo, quel âge as-tu maintenant ? Qu'est-ce que tu fais ?

— J'ai vingt-neuf ans. Je suis artiste. Je vis à L.A. mais je suis à New York en ce moment pour travailler sur la déco de l'Under-park. »

Esther le regarde en hochant la tête. « Mateo. Si seulement Issy pouvait te voir. Mateo, je veux que tu m'écoutes très attentivement. Il n'existe pas beaucoup de documents archivés, et je sais que tout le monde a oublié tout ça. Mais ta mère était un véritable héros. »

Mateo eut l'impression que cette femme venait de poser une main apaisante sur une partie de son corps qui l'avait fait souffrir toute sa vie, du moins depuis qu'on lui avait parlé de sa mère. « Merci, dit-il en essuyant ses larmes. Toute ma vie, je me suis posé des questions. Je n'ai jamais rien su d'elle. Je ne savais pas d'où je venais. Nous n'avons jamais pris le temps d'en parler, dans la famille dans laquelle j'ai grandi.

— Mon chéri, tu viens de vivre une expérience extrêmement difficile, reconnaît Esther.

— Merci. Est-ce que je peux revoir la cassette encore une fois ?

— Bien sûr, que tu peux. Et je t'enverrai un fichier numérique avec la vidéo et toutes les photos, toutes les coupures de presse qui concernent ta mère. Ou rends-moi plutôt visite, comme ça je te les mets de côté ici.

— Merci beaucoup», dit Mateo, quelque peu embarrassé de s'être mis à pleurer, sans en être gêné outre mesure. La vidéo reprend. Oh, mon Dieu, la revoilà. Est-ce qu'il pourrait la porter ? Serait-il seulement capable de la porter ? Elle avait été capable de le porter, elle, se dit-il. Bien longtemps avant qu'il soit en âge de s'en souvenir. Elle l'avait porté.

La vidéo se termine. Esther dit au revoir et se déconnecte, laissant Mateo, Karl et Hector assis là tandis qu'une pluie torrentielle s'abat sur les fenêtres. «J'arrive pas à croire que j'ai fini par la voir, souffle Mateo.

— Tu sais, argumente Karl en se penchant vers lui, son travail n'est pas terminé. Le sida existe encore. À travers le monde, des millions de gens n'ont pas accès aux soins.

— Je sais, acquiesce respectueusement Mateo. J'ai lu ça.

— Laisse tomber, Karl, intervient Hector. Il est venu se renseigner au sujet de sa mère, pas pour se faire recruter. Tu ne veux pas l'admettre, mais tu le sais. C'est terminé. C'est fini, le sida. T'as gagné. Il reste encore plein de choses à faire, mais… C'en est fini de ce putain de sida, termine-t-il en chantonnant d'un air sarcastique. Nous sommes les derniers fantômes des années sida. Nous avons gagné la guerre, Karl. »

Karl semblait perdu dans ses pensées, bien calé sur son siège, pendant la petite tirade d'Hector. Mais il le regarde désormais d'un mauvais œil, à la grande surprise de Mateo. Les bras croisés sur la poitrine. Il baisse les yeux et balade son doigt sur l'écran de sa tablette. «Pourquoi n'ai-je pas le sentiment d'avoir gagné, alors ? demande-t-il calmement.

— Parce que tu es fatigué, Karl. Lessivé, comme nous tous. Mais quand même, on a gagné. Alors détends-toi. Il te reste encore quelques fantômes déprimés dont tu peux t'occuper. On a toujours besoin de toi, chéri. »

Hector se redresse avec difficulté. Mateo se lève pour lui tenir le coude, parvient à atteindre ses béquilles et à les lui donner, jusqu'à ce qu'il soit prêt à partir.

Mateo se tourne vers Karl, qui est debout, lui aussi, pour lui serrer la main. «Merci infiniment », dit Mateo.

Karl prend sa main. «Ne nous oublie pas.» Le visage de Karl s'éclaire d'un air rusé. «Et si organisait une levée de fonds dans le domaine artistique? Une levée de fonds pour Aides et Refuges? On l'a déjà fait, une fois? On avait ramassé un demi-million de dollars. En 1989. Tu te souviens, Hector?

— Je m'en souviens, chéri, assure Hector en se dirigeant lentement vers la sortie du bureau.

— On pourrait le refaire», poursuit Karl.

Mateo regarde Karl droit dans les yeux. «Laissez-moi terminer ce projet sur lequel je travaille en ce moment. Et puis je reprendrai contact avec vous.

— Promis? Ces gens peuvent être soignés, mais ils n'ont pas un rond. Je parle des survivants. Ils ont besoin de cet endroit. Ils ont besoin d'aides et de services.

— Je vous le promets», confirme Mateo avant de quitter le bureau pour rejoindre Hector dans le hall d'entrée.

Près du petit salon Hector marmonne: «Je vais sortir faire un tour dehors avec toi. J'ai besoin de prendre l'air.

— Il pleut toujours, je crois.

— J'en ai rien à foutre.»

Mateo ouvre la porte d'entrée et aide Hector à descendre la marche pour qu'ils puissent tous deux s'abriter de la pluie sous le rebord de la fenêtre. L'averse est à présent moins violente. Devant eux, la rue s'étire, silencieuse, au milieu des entrepôts condamnés. Ils marchent côte à côte, en s'éclaboussant. Mateo observe Hector qui farfouille dans sa poche, par-dessus ses béquilles. Il en retire le mégot d'un joint déjà entamé, qu'il essaie d'allumer avec une poignée d'allumettes.

«Attends», dit Mateo. Il lui prend les allumettes et lui rallume le mégot. Mateo regarde Hector fermer les yeux en prenant sa première taffe. Les cendres crépitent à l'extrémité du joint. Les souvenirs se bousculent dans la tête de Mateo, en repensant à toutes ces fois où tous les deux s'étaient ainsi retrouvés en communion. Les silences, l'un faisant jaillir la flamme pour l'autre, les profonds appels d'air, les fabuleuses exhalations, le chiffonnement simultané de leurs corps, lente progression vers un état proche de l'inconscience. Il sent son cœur partir au quart de tour et range ses mains dans ses poches, luttant pour ne pas s'enfuir à toutes jambes.

Hector finit par recracher sa fumée et tend le joint à Mateo.

« Non, merci », dit Mateo.

Hector ricane : « Tu fumes même plus de joint ? »

Mateo secoue honteusement la tête. « J'ai été reprogrammé », plaisante-t-il de façon peu convaincante.

Hector contemple la pluie et savoure l'entrée dans son état second. « Je n'ai jamais compris pourquoi les gens avaient besoin de changer aussi radicalement. Laisser tomber la pipe, la seringue... d'accord. Mais tu peux quand même te garder un petit truc. Tu me suis, *negro* ? »

Hector a l'air d'un personnage de bandes dessinées, là. Mateo rit. Les yeux d'Hector s'ouvrent grands et il se met à rire aussi. Un camion rugit en bas de la rue et roule en plein sur une flaque d'eau, si fort que la giclée manque de les éclabousser sur le trottoir.

« Ouah... marmonne Mateo, maladroitement, parce qu'il ne sait pas quoi dire.

— On est quel jour ? demande Hector.

— Mardi. On est mardi. »

Hector lui lance un regard du genre *C'est vrai ?* et Mateo acquiesce. Puis le silence les engloutit à nouveau. Hector regarde placidement droit devant lui, l'air satisfait de sa petite défonce, malgré la pluie.

« Je voulais te dire que je suis désolé, finit par lâcher Mateo.

— Désolé de quoi ? »

Hein ? Mateo ne s'attendait pas à cette réponse. « Pour... » Pour quoi, en fait ? Pour t'avoir utilisé pour le gîte et la dope ? Ce n'est pas ce que Mateo a envie de lui dire. La dernière fois à L.A. ? En vérité, à ce moment-là, Mateo n'avait pas besoin d'Hector, ni pour le gîte ni pour la dope. Pourquoi avait-il appelé Hector de l'appartement ? C'est la seule vraie question qui ait jamais manqué de faire trembler Mateo. Mateo s'imagine que ce sera encore le cas pour le restant de ses jours.

« Si je ne t'avais pas appelé, cette fois-là, à L.A.... », commence Mateo.

Mais Hector pose un doigt sur ses lèvres. « Chhhut… » Il secoue lentement mais fermement la tête. « Non, non.

— Mais…

— Non, non. On ne va pas revenir là-dessus. »

Mateo est décontenancé. « OK. Désolé.

— Arrête d'être désolé. »

Mateo rit amèrement, lui-même trouve ça assez surprenant. « T'es toujours en train de demander pardon.

— Écoute-moi bien », dit Hector d'un ton définitif. Il regarde toujours droit devant lui, sans croiser le regard de Mateo. Son ton autoritaire désarme Mateo. « Tu vas aller dire que t'es désolé à la femme qui t'a élevé. Voilà ce que tu devrais faire. »

Mateo perd les pédales. « Qu'est-ce que tu racontes ?

— Tu m'as entendu. Maintenant que tu connais la femme qui t'a mis au monde, tu vas aller voir celle qui t'a élevé. »

Mateo baisse les yeux, cogne ses baskets l'une contre l'autre. « Je t'ai dit qu'on ne s'était pas parlé depuis dix ans.

— D'accord, parfait. Mais maintenant que t'es à New York, tu pourrais peut-être lui rendre visite. »

Mateo ne dit rien.

Hector rit. « Voilà. Maintenant, tu sais pourquoi t'es venu me voir, aujourd'hui.

— Tu sais très bien pourquoi je suis venu te voir aujourd'hui, rétorque Mateo. Pour te poser des questions sur ma vraie mère. »

Hector ricane bêtement, comme s'il sentait que sa défonce était arrivée à maturité. « Eh ben, *negrito*… je crois que j'ai encore quelque chose à te raconter. Parce que t'as peut-être oublié, mais je vous ai longuement observés, toi et cette dame… ton *autre* mère. Tous les jours, dans le haut de l'Avenue A, main dans la main, toi avec ton sac à dos trop grand pour le petit *negrito*. Putain, quelle femme charmante, toujours à montrer tes dessins à tout le monde dans l'immeuble. Son mari, pas terrible. Mais elle, la fille d'Ava. »

Hector considère un moment Mateo. « C'était une sacrée putain de jolie femme, poursuit-il. Elle me laissait des messages sous ma porte, m'implorant de partir en cure de désintox pour éviter de me faire virer de l'immeuble. Elle disait qu'elle m'aiderait à en trouver une. »

Mateo le dévisage.

« T'es sérieux ?

— Absolument. Je dois encore avoir ces messages là-haut, rangés quelque part. »

Tout à coup très mal à l'aise, Mateo ne sait plus où se mettre. « Elle avait un énorme problème de culpabilité, c'est tout. Elle a eu pitié de moi. C'est la seule raison qu'elle avait de m'adopter. »

« Non, *mijo*. Je l'ai bien observée. Ce n'était pas de la pitié. Elle avait besoin de toi. »

Mateo fourre ses mains dans ses poches et baisse la tête. Il contemple le motif que créent les gouttes de pluie en tombant dans les flaques d'eau, sur le trottoir. Puis il sent la main d'Hector, posée sur son dos, juste sous son cou. Mateo jette un regard sur le côté et remarque l'effort consenti par Hector pour se tenir sur une seule béquille, pendant que son autre main repose sur son dos. Il y a quelque chose dans ce geste qui vient faire sauter un verrou enfoui très profondément dans la poitrine de Mateo.

« Je ne peux pas, bredouille Mateo, sentant les larmes monter. Je n'y arriverais pas. Ça va me démolir. »

Hector s'esclaffe brièvement. « *Negrito*, fais-le pour moi. Va la voir. »

Ils ne parlent plus depuis un moment. Mateo réalise qu'il se sent bien, comme il ne s'était jamais senti depuis cette époque où lui et Hector passaient leur temps à piquer du nez ensemble. Mais cette fois, c'est différent. Il est assez lucide pour se rendre compte qu'il se sent bien avec lui. *Ce mec me manque*, se dit-il. De manière un peu gauche, il entoure Hector avec un bras, en faisant bien attention de ne pas s'appuyer trop fort contre lui. Hector se tourne et le regarde un bon moment. « J'avais besoin de ce joint pour te demander quelque chose, *negrito*. »

Mateo éclata de rire.

« Ah bon ? Quoi ?

— Si je te donne mon e-mail, tu m'écriras ? Je me sens seul, ici.

— Bien sûr, je t'écrirai. » Mateo sort sa tablette et Hector lui dicte son e-mail, avec le préfixe SonyaBrisa. « Je reviendrai te voir avant de partir.

— J'ai encore des trucs à te raconter.

— D'accord, carrément. Si tu te souviens d'un truc sur ma mère, tu me raconteras ? Tout ce dont tu te souviens ? »

Hector le dévisage attentivement, avant d'émettre un rire bref. « Je me souviens de beaucoup de choses, *negrito*. Je te raconterai *poco a poco*. D'accord ?

Mateo passe avec précaution un bras autour de lui et se rapproche, jusqu'à ce que leurs têtes se touchent légèrement. « OK, mon frère. »

Hector baisse les yeux. « OK.

— Je dois y aller, dit Mateo. Je vais te raccompagner au foyer.

— Non, vas-y. Je veux rester ici pour te voir partir.

— Sérieux ?

— Seigneur, je veux juste profiter encore un peu de l'air frais, d'accord ?

— OK, très bien ! »

Doucement, un peu maladroitement, Mateo le prend une dernière fois dans ses bras, pour lui dire au revoir.

« Je peux pas t'embrasser, à cause des béquilles, *mijo*, dit Hector.

— C'est pas grave.

— Si t'as promis à Karl de l'aider, t'as intérêt à tenir tes engagements, l'avertit Hector. Sinon, c'est lui qui viendra te chercher.

— J'ai promis. Alors je repasserai vous voir. »

Mateo commence à descendre la rue, les mains enfoncées dans les poches et la tête penchée pour se protéger de la pluie. Mais après avoir fait quelques pas, il se retourne et marche à reculons, apercevant Hector qui s'éloigne vers le fronton en parpaings, rapetissant à chaque pas que fait Mateo. Arrivé au coin, Mateo lève sa main pour le saluer une dernière fois avant de tourner.

« Appuie-toi contre la porte, espèce de vieux défoncé. Pour que j'aie pas à venir le faire pour toi chaque fois, dit Melvin en râlant.

— Putain, file-moi un coup de main pour rentrer, dit Hector en tendant ses béquilles à Melvin.

— T'as l'air d'avoir sacrément mal au dos. »

Hector lève le regard vers Melvin, affichant le large sourire du fumeur défoncé. « J'ai fait un truc bien, Melvin.

— Quoi ? »

Hector fait lentement passer sa jambe droite dans l'entrée, puis la gauche s'appuyant d'un seul bras sur Melvin.

« Je dis que j'ai fait un truc bien dans ma vie. »

Melvin soupire. «C'est vrai, ma grande... t'as fait un truc bien. Toi, Karl et tous les autres, vous avez sauvé le monde il y a une centaine d'années, et voilà pourquoi on est tous là dans ce manoir à mener la grande vie. Hip hip hip hourra!»

Hector laisse échapper un long rire rauque. «Je t'emmerde, Melvin!

— Allez, reprends tes béquilles, Wonder Woman, et viens chercher ton dîner.»

Millicent Heyman
(2021)

Sa vie tournait désormais autour de son père. Ce bon vieux Sam. C'est ce que Milly disait lorsque, à de rares occasions, elle parlait à des gens, et qu'ils lui demandaient ce qu'elle était devenue. Il était sa raison de vivre, en plus du fait qu'elle l'aimait profondément.

Elle se levait. Elle ne dormait jamais autant qu'elle le désirait, elle était toujours fatiguée. Elle dormait dans la « petite » chambre, l'ancienne de Mateo, pas la grande (l'ancienne de Jared et elle). Cela avait commencé après qu'il (*il*, son ancien mari) était parti. Elle n'arrivait plus à dormir là-bas. Pas plus qu'à utiliser leurs noms. Quant à l'« autre » chambre, elle en avait enlevé les affiches et autres bibelots il y avait longtemps, et tout mis dans un placard, afin de ne pas dormir dans *sa* chambre. C'était juste la « petite » chambre, et personne n'avait dormi dans la grande depuis cette nuit où elle avait dû conduire son père aux Urgences à Beth Israel, Downtown, à cause d'une bronchite. Lorsqu'il était ressorti, elle avait trouvé plus logique de l'amener au Christodora et de l'y mettre au lit. Souvent, Milly pensait à proposer à son père de s'installer avec elle de façon permanente pour ses derniers jours, car elle ne supportait guère plus les allers-retours perpétuels avec l'Upper East Side.

La petite pièce, donc, remplie de livres et de magazines ; elle était sans doute l'une des rares personnes au monde qui lisait encore sur papier. Et elle y restait tard pour lire, mais cela ne comptait guère, car elle se réveillait tout de même tous les jours à six

411

heures du matin, et il lui était impossible de se rendormir. C'étaient les heures entre chien et loup où elle se rappelait régulièrement qu'elle devrait prendre un chat ou un petit chien, car ces moments étaient les plus difficiles. Passer sa robe de chambre, mettre la bouilloire en route, s'asseoir à la table le long de la fenêtre qui donnait sur le parc, tapoter sur sa tablette pour lire les infos, tout cela la rendait malade. L'Ère des Nouvelles Réformes. Tout était privatisé ! La couverture médicale était privatisée, les écoles étaient privatisées, les premiers secours en cas de catastrophe naturelle étaient privatisés ! Voilà pourquoi j'ai vécu, se disait-elle. Même son propre père, qui avait travaillé dans le commerce durant toute sa vie et n'était pas trotskiste comme certains de ses oncles, n'en revenait pas. Cela s'était bien déroulé à New York ou en Californie, et dans quelques États gouvernés par des technocrates sortis de grandes écoles qui savaient à peu près comment loger, éduquer et nourrir les administrés. Mais cela avait été bien plus compliqué pour le centre et le sud du pays. L'état des choses était encore plus désastreux qu'à l'habitude. Voilà où l'on en était. La direction que ce pays avait prise alors qu'elle devenait quinquagénaire. Cela ne l'étonnait guère.

Sa journée commençait donc ainsi. Assise là, elle sentait déjà le poids du manque de sommeil, imaginait déjà la grisaille des heures à venir. Puis venaient les e-mails. Majoritairement des spams et autres publicités. Des alertes de différents groupes communautaires dans lesquels elle avait œuvré ces dernières années, mais elle ne les supportait plus. Oui, elle détestait la privatisation systématique, mais elle n'en pouvait plus d'aller à toutes ces réunions en compagnie de quadragénaires qui lui ressemblaient et qui passaient leur nuit à crier « Non à la privatisation ! Non à la privatisation ! ». Tout cela était trop déprimant.

Elle ne recevait guère plus de messages à teneur artistique. Elle s'était détachée de ce monde, avait arrêté de produire, de fréquenter les vernissages. Au début, les e-mails continuaient de tomber. Mais au bout de trois ou quatre ans, les seuls messages provenaient de gens qui ne la connaissaient pas vraiment, pour des événements où personne n'allait car personne ne les connaissait non plus. De temps à autre, comme la semaine dernière, elle recevait des e-mails semblables à celui de Caroline Harrell. Caroline lui disait qu'elle avait été au vernissage de Chuck Pierson l'autre jour et qu'elle et Chuck, ainsi que d'autres, avaient discuté de Milly, se demandant ce qu'elle devenait. Caroline lui avait dit que Milly lui manquait et qu'elle irait déjeuner ou boire un café avec elle dans le quartier.

Milly fixa le message longuement. La gorge serrée, elle pensa à ses après-midi, il y a bien longtemps, au parc, en compagnie de Caroline dans son fauteuil roulant, d'un côté, et de *lui* qui lui tenait la main, de l'autre, lorsqu'il était encore cet adorable gamin chéri par la moitié du quartier, avec les feuilles de papier et la boîte de crayons dans son petit sac. Milly n'arrivait pas à détacher son regard du message et elle se demanda comment Caroline s'en sortait avec son handicap, causé par une maladie dégénérative qui l'avait clouée à un fauteuil roulant – fauteuil dont elle se servait pour ses performances artistiques. Puis Milly décida qu'elle ne pouvait pas revoir Caroline ni même quiconque à part son père, et elle effaça le message en se forçant à oublier son existence même.

Le jour se levait juste face à elle. Jusqu'à environ un an, voire dix-huit mois, elle continuait à se rendre à son atelier tous les matins. Pour pouvoir être capable de prendre le pinceau, elle devait assidûment effacer de son esprit la pensée des deux hommes qui l'avaient quittée, son ex-mari et son ex-fils. Franchement, ce n'était plus aussi simple que cela, car elle ne pouvait pas lire les blogs ou cliquer sur les pages électroniques du *Times* ou du *New Yorker* sans voir ou lire quelqu'un chose à propos de l'un d'eux. Elle était assise en train de boire son café en lisant le *Times*, et voilà qu'ils apparaissaient.

Le pire, c'était lorsqu'il y avait des photographies – surtout celles avec les petites amies. Enfin, pas pour M. Sa copine, une décoratrice d'intérieur, était très jolie et semblait bienveillante. Milly était heureuse que quelqu'un s'occupe de lui, et il semblait avoir décroché des drogues, ou si ce n'était pas le cas, il arrivait à mener une carrière de front, mais selon elle, il n'en prenait plus. Il avait fait quelques allusions au fait qu'il était sobre dans certains articles qu'elle avait pu lire, contre son gré. Elle espérait vraiment que ce fût le cas. Il lui avait brisé le cœur, mais elle voulait à tout prix qu'il soit heureux dans la vie. Sinon quel aurait été le but de son éducation pendant toutes ces années ?

Quant à son ex… laissons tomber. Malheureusement pour elle, elle avait aperçu un cliché de soirée, où il posait avec cette commissaire d'exposition. C'était comme une baffe en plein visage, et son estomac s'était noué. Le soufflet final avait eu lieu deux mois plus tôt lorsqu'elle était tombée sur une photo d'eux – elle avec le ventre bombé – et Milly comprit qu'elle était enceinte. Le large sourire sur le visage de J., ce stupide costume asymétrique noir typique de Yohji Yamamoto dans lequel elle l'avait déguisé, cette coupe de champagne en main !

Je suppose qu'il est parfaitement heureux, maintenant qu'il a eu tout ce qu'il désirait. Il est devenu une vraie star, il a à ses côtés une jeune nana du milieu, et il va avoir un gamin. Son propre enfant, comme il le disait. Milly espérait que lorsque son enfant pleurerait toute la nuit et vomirait et pisserait sur lui, cela ne compromettrait pas sa brillante carrière. Il avait toujours été clair sur le fait qu'il ne pourrait pas mener une carrière en étant père, et il ne s'encombrerait sûrement pas de toutes ces tâches maintenant. Ils embaucheraient certainement une nounou. Il ne laisserait jamais quelque chose s'interposer entre lui et son œuvre. Lorsque personne ne connaît ton nom alors que tu as quarante-sept ans, il faut vraiment être prêt à tout !

Milly se rendait compte à quel point elle pouvait paraître aigrie. Elle parlait beaucoup de cette amertume avec Gallegos. Il avait été son thérapeute de couple, c'est vrai, mais elle continuait à aller le voir. Après avoir été témoin de la crise psychotique de J. avant de la quitter ce soir-là, elle pensait que Gallegos était la seule personne à même de comprendre ce qu'elle avait vécu, et elle décida de continuer à le consulter.

Une semaine après la dispute, elle y retourna seule. Des semaines s'écoulèrent, et elle continuait à répéter à Gallegos : « Qu'est-ce que vous en pensez, va-t-il revenir et se rendre compte qu'il a eu une crise psychotique ? »

Gallegos répondait inlassablement à Milly : « Pouvons-nous convenir d'un code concernant Jared (*Oh, bon Dieu, il avait continué à utiliser son nom avec déférence*, jusqu'à ce qu'elle lui demande de l'évoquer par la seule lettre de J.) et continuer à parler de vous ?

« — Je vais bien. J'ai élevé un toxicomane qui m'a tourné le dos et j'ai passé la plus grande partie de ma vie d'adulte avec un homme qui a fini par me dire qu'il me détestait avant de me quitter. Je vais très bien. Je voudrais juste trouver quelqu'un qui ne me quitte pas, pour changer. Qui sera le prochain ? Mon père ? Dieu merci, mon père est trop faible pour me planter ! Les gens restent jusqu'à ce qu'ils n'aient plus besoin de vous, donc je suppose que mon père restera jusqu'à sa mort. Quelle chance ! »

Gallegos esquissait un sourire en hochant la tête. « Vous me faites sourire, Milly, même lorsque j'essaie de briser vos schémas négatifs. »

Le schéma en question, c'était de faire passer le bonheur de l'autre avant le sien. Gallegos demandait toujours si elle était allée à son atelier cette semaine, si elle continuait à entretenir de bonnes relations avec le milieu de l'art. Il était même venu à un petit vernissage d'une exposition de ses œuvres quelques années auparavant, ce que Milly avait trouvé touchant, car elle ne pensait pas que les thérapeutes avaient le droit de franchir ce genre de limites. Mais elle se dit qu'il voulait la voir à l'œuvre dans son travail pour mieux la comprendre, ou quelque chose de ce genre. La semaine qui suivit, à son cabinet, il lui parla de la vulnérabilité présente dans ses œuvres. Elle tenta de lui expliquer qu'elle était avant tout une formaliste et qu'elle ne pensait pas du tout à ses problèmes lorsqu'elle était tout à ses œuvres, mais elle se dit qu'un thérapeute voyait ce qu'il voulait bien voir. C'était son métier.

Gallegos tentait de convaincre Milly d'aller à son atelier. Et pendant plusieurs années, elle continua à s'y rendre. Ce n'était pas facile pour elle, surtout avec la gloire que connaissaient ses ex. Elle en parlait beaucoup avec Gallegos.

« Lorsque vous allez là-bas, c'est votre atelier, votre art à vous ! » disait-il.

Elle essayait de toujours garder cela en tête. Puis, elle connut une sorte d'épiphanie. Elle était à l'Armory Show, à Javits Center. Elle attendit la fin de l'exposition afin d'être certaine de ne croiser *ni l'un ni l'autre*, et évita également leurs galeristes. Tout à coup, elle se sentit comme écrasée par la présence de l'art exposé ainsi que les riches crétins qui l'admiraient, et elle eut envie de vomir. Elle était devant un énième ridicule sigle de néon, qui disait en grosses lettres rose fluo : MA CHATTE ! Comme si c'était une sorte de révélation. Et Milly pensa : *Voilà. Je n'ai vraiment pas envie de contribuer à ce cirque ambiant.*

Elle était retournée à son studio à deux reprises depuis cet incident, qui avait eu lieu dix-huit mois auparavant. Souvent, elle pensait abandonner l'endroit, pour éviter d'en payer le loyer. La même toile était restée intacte, à moitié finie, depuis l'an dernier. Lorsqu'elle pensait à reprendre le pinceau, elle se disait : *Voilà, encore une « artiste » new-yorkaise inconnue ou presque qui participe au cirque ambiant. On va tous crever et seulement 0,00001 pour cent des œuvres aura un quelconque écho au-delà de notre propre existence.*

Bien évidemment, elle partageait ses sentiments avec Gallegos. Il lui avait déjà avoué aimer écrire de la fiction ou de la poésie. Il partageait ses petites bribes d'intimité avec elle de temps à autre, ce qui flattait Milly. Elle était quasiment certaine qu'il ne faisait pas cela avec tous ses patients.

Gallegos écouta Milly, puis il lui dit : « À part tout cela, comment vous sentez-vous artistiquement parlant ? Bien, ou pas ? »

Et elle répondit : « Honnêtement, Richard ? Je me sens stupide. Je me sens bête. Je me dis qu'il doit y avoir quelque chose de plus productif que je pourrais faire. Des enfants illettrés grandissent à quelques rues de chez moi, juste dans les immeubles de l'Avenue D, et je suis assise ici à me plaindre et caqueter ? Je suis ridicule.

— Comment vous sentiez-vous lorsque vous enseigniez le dessin et la peinture aux enfants ?

— C'était différent. Ce n'était pas un besoin obligatoire pour eux de devenir artistes professionnels. J'étais là pour les aider à trouver leur voie créative, et les initier à l'art et au rôle qu'il pouvait jouer dans leur vie. Surtout s'ils venaient de foyers difficiles. Avoir une feuille de papier et une boîte de crayons… C'est une véritable échappatoire. »

Du papier et une boîte de crayons. Ses yeux s'emplirent de larmes en prononçant ces mots. Elle n'arrivait même plus à penser à du papier et des crayons.

« Qu'est-ce qu'il y a ? demanda Gallegos. À quoi pensez-vous ? »

Milly s'écroula dans sa chaise, clignant des yeux pour les sécher. « Je ne peux même plus penser à un bout de papier et à des crayons sans me rappeler la première fois où je l'ai vu. M.

— Vous avez éprouvé de l'amour et du plaisir à voir un enfant s'adonner à la création, et vous vouliez l'encourager, c'est ça ?

— Il dessinait des monstres étranges et poilus. » Mon Dieu, elle ne l'oublierait donc jamais, cet enfant allongé sur le ventre en train d'agiter ses petites baskets en l'air.

« Vous pourriez revivre cette sensation en retournant enseigner. »

C'était pour cela qu'il amenait le sujet sur la table ? Milly se sentit un peu trahie et piégée. « Je n'ai ni le temps ni l'énergie mentale pour enseigner. Je dois m'occuper de mon père. Et son état ne fait qu'empirer.

— Il a une infirmière avec lui toute la journée, objecta Gallegos. Il est avec elle en ce moment, en toute sécurité. Et vous êtes là, devant moi, et tout se passe bien. »

Milly n'appréciait guère cette conversation, pour être honnête. Elle n'aimait plus quitter la maison et évitait tout contact avec le monde extérieur. Cela la mettait mal à l'aise et la fatiguait. Elle faisait quelques exceptions. Pour faire les courses, bien sûr. Parfois, elle allait au cinéma. Montait dans un train pour aller voir son père. Mais, même ces petites choses, elle devait prendre son courage à deux mains pour les affronter. Et pendant tout ce temps au milieu de la foule, elle avait l'impression d'être un nerf à vif que les autres harcelaient. Des gamins gueulards, par exemple, qui braillaient des insanités chaque fois qu'ils ouvraient la bouche. Des couples trop démonstratifs. Des gens qu'elle pensait connaître, ou avoir connu. Les pires. Elle changeait littéralement de trottoir si elle pensait apercevoir quelqu'un qui ressemblait à une ancienne connaissance.

« Je suis sûre que je reprendrai un travail à temps partiel », finit-elle par lui dire, afin de le faire taire. Il lui répondit par un regard sceptique, comme si elle le décevait.

Au moins, pensait Milly, on ne parle plus d'*elle*. Elle pensait à Drew. Son souci avec *elle* avait occupé de nombreuses séances avec Gallegos, pendant plusieurs mois. Comment Milly se sentait-elle, une semaine après ? Elle et Drew étaient-elles entrées en contact ? Et ainsi de suite.

Deux ans plus tôt, Drew avait laissé à Milly un message sur son répondeur. Pour Milly, voir le nom de Drew dans la liste des messages vocaux était étonnant, car elle avait l'impression de ne plus avoir eu de nouvelles de sa part depuis près d'un an. Mais elle écouta le message, tout en chuchotements : « Mille-Pattes ? C'est Drew-pie. Mille-Pattes, je flippe, je vais avoir des jumeaux. Appelle-moi, s'il te plaît, j'ai besoin de parler. Je flippe grave. Christian et moi, on flippe. Je t'aime. »

Milly réfléchit : elle devait être enceinte depuis pas mal de temps pour savoir qu'elle attendait des jumeaux. Cela signifiait que Drew était au courant de sa maternité en cours depuis des semaines. Une information qu'elle n'avait pas partagée avec Milly. Et tout à coup : *Un message. Elle me donne l'information sur mon répondeur,* pensa Milly.

Elle ne rappela pas tout de suite. Elle posa la tablette, se rendit à la fenêtre, et s'assit pour regarder au-dehors. Puis elle se leva, et prit son téléphone pour rappeler Drew. Mais elle raccrocha. En vérité, elle ne savait pas quoi lui dire. Elle n'était pas certaine que ce fût une bonne chose pour Drew à son âge. Milly savait bien que le traitement et la technologie avaient beaucoup évolué en dix ans, mais aucune technologie n'empêchait le fait que lorsque ton enfant avait dix ans, tu allais sur la soixantaine et qu'à vingt ans, tu aurais soixante-dix. Ton enfant t'accompagnerait sur ton lit de mort lorsqu'il aurait trente ou trente-cinq ans. Et s'il avait un enfant à lui, il y avait peu de chances qu'ils aient une grand-mère. Milly ne pouvait s'empêcher d'y penser, et d'ailleurs, tout cela était tellement typique de Drew. Comme Drew n'avait plus rien à écrire sur le couple ou sur les nouvelles unions en milieu urbain ou sur les couples en autosuffisance alimentaire, elle allait avoir des enfants pour trouver un nouveau lectorat. Ce n'était pas très juste pour ses enfants, pensa Milly.

Milly ne répondit donc pas pendant cinq jours. C'était pour elle une durée nécessaire car elle ne savait juste pas quoi dire.

« Elle attend sûrement votre appel, lui dit Gallegos lorsqu'elle lui rapporta le message le lendemain.

— Je ne sais pas si elle fait une bonne chose.

— Je peux vous demander, Milly ? Je peux vous demander ce que vous avez véritablement ressenti en entendant la nouvelle ?

— Je me suis dit : Ne fais pas ça à ces gamins. Tout ça pour un nouveau livre. »

Gallegos la questionna à ce sujet. « C'est votre meilleure amie, et vous avez toujours eu une relation particulière... cela va maintenant changer. Elle ne pourra plus venir autant qu'avant à New York. Il faudra peut-être que vous alliez la voir, l'aider avec ses enfants.

— Oh, je déteste la région. Tout est tellement faux et plastique, même si c'est censé être devenu Brooklyn avec le beau temps permanent. Certains aspects de la vie là-bas lui plaisent, il faut croire, car elle n'est jamais revenue vivre à New York. »

Gallegos lui fit les gros yeux. « Je vous demande juste si vous avez peur de perdre votre amie. »

Milly eut un petit rire bref. « Je crois vous avoir déjà dit que notre amitié s'est déjà estompée ces dernières années. Elle est allergique à la tristesse. Si vous n'arrivez pas à être *reconnaissant*, Drew a peu de patience avec vous. Il faut toujours être *reconnaissant* envers Drew. De la reconnaissance, encore et toujours ! Je suis certaine qu'elle est reconnaissante d'avoir ces enfants, qu'elle remercie l'univers et qu'elle ne pense pas à ces gamins lorsqu'ils auront vingt ou trente ans.

— Écoutez-vous parler. Vous êtes en train de couper le cordon avec votre meilleure amie depuis trente ans. »

Pour le meilleur ou pour le pire, cette pensée tarauda Milly pendant les jours qui suivirent. Elle se sentait comme maltraitée par Gallegos. Elle finit par prendre son téléphone, mais elle n'arrivait pas trouver le bon ton à adopter lorsqu'elle tomberait sur elle ou sa boîte vocale. Elle préféra lui envoyer un texto. « Oh, mon Dieu ! Génial ! Tiens-moi au courant ! Biz. Mills. » Et elle l'envoya.

Cinq minutes plus tard, Drew lui répondit : « Euh… c'est tout ? Pas d'appel au bout de six jours ? :(»

Eh merde, pensa Milly. « Je digérais la nouvelle », rétorqua-t-elle. C'était honnête, non ? Devait-elle obligatoirement faire semblant ?

Drew ne riposta pas. Ce que Milly trouvait insultant. Elle devait être trop occupée, pensa-t-elle. Elle avait dû interrompre Drew en pleine écriture de blog pour tous ses lecteurs qui buvaient ses paroles. Comme Drew bloguait ou tweetait ou communiquait chaque moment de sa vie quotidienne, Milly ne pouvait pas ignorer tous les détails de sa grossesse. C'était évident qu'elle compilait du matériau pour un livre. Ce que Drew mangeait, quel type de yoga

Drew faisait pendant sa grossesse, comment la maternité affectait son couple avec Christian et leur vie sexuelle et, bien sûr, chaque minute de sa vie depuis qu'elle avait appris qu'ils attendaient des jumeaux. « Deux bénédictions, deux fois plus de stress », disait son billet d'humeur. De *stress* ? se dit Milly. Eh bien.

Pendant des mois, Drew ne répondit pas au message de Milly. Elle pensait que Drew craquerait et lui demanderait de venir la retrouver à L.A. pour l'accouchement, mais elle ne se manifesta pas. Du jour au lendemain, Drew blogua et tweeta des photos d'elle, Christian et les deux petites filles, nommées Erika et Fiona. Milly découvrit, ébahie, la première photo d'eux quatre, agglutinés comme des sardines en boîte, et la fixa pendant un quart d'heure. Drew avait eu des enfants. S'il y en avait bien deux qui n'avaient pas eu d'enfant alors que tout le monde en avait, c'était eux, et voilà que Drew avait finalement sauté le pas.

Milly en parla à son père pendant le dîner chez lui le soir même. « Drew a eu des enfants cette semaine. Des jumelles. »

Sam hocha la tête sagement, comme s'il allait commenter la nouvelle. « Cela lui fait trois enfants, non, maintenant ?

— Elle n'a jamais eu d'enfants, papa. Ce sont ses premiers. » Milly repoussa le verre d'eau posé au bord de la table, à côté du coude de son père.

« Non, non. » Et voilà, c'est reparti, pensa-t-elle. Son père faisait toujours cela ces derniers temps. « Elle a eu ce gamin qui a remporté le prix de sciences physiques à Boston.

— C'est Liesl, ça. » Il confondait avec une autre ancienne amie de la fac. « Liesl a eu son enfant il y a seize ans. Là, c'est Drew. Tu te souviens de Drew, l'écrivain, tu sais, Drew ? Elle vit à Los Angeles.

— Celle qui a eu un problème de drogue ?

— Oui. Mais c'était il y a vingt-cinq ans. »

Il regarda Milly comme si elle était folle. « Elle vient juste d'aller en cure de désintoxication ! insista-t-il.

— C'était il y a vingt-cinq ans, papa », répéta-t-elle.

Son père avait l'air agacé. Il reprit la dégustation des pâtes qu'elle lui avait préparées. « J'espère qu'elle ne va pas retomber dans cette merde. C'est une fille intelligente. »

Milly se contenta de sourire et hocher la tête. C'était son comparse de dîner désormais. Elle adorait son père. Depuis qu'Ava, sa mère, était morte d'un cancer de l'utérus trois années auparavant, à seulement soixante-quatorze ans, le silence s'était abattu entre son père et elle. Sam et elle pouvaient dîner ensemble une grande partie de la soirée, regarder la télévision, tout cela sans dire un mot, et ce n'était pas dérangeant. Il y avait enfin le silence dans la maison de ses parents qui avait été si agitée pendant toutes ces années.

Ils avaient un lien unique. Car Milly et Sam étaient tous deux vides désormais. Ava avait consumé leur vie si totalement. Milly avait vécu la majeure partie de son existence à se définir en opposition à cette femme qu'elle ne voulait pas devenir, à essayer de ne pas être elle, tout cela pour constater qu'il ne lui restait rien pour travailler une fois Ava partie. Puis vint le manque d'identité. Le moment le plus étrange fut d'être aux côtés de Sam lors de la cérémonie donnée par d'anciens de la lutte contre le sida. Certains prirent la parole et Milly murmurait à son père : *Oh, tiens, c'est machinette, tu sais la fille dont elle se plaignait tout le temps !* Puis Milly et son père eurent droit à tous les mythes et légendes. Comme lorsque Ava avait organisé une « cérémonie » en « l'honneur » du porte-parole de la mairie, alors que c'était un piège pour l'attirer à Judith House et lui faire rencontrer tous les clients et les résidents et lui dire : « En fait, je vous ai demandé de venir ici aujourd'hui pour vous montrer tout ce que vous allez ruiner si vous baissez de trente pour cent le budget en 2015. »

Tout le public éclata de rire lorsqu'un ancien résident de Judith House, depuis reconverti en assistant social, raconta une anecdote et que tout le monde s'exclama : « Ça, c'était Ava ! » « Ça, c'était du Ava tout craché ! Fallait pas déconner ! »

Au beau milieu des éclats de rire, Milly et son père se dévisagèrent. Sam haussa les épaules, comme pour dire : *Jamais entendu ce truc,* et Milly passa son bras sur son épaule. Toutes ces histoires, ils ne les connaissaient pas, ou ils ne les avaient écoutées que d'une oreille distraire, et elles appartenaient à une femme qui dépassait de loin leur vie, celle de leur famille, une femme qui faisait preuve d'héroïsme chaque jour au travail et qui, lorsqu'elle rentrait à la maison retrouver son mari et sa fille, n'avait guère plus d'énergie pour eux, si ce n'était afin de convaincre Sam de lui masser les pieds.

« Elle adorait que je lui masse les pieds, confia le père de Milly durant le dîner. C'est pour cela qu'elle avait encore besoin de moi. J'étais son masseur de pieds lorsqu'elle rentrait du boulot.

— Tu étais plus que cela, papa.

— Elle était très fière de toi.

— Je ne pense pas, non, papa.

— Oh, si, et comment ! Elle était juste trop occupée pour te le dire. »

Elle et son père éclatèrent de rire de bon cœur.

Puis il demanda : « Comment va le petit ? »

Il posait toujours cette question. « Papa, je t'ai dit des millions de fois qu'il vit à Los Angeles et qu'on n'est plus trop en contact.

— C'est ton fils. Il faut que tu prennes ton téléphone et que tu l'appelles.

— Il n'en a pas envie, répliqua Milly trop abruptement. Désolée. » Elle posa sa main sur la sienne. « Mais je t'ai déjà expliqué qu'il m'avait dit qu'il voulait vivre sa vie. Notre boulot est fini. »

Son père secoua la tête. « Je ne comprends rien à tout cela.

— Moi non plus. »

Et Drew dans tout cela ? Les jumelles naquirent. Milly apercevait le flux constant de leurs photographies. Elle les regardait grandir à distance. Et, un jour, alors que Milly admirait une photo d'elles deux habillées de la même combinaison rayée, dans un moment de faiblesse, elle tapa : « Mignonnes ! » Quelques heures plus tard, Milly remarqua que Drew avait répondu par un smiley à son commentaire. Une semaine passa, et Drew posta une photo de famille d'Halloween, et Milly laissa un : « Trop mignonnes ! » Quelques heures plus tard, Drew laissa une réponse : « Elles sont encore si petites que j'ai failli les faire poser dans les citrouilles ! » Ce à quoi Milly répondit à son tour par un smiley. Six semaines passèrent, puis arrivèrent les incontournables photographies avec le chapeau du Père Noël.

« Le Père Noël va bientôt débarquer ! » posta Milly.

« Logique ! posta Drew. Il a intérêt à être en forme ! »

C'est ainsi qu'elles se remirent à communiquer. C'était pathétique, Milly en était consciente, mais le monde était devenu ainsi, une succession de petites plaisanteries ou de dessins idiots que les gens envoyaient en commentaires des images des autres. Un jour, alors que Milly était sur sa tablette, Drew lui envoya un message privé :

Coucou Mille-Pattes.

Milly entendit le petit bruit annonçant un message et resta bloquée dessus pendant une bonne demi-minute.

Coucou Drew-pie.

Alors qu'elle tapait ces mots, elle sentit un désir irrémédiable s'emparer d'elle.

Drew : Ça fait longtemps.

Milly : Je sais. Tu as été occupée, il faut dire.

Drew : C'est dingue, ici, oui. Je ne savais pas dans quoi je me lançais.

Milly : Tu as l'air plutôt heureuse sur les photos.

Drew : C'est génial, oui. C'est une bénédiction incroyable. Je ne saurais pas décrire la reconnaissance que je ressens. (*Tiens, voilà cette histoire de reconnaissance*, pensa Milly.) Mais c'est quand même crevant !

Milly : Mais tu as de l'aide, non ?

Drew : Oui, une super fille. Mais quand même !

Milly : C'est sûr, oui. Mais c'est génial que tu aies fait ça.

Un long silence, puis :

Drew : J'adorerais que tu les rencontres. Je leur parle tout le temps de toi.

Parler de moi ? pensa Milly. *Elles ont six mois à peine !*

Milly : Ça doit beaucoup les intéresser.

Drew : Enfin, je parle toute seule de toi pendant que je les nourris ou que je les berce. Je parle toute seule comme une dingo.

C'était trop pour Milly. Elle finit par écrire, un peu penaude :

Milly : Tu as l'air bien occupée, en tout cas.

Drew : Tu penses que tu pourrais venir nous voir ici ?

Milly ressentit le besoin urgent d'aller aux toilettes. À son retour, elle répondit :

Milly : Mon père me prend tout mon temps désormais.
Drew : Je voulais te demander, d'ailleurs, comment vous allez ?
Elle veut sûrement dire : depuis la mort de ma mère, pensa Milly.
Milly : Il est un peu perdu, mais ça va. Il a sa Rachel Maddow. Cela doit faire dix ans qu'il a le béguin pour elle. Il pense qu'elle va venir le sauver.
Drew : Haha ! Et toi ?
Milly : Rien à signaler.
Drew : Tu avances dans le boulot ?
Milly : Trop occupée par papa.
Drew : Mmmh. Ça doit être dur.

Un autre silence.

Drew : On va peut-être venir à New York au printemps prochain pour voir la sœur de Xtian.
Milly : Super. Les filles n'ont encore jamais pris l'avion ?
Drew : Non, ça sera leur première fois. Ça serait génial de te voir !

Milly imagina la petite famille de quatre débarquer devant elle.

Milly : Bien sûr. Tiens moi au courant quand tu connais tes dates.
Drew : C'est du quasiment certain. Tu me manques, Mille-Pattes !
Non, je ne te manque pas, pensa Milly. *Tu es trop occupée, trop autocentrée. Tu ne sais pas ce que c'est d'avoir quelqu'un qui te manque. Ce n'est pas une sensation douce ou enivrante. C'est un vide glacial.*
Milly : Bon courage avec les filles !

Silence.

Drew : Ça marche. Prends soin de toi.
Puis : Biz.

Pour Milly, « Biz » signifiait la fin d'une conversation, et elle ne rajouta rien à leur échange. Elle et Drew retournèrent donc à leur routine de commentaires exclamatifs et de smileys. L'hiver qui suivit fut le plus chaud jamais connu à New York. Le 6 janvier, la température atteignit vingt degrés, un record, et il ne fit jamais vraiment froid pendant trois mois. Milly le vivait mal. Lorsqu'elle s'aventurait dehors, les gens traînaient dans le parc, jouaient au football en shorts ou torse nu, tandis qu'elle portait un manteau de mi-saison inutile pour adopter un semblant de normalité. Tout le monde semblait aimer ce temps chaud, lui semblait-il, alors qu'elle vivait cela comme la fin du monde.

Elle quittait la maison pour exécuter au plus vite les tâches indispensables, puis revenait chez elle, et se préparait un thé chaud comme pour prétendre que ce mois de janvier était comme les autres. S'il n'y avait pas eu son père seul le soir à qui préparer à dîner, elle n'aurait sûrement pas mis le nez dehors de tout l'hiver. La moitié du temps, elle dormait chez lui, au nord de Manhattan. Une fois, elle y resta même une semaine entière. Où qu'elle fût, elle passait le plus clair de son temps allongée à lire sur sa tablette ; cela ne changeait pas grand-chose qu'elle fût au nord ou au sud de Manhattan. Elle dormait dans sa chambre d'adolescente et compulsait de vieux papiers datant du lycée. Elle retrouva ainsi des lettres de J. datant des étés 1989, 1990 et 1991. « J'ai pris une maison hors du campus avec Jon et Lew pour l'année prochaine, disait l'une d'elles. Il y a une grande cuisine où je te préparerai à dîner tous les soirs – penne au brocoli, saumon à la sauce Cajun, tous tes plats préférés, ma douce Milly. »

Il allait me quitter un jour ou l'autre, conclut Milly à la lecture de ces lettres. *Il ne le savait juste pas encore.*

Au mois de mars, Drew lui envoya un message : « Hé ! Comme je t'ai dit, on va passer la deuxième semaine d'avril chez la sœur de Xtian, à Brooklyn. J'ADORERAIS te voir. Dis-moi si tu as des dispos pendant cette semaine. Biz. »

Ils venaient donc *tous*. Pas seulement elle. Les quatre.

Milly reçut le message un samedi. Elle choisit de ne pas répondre avant d'avoir pu en parler avec Gallegos le lundi suivant.

« Vous lui manquez et elle a vraiment envie de vous revoir.

— Comment est-ce que je peux lui expliquer que je ne veux pas finir dans l'un de ses livres comme la copine célibataire et sans enfant qu'elle vient voir à New York ? »

Il éclata de rire. « Elle travaille sur un nouveau projet ?

— Elle a *toujours* un nouveau projet.

— Si cela vous inquiète tant que cela, vous pouvez lui en parler une fois que vous l'aurez vue et que vous êtes sûre qu'elle est sur un livre. »

Milly croisa les bras. « Je ne veux juste pas me sentir utilisée comme chair à canon.

— A-t-elle déjà écrit sur vous auparavant ?

— Un peu, dans son premier livre. Mais c'était gentil pour moi.

— Alors, pourquoi cela vous inquiète ? »

Milly y réfléchit sur le chemin du retour. Elle se dit qu'elle n'irait pas les voir à Brooklyn. Ce n'était pas juste de devoir faire tout ce chemin, simplement parce qu'ils avaient des poussettes et des sacs de couches, ce genre de chose. Elle fit quelques recherches sur Internet et trouva un endroit où bruncher dans East Village, juste à la sortie d'une bouche de métro de la ligne F.

« Coucou, écrivit-elle. Super de vous voir. Et si on se retrouvait dimanche vers midi au Four Figs ? Juste à la sortie de la ligne F, dans notre ancien quartier. Je vais réserver. »

Quelques heures plus tard, Drew répondit : « Un resto à Manhattan, c'est un peu compliqué avec les enfants, mais on va venir ! Ça sera une aventure. On se voit là-bas. J'ai HÂTE de te voir ! Biz. Drew-pie. »

Après cet échange, Milly se sentait mal chaque fois qu'elle pensait à leur rendez-vous. Elle lut le billet de Drew lorsqu'ils arrivèrent à New York : « La foule ! L'impolitesse ! Bande de connards ! New York, me revoilà et je t'aime ! » Oh, mince. La photographie de tous les quatre sur un banc devant la maison en brique de Brooklyn. Samedi soir, lors du dîner, elle informa son père qu'elle les voyait le lendemain midi.

Il sembla ne pas vraiment comprendre, comme s'il avait oublié leur dernière conversation à propos de Drew, qui elle était et le fait

426

qu'elle avait accouché de jumeaux. « Ça a l'air super, commenta-t-il.

— Je n'ai pas envie d'y aller, repartit-elle d'un ton détaché. J'en ai marre. »

Son père la regarda comme il ne l'avait pas fait depuis bien long-temps. « Viens ici, dit-il, lui faisant signe d'approcher sa tête vers lui.

— Pourquoi ?

— Montre-moi ce front. »

Elle se pencha en avant et il lui embrassa le front.

« Qu'est-ce que cela veut dire ? s'étonna-t-elle.

— Pour te remercier d'être là pour moi. Et parce que tu es très belle. »

Milly scruta le visage de son père. Son nez semblait avoir doublé de taille ces dix dernières années. *C'est l'âge*, pensa-t-elle. *Ton nez grandit.* Elle était dégoûtée à l'idée que cela puisse lui arriver, et d'ailleurs, c'était déjà le cas. Pour la première fois depuis longtemps, elle laissa les larmes couler, sa main dans celle de son père.

« Tout le monde est parti, papa. »

Il commença à hocher la tête, comme toujours, de droite à gauche, comme si son cerveau soupesait cette idée. « Beaucoup de gens sont partis, oui », finit-il par confirmer.

Milly resta lire des romans policiers idiots chez son père jusque trois heures du matin, puis avala un demi-cachet pour trouver le sommeil. Elle se réveilla, vaseuse, lorsque l'infirmière de jour sonna.

De retour chez elle, au sud de Manhattan, elle prit une douche et chercha une tenue pour s'habiller. Elle se souciait rarement de ne pas avoir acheté de nouveau vêtement depuis quatre ans environ, mais ce matin, chacun de ses choix semblait déplacé. Elle finit par opter pour un jean qui la moulait auparavant parfaitement, mais qui bâillait désormais un peu au niveau de la taille, ainsi qu'un chemi-sier rouge et jaune à la Mondrian, le vêtement le plus coloré dont elle disposait, puis enfila des bottes en cuir bleu foncé qu'elle avait considérées dans le passé comme ses « chaussures joyeuses ». Elle se maquilla, eye-liner et rouge à lèvres, pour la première fois depuis l'enterrement de sa mère, et tenta d'arranger ses cheveux avec un bandeau.

En se dirigeant vers le lieu du brunch, elle se sentit de plus en plus nauséeuse. Vraiment. Peut-être le manque de sommeil et le somnifère. Il faisait près de vingt-cinq degrés, en plein mois d'avril, et elle se mit à suer abondamment. Dans le dos, le chemisier lui collait à la peau. Elle ne traversait plus jamais son quartier le dimanche à l'heure du brunch. Il y avait trop de vie. Trop d'amour, trop de couples, trop de complicité suintant la sexualité du dimanche matin, trop de bras dessus, bras dessous, trop d'enfants et vraiment, vraiment trop d'adolescents singeant les codes du hip-hop, ce qui avait le don de la rendre dingue. Elle s'arrêta au coin d'une rue, et posa la main sur son front. Un homme lui rentra dedans et la couvrit d'insultes avant de disparaître. Elle avait des médicaments dans le sac, mais elle ne voulait surtout pas en prendre.

Elle était à peine lucide lorsqu'elle traversa la rue et les aperçut de l'autre côté de la grande baie vitrée du restaurant. Tous les quatre. Christian, les cheveux désormais poivre et sel, semblait parler au serveur. Et elle, le visage recouvert de ses grandes lunettes noires à la mode de L.A., berçait l'une des jumelles dans ses bras qui braillait.

Milly se couvrit le visage des deux mains. Elle se fit plus petite, sur le trottoir. Puis, lentement, elle recula et tourna les talons, le corps rigidifié et recroquevillé, comme pour disparaître.

« Milly ! »

Cela ressemblait à la voix de Drew, mais Milly continua son chemin. *Rentre chez toi,* se dit-elle. *Rentre chez toi.*

« Milly ! Je te vois ! Tu vas où comme ça ? »

Drew n'allait pas la laisser partir. Milly s'arrêta sur place, sans se retourner. Puis, tout à coup, devant elle : Drew, le souffle court. Milly ne l'avait pas vue depuis des années. Bien sûr, elle avait vieilli. Quelques ridules autour des yeux qui semblaient plus marquées que lors de leur dernière rencontre. Et Milly remarqua que Drew avait une tache sur son chemisier en soie, probablement l'un des bébés qui avait bavé sur elle. Mais à part ça, elle avait bonne mine. Elle avait l'air de ne pas avoir abandonné le yoga, ce qui était pourtant le cas. Elle portait de grandes lunettes noires Dior, remontées dans les cheveux, et ses orteils étaient vernis d'un rouge profond, glissés dans des sandales compensées.

Drew prit Milly dans ses bras. « Où vas-tu ? demanda-t-elle en éclatant de rire, décontenancée. Tu nous as vus dans le restaurant, non ? Franchement ! dit-elle en éclatant à nouveau de rire, puis serrant un peu plus Milly pour l'embrasser : Bonjour ! Je suis telle- ment contente de te voir ! »

Milly la dévisagea, le regard vide, incapable de trouver les mots. Derrière l'épaule de Drew, Milly aperçut Christian sortir du restau- rant avec l'un des enfants en pleurs dans les bras, faire les cent pas pour essayer de la calmer.

« Je ne me suis sentie pas bien du tout en venant ici, prétexta Milly. Je voulais rentrer chez moi et t'envoyer un message pour te dire que je ne pouvais pas venir. »

Drew fronça les sourcils. « Quoi ?

— Je ne voulais pas refiler un virus aux filles. Je n'étais pas bien tout ce week-end.

— Mais on est ensemble, là. Ne t'inquiète pas pour les filles. Viens t'asseoir avec nous au moins une petite demi-heure et prends un jus de fruits. Je veux que tu les voies. Cela fait tellement long- temps que j'attends ce moment. »

Les passants branchés déboulaient de toute part autour d'elles, des centaines de consommateurs de brunchs accros à cette fausse joie du dimanche matin. « Je ne suis pas certaine de pouvoir sup- porter cela », lâcha Milly. Puis, choquée par ses propos, elle ajouta : « J'ai vraiment eu du mal à accepter ta décision à ce sujet. »

Drew rétorqua : « Ma décision ? D'avoir des enfants ?

— Tu ne peux pas revenir en arrière, maintenant. »

Drew ouvrit la bouche pour prendre la parole, mais ne dit rien. Elle recula d'un pas, comme si quelque chose devenait, lentement, évident : « Oh, mon Dieu. En fait, Christian avait raison. »

Cela désarçonna Milly. « C'est-à-dire ? Christian avait raison à quel propos ? »

Drew continua à dévisager Milly, comme si elle scrutait de plus en plus profondément son esprit. Milly n'appréciait guère cette situation. Elle essayait de trouver sur le visage de Drew des indices lui rappelant l'amie qu'elle connaissait. Mais tout ce qu'elle voyait, c'était une étrangère glamour et supérieure – le genre de femme, le genre de mère, qui prenait trop de place et qu'elle détestait lorsqu'elle en croisait dans la rue.

Le visage de Drew se détendit tout à coup, et elle prit la main de Milly. « Viens à l'intérieur avec nous, Mille-Pattes, dit-elle doucement. S'il te plaît. »

Milly était très mal à l'aise, elle détestait se faire ainsi prier. « Je ne me sens vraiment pas bien. Je suis... je suis malade depuis quelque temps.

— Je comprends, dit Drew sans lâcher sa main. Mais viens t'asseoir avec nous. »

Milly laissa Drew la guider, main dans la main. Elles avancèrent de quelques pas, mais une vague de tristesse envahit Milly. Elle s'arrêta sur le trottoir, en pleurs. Elle se blottit dans les bras de Drew et s'épancha sur son épaule, dans son chemisier de soie.

« Tout s'est écroulé, sanglota Milly.

— Oh, chérie », répéta Drew sans s'arrêter, en lui caressant la tête. Milly entendait les conversations de la rue autour d'elles, puis cette bulle de silence lorsque les passants réalisaient que quelque chose n'allait pas. Qu'une femme pleure dans la rue un samedi soir après avoir trop bu, tout le monde comprenait, mais elle n'était pas censée ainsi se donner en spectacle en pleine matinée ensoleillée.

« Ça va ? s'inquiéta une voix de femme.

— Oui, oui, répondit Drew. Je suis avec elle. »

Milly continua de pleurer. Elle était consternée par son attitude, mais elle s'en fichait.

Finalement, elle éclata de rire. « Allez, c'est bon maintenant !

— Viens avec nous, Mills. Mange un petit quelque chose. Tu as déjà déjeuné ? »

Milly secoua la tête pour lui indiquer que non. Drew l'amena au restaurant. Comme une petite fille, Milly laissa Drew la guider jusqu'à la table où Christian nourrissait les petites bouches des bébés d'une bouillie informe. Les jumelles étaient assises côte à côte – l'une d'elles pleurait – sur des chaises surélevées, toutes deux habillées de petites robes qui devaient bien coûter 300 dollars pièce.

« Je l'ai trouvée ! » s'exclama Drew, triomphante.

Christian se leva et embrassa longuement Milly. « Ça fait tellement plaisir de te voir. Et plus jamais, tu m'entends, plus jamais on reste aussi longtemps sans se retrouver. D'accord ? »

Milly eut un petit rire gêné, elle devait avoir un air terrible après avoir ainsi pleuré. « Vous avez été très occupés, aussi », dit-elle en faisant un geste vers les deux petites jumelles en robe à smocks. L'une d'elles avait les cheveux légèrement plus foncés que l'autre.

Christian prit celle qui pleurait. « Ça, dit-il en la tendant vers Milly, c'est Erika. Erika, c'est ta tante Milly.

— Tante Milly, oh, non ! s'écria-t-elle, en essayant de caler confortablement le bébé. Ça fait vraiment vieille fille.

— Ta fabuleuse, brillante et sexy tante Mills, corrigea Drew. Une artiste new-yorkaise bohème. Comme tante Mame !

— Là, tu mets la barre trop haut », rigola Milly en s'asseyant. Erika continua de pleurer. « Allez, ça va aller, chuuuuut, chuuuuut, murmura-t-elle en caressant sa petite touffe de cheveux, ça va aller, ça va aller. » Milly la berça ainsi jusqu'à ce qu'elle se calme. Son petit visage à croquer, avec ses deux grands yeux, se détendit, et elle sembla s'endormir dans un doux rêve.

« Voilà, maintenant tu comprends pourquoi je t'ai forcée à venir ! » s'exclama Drew.

Voilà, ça recommençait, pensa Milly. Elle et Drew étaient de nouveau amies. Après le brunch et une petite balade, Drew renvoya Christian à Brooklyn avec les filles dans un taxi. Milly et elle s'installèrent dans un café pour prendre le thé. À un moment, alors que Drew cherchait une serveuse pour prendre la commande, les jambes croisées, Milly réalisa qu'elle n'avait pas vu Drew depuis si longtemps qu'elle en avait oublié jusqu'à sa beauté.

Lorsque la serveuse quitta leur table, Drew se pencha vers Milly, les bras croisés sur la table. « Tu habites toujours au Christodora ? Cela t'appartient ?

— Non, pas du tout. Il y a deux ans, son avocat m'a dit que je pouvais rester là tant que je voulais, enfin au moins un ou deux ans, si je payais les charges. Mais cela commence à faire cher. Je vais peut-être retourner chez mes parents bientôt.

— Tu ne veux pas déménager à L.A. ? Juste pour la moitié de l'année ? C'est dur l'hiver, ici. »

Milly éclata de rire. « Maintenant, les hivers ici ressemblent à ceux de L.A. ! »

Drew parut étonnée : « Tout le monde me dit cela, mais je ne l'ai jamais vécu. Cela doit être super bizarre, non ?

— Pire. C'est flippant, même. Ce monde se délite. Je suis bien contente de ne pas devoir supporter cela encore trop longtemps.

— Mille-Pattes ! Tu as cinquante ans, pas quatre-vingts. S'il te plaît, éloigne-toi un peu d'ici et viens à L.A. vivre chez nous et je te présenterai des garçons. »

Milly explosa, « Ah non, mon Dieu, pas ça !

— Boaz ! insista Drew. Il faut que tu rencontres Boaz. Allez, allez, viens.

— Et mon père ?

— Tu ne peux pas le laisser à une infirmière pendant une semaine ? »

Milly ne se faisait pas à cette idée. Elle était certaine qu'au moment où elle atterrirait à L.A., l'infirmière la contacterait pour lui dire que son père avait été hospitalisé d'urgence. « Je ne sais pas. »

Drew haussa les épaules. « L'invitation est valable à tout moment.

— Merci », ajouta Milly avant de se murer dans le silence. Elle voulait poser une question à Drew, mais elle était trop fière pour cela. Malgré tout, comme elle n'en pouvait plus, elle se décida :

« Tu as des nouvelles de Mateo ?

— Mmmh, commença Drew, comme si elle découvrait avec étonnement cette question qui planait au-dessus d'elle depuis le début. Non, pas vraiment. Il sait qu'il est toujours le bienvenu, lui et sa copine. Mais à part un smiley de temps à autre sur Internet, rien d'autre. » Elle prit un air ironique : « Mateo est trop connu pour nous, maintenant. Et toi ?

— Rien, convint doucement Milly. Aucun contact. »

Drew réfléchit. « Tu es au courant ? dit-elle.

— De quoi ?

— Qu'il va bientôt venir ici, dans quelques semaines ? À New York. Il travaille sur un projet de parc souterrain. »

Milly n'en revenait pas. « Non, je n'étais pas au courant. Comment tu le sais ?

— Il n'arrête pas d'en parler sur les réseaux sociaux. Il cherche un endroit où dormir à New York.

— Ah, d'accord. Mais nous ne sommes pas en relation. Je ne peux voir que quelques photos qui sont publiques. »

La serveuse amena le thé dans deux petites tasses. Drew caressa le rebord de la tasse du bout du doigt. « C'est peut-être l'occasion de reprendre contact avec lui. »

Rien qu'à cette idée, Milly se sentit humiliée. « Jamais de la vie. Je me suis promis, ce jour-là à L.A., de ne plus jamais le contacter, si c'était son désir. »

Drew se pinça les lèvres, gênée. « Ce gamin me rend dingue, Milly. Attends ! Ne me lance pas là-dessus. Ce n'est pas mon affaire.

— Pas de problème. Je sais que tu sais que mon cœur est brisé. Ça me suffit. »

Drew tendit le bras pour attraper la main de Milly.

En rentrant chez elle à pied, Milly se sentit légère, ce qu'elle n'avait pas ressenti depuis longtemps. Comment avait-elle pu ainsi engranger autant d'amertume envers Drew et laisser toutes ces années filer ? À l'épicerie où elle faisait ses courses, elle parla plus longtemps qu'à l'accoutumée avec la caissière.

Chez elle, elle consulta les pages Arts sur Internet. Elle découvrit en effet qu'il allait travailler sur le projet UnderPark, situé à même pas dix minutes du Christodora. Dans le quartier où il avait grandi. Une ou deux semaines plus tard, Milly se demanda s'il était déjà à New York. Puis, elle apprit en ligne qu'il était arrivé. Le journaliste qu'il avait rencontré lui avait posé des questions sur ses parents. Il avait répondu : « Je crois qu'ils n'en pouvaient plus de moi. » Et : « Je leur en ai fait vraiment voir de toutes les couleurs. »

Tu as raison pour cette dernière phrase, mon vieux, pensa-t-elle. Mais à la lecture de la première citation, elle avait envie de lui crier : Tu *n'en pouvais plus de* moi. *Sois au moins honnête avec toi-même.*

Milly ne parvenait pas à oublier qu'il était si près de chez elle. Lorsqu'elle se baladait dans le quartier, elle avait peur de le croiser. Puis, un jour, elle prit un large chapeau et des lunettes noires couvrantes et se dirigea vers le site de l'UnderPark. L'entrée était bien évidemment gardée et non ouverte au public. Elle s'installa sur un banc dans un bar, près de la fenêtre, sur le trottoir d'en face, et commanda un thé glacé. Elle détaillait chaque personne qui passait la sécurité du site.

Tout à coup débarqua ce type, Char, le transsexuel noir avec qui il travaillait. Il sortit de l'endroit en s'essuyant les mains avec un chiffon. Char se retourna, dit quelque chose, puis, quelques instants plus tard, juste derrière Char, il apparut. Oh, mon Dieu, pensa Milly, c'était lui. Il avait vingt-neuf ans ! Oh, regarde ! Si beau et si mince, les bras couverts de tatouages ! Il faisait du sport maintenant. Ce n'était plus le gamin maigrelet et drogué de ses souvenirs, cet enfant qui lui causait tant de nuits blanches. Si beau, et en bonne santé ! Avec un bandana rouge sur la tête, comme à l'époque où il faisait du skate. Elle n'en revenait pas.

Elle réalisa alors, à sa plus grande terreur, qu'ils venaient dans sa direction – ils faisaient une pause au bar. Elle déguerpit de l'établissement, tournant la tête et le cou vers la gauche, cachée par ses lunettes et son chapeau. Elle se pressa jusqu'au coin de la rue, où elle s'autorisa à se retourner. Elle ne les voyait plus. Milly rentra chez elle abasourdie de l'avoir vu, soulagée de constater qu'il avait l'air en bonne santé, espérant qu'il ne l'avait surtout pas reconnue.

« Pourquoi n'avez-vous rien dit ? lui demanda Gallegos deux jours plus tard.

— Vous plaisantez ? Je ne suis pas maso. Je n'ai pas besoin de m'humilier ainsi. »

Quatre à cinq jours plus tard, la ville connut de terribles averses de début d'été ainsi que des inondations. Milly emmena son père chez lui et y dormit pendant deux nuits d'affilée. Mais lorsqu'elle retourna chez elle, elle fut réveillée au Christodora par le bruit familier des chiens qui aboyaient et des enfants qui jouaient dans le parc. Elle se dirigea vers la fenêtre. C'était la fin du mois de mai et les températures dépassaient déjà les vingt degrés. Quelle heure était-il ?

Elle jeta un œil à sa tablette. Dix heures du matin. *Grands dieux*, pensa-t-elle, *je sens déjà la chaleur*. Elle observa distraitement les gens filer à travers le parc pour se rendre à leur travail. Les clochards du quartier étaient déjà en petits groupes, un gobelet de café en main. Un beau jeune homme aux cheveux noirs était assis sur un banc, occupé à lire sa tablette. Il portait un t-shirt, un jean et des baskets blanches.

Puis il leva la tête et regarda en direction de la fenêtre de Milly.

Elle se leva et recula, le cœur affolé, la main sur la bouche. C'était lui ? Ou était-elle devenue folle ? Elle se rapprocha lentement de la fenêtre, jetant un œil discret. Le jeune homme était parti.

Puis la sonnette retentit.

Elle resta figée sur place, abasourdie. La sonnette, à nouveau. Elle alla à la porte et appuya sur le bouton. « Qui est-ce ? demanda-t-elle.

— Mateo, dit une voix. Je viens de t'apercevoir. »

Elle s'appuya contre le mur. Puis réactiva le bouton : « Qu'est-ce que tu veux ? »

— Je peux monter pour discuter ?

— Laisse-moi quelques minutes. »

Elle alla s'asseoir sur le canapé. Tout à coup cette décennie de solitude et d'amertume explosa en elle comme un tsunami. *Des années perdues, des années perdues !* pensa-t-elle, serrant les poings. Pourquoi devrait-elle lui parler maintenant ?

Elle retourna péniblement à la fenêtre. Mateo s'était réinstallé sur le banc, tournant le dos au Christodora.

Milly ouvrit la fenêtre. « Je descends dans une minute ! » lui cria-t-elle. Il se retourna et lui fit un signe de la main pour lui indiquer qu'il l'attendait.

Elle se lava le visage, se brossa les dents, se coiffa d'une queue-de-cheval. Elle enfila un jean, un tee-shirt et des ballerines, s'engouffra dans l'ascenseur, descendit les sept étages, sortit de l'immeuble, traversa l'Avenue B, et entra dans le parc pour rejoindre Mateo sur son banc.

Mateo l'observa à distance, le visage fermé. Elle pensa tout de suite : *Quel beau garçon j'ai élevé.* Ensuite, elle remarqua qu'il avait des tempes grisonnantes et les sourcils épais. Elle était tellement soulagée qu'il ne ressemble plus à un épouvantail.

Elle s'assit sur le banc, à quelques dizaines de centimètres de lui. « Tu ressembles à toutes les photos que l'on voit en ligne. » Elle n'avait rien trouvé d'autre à dire.

Mateo lui sourit doucement. Milly passa son index sur son jean. Parfois, elle lui jetait un regard. Il regardait ses pieds, au niveau desquels était posée sa tablette, qui était passée en mode « veille » et diffusait des arabesques compliquées.

Milly remarqua que le gardien, Ardit, nettoyait le trottoir devant l'immeuble. Il n'arrêtait pas de leur lancer des regards, en essayant de rester discret. « Ardit nous espionne », dit-elle.

Mateo eut un petit rire, comme s'il était mal à l'aise. Puis tous deux restèrent assis en silence.

« Merci d'être descendue, lâcha Mateo, la voix éraillée.

— Je ne sais pas pourquoi, mais c'était plus facile pour moi de descendre que de te faire monter.

— Pas de problème. » Mateo se racla à nouveau la gorge. « Je ne voulais pas te prendre par surprise. En fait, je voulais t'appeler avec ça, dit-il en désignant sa tablette. Pour voir si tu étais d'accord pour discuter.

— Aucun problème.

— Mais quand je t'ai vue à la fenêtre, je me suis levé et j'ai été sonner. C'était un peu idiot. » Il détourna à nouveau son regard. *Il ne m'a quasiment pas regardée dans les yeux*, constata Milly.

« Non, non, ça va, dit-elle. Enfin, on est bien là. Tout est OK. »

Mais Mateo ne relevait pas les yeux, ce qui faisait souffrir Milly. « Tu es beau, continua-t-elle en essayant de paraître plus enjouée. Tu as l'air en forme. Tu es en forme, n'est-ce pas ?

— Oui, oui, je suis plutôt en forme, dit-il, les yeux toujours baissés. Ça fait dix ans que je suis sobre, maintenant.

— Je sais. Drew me l'a dit. C'est génial. Et tu as vraiment bien réussi. »

Il leva enfin les yeux vers elle. Ils étaient rouges. « Toi aussi, tu es belle.

— Oh, je t'en prie ! protesta-t-elle. Je suis une vieille femme. Ravagée par le temps qui passe !

— Non. T'es vraiment belle. Peut-être devrais-tu juste un peu plus manger, par contre. »

Milly éclata de rire. « Eh bien, maintenant tu sais ce que je ressentais chaque fois que je te regardais. »

Mateo rit enfin à son tour, doucement. « C'est vrai. Balle au centre. » Il lui lança un regard amusé, puis se détourna à nouveau.

Elle brisa le silence : « Comment avance ton projet à Under-Park ? »

Un échange de regards. « Bien, super. On a pris du retard avec la pluie. On a dû faire une pause pendant quatre jours, le temps qu'ils remédient à tout ça.

— Remédient ! Ils utilisent ce terme-là ?

— Oui...

— C'est technique », plaisanta-t-elle.

Il éclata de rire. « Ouais. Très technique, très polytechnique, très technocrate. Des feuilles peintes sur un mur.

— Oh, je suis certaine que c'est bien plus que cela. J'ai vu ton travail avec ce peintre, ton associé. C'est beau.

— Char ? Oui, ça marche bien avec elle. Enfin, avec lui. Je me plante toujours sur les pronoms.

— Ça doit être difficile de faire autrement. Après avoir connu quelqu'un aussi longtemps.

— Juste les pronoms, en fait. Char a toujours été plus ou moins un mec, depuis le premier jour où je l'ai rencontré. »

Un autre silence. Ardit prenait vraiment son temps pour nettoyer le trottoir aujourd'hui, se dit Milly. Elle trouvait cela très drôle de vivre dans un immeuble doté d'un gardien. Ces gens-là n'avaient pas besoin de voir grand-chose pour comprendre la vie des habitants.

« Et toi ? interrogea enfin Mateo. Ça va ? »

Milly soupira. « Ces dernières années n'ont pas été faciles. Bubbe est morte.

— Ouais, je sais », marmonna-t-il. Il avait honte, Milly en était certaine, car il n'avait pas repris contact à ce moment-là.

« Cela a été terrible, très éprouvant, continua Milly. Et Zayde devient sénile maintenant. Il faut lui consacrer beaucoup de temps. »

Il la regarda puis hocha la tête.

« Donc, non, je ne vais pas te mentir. Ces derniers temps, c'est dur. Depuis plusieurs années, en fait. La vie est juste tellement... vide. » Milly ne voulait pas l'accabler particulièrement, mais elle n'avait pas envie de faire semblant que son existence ressemblait à un smiley.

Tout à coup, Mateo pivota vers elle, les yeux embués. « Tu peux accepter des excuses de ma part ? »

Milly fut prise de court. Elle recouvra ses esprits, puis soupira. Si seulement il pouvait comprendre qu'il n'était pas simplement question d'excuses, pensa-t-elle. C'était bien plus que cela, toutes ces années ensemble, et comment elle avait été happée ensuite dans ce trou noir.

« Tu veux juste que je la ferme et que je m'en aille ? demanda-t-il.

— Non, non. C'est que… Je souffre depuis si longtemps, Mateo. Vraiment, je souffre énormément.

— Je sais, je sais », dit-il, comme acculé. Je sais, et je ne voulais pas te faire de mal. Seulement… je n'ai jamais, jamais compris pourquoi tu m'as adopté, pourquoi tu voulais de moi, et pourquoi tu me laissais tout passer. J'ai tellement déconné, à un tel point que je ne pouvais plus te regarder en fait. Je ne savais pas quoi faire, à part être seul. Chaque fois que tu posais tes yeux sur moi, tout ce dont je me souviens, c'est que j'y voyais de la déception et de la pitié.

— De la *pitié* ? l'interrompit Milly. Tu y voyais de la pitié ? Et tu penses que c'est pour cette raison que je t'ai adopté ?

— Autrement, pourquoi tu aurais adopté un putain d'orphelin né d'une mère sidéenne alors que tu aurais pu avoir ton propre enfant ? Bubbe t'a amenée à ce foyer à Brooklyn un jour, tu m'as vu, et tu as fini par me prendre chez toi par simple pitié.

— Je suis tombé *amoureuse* de toi, Mateo, rétorqua Milly, agacée de ne pas avoir été claire dans ses intentions. Je suis tombée amoureuse d'un petit garçon avec des cheveux en pagaille, une boîte de crayons de couleur et du papier kraft. Et je ne voulais pas donner naissance à un enfant, car je ne voulais pas qu'il vive les mêmes tourments que moi et ma mère, à cause de notre *maladie* mentale congénitale. Alors j'ai préféré porter mon amour sur toi, tu comprends ? »

Milly inspira longuement, comme groggy à cause de cette révélation. « Je t'ai donné cet amour », ajouta-t-elle.

Mateo resta silencieux, jouant du doigt sur sa tablette. « Alors, pourquoi tu ne me l'as jamais dit ?

— Je pensais que c'était évident. Chaque jour, je te prenais par la main et je te promenais au parc. Mateo, ces premières années avec toi, ce sont les plus belles de ma vie. »

Il leva les yeux vers elle. « Vraiment ?

— Vraiment. Mais lorsque tu as atteint un certain âge, tout à coup, je pense que tu t'es mis à te poser des questions…

— Oui ! C'est vrai ! s'écria-t-il, agité. C'est à ce moment-là que cela a commencé, vers quatorze ou quinze ans.

— Voilà, continua Milly. Et tu sais quoi ? Tu sais quoi ? On aurait dû le sentir, on aurait dû consulter un thérapeute tous ensemble plutôt que de te faire porter tout ce poids sur tes épaules et te laisser y aller seul. On aurait dû en parler ensemble à l'époque. Mais… »

Milly était en larmes ; c'était si dur pour elle de mettre enfin des mots sur quelque chose qu'elle n'avait pas compris à l'époque.

« J'avais sûrement peur de toi, et j'ai reculé. J'avais tort, j'avais tort. Et puis tu as pris de la drogue, et là, j'étais terrifiée. »

Mateo fixait Milly, les yeux écarquillés. « Toutes ces années, c'est comme un brouillard. Des années perdues.

— Et puis tout à coup, tu t'es retrouvé dans ce centre en Californie, et tu m'as dit que tu ne voulais pas revenir. Quand un gamin grandit et annonce qu'il veut vivre seul, qu'est-ce qu'une mère peut faire ? »

Mateo ferma la bouche, pensif. « Tu te considérais vraiment comme ma mère ?

— Tu es vraiment une tête de bois ! » s'exclama-t-elle.

Mateo éclata de rire. « Non, mais je ne sais pas si Jared pensait la même chose. »

Ah, bon Dieu, pensa Milly. Ça y est, il a prononcé le mot interdit. « Je ne parle pas en son nom, répondit-elle d'un ton ferme. Je parle pour moi. Millimaman. Celle au cœur brisé. »

Mateo lui jeta un regard de travers. « Tu as vraiment le cœur brisé, tu sais. Cela me rendait dingue.

— Eh bien, cela rendait… » Milly se surprit à s'apprêter à dire le prénom de J. « Cela le rendait dingue aussi. Il se moquait tout le temps de moi à ce sujet.

— Tu lui parles encore ?

— Non. Enfin, par avocat interposé uniquement.

— Je peux revenir à ma question de départ ?

— C'était quoi ? Je ne m'en souviens plus. J'ai la tête qui tourne.

— Est-ce que tu peux me pardonner d'avoir été un connard et d'avoir ruiné quatre années de ta vie ? »

Elle le dévisagea à nouveau. *Je n'en reviens pas d'avoir élevé ce jeune homme, se disait-elle. C'est le même gamin qui assortissait frites et condiments dans ses plats ? Qui agitait ses petits pieds en l'air quand il dessinait ? Mon Dieu,* pensa-t-elle, avec une légère pointe d'angoisse. *La vie file, elle s'échappe comme du sable dans des mains, et j'en suis à plus de la moitié.*

« Je suis contente que cela soit fini, dit-elle. C'est vraiment fini ?

— C'est vraiment fini. Enfin…

— Je sais, je sais, l'interrompit Milly. À chaque jour suffit sa peine. Drew me l'a déjà répété des milliers de fois. C'est fini pour aujourd'hui. »

Son ton était enjoué, presque chantant, et il éclata de rire. « Mais c'est quand même vraiment fini, n'est-ce pas ? répéta-t-elle.

— Oui. Vraiment.

— Bon, alors je te pardonne. » Elle marqua une pause. « Je n'en reviens pas que pendant toutes ces années tu aies pensé que nous t'avions adopté par simple *pitié*. Si c'est ce que tu pensais vraiment, alors cela explique beaucoup de choses. »

Il lui lança un regard bienveillant. « Il n'y avait pas la moindre trace de cela ? »

Elle ouvrit la bouche pour protester. Puis elle réfléchit, les paumes vers lui. « Mateo, je suis une femme de la petite-bourgeoisie juive new-yorkaise, une libérale de la vieille école. On n'en fait plus des comme moi. Souviens-toi de ma mère ! se défendit-elle.

— C'est exactement ce que je veux dire !

— Je vois ce que tu veux dire. Mais je ne pense pas que le terme de pitié soit exact. Je suis venue te voir avec *bubbe* et j'ai vu un petit garçon sans maison, qui avait perdu sa mère, et bourré de talent. Et il s'est avéré que j'avais besoin de toi, même si je ne le savais pas encore. Et plus je revenais te voir, plus je devenais amoureuse de toi. »

Mateo finit enfin par la regarder droit dans les yeux, le visage doux et reposé. Il lui tendit son poing serré.

« Ça veut dire quoi ? » questionna Milly.

Il fronça les sourcils. « On se checke. Tu ne te souviens pas, les Obama ?

— Je n'ai jamais checké personne.

— Eh bien, voilà. »

Milly cogna son poing contre celui de Mateo.

Il sourit. « Pas mal, pour une première.

— Ah oui ?

— Y a pire. »

Ils restèrent silencieux un bon moment. Milly se sentait à la fois essorée et soulagée, comme si elle venait de courir un marathon. Puis, une pensée lui traversa l'esprit.

« J'ai quelque chose pour toi, en haut », déclara-t-elle.

Un éclair de panique passa dans ses yeux. « Je ne suis pas certain d'être prêt à retourner dans l'appartement après toutes ces années.

— Tu veux parler de la sculpture que tu as renversée ? »

Il posa une main sur son front. « Oh non, putain, pas ça. »

Milly explosa de rire. « Tu n'imagines pas à quel point ce souvenir m'a rendue joyeuse ces dernières années. Une fois oubliée la terreur initiale. »

Il secoua la tête, la bouche esquissant un sourire. « S'il te plaît, pas ça.

— Attends-moi ici », lui intima-t-elle. Dans le hall d'entrée, elle sourit timidement à Ardit en attendant l'ascenseur.

« Retrouvailles, commenta-t-il.

— Un truc du genre, oui », acquiesça-t-elle.

Là-haut, elle sortit le Polaroïd des pages d'un livre qu'elle gardait soigneusement sur une étagère, puis la glissa dans une petite enveloppe. Elle redescendit pour s'asseoir à nouveau à ses côtés. Elle la lui tendit.

« Cela fait bien longtemps que tu ne l'as pas vue », dit-elle.

Il lui lança un regard furtif et ouvrit l'enveloppe. Il observa le Polaroid, puis enfouit son visage dans ses mains. C'est à cet instant qu'elle remarqua les petites lettres tatouées sur ses doigts : I, S, S et Y.

« Issy Mendes », murmura-t-il, le visage toujours caché.

Elle se rapprocha de lui, passa son bras autour de son épaule et lui caressa la tête tandis qu'il pleurait. « Oui, dit-elle. Merci, Issy Mendes. »

Trois jours plus tard, Milly se rendit à nouveau à UnderPark. « Je suis la mère de Mateo Mendes, annonça-t-elle au gardien.

— Je suis au courant, il m'a prévenu », répondit l'officier de sécurité en lui faisant signe d'entrer.

Milly descendit un petit passage bétonné qui s'enfonçait sous la terre, dans la pénombre. Du vieux bois et des pierres formaient une voûte autour d'elle. Puis le chemin donnait sur un jardin de la taille d'un parking, baigné dans une lueur sépulcrale filtrée par le toit. Des ouvriers s'affairaient de tous les côtés, occupés à paver le sol, à amener des plantes, à monter des tuiles sur les échafaudages.

« C'est irréel ! s'écria-t-elle en direction du gardien. Qu'est devenu le vieux Lower East Side abandonné dont tout le monde se fichait ?

— Cela fait bien longtemps qu'il n'existe plus. » Il la guida jusqu'au coin opposé du jardin, où était disposé ce grand établi de découpe. La moitié d'un des murs brillait de dizaines de milliers de petites feuilles peintes, de couleur bleu et vert argenté.

Mateo était sur un échafaudage. Il lui tournait le dos.

« Mateo, ta mère est là ! » hurla le gardien.

Mateo se retourna : « Hé ! » cria-t-il à son tour en faisant un signe de la main. Char et lui descendirent, s'essuyèrent les mains dans un chiffon, et se dirigèrent vers Milly. Mateo poussa un établi de découpe afin qu'elle puisse pénétrer dans leur espace de travail.

« Milly, je te présente Charlie Gauthier. Char, voilà Milly Heyman, ma mère. »

Une femme qui discutait avec deux assistants un peu plus loin s'approcha.

« Millicent Heyman ! s'exclama-t-elle, les bras grands ouverts. Mais où étais-tu donc passée tout ce temps ? »

Milly rougit de honte et de plaisir. C'était Ruby Levin, la directrice du Creative Production Fund, un fonds d'aide aux artistes. Elle faisait partie des nombreuses personnes avec qui Milly avait coupé les ponts ces dernières années. Ne pas aller aux vernissages, ne pas répondre aux e-mails, perdre des amitiés.

Milly la prit dans ses bras. « Je suis nulle, je sais. Tu me pardonnes ?

— Mais tais-toi ! railla Ruby. Te pardonner ? Je suis juste si heureuse de te revoir. Je vais te trouver plein d'argent lors de notre prochaine levée de fonds, cet automne.

— Je ne suis plus bonne à rien ! protesta Milly.

— Tais-toi, je te dis ! » rigola Ruby. Elle recula d'un bas, les bras encore largement ouverts. « La mère et son fils, deux artistes sur le même site de production ! J'adore ! »

Embarrassée, Milly se retourna vers Charlie. « Très heureuse de te rencontrer. Tu as un talent fou. »

Charlie lui serra la main, et la prit brièvement dans les bras. « Moi aussi, très content de vous rencontrer. Cela fait longtemps que j'attends ce moment. »

Mateo baissa les yeux, rougissant. Tout le monde resta calme un moment.

Ruby, bien sûr, brisa le silence. « Qu'est-ce que tu penses de cette beauté ? demanda-t-elle à Milly en désignant les feuilles brillantes.

— Incroyable. » Elle les examina, clignant des yeux, comme si elles perçaient son regard. « On dirait qu'elles dansent sur le mur.

— C'est à cause de la peinture que l'on utilise, précisa Char. C'est super spécial.

— C'est la peinture la plus chère jamais créée dans l'histoire de l'humanité, dit Ruby.

— Mais comment... » commença Milly. Elle n'arrivait pas à détacher ses yeux de cette forêt ondoyante de petites feuilles. « Comment...

— Montre-lui, Mateo, proposa Char. Fais-la monter et montre-lui.

— Viens, regarde la peinture de plus près, ajouta Ruby.

— Mais...

— Viens. » C'était Mateo. Il prit Milly par la main, et l'amena à l'échafaudage.

« Ça fait combien ? questionna Milly. Dix mètres de haut ?

— Onze mètres, pour être précis. Monte par l'échelle, déjà, je vais te suivre.

— C'est flippant ! » cria-t-elle en gloussant. Elle se sentait comme ivre, un peu folle.

Milly réussit à monter jusqu'en haut de l'échafaudage puis, lentement, osa se retourner. « Oh, mon Dieu, C'est comme regarder au-dessus de la cime des arbres ! C'est si beau. »

Mateo la rejoignit en haut. « Fais-leur un signe », l'engagea-t-il, et ils agitèrent la main en direction de Char, de Ruby et des autres.

— C'est dingue, non ? hurla Ruby. Bientôt, tout cet espace ressemblera à une canopée. De magnifiques arbres souterrains », dit-elle en faisant un large geste englobant l'endroit.

Milly observa la peinture dans un bidon, remplie de riches veines iridescentes de vert, de bleu et d'or. « C'est vraiment une peinture magique, s'émerveilla-t-elle.

— Alors, expliqua Mateo en prenant un pochoir représentant une forme de feuilles découpées, je place le pochoir de cette façon, à cheval sur ce qui est déjà fait. Comme... ça. » Il posa le pochoir à moitié sur une partie vierge du mur, là où il s'était arrêté. « Et ensuite... Tiens, je garde le pochoir bien calé. Prends un pinceau, et essaie.

— Je vais tout te ruiner, protesta Milly.

— Impossible. C'est du pochoir. C'est un jeu d'enfant. »

Milly plongea l'épais pinceau dans le bidon, le ressortit couvert de peinture qui brillait lorsqu'on la mélangeait. Elle était fascinée. *Ah, la peinture !* pensa-t-elle. *La beauté des peintures encore dans leur pot.* « On croirait de la poussière de diamant. » La peinture brillait de mille feux au bord du pinceau.

« Maintenant, viens par là », conseilla Mateo.

Milly apposa le pinceau contre le pochoir, et le fit descendre, laissant des traces de peinture iridescente dans son sillage.

« Non, non, la reprit Mateo, donne des petits coups, comme ça. » Il posa sa main sur la sienne et esquissa quelques petites touches, comme s'il titillait la surface. « Tu vois comme les couleurs s'ouvrent ? Regarde, le bleu se met à apparaître. »

Il avait raison. Du bleu et du vert surgirent derrière l'argenté, et lorsqu'il retira le pochoir, de nouvelles feuilles dansaient devant les yeux de Milly.

« Je n'ai jamais vu quelque chose comme cela », s'extasia-t-elle.

Mateo recula d'un pas, lui tendit le pochoir et le large pinceau. « Voilà. À ton tour. »

Remerciements

Merci à Susan Golomb et Scott Cohen de la Writers House, à Morgan Entrekin et Peter Blackstock de chez Grove Atlantic qui ont tous cru en L'Immeuble Christodora et m'ont aidé à le peaufiner. Et également à Grove Atlantic, Deb Seager, John Mark Boling, Judy Hottensen, Elisabeth Schmitz et Becca Putman, avec qui j'ai pris énormément de plaisir à travailler afin de rendre ce livre disponible au grand public.

Plusieurs rédacteurs en chef m'ont fait confiance avant et pendant l'écriture de ce livre, et je les considère désormais comme des amis : Walter Armstrong, Laura Whitehorn, Jennifer Morton, Oriol Gutierrez, Carl Swanson, Jesse Oxfeld, Aileen Gallagher, Jebediah Reed, Noreen Denny Lee, Aaron Hicklin, Jeffries Blackerby, Jesse Ashlock, Maura Egan, Kai Wright et Sally Chew.

L'Immeuble Christodora est une fiction largement inspirée de l'histoire des activistes ayant lutté contre le sida aux États-Unis, et particulièrement à New York. Afin de coller au plus près de la réalité, je dois beaucoup à ces documentaires incroyables qui sont How to Survive a Plague, de David France, ainsi que United in Anger, de Jim Hubbard, sans oublier l'incroyable travail mené par Sarah Schulman, et mis à disposition en ligne, au sein de l'ACT UP Oral History Project. Et une pensée émue à tous les gens du magazine POZ, pour avoir couvert la maladie pendant plus de vingt ans et pour avoir constitué ce qui, pour un journaliste freelance, ressemble à une véritable deuxième famille.

Je suis infiniment reconnaissant à Sarah Burnes, qui a toujours eu le cœur sur la main et a lu en premier ce livre, afin de me conseiller sur les coupes et les développements à y apporter. Merci à mes autres tout premiers lecteurs : Mark Leydorf, Maria Striar, Jeffrey Golick et James Hannaham. Tous font partie de mon premier cercle d'amis, une famille à part entière, tout comme Clint Ramos et Jason Moff, Cathay Che, Cara Buckley, Stephen Best, John Polly, Christian Del Moral, Mike Ackil et Diana Scholl. Mon amour et ma gratitude envers eux transparaissent à chaque page de ce livre.

Ces vingt dernières années, j'ai rencontré et interrogé tant de gens qui ont vécu, survécu ou se sont battus avec le sida ou la séropositivité, une maladie qui a marqué toute ma vie d'homosexuel adulte et citadin. Beaucoup d'entre eux ne sont plus en vie, et ceux qui sont encore là ont vécu des moments difficiles. Je porte chacun de leurs mots en moi, et leurs paroles m'ont poussé à écrire ce livre qui, je l'espère, parvient à retranscrire ce que ces gens ont réussi à faire, individuellement et collectivement, alors qu'ils étaient dos au mur.